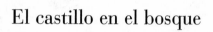

El castillo en el bosque

Norman Mailer

El castillo
en el bosque

Traducción de Jaime Zulaika

EDITORIAL ANAGRAMA

BARCELONA

Título de la edición original:
The Castle in the Forest
Random House
Nueva York, 2007

Diseño de la colección:
Julio Vivas
Ilustración: «Líbranos del mal», niña con esvástica, póster americano de la
    Segunda Guerra Mundial, anón., *c.* 1942 / National Archives Trust,
    Pennsylvania, USA / The Bridgeman Art Library

Primera edición: noviembre 2007
Segunda edición: noviembre 2007

ISBN: 978-84-339-7460-0
Depósito Legal: B. 53080-2007

Printed in Spain

Liberdúplex, S. L. U., ctra. BV 2249, km 7,4 - Polígono Torrentfondo
08791 Sant Llorenç d'Hortons

A mis nietos Valentina Colodro, Alejandro Colodro,
Antonia Colodro, Isabella Moschen, Christina Marie Nastasi,
Callan Mailer, Theodore Mailer, Natasha
Lancaster, Mattie James Mailer, Cyrus Force Mailer,
y Eden River Alson, así como a mis ahijados
Dominique Malaquais, Kittredge Fisher, Clay Fisher,
Sebastian Rosthal y Julian Rosthal

Libro I

La búsqueda del abuelo de Hitler

1

Pueden llamarme D. T. Es la abreviatura de Dieter, un nombre alemán, y D. T. servirá, ahora que estoy en Estados Unidos, un país curioso. Si recurro a mis reservas de paciencia es porque el tiempo aquí transcurre sin sentido para mí, un estado que a uno le incita a rebelarse. ¿Será porque estoy escribiendo un libro? Entre mis colegas de antaño, tuvimos que jurar que nunca tomaríamos una iniciativa semejante. Al fin y al cabo, yo era miembro de un grupo de inteligencia incomparable. Clasificado como las SS, Sección Especial IV-2a, estaba bajo la supervisión directa de Heinrich Himmler. Hoy se le considera un monstruo y no tengo intención de defenderle: resultó ser un auténtico monstruo. No obstante, Himmler poseía una mente original y una de sus tesis guían mis propósitos literarios, que no son, lo prometo, rutinarios.

2

La habitación que Himmler utilizaba para hablar a nuestro grupo de élite era una pequeña sala de conferencias con paneles oscuros de nogal, que sólo contenía veinte asientos distribuidos en gradas de cuatro filas de cinco asientos. No haré hincapié, sin

11

embargo, en estas descripciones. Prefiero ocuparme de los conceptos heterodoxos de Himmler. Puede que incluso me hayan estimulado a iniciar unas memorias que no pueden sino provocar desasosiego. Sé que voy a navegar en un mar turbulento, porque debo desarraigar muchas creencias convencionales. Una disonancia brota en mi espíritu al pensarlo. Como oficiales de inteligencia, a menudo buscamos deformar nuestros hallazgos. La falsedad, en definitiva, posee su propio arte, pero la que asumo es una empresa que me exigirá renunciar a tales habilidades.

¡Basta! Les presentaré a Heinrich Himmler. Los lectores deben prepararse para una ocasión nada fácil. Este hombre, cuyo apodo, a sus espaldas, era Heini, en 1938 se había convertido en uno de los cuatro dirigentes de Alemania realmente importantes. Pero su actividad intelectual más preciada y secreta era el estudio del incesto. Dominaba nuestra investigación a alto nivel, y nuestros descubrimientos sólo se revelaban en conferencias cerradas. Heini exponía que el incesto siempre había estado muy extendido entre los pobres de todos los países. Hasta nuestro campesinado alemán se había visto aquejado, sí, incluso en una época tan tardía como el siglo XIX.

–En general, nadie hablaba de este tema en los círculos ilustrados –observaba–. ¿Quién se molestaría en declarar que un pobre diablo era un vástago confirmado del incesto? No, la clase dominante de cada nación civilizada procura esconder estos hechos debajo de la alfombra.

Es decir, todos los altos funcionarios del gobierno, excepto nuestro Heinrich Himmler. Detrás de sus infortunadas gafas fermentaban las ideas más extraordinarias. Debo repetir que para un hombre con una jeta anodina y sin barbilla, exhibía, desde luego, una mezcla frustrante de inteligencia y estupidez. Por ejemplo, se declaraba pagano. Vaticinaba que la humanidad disfrutaría de un futuro saludable en cuanto el paganismo se apoderase del mundo. El alma del mundo entero se vería enriquecida por placeres hasta entonces inaceptables. Sin embargo, ninguno de nosotros podía concebir una orgía donde la carnalidad cobrase un grado tan intenso que se pudiera encontrar a una mujer dispuesta a revolcarse con Heinrich Himmler. ¡No, ni siquiera el espíritu más innovador! En efecto, siempre veías su cara como debió de haber sido en un baile estudiantil, con aquella mirada miope y censuradora de un joven alto, delgado y físicamente inepto al que nadie saca a bailar. Heini tenía ya barriga. Y allí estaba, dispuesto a esperar junto a la pared mientras el baile continuaba.

Aun así, con los años se obsesionó con asuntos distintos que no osaba mencionar en voz alta (debo decir que esto suele ser el primer paso hacia un pensamiento nuevo). De hecho, prestó una atención especial al retraso mental. ¿Por qué? Porque Himmler profesaba la teoría de que las mejores posibilidades humanas se acercan mucho a lo peor. Por ende, estaba dispuesto a admitir que niños prometedores, nacidos en el seno de familias humildes y vulgares, podían ser «incestuosos». La palabra alemana que él acuñó fue *Inzestuarier*. No le gustaba la más común para denominar esta deshonra: *Blutschande* (escándalo de sangre), ni la que a veces se empleaba en círculos educados, *Dramatik des Bluttes* (drama de sangre).

Ninguno de nosotros se consideraba suficientemente cualificado para decir que esta teoría era refutable. Incluso en los primeros años de las SS, Himmler había reconocido que una de nuestras necesidades principales era desarrollar grupos de investigación excepcionales. Teníamos la obligación de investigar hasta el fondo. Como Himmler lo expresó, la salud del nacionalsocialismo dependía de nada menos que de aquellas *letzte Fragen* (últimas preguntas). Teníamos que explorar problemas que otros países ni siquiera abordaban. El incesto encabezaba la lista. El pensamiento alemán tenía que recobrar su rango de inspiración que guiaba al mundo culto. A su vez –tal como indicaba su emparejamiento tácito–, había que conceder un gran reconocimiento a Heinrich Himmler por su profundo estudio de

13

problemas que se originaban en el medio agrícola. Hacía hincapié en el punto subyacente: sin comprender al campesino apenas se podía investigar la agricultura. Pero entender al labriego significaba hablar del incesto.

Aquí, les prometo, levantaba la mano con exactamente el mismo pequeño gesto que Hitler hacía: un cursi floreo de la muñeca. Era el modo que Himmler tenía de decir: «Ahora viene la carne. Y con ella... ¡las patatas!» Y proseguía su perorata.

–Sí –decía–, ¡incesto! Es una excelente razón para que los viejos campesinos sean devotos. El miedo intenso de un pecador tiene que manifestarse por uno de estos dos extremos: devoción absoluta a la práctica religiosa. O nihilismo. De mi época de estudiante recuerdo que el marxista Friedrich Engels escribió: «Cuando la Iglesia católica decidió que era imposible evitar el adulterio, hizo imposible obtener el divorcio.» Una observación lúcida aunque provenga de la boca incorrecta. Otro tanto cabe decir del escándalo de sangre. Es también imposible evitarlo. De modo que el campesino procura seguir siendo devoto.

Asintió. Volvió a asentir como si dos buenos movimientos de cabeza fueran el mínimo necesario para convencernos de que nos hablaba desde los dos lados de su corazón.

¿Cuántas veces, preguntó, podía el campesino medio del siglo pasado evitar aquellas tentaciones de la sangre? A fin de cuentas, no era tan fácil. Había que decir que los campesinos no solían ser personas atractivas. El duro trabajo les estropeaba las facciones. Además, apestaban a campo de labranza y a establo. Los olores corporales estaban a merced de los veranos calurosos. En semejantes circunstancias, los instintos básicos ¿no desatarían inclinaciones prohibidas? Vista la escasez de su vida social, ¿cómo iban a adquirir la capacidad de abstenerse de enredos con hermanos y hermanas, con padres e hijas?

No se puso a hablar del revoltijo de miembros y torsos formado por tres o cuatro niños en una cama, ni de la patosa naturalidad de la tarea más agradable de todas –aquella jadeante y febril escalada, tan carnal, de las laderas del gozo físico–, pero declaró:

–Les guste o no, bastantes individuos del sector agrícola llegan a ver el incesto como una opción aceptable. ¿Quién, después de todo, es el que tiene más probabilidades de encontrar especialmente atractivos los rasgos honorables, endurecidos por el trabajo, del padre o del hermano? ¡Las hermanas, por supuesto! O las hijas. A menudo son las únicas. El padre que las ha engendrado sigue siendo el foco de su atención.

Hay que reconocérselo. Himmler llevaba dos decenios acumulando teorías en su cabeza. Gran admirador de Schopenhauer, daría también gran importancia a una palabra aún relativamente nueva en 1938: *genes*. Dijo que aquellos genes eran la personificación biológica del concepto de la Voluntad de Schopenhauer.

–Sabemos –dijo– que los instintos pueden transmitirse de una generación a otra. ¿Por qué? Yo diría que está en la naturaleza de la Voluntad permanecer fiel a sus orígenes. Incluso hablo de ella como de una Visión; sí, caballeros, una fuerza que vive en el corazón de nuestra existencia. Esta visión es la que nos distingue de los animales. Desde el principio de nuestra vida en la tierra, los humanos hemos pretendido elevarnos hasta las alturas invisibles que se extienden delante.

»Por supuesto, hay impedimentos a una meta tan grande. Los más excepcionales de nuestros genes tienen que superar las privaciones, humillaciones y tragedias de la vida, ya que se transmiten de padres a hijos, generación tras generación. Les diría que los grandes dirigentes rara vez son el fruto de una madre y un padre. Es más probable que el caudillo excepcional sea el que ha conseguido romper los vínculos que sujetaron a diez generaciones frustradas que no pudieron expresar la Visión en sus vidas, pero la legaron a sus genes.

»Huelga decir que he llegado a estos conceptos meditando sobre la vida de Adolf Hitler. Su heroica ascensión resuena en nuestros corazones. Como sabemos que procede de una larga línea de modesta estirpe campesina, su vida es el exponente de un logro sobrehumano. Un respeto sobrecogido debe abrumarnos.

Como agentes de inteligencia, sonreíamos por dentro. Aquello había sido la perorata. Ahora nuestro Heinrich se disponía a entrar en lo que los norteamericanos llaman el meollo del asunto.

–La verdadera pregunta que hay que hacerse –dijo– es cómo se protege la lucidez para que no la deslustre la mezcolanza. Esto se halla implícito en el proceso de la denominada reproducción normal. Contemplemos los miles de millones de espermatozoides. Uno de ellos tiene que viajar hasta el óvulo femenino. A cada espermatozoide solitario que nada en el mar uterino, ese óvulo tiene que parecerle tan grande como un acorazado. –Hizo una pausa antes de asentir–. En un esperma sano tiene que existir la misma disposición al sacrificio que impulsa a unos combatientes a lanzarse al ataque cuesta arriba contra un risco imponente. La esencia de la simiente masculina es que está dispuesta a perpetrar una inmolación semejante para que uno de ellos, como mínimo, llegue al óvulo.

Nos miró fijamente. ¿Compartíamos su excitación?

–La pregunta siguiente se plantea enseguida –dijo–. ¿Serán los genes de la mujer compatibles con el espermatozoide que ha logrado llegar hasta ella? ¿O esos elementos aislados descubrirán que sus genes divergen? ¿Están a punto de comportarse como maridos y mujeres infelices? Sí, respondería yo, la divergencia es muchas veces el caso más frecuente. Puede que el encuentro resulte lo suficientemente compatible para que la procreación se produzca, pero la mezcla de sus genes dista mucho de garantizar que sea armónica.

»Cuando hablamos, por consiguiente, del deseo humano de crear a ese hombre que personifique la Visión (el superhombre), tenemos que considerar las posibilidades. Ni siquiera una entre un millón de familias nos ofrece un marido y una mujer cuyos genes tengan una inclinación lo bastante próxima para engendrar un hijo milagroso. Ni siquiera una, quizás, entre un millón. ¡No! –De nuevo levantó la mano–. Entre un millón de millones, pongamos. En el caso de Adolf Hitler, los números pueden alcanzar las distancias prodigiosas que se dan en la astronomía.

»Así que, caballeros, la lógica determina que cualquier superhombre que encarne la Visión tiene que provenir de un acoplamiento de ingredientes genéticos excepcionalmente similares. Sólo entonces estas encarnaciones aisladas de la Visión estarán en condiciones de *reforzarse* entre sí.

¿Quién no veía adónde apuntaba Heinrich? El incesto ofrecía la posibilidad más cercana para aquel propósito único.

–Pero –dijo Himmler–, para ser razonables, también tenemos que convenir en que la vida no siempre está dispuesta a garantizar un suceso parecido. Por lo general, lo único que esas intimidades familiares dan al mundo son hombres y mujeres degenerados. Debemos reconocer que los hijos del incesto suelen padecer enfermedades infantiles y muertes prematuras. Abundan las anomalías y hasta las exhibiciones de monstruosidad física.

Se puso triste y severo.

–Éste es el precio. No sólo es probable que en los frutos del incesto aparezcan muchas buenas tendencias reforzadas, sino que también se magnifiquen inclinaciones desdichadas. La inestabilidad es, por consiguiente, un producto común del incesto. La idiotez acecha entre bastidores. Y cuando existe una posibilidad vital para el desarrollo de un gran espíritu, este raro ser humano aún tiene que superar una avalancha de frustraciones profundas que desquician el cerebro u ocasionan una muerte temprana.

Así habló Heinrich Himmler.

Creo que todos los presentes conocíamos el subtexto que yacía bajo estas observaciones. En 1938, queríamos determinar (con el mayor secreto, se lo aseguro) si nuestro Führer era un fruto del incesto en primer o segundo grado. O en ninguno. Si no lo era, la teoría de Himmler seguiría siendo infundada. Pero si el Führer era un auténtico hijo del incesto, entonces no sólo era un ejemplo radiante de la probabilidad de esta tesis, sino quizás su prueba misma.

3

Estoy dispuesto a hablar de una obsesión que giraba en torno a Adolf Hitler. Ahora bien, ¿qué nubla más un estado de ánimo que vivir con una pregunta que no obtendrá respuesta? Aun hoy, la primera obsesión sigue siendo Hitler. ¿Hay algún alemán que no intente comprenderle? ¿Pero dónde encontrar a uno que esté satisfecho con la respuesta?

Voy a sorprenderles. Yo no sufro ese padecimiento concreto. Vivo convencido de que estoy en condiciones de entender a Adolf. Pues de hecho le conozco. Voy a repetirlo. Le conozco de arriba abajo. Imitando a los americanos, habida cuenta del tosco conocimiento que tienen de la vulgaridad, incluso les diría: «Sí, le conozco desde el esfínter hasta el apetito.»

Empero, sigo obsesionado. Pero obsesionado por un problema totalmente distinto. Cuando pienso en referir cómo le conozco tanto, surge una inquietud comparable a la de zambullirse de noche desde un acantilado a pico en el agua negra.

Quede entendido, por tanto, que al principio procederé con cautela y sólo hablaré de lo que entonces era accesible a las SS. Por el momento podría ser suficiente. Hay detalles que ofrecer relativos a sus raíces familiares. En la Sección Especial IV-2a —como ya he explicado—, un secreto hermético rodeaba nuestros descubrimientos. Así tenía que ser. Éramos los más ansiosos por explorar los asuntos más desagradables. Teníamos que asumir el miedo a exhumar respuestas lo bastante venenosas para poner en peligro al Tercer Reich.

Por otra parte, teníamos una confianza especial. Una vez obtenidos nuestros datos, aunque resultaran perturbadores, sabíamos escoger las falsedades que despertasen los sentimientos patrióticos en el populacho. Por supuesto, no se podía garantizar de antemano que cada descubrimiento fuese controlable. Quizás descubriéramos un hecho explosivo. Un ejemplo: ¿había sido judío el abuelo paterno de Adolf Hitler?

4

Era una posibilidad. Había otras igualmente nefastas. Durante un período, sopesamos la idea de investigar sobre un semicómico pero delicado rumor. Monorquidia. ¿Pertenecía nuestro Führer al grupo de hombres infelices e hiperactivos que poseen un solo testículo? Es verdad que invariablemente se cubría la ingle con una mano protectora cada vez que estaban a punto de hacerle una foto, un gesto clásico y comprensible si quieres proteger el testículo que queda. Pero una cosa es tomar nota de un punto vulnerable así y otra verificarlo. Aunque era bastante fácil obtener resultados entrevistando a las pocas mujeres que habían tenido relaciones íntimas con el Führer y aún seguían vivas, ¿cómo controlar las repercusiones? ¿Y si a Hitler le llegaban noticias de que un par de oficiales de las SS estaba, por así decirlo, tocándole el(los) genital(es)? Tuvimos que renunciar al proyecto. Fue una decisión de Himmler:

—Si nuestro estimado líder resultase ser hijo de un incesto en primer grado, todas las cuestiones relativas a la monorquidia están incluidas. La monorquidia es, después de todo, una secuela probable del incesto en primer grado.

Era evidente. Tuvimos que retomar la mejor explicación para la voluntad legendaria del Führer: ¡el drama de sangre!

Además, todos detestábamos la posibilidad de que el abuelo paterno de Adolf Hitler hubiera sido judío. Ello no sólo destruiría la tesis de Himmler, sino que nos obligaría a enterrar un escándalo mayúsculo. Nuestro desasosiego nacía en parte de un rumor que había empezado a circular entre nosotros ocho años antes, en 1930, cuando llegó una carta al escritorio de Hitler. El joven que la había escrito se llamaba William Patrick Hitler y resultó ser el hijo del hermanastro mayor de Adolf, Alois Hitler, hijo. La carta del sobrino contenía una insinuación de chantaje. Hablaba de *«circunstancias compartidas en la historia de nuestra familia»*. (El hombre había llegado hasta el extremo de subrayar estas palabras.) Habría sido peligroso enviar esta carta si el sobrino viviese en Alemania, pero en esta época residía en Inglaterra.

¿Cuáles eran, entonces, aquellas «circunstancias compartidas»? William Patrick Hitler hablaba de la abuela del Führer, Maria Anna Schicklgruber. En 1837 había dado a luz a un hijo al que llamó Alois. Maria Anna, que por entonces y en lo sucesivo vivía en un lugar mísero llamado Strones, una aldea espantosa en la provincia austriaca de Waldviertel, solía recibir sumas pequeñas pero regulares de dinero. Sus allegados suponían que se las mandaba el padre no identificado del niño.

Pero aquel niño creció y se convirtió en el padre de Hitler. Aunque Adolf no nacería hasta 1889 y no llegaría al poder hasta 1933, una historia logró pervivir entre los campesinos de Strones. Era que el estipendio lo enviaba un judío acaudalado que residía en la ciudad provinciana de Graz. Según la leyenda, Maria Anna trabajó de criada en la casa de este judío, se quedó embarazada y tuvo que volverse a su aldea. Cuando llevó al niño para que lo bautizaran, el párroco calificó el nacimiento de «ilegítimo», una declaración habitual en aquellas comarcas. Al fin y al cabo, Waldviertel era conocido como el hospicio de Austria. Cien años más tarde, después del Anschluss de 1938, me enviaron a la región y descubrí cosas, de hecho, fascinantes. Aunque pudiera parecer aún prematuro explicar cómo llegué a saber lo que supe, puedo, sin embargo, exponer mis conclusiones. Por ahora son suficientes. En su momento, confío en tener el valor de decir más.

5

Waldviertel, situada al norte del Danubio, es una región de pinos altos y hermosos. En efecto, Waldviertel se puede traducir directamente como el «barrio boscoso», y los silencios de los bosques son oscuros en contraste con el verde de algún que otro campo. El suelo, sin embargo, no favorece la agricultura. Un villorrio austriaco en aquel confín remoto definía lo que significa «paupérrimo». En aquellos años, los Hiedler (que más tarde pasaron a ser los Hitler) vivían en Spital, una especie de pueblo, y los Schicklgruber, sus primos, residían cerca, en el mencionado Strones, profundamente hundido en el barro a lo largo de su única calle, no más de unas docenas de chozas con techumbre de paja. Mientras que en Strones abundaban las pocilgas alrededor de cada morada, en los prados locales eran más frecuentes las bostas de vaca y se valoraba la fragancia de las boñigas de caballo. Era, en definitiva, una zona donde muchos campesinos tenían que empujar su arado a través de diversas capas de barro. Había un fango espeso como lava, arroyos de cieno, capas de gravilla, estiércol y vertidos, piedras, arcilla ordinaria. En realidad, Strones ni siquiera tenía una iglesia. Los lugareños tenían que ir andando a otra aldea, Doellersheim. Allí, en el registro parroquial, fue inscrito el hijo de Maria Anna con el nombre de «Alois Schicklgruber, católico, varón» y, como sabemos, «ilegítimo».

Maria Anna, nacida en 1795, tenía cuarenta y dos años cuando nació Alois en 1837. Oriunda de una familia de once hijos, de los cuales ya habían muerto cinco, sin duda podría haber cohabitado con cualquiera de sus varios hermanos. (Himmler, por supuesto, no ponía objeciones a este respecto, ya que Alois, el bastardo de Maria Anna, era, repito, el padre de Adolf.) En todo caso, a pesar de la suma pobreza de los padres de Maria Anna, vivió con su hijo los cinco años siguientes en uno de los dos cuartitos de su padre. El misterioso dinero que llegaba en remesas pequeñas pero puntuales contribuyó a sostener a estos Shicklgruber.

Aunque obviamente estábamos ansiosos de descubrir un tesoro de copulaciones intrafamiliares, tal deseo no nos permitía desdeñar al judío de Graz. En efecto, ocho años antes, en 1930, ya se habían hecho averiguaciones. Según contaba Himmler, Hitler, al leer la carta de su sobrino, se la había enviado de inmediato a un abogado nazi, Hans Frank. El Führer, como quizás algunos ya no recuerden, no llegó a ser canciller hasta 1933, pero ya en 1930 Hans Frank buscaba infiltrarse en el entorno íntimo del caudillo.

Frank, por consiguiente, tenía noticias infaustas que comunicar sobre el embarazo de Maria Anna. Declaró que lo más probable era que el padre hubiese sido un joven de diecinueve años, hijo de un próspero comerciante apellidado Frankenberger que, sí, era judío. Era verosímil. En aquella época, el vástago de muchas familias pudientes tenía sus primeras experiencias sexuales con una criada. Tampoco era necesario que ella fuese más o menos de la misma edad. Las costumbres burguesas de una ciudad provinciana como Graz aceptaban esta iniciación como una práctica razonable, pero de la que nadie hablaba. Se consideraba mucho mejor que permitir que un muchacho rico tuviese trato con prostitutas o se decidiera demasiado pronto por una novia de una familia menos próspera.

Frank afirmaba que había visto una prueba concluyente. Le dijo a Hitler que le habían mostrado una carta escrita por Herr Frankenberger, el padre del joven que se había acostado con Maria Anna. La carta prometía pagos periódicos por cuidar de Alois hasta que cumpliese catorce años.

22

Nuestro Adolf, sin embargo, discrepó de estos descubrimientos. A Hans Frank le dijo que la verdadera historia, que le había sido referida por su propio padre, Alois, era que el abuelo auténtico había sido el primo de Maria Anna, Johann Georg Hiedler, quien al final había aceptado casarse con ella cinco años después del nacimiento de Alois.

–De todos modos –le dijo Hitler a Frank–, me gustaría examinar esa carta del judío a mi abuela.

Frank le dijo a Hitler que aún no la tenía en su poder. El hombre que la tenía pedía un precio muy elevado. Además, sin duda la carta habría sido fotografiada.

–¿Ha visto el original? –preguntó Hitler.

–Pude verlo mientras estuve en su despacho. Había dos grandullones a su lado. Y también una pistola encima de la mesa. ¿Qué temería?

Hitler asintió.

–Ni siquiera cabe temer una muerte repentina para un hombre así. La carta, a fin de cuentas, estará en un sitio y la copia fotográfica en otro.

Otra preocupación más para Hitler.

En 1938, sin embargo, nuestra búsqueda había brindado alternativas. Ya no parecía seguro que Maria Anna siguiese recibiendo puntualmente dinero cinco años después de haber nacido Alois. Tras su matrimonio en 1842, ella y su marido, Johann Georg Hiedler, habían sido demasiado pobres para poseer un hogar propio. Durante un tiempo habían tenido que dormir en un viejo pesebre deshecho que antaño se utilizaba para alimentar al ganado en un establo vecino. Naturalmente, esto no demostraba que no hubiesen recibido dinero. Sin duda, Johann Georg podría haberse bebido los fondos. En Strones seguía siendo una leyenda por la forma en que empinaba el codo. De hecho, su amplio consumo de alcohol casaba mal con la presunción de que eran tan pobres, pues a no ser que ella tuviese suficientes ingresos para que él bebiera, ¿por qué un borracho como el cincuentón Johann

Georg se habría casado con una mujer de cuarenta y siete años y madre de un hijo de cinco? Además, su grave dipsomanía difícilmente autorizaba la conjetura de que fuese el padre de Alois. En realidad, aquel Johann Georg Hiedler no puso reparos cuando Maria Anna pidió al hermano menor de Johann, que también se llamaba Johann (pero, en su caso, Johann *Nepomuk* Hiedler), que se llevase al niño para criarlo. Este hermano menor, Johann Nepomuk, era, por el contrario, un campesino sobrio y trabajador que tenía mujer y tres hijas, pero ningún varón.

Así que Johann Nepomuk se perfilaba como una posibilidad admisible. ¿No podría ser el padre? Desde luego, era posible. Pero aún teníamos que encontrar más pruebas que descartasen al judío.

Himmler me envió a Graz y me tomé el penoso trabajo de examinar los registros centenarios. En los libros municipales no había constancia de ningún hombre llamado Frankenberger. Estudié minuciosamente el *Israelitische Kultursgemeinde* del registro judío de Graz y el hecho quedó confirmado. En 1496, los judíos habían sido expulsados de la región. Ni siquiera trescientos cuarenta y un años más tarde, en 1837, cuando Alois nació, se les había permitido regresar. ¿Habría mentido Hans Frank?

Después de ver estos resultados Himmler declaró: «¡Frank es un intrépido!» Como Heini me aclaró, había que remontarse desde 1938 a 1930. En este último año, cuando llegó la misiva de William Patrick Hitler, Hans Frank era uno más entre los abogados dispuestos a rondar a nuestra gente en Múnich, pero lo que había hecho era ahora bastante evidente. Había inventado la carta comprometedora con el fin de fomentar una relación más estrecha con su Führer. Habida cuenta de la ausencia del documento, Hitler no podía saber si Frank se lo había inventado, decía la verdad o, lo peor de todo, poseía realmente semejante prueba. Si Hitler hubiera enviado un investigador a Graz, podría haber significado el fin de Hans Frank, pero el abogado debió de apostar a la carta de que Hitler no quería saber.

Como Himmler me estaba instruyendo para ser su ayudante principal, también confiaba en no utilizar mi investigación de 1938 para decirle a Hitler que no había judíos en Graz en 1837. En cambio, se lo dijo a Hans Frank. Nos reímos al unísono, porque comprendí al instante. ¿Podía haber un solo oficial dentro de nuestro grupo dominante que no estuviera buscando un asidero fiable en todos y en cada uno de los demás miembros del grupo? Ahora Himmler tenía a Frank en sus manos. Dado aquel entendimiento mutuo, sirvió bien a Himmler. En 1942 (época en la que Frank era conocido como «el carnicero de Polonia»), Hitler se puso nervioso de nuevo por lo de su abuelo judío y nos pidió que mandáramos a un buen agente a Graz. Para proteger a Frank, Himmler le dijo al Führer que ya había enviado a uno y que no había encontrado pruebas materiales. Como todo el mundo estaba preocupado por la guerra, el asunto podía quedar más o menos pospuesto. Fue lo que le aconsejó Himmler a Hitler.

Libro II

El padre de Adolf

1

El año 1942, sin embargo, es más de un siglo después de 1837. A los efectos, también 1938. Menciono esta última fecha debido a un episodio menor que ocurrió en Austria durante el Anschluss. Proporciona una imagen de Himmler. Aunque, a sus espaldas, le seguían ridiculizando como Heini –sus andares patosos, su pedantería, su culo gordo y plano, un hombre de una mediocridad tan santurrona como la de cualquiera que haya subido demasiado alto–, sus detractores sólo estaban describiendo la cáscara. Nadie, ni siquiera Hitler, creía tan profundamente en los principios filosóficos del nazismo.

Recuerdo que la primera mañana después de la irrupción de los camisas pardas en Viena, una cuadrilla de ellos –gente de cervecería, con grandes barrigas– juntó a un grupo de judíos ancianos y de mediana edad, profesionales y con sus quevedos perfectamente en su sitio, y los puso a trabajar restregando la acera con cepillos de dientes. Las tropas de asalto se reían observando la escena. Aparecieron fotografías del hecho en las portadas de muchos periódicos de Europa y Estados Unidos.

Al día siguiente, Himmler nos habló a unos pocos.

–Fue un licencia onerosa y me complace que ninguno de nuestros SS tuviera nada que ver con semejante grosería. Todos sabemos que esta clase de acciones baja la moral a muchísimos de nuestros mejores hombres. Seguro que esto fomentará los desmanes en Viena. No obstante, hacemos bien en no rechazar de plano el instinto primitivo que revela el acto. Tras mucha reflexión, puedo decir que fue una burla lograda. –Hizo una pausa. Le escuchábamos muy atentos–. Hay un curioso, y hasta diría que escondido sentimiento de inferioridad entre muchos de los nuestros. Piensan que los judíos son más capaces de concentrarse en una tarea que la mayoría de nosotros; los judíos saben estudiar y es la razón por la que tantos de ellos han triunfado burdamente. En esa gente está arraigada la idea de que a la larga lo conseguirán todo trabajando con más ahínco que la raza anfitriona de cualquier país en el que vivan.

»Por tanto, yo diría que este acto brota de la tosca pero instintiva comprensión de nuestro pueblo alemán. Les dice a los judíos que el trabajo, si no se consagra a un propósito noble, carece de sentido. «Restriega con estos cepillos de dientes», les están diciendo nuestros chicos, «porque vosotros, judíos, lo sepáis o no, hacéis exactamente esto mismo todos los días. Vuestra eficiente erudición sólo conduce a contradicciones interminables.» Por consiguiente, pensándolo mejor –concluyó Himmler–, no condenaré de plano los hechos de esos nazis de bajo rango.

Este episodio es útil para quien quiera comprender a Himmler, pero interrumpe mi relato de cómo llegué a conocer la verdad sobre quién fue, en realidad, el padre de Alois. Si bien estoy dispuesto a dar su nombre y describir la ocasión, reconozco que a algunos lectores les disgustará que estas revelaciones se hagan sin mencionar mis fuentes. Un hecho no es un hecho, dirán algunos, si no se pueden exponer los medios por los que se ha averiguado.

Lo suscribo. Sin embargo, no voy a revelar mis verdaderos medios, no todavía. Utilizar los recursos de la Sección IV-2a resultó insuficiente en esta ocasión, pero confeccioné una respuesta para Heini; sabía que el producto final respaldaría su tesis, que la aceptaría.

Por ahora contentémonos con las conclusiones expuestas por Himmler en 1938. En cuanto transmití la información de que el judío de Graz no existía, sugerí que nuestra investigación se trasladase a las acciones del único hermano de Maria Anna Shicklgruber que en realidad había sido lo bastante emprendedor para abandonar el barro de Strones y ganar algún dinero como viajante comercial. Lo mejor de sus hermanos era que pasaban periódicamente por Graz y, en consecuencia, decidí basar nuestra búsqueda en él y pasar por alto a la auténtica familia para la que Maria Anna había trabajado: una viuda y dos hijas. Examinando sus cuentas bancarias, era evidente que ella no recibió nunca dinero de aquellas mujeres y que, en efecto, despidieron a Maria Anna cuando descubrieron que había cometido pequeños robos. ¡El embarazo de una soltera podía tolerarse, pero no la pérdida de unas pocas monedas! Decidió entonces que Maria Anna quizás pretendió proteger a su hermano diciendo a sus padres que el dinero procedía de un judío. Esto les desviaría de la pista.

Sin embargo, antes de comunicar esta conjetura a Himmler, fabriqué –o eso creí– una alternativa más prometedora. ¿Por qué no elegir como nuestro agente principal a Johann Nepomuk Hiedler, el muy diligente hermano menor? Aunque el viajante de comercio, el hermano de Maria Anna, ofrecería a primera vista un caso de incesto, seguiría distando un paso del objetivo real de Himmler, ya que plantearía que el padre, Alois, era el fruto incestuoso en lugar de Adolf.

Por otra parte, si Maria Anna concibió a Alois con Johann Nepomuk, la tesis de Himmler quedaba fortalecida. De forma considerable, pues Klara Poelzl, la joven que sería la tercera mujer de Alois y habría de ser la madre de Adolf Hitler, era también nieta de Johann Nepomuk. ¡Si Alois era hijo de Nepomuk, Klara tenía que ser la sobrina de Alois! Un tío y su sobrina, Alois y Klara, habían engendrado a nuestro Führer. Esto sería una demostración sólida. Además, yo sabía cómo embellecérsela a Heini. Mi guión definitivo tenía un sabor carnal: declaré que Maria Anna Schicklgruber y Johann Nepomuk Hiedler habían concebido a Alois el día en que ella volvió de Graz para una visita. Dio la casualidad de que Nepomuk, que vivía en Spital, estaba visitando Strones y se acostó en la paja durante la hora que pasó con Maria Anna. Ella se quedó embarazada al momento. Nepomuk no pudo cuestionar la noticia, porque el acto había sido excepcional. En efecto, ella le dijo, en cuanto recobró la respiración: «Me has dado un hijo. Te lo juro. ¡Lo noto!»

Como mi libreto también explicaba, Johann Nepomuk amaba a su mujer, amaba a sus tres hijas y nunca trastornaría su hogar. No obstante, estaba dispuesto a considerar el asunto desde el punto de vista de Maria Anna. Era un hombre decente. De modo que la instó a que dijera a sus padres que recibía dinero de Graz, pero que él, Johann Nepomuk, sería el que enviaría sumas regulares para el hijo en camino. Y ella dijo a su familia que el dinero llegaba todos los meses de Graz, aunque nadie vio nunca los sobres.

Maria Anna aceptó la situación, pero ¿cómo iba a estar satisfecha? Transcurridos cinco años, le dijo a Nepomuk que tendría que confesar la verdadera historia. Le dijo que era humillante afrontar a las mujeres de Strones cada vez que salía de su casa con un niño de cinco años cogido de la mano.

Johann Nepomuk propuso que su hermano mayor, Georg, ocupase el lugar de consorte. A Nepomuk no le gustaba su hermano y a Georg no le gustaba Nepomuk, pero una nueva fuente de dinero es vital para un borracho. Exagero, pero no mucho. Georg se casó con Maria Anna por su estipendio y disfrutó del conocimiento de que procedía de Nepomuk, que trabajaba aún más duro labrando sus campos para reunir unos kronen adicionales. Para Georg constituía un placer especial servirse del sudor de un hermano más joven que financiaba sus derroches. Poseía un fondo de fea entraña. Un furor perfecto, lleno de fracaso.

Maria Anna, por fin casada, quería un marido dispuesto a decir que era el padre de Alois, pero Georg se apresuró a decirle que estaba inmiscuyéndose en un asunto que implicaba su honor personal. Si en el curso de numerosas parrandas se las había ingeniado para informar a unos pocos de sus camaradas beodos la razón exacta de que se hubiese casado –¡por el dinero, imbécil!–, con mayor motivo se negaba a ponerse en ridículo legitimando a aquel mocoso que todo el mundo sabía que no era suyo. Tal vez fuera un borrachín y un inútil, pero desde luego no era un cornudo. ¡Que este bastardo lo siga siendo!

Tal fue la leyenda que le expuse a Himmler. La respaldaban entrevistas que hice a los pocos habitantes de Strones tan viejos que habían nacido antes que nuestro alcohólico, Johann Georg Hiedler, muerto en 1857. Los eslabones, examinados de cerca, eran demasiado herrumbrosos para sostener la historia, pero aguantaron porque a Himmler le gustaron estas conclusiones. Yo había presentado una historia familiar en la que no había judíos en el torrente sanguíneo del Führer, y su padre y su madre eran tío y sobrina carnales. Por consiguiente, había logrado hacer de Adolf Hitler un fruto del incesto en primer grado y en segundo de consanguinidad.

Himmler tuvo una revelación.

–Esto –dijo– muestra más que cualquier otra cosa el valor y la fortaleza increíbles del Führer. Como he señalado a menudo, una muerte temprana o una malformación grave suelen ser el pronóstico más probable para los frutos de incesto en primer grado, pero una vez el Führer nos ha demostrado su incomparable perseverancia. Genio y voluntad, las singulares cualidades de carácter, derivadas de la rara agudización que se halla en los vástagos de incesto en primer grado, aunque sean en segundo de consanguinidad. Nos ha tocado en suerte el resultado triunfante. Los genes agrarios de nuestro Führer, fortificados a lo largo de generaciones, han encontrado una metamorfosis triunfal en sus virtudes trascendentes.

Aquí, Himmler cerró los ojos, se recostó y exhaló aire lentamente. Fue como si tuviera que expulsar todos los espíritus errantes que había en sus pulmones.

–No volveré a hablaros de esto –continuó, en voz baja–, pero las ocasiones de incesto cercano son realmente peligrosas. Es necesario que la Voluntad del Führer salga airosa en una situación así. –(Pongo voluntad con mayúscula porque empleó la palabra con reverencia)–. Tengo la convicción de que en el mundo de espíritus sobrenaturales que nos rodean, hay muchos elementos que con razón llamamos malignos. Es incluso posible que el peor de esos espíritus congregue una presencia a la que en otro tiempo nombrábamos Satanás. Esta encarnación, si existiera, sin duda prestaría una gran atención a los hijos del incesto de un grado muy próximo. Pues, en verdad, ¿cómo un maligno semejante podría no afanarse en deformar las posibilidades excepcionales resultantes de la duplicación de genes divinos? Tanto más poder para Herr Hitler, entonces. Yo afirmaría que ha sido realmente capaz de mantenerse firme con la Visión frente al propio diablo.

Poco sabía Himmler que sus observaciones podían multiplicarse por orden de magnitud. Yo no había estado divulgando una falsa leyenda, sino una ironía. En efecto, la versión que yo había fabricado tan sólo con pruebas escasamente verosímiles resultó ser cierta. Era Johann Nepomuk Hiedler el que facilitaba el dinero y Alois Schicklgruber era su hijo secreto. Pero la ironía dentro de esta ironía era que el hijo de Alois, Adolf Hitler, no era sólo un hijo del incesto en primer grado y en segundo de consanguinidad, sino que había sido concebido en el centro mismo de incesto. La sobrina, Klara Poelzl, que habría de ser la tercera esposa de Alois y la madre de Adolf Hitler, no sólo era la mujer de Alois sino también su hija biológica. De esta relación ofreceré pronto muchos detalles.

34

Para cumplir esta promesa, ahora debo ampliar estas memorias y comenzar una historia familiar en gran parte como si fuese un novelista convencional de la vieja escuela. Entraré en los pensamientos de Johann Nepomuk, así como en numerosas percepciones de su hijo ilegítimo, Alois Hitler, e incluiré asimismo los sentimientos de las tres mujeres de Alois y de sus hijos.

Sin embargo, hemos terminado con Maria Anna Schicklgruber. Aquella madre infeliz falleció en 1847, a la edad de cincuenta y dos años, diez después del nacimiento de Alois. Se estableció que la causa fue «tisis derivada de hidropesía del pecho», una tuberculosis galopante que contrajo durmiendo en el pesebre durante sus dos últimos inviernos. La causa colateral fue la furia. Hacia el final, pensó muchas veces en lo sana que había sido a los diecinueve años, en su cuerpo veloz y en su voz cantarina, alabada por su belleza cuando fue solista del coro parroquial de Doellersheim. Pero ahora, tras haber sufrido la maldición de tres decenios de expectativas fallidas, la embargaba la cólera añadida que Georg aportaba a sus ayuntamientos esporádicos. Él, sin embargo, como muchos borrachos predecesores, logró sobrevivir a la suposición de todo el mundo de que la muerte le llegaría pronto. Tras la de Maria Anna, Georg fue tirando durante diez años más. La bebida no sólo había sido su perdición, sino su querida medicina y, sólo al final, su verdugo. Murió en un día. Lo atribuyeron a una apoplejía. Como nunca se molestaba en visitar a Nepomuk ni a Alois, no notaron su falta, pero por entonces Alois tenía veinte años y trabajaba en Viena.

En realidad, Alois no había sufrido gran cosa la pérdida de su madre. Spital, donde él vivía con Johann Nepomuk y la mujer y las tres hijas de la familia Hiedler, distaba un largo trecho de Strones y casi se había olvidado de Maria Anna. Era feliz con su nueva familia. Al principio, las hijas de Nepomuk, Johanna, Walpurga y Josefa, que a la sazón tenían doce, diez y ocho años, estaban encantadas con tener un hermano de cinco años, y le llevaban de buena gana a sus dormitorios. Como Spital era un auténtico pueblo, no un villorrio, había empezado a producirse una separación entre los prósperos y los pobres. Hasta a un granjero se le podía considerar acaudalado, al menos en su localidad. Había unos cuantos en Spital, y Johann Nepomuk era el primero de ellos. La mujer, Eva, regentaba un buen hogar. También era sumamente práctica. Si albergaba la sospecha de que Nepomuk pudiera ser en verdad algo más que el padrastro del chico, por otra parte no olvidaba la decepción en los ojos de Johann cada vez que ella alumbraba a una niña. Seguramente era mejor para todos tener un varón en casa. Sí, era una mujer práctica.

¡Y amaban a Alois! El padre, las chicas e incluso Eva. Era bien parecido y, al igual que su madre, sabía cantar. Cuando se hizo mayor también demostró que no renegaba del trabajo en el campo. Incluso hubo un tiempo en que Johann Nepomuk consideró la posibilidad de dejarle la granja, pero el chico era inquieto. No siempre estaría allí para afrontar cualquier escollo imprevisto, grande o pequeño, que pudiera presentarse inesperadamente en la jornada de trabajo. En cambio, Nepomuk profesaba tanto amor a sus tareas que los días mejores sentía como si oyese los murmullos de la tierra. Si bien le intranquilizaban los largos silencios que sobrevenían hacia el crepúsculo, por la noche un hechizo presidía a menudo sus sueños. La suma de sus campos, sus cobertizos, su ganado y su establo se transformaba en una criatura equivalente a una mujer exigente, cavernosa, inquietante, maloliente, avara, menesterosa y que cada vez le sacaba más cosas. Despertaba con el pleno convencimiento de que nunca podría dejar la granja a Alois: Alois era el hijo de la mujer que aparecía en el sueño. Así que renunció a la idea. Tuvo que hacerlo. Un regalo semejante enfurecería a su mujer. Ella quería un buen futuro para sus hijas, y la granja quizás no diese más de dos dotes respetables.

Con el paso de los años, nuevos problemas surgieron a propósito de estas dotes. En el primer matrimonio, la hija mayor, Johanna, recibió sólo una exigua parcela. Pero, después de todo, había elegido casarse con un hombre pobre, un granjero trabajador pero de mala estrella que se llamaba Poelzl. A la hora de asignar la dote a la hija segunda, Walpurga, que ya tenía veintiún años, Nepomuk no tuvo otro remedio que ser más generoso. El presunto novio, Josef Romeder, era un mocetón de una próspera granja de Ober-Windhag, el pueblo siguiente, y las negociaciones sobre el tamaño de la dote de Walpurga fueron espinosas. A la postre, Nepomuk cedió la parte más fértil de su tierra. Esto dejó sólo un modesto terreno para la tercera hija, Josefa, que era enfermiza y solteril. Para Eva y para él, Nepomuk se reservaba un bonito y pequeño alojamiento en un huerto a la vera de lo que había pasado a ser propiedad de Romeder. Pero la casita en el huerto era suficiente. Tenía ganas de jubilarse. Teniendo en cuenta la duración y la vehemencia de las negociaciones sobre la dote, la ceremonia de transferir las tierras fue un acontecimiento tan señalado como la boda que acababa de celebrarse.

Nepomuk llevó a su yerno a recorrer la finca, de un lindero al otro, y se detuvo delante de cada indicador que establecía una separación entre sus campos y los del campesino contiguo. Nepomuk decía:

—Y que trabajes bajo un cielo negro si cualquier día recoges fruta del huerto de este hombre, aunque sea fruta caída.

Y a continuación asestaba a Josef Romeder un mamporro en la cabeza. Repitió este acto cada una de las ocho veces que recorrieron el lindero. Johann Nepomuk estaba poseído por una de esas fatalidades que te cuelgan de la espalda como un peso muerto. Lo que más lamentaba no era desprenderse de la granja, sino la ausencia de Alois. Su querido hijo adoptivo no estaba allí porque Johann Nepomuk le había expulsado tres años antes, cuando el chico tenía trece años y Walpurga dieciocho. Les había descubierto en el pajar del establo, y esto le recordó el otro establo donde se había acostado en la paja con Maria Anna, la tarde en que Alois fue concebido. Siempre había conservado un recuerdo glorioso de aquel acto de amor con Maria Anna Schicklgruber. Sólo había tenido dos mujeres en su vida y Maria fue la segunda, y para él no fue en absoluto una moza de pueblo, de textura burda y culo al aire en el heno, sino una madona iluminada por la luz del sol, una imagen que había observado en una vidriera de la iglesia de Spital. Esta imagen siempre ampliaba el concepto que tenía de la magnitud de su pecado. Sabía que vivía en sacrilegio, pero no renunciaba a la imagen de la cara de Maria Anna en la vidriera. Era un motivo suficiente para no confesarse con excesiva frecuencia, y cuando lo hacía inventaba otros pecados, pecados mortales, para el confesonario. Una vez confesó un coito con la yegua de la granja, una acción que nunca había intentado –¡no se hace el amor con un caballo grande por tan poco!–, y el cura, a su vez, le preguntó cuántas veces había cometido este pecado.

–Sólo una vez, padre.

–¿Cuándo fue eso? ¿Hace cuánto tiempo?

–Meses, creo que meses.

–¿Y cómo te sientes cuando trabajas ahora con el animal? ¿Sientes las mismas urgencias?

–No, nunca. Estoy avergonzado de mí mismo.

Como el cura era de mediana edad y tenía poco que aprender del campesinado, intuyó que Nepomuk estaba mintiendo. Sin embargo, habría preferido que el relato fuese verídico porque el bestialismo, aunque un pecado tan mortal como el adulterio o el incesto, le parecía menos grave. Al fin y al cabo, no engendraba descendencia. Por lo tanto, procedió a ejercer su ministerio sin hacer más preguntas.

–Te has degradado como hijo de Dios –le dijo a Nepomuk–. Has cometido un pecado grave de lujuria. Has herido a un animal inocente. De penitencia te pongo quinientos padrenuestros y quinientas avemarías.

Era una penitencia idéntica a la que el cura había impuesto aquella mañana a un colegial que se había dado el gusto de una masturbación solapada y de escupitajo en la palma (¡un acto de lo más furtivo!), y luego había frotado el salivajo y el semen sobre el pelo del chico de delante, un niño.

Johann Nepomuk se limitó en adelante a confesar al mismo sacerdote de vez en cuando que todavía tenía pensamientos lascivos sobre la yegua, pero que se cuidaba de no ponerlos en práctica. Esto resolvió el problema de la confesión, pero la ausencia continua de Alois producía en Johann Nepomuk Hiedler un calvario de amor. Había llorado como un padre bíblico y se desgarró la camisa cuando descubrió a su hijo y su hija en el pajar. Supo que acababa de perder al chico. La luz más radiante de casi todos sus días, aquella cara joven y alegre, tendría que partir. Para conmoción de las otras mujeres de la casa, Alois fue enviado aquella noche a la casa de un vecino y a la mañana siguiente lo embarcaron en un carruaje que se dirigía a Viena.

Nepomuk no se lo contó a Eva, pero tampoco fue necesario, ya que Walpurga, por insistencia de su padre, no salió de la casa los tres años siguientes. Hubo que concertar la boda de la joven con Romeder, sin ningún tipo de cortejo. Pero Eva, aunque tan alerta a la castidad de sus hijas como un sargento de instrucción examinando la precisión de sus hombres en un desfile, seguía acosando a Nepomuk para que le consintiera a Walpurga dar un paseo los domingos con una amiga.

–No –decía él–. Las dos se meterán en el bosque. Y entonces las seguirán los mozos.

El día en que recorrió el lindero con Romeder, se sentía oprimido cada vez que golpeaba al marido de su hija. Qué injusticia estaba cometiendo con su yerno. Ergo, le pegaba más fuerte. Un matrimonio se estaba basando en una mentira. En consecuencia, no se podía allanar la propiedad del vecino. Sería un sacrilegio contra la tierra. ¡Cómo lamentaba Nepomuk la ausencia de su hijo!

3

A Alois le fue bien en Viena. Con su rostro agraciado y agradable, le contrataron en un comercio que fabricaba botas de montar para oficiales. Atendía a jóvenes que se conducían como si sus cuerpos, sus uniformes, sus condecoraciones, su calzado y sus almas hubieran sido confeccionados por el mismo fabricante estupendo. Su confianza en su aspecto personal tenía mucho que enseñar a Alois. Observó que aquellos hombres parecían a gusto con las mujeres hermosamente vestidas a las que escoltaban. Raro era el domingo en que no les observaba mientras paseaban. Los sombreros femeninos eran de una bella hechura. Tuvo la idea pasajera de que si encontraba a una joven sombrerera abrirían una tienda y jóvenes parejas de las clases más altas y finas la visitarían cogidos de la mano para comprar botas espléndidas y sombreros elegantes. Fue la única perspectiva comercial que habría de albergar durante muchos años, pero acariciaba aquel sueño porque le estimulaban las mujeres hermosas. Amaba a las jóvenes. Había pasado momentos maravillosos con sus hermanastras, es decir, como sólo Nepomuk sabía, con sus medio hermanas.

Pero no conoció a ninguna sombrerera y la idea dio paso a otra mejor. Nunca sería un oficial de caballería, porque para ello había que nacer en el seno de una familia adecuada, y él procedía de un lugar donde se conocían mejor las costumbres de un cerdo que el perfume que un hombre debía poner en su pañuelo. Alois no aspiraba a lo inasequible. Pero sabía una cosa: se entendía bien con Viena. Nadie en Spital estaba más ansioso de superarse. Así pues, enseguida comprendió su ambición: quería pasarse la vida con un uniforme decente y que le admirasen por su porte. Y su inteligencia. Sabía que no era tonto en absoluto.

A los dieciocho años, al cabo de cinco años en la tienda de botas, se presentó a un puesto de aduanero en el Ministerio de Hacienda austriaco. Cinco años después había ascendido al rango de *Finanzwache Oberaufseher* (supervisor jefe de finanzas), que sólo equivalía al de cabo, pero el uniforme era ya imponente y en realidad se solía tardar diez años en llegar tan arriba, sobre todo si ingresabas en el servicio sin contactos.

En varias ocasiones había escrito a Johann Nepomuk para notificarle sus progresos, y por fin, en 1858, recibió contestación. La hija menor de Nepomuk, Josefa, había muerto, un gran golpe para la familia, y Nepomuk insinuaba que le gustaría que Alois les visitara.

En 1859, al volver a Spital, tenía un aire altísimo para ser un hombre de mediana estatura: a los ojos de la familia, poseía un porte autoritario. Hasta parecía de buena cuna.

No tardó mucho Nepomuk en comprender que había cometido un grave error invitando a Alois a que les visitase, pero por entonces estaba ya tan encorvado como un árbol que había afrontado demasiado viento durante un número excesivo de años. La muerte de Josefa le latía en el costado como el corte causado por un hachazo. Estaba tan cansado que no podía vigilar a Alois.

En efecto, ¿qué podía hacer? Johanna, la primogénita, siete años mayor que Alois, se había casado a los dieciocho y en los últimos once años había sido fiel a su marido, Johann Poelzl, que solía tenerla embarazada. En otro tiempo ella había tenido una presencia agradable. Ahora tenía las manos y los pies despellejados y las facciones más gruesas después de parir a seis hijos, de los que a la sazón sólo dos estaban vivos.

Aunque Johanna siempre había sido de carácter alegre, esta condición, largo tiempo erosionada, revivió al ver a Alois. Había sido su ojito derecho desde el día en que llegó a la casa. Mimaba al niño de cinco años cada vez que se lo llevaba a dormir en su cama. Hasta que se marchó, a lo largo de los años le tiraba del pelo y le besaba las mejillas, hasta el día en que teniendo él ocho años y ella quince habían empezado a revolcarse en la paja del establo como si estuvieran peleando. Pero él sólo tenía ocho años y no había sucedido nada.

En esta ocasión, ni hablar. A la primera oportunidad, que resultó ser la única, Alois continuó la tradición de su padre, un acoplamiento apocalíptico en la paja de la cuadra, y Klara Poelzl fue concebida. Para Johanna no había la menor duda. Todas las veces había sabido el momento en que Johann Poelzl, su marido, había depositado un bebé dentro de ella. Pero en esta ocasión fue algo superior. Algo de importancia se produjo en su cuerpo.

—Me has hecho sentir lo que no he sentido nunca —dijo ella, cuando terminaron, y cuando Klara nació le mandó una carta que recibió en medio de una preparación rigurosa para un examen que le convertiría en *Finanzwache-Respizient*, el puesto más alto al que podían aspirar los rangos inferiores del servicio de aduanas. Alois, por consiguiente, no tenía su atención puesta en Spital. Con todo, conservó la carta durante años. Sólo contenía tres palabras (palabras que Johanna se había asegurado de escribir correctamente) y él las leyó muchas veces. «*Sie ist hier*», escribió Johanna, con el orgullo de un acontecimiento trascendental (aunque no firmó la carta con su nombre), y «Ella ha llegado» ocupó su lugar en el cuarto de guardia del corazón de Alois, aunque tuviera la cabeza concentrada en su carrera. En verdad, quizás no hubiese hecho el amor con Johanna en aquella visita si no hubiera estado con Walpurga tantos años atrás y un año antes con la más joven, Josefa, su favorita cuando él tenía doce años (su primera Nepomuk), y por lo tanto pensó que se merecía poseer ahora a la hermana que faltaba: ¿cuántos hombres podían jactarse de conocer tan íntimamente a tres hermanas?

Aunque pudiera medirse a sí mismo por estos hechos, lo hacía en relación con los logros de otros funcionarios inferiores de la inspección de finanzas. Su ascensión fue notable para un joven con una educación tan exigua. Sin embargo, cuatro años después obtuvo otro ascenso y uno más en 1870, cuando a la edad de treinta y tres años llegó a ser recaudador de aduanas. En 1875 era inspector y escribía debajo de su firma, en cualquier documento del gobierno, todo el peso y la denominación del cargo: «Funcionario del puesto aduanero imperial de primera clase en la terminal ferroviaria de Simbach, Bavaria. Residencia, Braunau, Linzergasse.»

A lo largo de su trayectoria hacia el rango oficial más alto al alcance de un hombre de sus orígenes, nunca perdió su excelente apetito de mujeres. El primer principio de la burocracia austriaca era hacer tu trabajo, pero cuanto más eficiente te volvías en el desempeño de tus funciones, tanto menos tenías que temer por las pequeñas licencias de tu vida privada. Él acataba esta norma al pie de la letra. En aquellos años, dondequiera que le destinaran, se hospedaba en una fonda. Gracias a su aplomo, no tardaba mucho en emprender la conquista de los baluartes débilmente defendidos de las cocineras y camareras de la hostería. Cuando ya se había despachado a todas las mujeres disponibles, solía trasladarse a otra fonda grande. En el curso de sus cuarenta años de carrera fueron frecuentes sus cambios de residencia. En Braunau, por ejemplo, se trasladó doce veces. Tampoco le molestaba que sus mujeres no fuesen lo bastante elegantes para pasear con oficiales de caballería. ¡Ni lo más mínimo!

Había llegado a la conclusión de que las mujeres elegantes eran demasiado difíciles –sin duda alguna–, mientras que las camareras y cocineras agradecían la atención que él les prestaba y no armaban un escándalo cuando él se marchaba.

En 1873 se casó con una viuda. Tras haber desarrollado un buen ojo para la estatura social inherente a toda mujer que pretendiese pasar por una dama –su profesión, en definitiva, exigía cierta competencia en este sentido–, no estaba descontento con su elección. La respetaba, aunque él quizás tuviera treinta y seis años y ella cincuenta cumplidos. Procedía de una familia respetable. Puede que no fuera guapa, pero era hija de un funcionario en el monopolio de tabaco de los Habsburgo que producía una parte de los ingresos de la corona, y su dote era cuantiosa. Vivían bien, tenían una criada personal. Por entonces, el sueldo de Alois era considerable: no ganaba más que él el director del principal colegio de Braunau. A medida que subía en la jerarquía, aumentaban en su uniforme los ribetes dorados y los botones chapados en oro, y su sombrero de tres picos tenía derecho a lucir elegantes bordados oficiales. Su bigote era ya digno de un noble húngaro y de su cara sobresalía la mandíbula. Sus subordinados en el servicio de aduanas tenían instrucciones de utilizar siempre su título correcto cuando hablaban con Alois. A raíz de todo esto, estaba engordando. Poco después de su matrimonio, y a instancia de su mujer, se afeitó el bigote y se dejó patillas en ambos lados del rostro. Gracias a los cuidados que les dispensaba, pronto se volvieron tan formidables como los portalones de un castillo. ¡Ahora no sólo parecía un funcionario de aduanas al servicio de los Habsburgo, sino que incluso se parecía al propio Francisco José! Era nada menos que un facsímil del emperador, con una expresión plena de deber, trabajo duro y una cara imperial.

Sin embargo, su mujer, Anna Glassl-Hoerer, había perdido su atractivo para él. Esta pérdida se produjo unos dos años después de la boda, cuando él descubrió que ella también era huérfana y había sido adoptada. A su vez, ella asimismo perdió el respeto por su presencia cuando Alois (cansado de inventar historias sobre un imaginario y algo fabuloso Herr Schicklgruber, su padre) confesó que no existía tal hombre en el lado paterno de su partida de nacimiento, sino sólo un espacio en blanco.

Anna comenzó su campaña. Alois tenía que legitimizarse. A fin de cuentas, su madre se había casado. ¿Por qué no se podía deducir de este hecho que el padre era Johann Georg Hiedler? Alois sabía que era improbable, pero no se oponía, en vista de la importancia que tenía para Anna Glassl. Después de todo, él nunca había disfrutado de su apellido y Anna no se equivocaba necesariamente cuando juzgaba que la carrera de Alois, a pesar de su éxito, se había visto obligada a aceptar cada día el sonido de Schicklgruber.

Alois viajo de Braunau a Spital, a través de Weitra, con objeto de ver si Johann Nepomuk le ayudaría. El viejo, que ya tenía setenta años, no le entendió. Cuando Alois le dijo que quería cambiar su apellido por el que debía ser –¡Hiedler!– el corazón de Nepomuk sufrió un tremendo bochorno. Pensó que le estaban designando como el padre. Inmediatamente se apresuró a argumentar que en aquella fecha tardía, con las dos hijas casadas que le quedaban y en las que tenía que pensar (¡por no hablar de su mujer Eva!), ¿cómo iba a declararse padre de Alois? Estas excusas, no obstante, no llegaron a sus labios. Y en el último instante comprendió que Alois sólo estaba pidiendo que se nombrara su progenitor a Johann Georg. Con lo cual –los viejos son tan propensos como las muchachas a pasar en un instante de un extremo de emoción a otro–, se enfureció con Alois. Su propio hijo no quería que a él, Nepomuk, le considerasen su padre. Tardó otro momento en advertir que Georg, al haberse casado con Maria Anna, era el único al que se podía recurrir legalmente para aquel propósito.

En un carro de granja tirado por dos caballos, recorrió con Alois, Romeder y los dos vecinos que se habían brindado a actuar de testigos los kilómetros que separaban Spital de Strones, y desde aquí algunos más hasta Doellersheim, lo que en total representó un trayecto de cerca de cuatro horas por un camino de carruajes estrecho y serpenteante, obstruido por numerosos ramajes caídos y unos cuantos árboles arrancados de raíz, pero todavía razonablemente libre de barro aquel día de octubre. (Con barro, el viaje podría haber durado ocho horas.) Al llegar, Johann Nepomuk se encontró cara a cara con aquel cura concreto del que no quería acordarse. Allí estaba, un cura muy viejo ahora, menguado de talla, pero aún el mismo sacerdote que le había reprendido por mantener tratos con la vulva de una yegua.

Los dos hombres evocaron este recuerdo, aun cuando no hubo ni el más ínfimo cambio de expresión en ellos. Estaban todos allí por el asunto en cuestión, Alois, Nepomuk, Romeder y los dos testigos que habían sido transportados desde Strones. Puesto que Alois era el único de todos ellos que sabía escribir, todos firmaron el documento con tres X. Dijeron que habían conocido a Georg Hiedler y que «en su presencia y repetidas veces» había admitido que era el padre del chico. La madre había declarado lo mismo. Todos lo juraron.

El cura veía que, jurídicamente hablando, muy poco del procedimiento era correcto. Todas las manos de los testigos habían temblado con un poco de temor de Dios al rubricar la triple X. Uno, Romeder, el yerno, tal vez no tuviera ni cinco años cuando murió Maria Anna. ¡Por supuesto, ella se lo había contado todo al niño de cinco años! Además, Johann Georg llevaba mucho tiempo muerto. En vista de un caso tan dudoso, habría sido oportuno un proceder más meticuloso.

El cura hizo lo que había hecho durante años: certificó el documento, a pesar de que se siguió riendo con su boca vieja y desdentada. Sabía que todos estaban mintiendo.

Sin embargo, no quiso insertar la fecha. En la página amarilla del viejo registro parroquial de 1 de junio de 1837, tachó «ilegítimo», puso el nombre de Johann Georg donde anteriormente había un espacio en blanco y sonrió de nuevo. Jurídicamente hablando, el documento era endeble, pero no importaba. ¿Qué autoridad eclesiástica en Viena impugnaría una modificación así? La consigna era alentar la paternidad certificada por muy tarde en la vida que llegara. En algunos barrios de Viena, la cifra de hijos ilegítimos ascendía a cuarenta de cada cien nacimientos. De estos cuarenta, ¿siquiera la mitad estaba exenta de uno u otro asunto familiar innombrable? Así que el cura, desaprobando aquellos métodos pero forzado a aceptarlos, optó por no inscribir su propio nombre. Si algo salía mal, podría renegar del documento.

Después escribió como le vino en gana los nombres de los testigos, pues no había acuerdo sobre la ortografía de una provincia a otra: uno de los motivos por los que Hiedler se transformó finalmente en Hitler.

Una vez en posesión de su nuevo apellido, Alois decidió hacer un alto de una hora en Spital, en vez de continuar derecho en el carro de Nepomuk hasta la estación de tren de Weitra. El cambio de Schicklgruber por Hiedler le resultaba lo suficientemente grato como para sentir un renacimiento en la feliz región debajo del ombligo. Sabía por larga experiencia que aquello era uno de los dones que Dios le había dado. Era tan rápido como un sabueso para olfatear si andaba cerca una compañía femenina.

¿Fue Johanna quien le puso alerta? Vivía en la casa contigua a la de su padre y en aquel momento Alois vio a una mujer que se asomaba a la ventana. Pero no, no podía ser Johanna. Aquella mujer parecía más vieja que la suya propia. Ahora no tenía prisa en visitarla.

Pero sus pasos le llevaron a la puerta. Una vez más, el sabueso no le había fallado, pues allí en la entrada estaba Johanna, adentrada en la madurez antes de tiempo, y a su lado una chica de dieciséis años. Era de la misma estatura que Alois, recatada y bien hecha, tenía unas facciones muy bonitas y agradables, el pelo moreno y abundante y los ojos más azules que él había visto nunca: tan azules como la luz que una vez se reflejaba en un diamante grande que vio en una vitrina de exposición en un museo.

De modo que tan pronto como se separó del abrazo poderoso y la serie completa de besos tórridos que Johanna le depositó con su honesta saliva en la boca, Alois se quitó el sombrero de tres picos e hizo una reverencia.

–Te presento a tu tío Alois –dijo Johanna a su hija–. Es un hombre maravilloso. –Se volvió hacia él y añadió–: Tienes mejor aspecto que nunca; ahora incluso hay más cosas en el uniforme, ¿no? –Y empujó hacia ella a su hija–. Ésta es Klara.

Johanna se echó a llorar. Klara era su séptimo hijo. De los demás, cuatro habían muerto, uno era jorobado y el mayor de los que vivían, de diecinueve años, tenía tuberculosis.

–Dios nunca deja de castigarnos por nuestros pecados –dijo, y Klara asintió.

Alois no tenía ganas de oír hablar de Dios. Si pasaba un ratito con Él, el sabueso gemiría de vergüenza. Prefirió disfrutar de la idea de que pronto vería más a su sobrina.

Dio un paseo fuera del pueblo con la madre y la hija. Fueron a la zona de los campos de Nepomuk que ahora pertenecían al marido, Johann Poelzl, quien –lo cual no sorprendió a Alois– no se parecía en nada a la Klara de ojos azules tan insólitos. Poelzl los tenía grises y empañados y una cara llena de arrugas que desfallecían en consorcio con una triste nariz. Era obvio que había renunciado a la esperanza, antaño tenaz, de que tarde o temprano prosperaría sin duda porque era un labrador honrado. Alois tampoco se entretuvo. Poelzl tenía la expresión de un hombre al que todavía le quedan muchas labores por hacer. Aquel día, desperdigadas por las filas de rastrojos, había espigas de maíz aún no demasiado podridas para alimentar a los puercos, y Poelzl se desplazaba de un pie al otro (como si por hablar otros dos minutos se echaran a perder las espigas). Aunque le incomodase la prosperidad implícita en el uniforme de Alois, el ánimo no se le levantó una pizca cuando Alois explicó que su mujer no estaba bien de salud y necesitaba una criada piadosa y de una familia de confianza. ¿No sería Klara, quizás –¡sin acelerar las cosas!–, la persona adecuada?

Poelzl no pudo decir que no cuando supo la suma que su hija podría mandar a sus padres. El dinero en metálico, no dependiente de una cosecha, era la mejor de las cosechas y, como siempre, él necesitaba dinero. La alternativa de pedir más préstamos a su cuñado Romeder o a su suegro Nepomuk era desagradable. Oía la diatriba que le lanzaría su familia política. El temperamento de Johanna se había agriado tanto que Poelzl pensaba a menudo (para su coleto) que su sangre debía de tener gusto a vinagre. Tampoco le apetecía escuchar el fuerte suspiro de su cuñado Romeder cuando le entregase algunos kronen. Por descontado, no quería oír los consejos que le impartiría Nepomuk. Serían un insulto a su sensatez. Un labriego podía tener un fino instinto para la agricultura y, no obstante, sufrir la persecución de la mala suerte: ¿significaba esto que debía pagar tributo dos veces, escuchando a otros cuando ya había pagado una vez viviendo con un rendimiento insuficiente de sus campos? En suma, aceptó el hecho de que Klara se fuese a trabajar para el tío Alois, pero por dentro le alborotó los sentimientos la cólera más vacua de todas: la que ha perdido su brasa.

Una semana después del regreso de Alois a su puesto en Braunau, Klara le siguió con un pequeño arcón lleno de un ajuar modesto y unas pocas pertenencias.

4

Alois y Anna Grassl tenían alquiladas tres habitaciones en la segunda mejor posada de Braunau: la Gasthaus Streif. Había también un cuartito para Klara en el piso más alto, donde dormían otras criadas y sirvientes.

Por un tiempo, Alois acarició la feliz idea de que podría pasar un rato allí arriba con Klara, pero ella no le dispensó una acogida muy calurosa. Era evidente para todo el mundo, incluida Anna, que Klara sentía el máximo respeto por su excepcional

49

tío, pero esto no parecía causa de preocupación para Anna: ¡no todavía! La chica era beata hasta un extremo que habría resultado incomprensible si no se supiera que la muerte era su pariente más próximo. En aquellos ojos azul claro había luces que hablaban de ángeles, ángeles divinos y caídos. Tenía una cara tan inocente que cabría preguntarse qué sabría ella de ángeles caídos, de no ser por ese segundo sentido que nos dice que los demonios gravitan como polillas en las puertas que clausuran la vida. Ni siquiera a los inocentes les gusta siempre soñar con los fallecidos.

Alois preveía otros portales dudosos: las puertas a la castidad de Klara quizás condujesen a un recinto de hielo. Por tanto, era encantador con su sobrina, pero se impuso la norma de no tocarla nunca. Su mujer, ahora tan infeliz como un cuervo con un ala rota, había soportado antes su avidez de cocineras y criadas, pero después, por la época en que comenzó su campaña para eliminar el apellido Schicklgruber, permitió que su recelo hacia Alois cobrase renovada fuerza. Él nunca había conocido unos celos tan fervientes, de tan largo alcance y tan certeros. Pero tenía arrestos para encararlos.

Aunque consideraba que su primera cualidad de hombre era su dedicación al trabajo, a la limpieza de su apariencia y a su atuendo puntilloso en todas y cada una de sus horas laborales, no había estado años en un puesto fronterizo, tratando de frustrar las tentativas de viajeros y mercaderes de engañar en los aranceles a la corona de los Habsburgo, para no aprender muchísimo sobre una presentación fraudulenta y una falsedad descarada. Ahora tenía que ejercitar tales habilidades para distraer la atención de Anna de otra chica a la que se había aficionado a visitar en el piso más alto de la fonda.

Un viejo chiste vienés decía que para tener una sociedad floreciente, tanto los policías como los ladrones tenían que mejorar continuamente en su respectivo oficio. Pensaba muchas veces en este proverbio. Era cierto en el caso de Anna y de él.

Cuanto más aguda se volvía la intuición que ella tenía de lo que él andaba tramando, tanto más astutas eran sus mentiras.

Anna tenía motivos para desconfiar. Había días en que él hacía el amor con las tres mujeres a las que consideraba asiduas. Por la mañana, pletórico por el largo sueño, se ocupaba de su esposa y por la tarde, cuando Anna Grassl echaba la siesta y el tiempo libre de Alois coincidía con una hora en que la camarera limpiaba los suelos, solía disfrutar de la coquetería de sus caderas mientras ella, a gatas, pasaba de un lado a otro un paño mojado: bien es verdad que él rara vez le veía la cara en tales ocasiones. Y por la noche, cuando Anna Grassl se había acostado, estaba Fanni.

De modo que si podía esperar a Klara Poelzl, se debía al interés nocturno y, por el momento, auténtico, que sentía hacia aquella camarera de la fonda, una muchacha de diecinueve años llamada Fanni Matzelberger, que era voluptuosa pero ágil y –en buena medida– ardiente. Él había aprendido a privar a sus ojos de toda expresión cuando ella atravesaba el cuarto, pero Fanni imprimía un incontenible cimbreo a las caderas que para él era muy elocuente: Fanni era una buena chica que no quería ser tan buena.

En realidad, como pronto averiguó por sus visitas a la buhardilla, era una virgen de las más atormentadas, una doncella a la vieja usanza campesina: había mantenido intacta la entrada formal a su castidad, pero no podía afirmarse lo mismo del conducto vecino. A Alois esto ya no le agradaba tanto. El sabueso era demasiado grande para permitir un buen ingreso en «el pestilente y condenado» (como él lo caracterizaba). Fanni gemía en voz muy baja (para que no la oyese el resto del piso), pero a los dos les dolía. Tanto más estrecho se tornaba su abrazo. En el calor del momento se amaban, una reacción nada infrecuente cuando se considera que la mena sexual es de contrabando.

Alois se decía a sí mismo que ella no era más que la hija bien parecida de un granjero próspero –Fanni poseía una dote decente–, pero a ella también le dijo que la amaba. Ella dijo:

–¿Tanto como para abandonar a tu mujer y vivir conmigo?

–¡La abandonaré cuando tú me des otra cosa! –dijo él.

No, ella tenía que guardar la virginidad. En cuanto accediera a hacer lo que él quería, habría un hijo. Fanni lo sabía. Después vendría otro hijo. Después era muy probable que ella se muriera.

–¿Cómo puedes adivinar esas cosas?

–Tenemos gitanos en la familia. Tal vez soy una bruja.

–¡Valiente comentario!

–No, tú eres un malvado y yo soy una bruja. Sólo las brujas ponen la boca en lugares prohibidos. Ahora tengo miedo de ir a confesarme.

–No te acerques a los curas. Sólo valen para chuparte la sangre. Son ellos los que te dejarán débil e inservible.

Daban vueltas y más vueltas sobre si ella debía o no confesarse. Estuvo tentada de capitular y luego, en vista de la fuerza del deseo de Alois, le entregó lo que quería, se rindió y un mes después le dijo que estaba embarazada. Preguntó si había llegado el momento de que él se lo comunicara a su mujer.

Alois ya no se fiaba de Fanni. Creía que no se habría quedado embarazada si de verdad tuviera miedo de morir. Además, había estado mintiendo a su mujer con tanta destreza que ya no se atrevía a confesar. La mentira, al igual que la sinceridad, es reflexiva y pronto se convierte en una costumbre arraigada, tan fiable como la verdad. Anna Glass-Hoerer Hitler tenía cincuenta y siete años y parecía diez años mayor (aunque, para constante sorpresa de Alois, podía ser una fiera al alba). Perderla mermaría notablemente su situación económica. Además, cambiaría una dama por una campesina que era muy atractiva, pero hacía mucho tiempo que había llegado a la conclusión de que, al final, una labradora era como una piedra. Si lanzabas una piedra muy alto en el aire... siempre caería. Por el contrario, una dama era como una pluma. Una dama podía seducirte con su inteligencia. Alois tendría que renunciar a su pericia creciente como embustero.

He aquí una muestra en el comedor de la Gasthaus Streif:

ANNA GLASSL: Veo que otra vez la estás mirando.

ALOIS: Sí. Me has pillado. Si no tuvieras unos ojos tan hermosos, tendría que decir que tienes ojos de águila.

ANNA GLASSL: ¿Por qué no vas a buscarla cuando terminemos de comer? Dale un buen revolcón de mi parte.

ALOIS: Tienes una mente perversa. Me gusta cuando tu lengua es tan grosera.

ANNA GLASSL: Más de lo que era.

ALOIS: Anna, eres sumamente perspicaz, pero en este caso te equivocas.

ANNA GLASSL: Mira, querido, he soportado a cocineras y criadas. Has venido a la cama muchas noches oliendo a cebollas. Y eso es mejor que oler jabón de lavandería. Pero me da igual, me digo a mí misma. El hombre tiene que divertirse. Sólo que ¿por qué te empeñas en insultar a mi inteligencia? Sabemos que la chica es preciosa. Por lo menos una vez en la vida haz el amor con una camarera que no parece el pudin de anoche.

ALOIS: Muy bien, te diré la verdad. Me gusta un poco su palmito, sí. Aunque, la verdad, no es mi tipo. No, no lo es. Pero en todo caso no me acercaría a ella. Por ahí se oye lo peor. Ni siquiera quiero decírtelo porque a ti te cae bien.

ANNA GLASSL: ¿Que me cae bien? Es una aprendiz de furcia. Tu mismísimo tipo.

ALOIS: No, está enferma. He oído decir que tiene una enfermedad contagiosa entre las piernas. No me acercaría a ella.

53

ANNA GLASSL: No te creo. No puedo creérmelo.

ALOIS: Como quieras. Pero te prometo que es la última chica de la que preocuparte.

ANNA GLASSL: ¿Entonces de quién quieres que me preocupe? ¿De Klara?

ALOIS: Tienes un excelente sentido del humor. Si no estuviéramos en público, me reiría a carcajadas y después ya sabes lo que haría. Eres tan atractiva, tan perversa. Serías capaz de mandarme a besar a una monja.

5

Al final, Fanni le dijo a Anna Glassl que estaba embarazada de dos meses y que pronto se le notaría. Para Anna, aquello fue el fin del matrimonio. Que Alois le hubiese dicho que la chica tenía una enfermedad sabiendo en todo momento que estaba encinta: ¡imperdonable! Además, por entonces Anna Glassl estaba más cansada de vivir con Alois que temerosa de vivir sola. Era en verdad extenuante reunir las artes que le quedaban para poder ser una fiera al amanecer. Ahora ansiaba paz. Incluso decidió que sus celos habían sido una última inoculación contra algo aún peor: justamente la fría aversión a un compañero que se te mete dentro incluso cuando los celos pierden fuerza. En suma, se mudó. Como eran católicos no podían divorciarse. Hasta para obtener una separación legal, según la ley austriaca, Anna tenía que declarar no sólo su incompatibilidad mutua, sino afirmar por escrito la inquina que él le inspiraba. Alois se vio obligado a leerlo. La frase sobresalía en el documento como un forúnculo en la barbilla. Picaba tanto que mostró una copia a sus camaradas de borrachera.

–Mirad, habla de aversión personal. Esto es directamente indignante. Si no fuera indecoroso, os diría cuánta aversión había. Se ponía a gatas en cuanto yo le decía: «Prepárate.»

Ellos se reían y hablaban de otra cosa. Él estaba irritado aquellos días por más razones que la partida de Anna Glassl. Fanni y él vivían juntos ahora en las mismas habitaciones de la Gasthaus Streif. Él no tenía ningún inconveniente: era el primero en decir que no se ataba al pasado. Después descubrió que Fanni no estaba embarazada; sólo había creído que podría estarlo. ¿O fue que había tenido un aborto temprano? A este respecto era muy poco clara.

Él pensó que le había contado una mentira horrible, pero ¿qué iba a hacer? Con ninguna mujer había conocido un placer mayor. Fanni, por supuesto, no tardó en mostrarse tan celosa como Anna Glassl, y tenía un oído perfecto para detectar en la voz de Alois el menor indicio de que deseara a otra mujer. Muy pronto ella le hizo un agujero en el barco bien protegido de sus planes futuros. Le dijo que Klara tendría que marcharse. De lo contrario, se iría ella.

Aquello representó un trastorno enorme para Alois. Fanni no tardaría en estar embarazada de verdad, o eso esperaba él en vista de las señales que, en el momento más feliz, vio en la elocuente erupción de su útero, que notó que se inflaba cuando la estaba penetrando a todo trapo: no era el tipo de conclusión al que llegase normalmente con otras mujeres. (Excepto una vez –mucho tiempo atrás– con Johanna.) Además, estaba plenamente dispuesto a que un hijo, de preferencia varón, llevase su nombre. Sí, cuando no se hallaba en la mitad de sus mejores instantes con Fanni, pensaba muchas veces en la coyuntura en que ella estaría embarazada de seis o siete meses y le tocase el turno a Klara. Las probables complicaciones futuras no le disuadían. Estaba en la naturaleza de su trabajo abordar más de un problema a la vez.

En cuanto al escándalo, no le preocupaba. No excesivamente. En Braunau estaba acostumbrado a ser el centro de las habladurías. Los habitantes de la ciudad podrían quejarse a las estrellas del cielo de que él viviera con una concubina, pero esto no llevaba a ningún sitio. Se consideraba igual a un oficial acuartelado en una ciudad a la que no debía nada. El sueldo se lo pagaba la inspección fiscal de Viena. Siempre que en su trabajo fuera intachable, al lejano brazo del gobierno Habsburgo le importaba poco cómo se comportase en su vida privada.

Era probable que conservara la más alta posición en los rangos medios que había alcanzado. Tenía el puesto asegurado. La aduana le necesitaba. Al fin y al cabo, hacía falta años para que un funcionario obtuviera la misma experiencia que él. A su vez, él necesitaba a la aduana. ¿Dónde encontraría otro trabajo tan bien pagado? Se había convertido en el instrumento perfecto para su cometido, pero no era una destreza que pudiera utilizarse para fines distintos. Estaba, por tanto, atado a su trabajo y la inspección de finanzas estaba amarrada a él. Así que el diablo se llevase a los habitantes de Braunau. Podía doler lo que dijeran, pero no entorpecerían actividades más interesantes. Una chica daría a luz a su hijo y la sobrina (que temblaba delante de él cuando él hablaba) sería su amante. Por descontado, estaría más que dispuesta cuando llegara el momento. ¿Por qué otra razón temblaba? Era porque la sobrina sabía que él podía enseñarle todas las cosas que ella ignoraba y ni siquiera se atrevía a preguntar.

Tal era el designio secreto en el que se entrometió Fanni. Ninguna Klara iba a seguir trabajando para ellos.

–Estás loca –contestó Alois–. ¿No lo ves? Klara sería más feliz en un convento.

–A ti no te interesa su felicidad, sino la tuya. Tiene que marcharse.

–No me hables de ese modo. Eres tan joven que podrías ser mi hija.

–Sí, soy joven y he oído decir a unos polacos que un padre no debería hacer el amor con su hija si no quiere que le pierda el respeto.

Klara tenía que irse. Alois no podía renunciar a lo que le

daba Fanni, no, en todo caso, por la incierta promesa (a la postre) de que una monja angelical se transformase en una sobrina sumamente dócil y cariñosa. No, nada lo garantizaba.

6

Tras la partida de Klara, fue Fanni la que más sufrió. Se habían ido también las confidencias mutuas que se habían hecho. Las dos habían aprendido mucho: eran tan amigas y tan distintas. Todo acabó, sin embargo, porque Klara no sabía mentir. Se ponía colorada como un tomate cuando Fanni sugería lo que había entre ella y el tío Alois. (Como Klara le llamaba tío, a Fanni se le había contagiado.)

–Confiesa –decía Fanni– que tú también quieres acostarte con el tío.

–No –respondía Klara, y sentía como si se le mancharan las mejillas si no decía la verdad–. Sí, hay veces que sí, por Dios, me apetece. Pero debes saber que no lo haré, no lo haré nunca.

–¿Por qué?

–Porque está contigo.

–*Ach* –dijo Fanni–, a mí eso no me detendría ni un minuto.

–Quizás a ti no –dijo Klara–, pero yo recibiría un castigo.

–¿Eso es algo que sabes?

–Lo sé, sí.

–Quizás no –dijo Fanni–. Le dije al tío que me moriría si le dejaba hacerme un hijo, pero ahora lo veo de otra manera. Quiero un bebé, estoy cerca de tenerlo.

–Lo tendrás –dijo Klara–. Y confía en mí. Yo nunca estaría con el tío Alois. Tú eres su mujer. Es mi juramento.

Se besaron, pero hubo algo en el aroma del beso que a Fanni le inspiró desconfianza. Los labios de Klara eran firmes y llenos de temperamento, pero no del todo. Aquella noche Fanni soñó que Alois hacía el amor con Klara.

Antes de marcharse, Klara lloró sólo un poco.

—¿Cómo puedes echarme? —preguntó—. Te lo juré.

—Dime en qué se basa esa promesa tan sagrada —dijo Fanni.

—Lo juro por la paz de mis hermanos y hermanas difuntos.

No era la mejor respuesta. Fanni tuvo la idea súbita de que Klara también podría estar ocultando a una bruja en su interior; en definitiva, quizás había detestado a sus hermanos, al menos a algunos de ellos.

A través de la inspección de finanzas, Alois hizo trámites pertinentes para Klara en Viena. Obtendría un empleo limpio y retribuido en la casa de una anciana pudibunda. (Alois estaba resuelto a proteger la castidad de Klara.) O sea que al cabo de cuatro años de trabajo bueno y honrado en la fonda, durmiendo cada noche en el más pequeño de los cuartos de la servidumbre, Klara metió sus posesiones en el mismo arcón modesto con el que había llegado y dejó la Gasthaus rumbo a su nuevo empleo en Viena.

Aunque Fanni estaba ahora más a gusto con Alois, el mejor estado de ánimo podía, no obstante, desvanecerse en un abrir y cerrar de ojos. ¿Cómo podía estar segura de que su desconfianza hacia Klara había sido un temor sincero? ¿Y si procedía de un despecho tan cruel como un dolor de muelas? Sabía que estaba llena de despecho. Por eso se llamaba bruja a sí misma.

Tal como había previsto, estaba ya embarazada. El hecho la satisfacía, pero los remordimientos persistían. Había despedido a la chica más dulce que conocía, y en ocasiones estaba a punto de pedirle a Klara que volviera, pero entonces pensaba: ¿y si Alois llega a preferirla? Entonces la chica quizás no fuera fiel a su juramento. ¡Qué injusto sería con el hijo en camino!

Catorce meses después de que Anna Glassl recibiera la sentencia de separación, Fanni dio a luz a un niño al que su padre, sin vacilar, llamó Alois. Sin embargo, aún no podían llamarle Alois hijo. El nombre tenía que ser todavía Alois Matzelberger, cosa que disgustaba a Alois Hitler. Atravesó un período en que recordaba lo que se había esforzado en olvidar: que un niño podía sentirse tan vacío como un estómago cuando tenía que andar por el mundo sin más apellido que el de su madre. Ahora Alois padre se acostaba todas las noches maldiciendo a Anna Glassl.

No era un hombre que se entregara a una maldición. Para él era lo mismo que gastar una cantidad de oro personal. Sin embargo, lanzaba su maldición cada noche, y en ella había veneno. En suma, no le sorprendió tanto la muerte de Anna Glassl. ¡Que fue de lo más repentina! Este curioso suceso no ocurrió hasta catorce meses después del nacimiento de Alois y cuando Fanni estaba otra vez en avanzado estado de gestación, pero Alois seguía pensando que su anatema podría haber surtido efecto. Lo veía como un pago cuantioso por una conclusión necesaria: cuantioso porque siempre podía haber consecuencias imprevistas.

En realidad, el certificado de defunción de Anna decía que se desconocía la causa de la muerte. Esto convenció a Alois de que se había suicidado. No le gustó la idea. No era un hombre supersticioso, no, al menos, comparado con su incredulidad en la presencia cercana de Dios y del demonio. Más bien, como explicaba de buen grado tomando una jarra de cerveza, depositaba su fe en los procesos sólidos e inteligentes de unas formas fidedignas de gobierno. Dios, por muy augusto y remoto que fuera, indudablemente miraba al gobierno del mismo modo que Alois: como el cumplimiento humano de la voluntad divina, siempre que dicha voluntad la ejerciesen funcionarios tan escrupulosos como él. Alois no había extraído esta idea de Hegel, no había leído una palabra de este autor, pero ¿qué falta le hacía? Él y Hegel estaban de acuerdo; el poder de este concepto tenían que respirarlo todos. Para Alois era una evidencia.

Con arreglo a esta premisa, Alois prefería, en consecuencia, que la muerte tuviese una causa netamente definida. Podía causarla un apéndice perforado o la tuberculosis, de la que, sin ir más lejos, había muerto su madre Anna Maria. El suicidio, por el contrario, le intranquilizaba: le gustaba quedarse dormido enseguida (como les decía a sus compañeros de bebida), «con un pedo y un ronquido». Le desvelaba la idea de que Anna Glassl se hubiese suicidado. Habría ido al funeral, pero no quiso someter aquel nuevo desasosiego nocturno a la visión de la cara de Anna en el féretro. Y no asistió a la ceremonia. Lo cual fue otra sabrosa comidilla para la ciudad.

En cualquier caso, al margen de cómo hubiese muerto Anna Glassl, lo importante era que ella ya no estaba. Por consiguiente, él podía casarse con su barragana, su nueva mujer, Franziska Matzelberger, y así lo hizo. El segundo hijo llevaba ya sus buenos siete meses en el útero y la barriga de Fanni empezaba a parecer tan grande como el melón premiado en una exposición agrícola. Alois tenía cuarenta y seis años, ella veintidós y la boda se celebró en otra ciudad, Ranshofen, situada a unos seis kilómetros de Braunau y a otros seis más, incómodos, de vuelta para la novia encinta.

Ella había jurado que el casamiento no se celebraría en Braunau. No sólo a causa de que la miraban las mujeres. Los jóvenes se reían por lo bajinis al verla pasar.

Alois estaba enfadado. Era un coste extra transportar en un carruaje alquilado a los dos funcionarios de aduana a los que había invitado. No era un dispendio excesivo, pero aun así era superfluo. Además, Fanni le había decepcionado. Su nueva esposa no estaba tan dispuesta a afrontar a la gente como debía.

Por añadidura, era una madre nerviosa. Insistió en tener a su segundo bebé en Viena. Le dijo a Alois que una comadrona no sería allí tan desdeñosa. En su situación, alegó Fanni, ¿quién se fiaría de una mujer de Braunau? Más gastos.

Anna Glassl, a pesar de todos sus defectos, había sido una señora: a regañadientes decidió que nunca podría decir lo mismo de Fanni. Tampoco lo esperaba de ella, la hija de un granje-

60

ro, pero algo había progresado en aquel sentido. Ahora todo iba hacia atrás. Cuando la conoció, Fanni se movía bien, era rápida, encantaba a los huéspedes de la fonda cuando les servía. Alois pensaba que era de lo más ingeniosa para ser una camarera.

Ahora gritaba a los criados: toda su fogosidad se había concentrado en el mal genio. Las habitaciones que ocupaban estaban descuidadas. Cuando él sugirió que llamaran a Klara, Fanni no calló en toda la noche.

–Sí –dijo ella–, y así le podrás hacer lo que me hiciste a mí. ¡Pobre Anna Glassl!

¡Pobre Anna Glassl! Llegó a comprender que Fanni debía de soñar con Anna. ¿No podían avanzar como marido y mujer? Llegó a la conclusión de que el suyo no era el mejor matrimonio posible. No era cuestión de librar la misma pelea todas las noches.

Fanni pasó dos semanas en Viena antes de que naciera su hija Angela, y durante ese tiempo Alois tuvo que pagar a una niñera para que atendiese a Alois hijo. Antes de terminar la semana, el padre había seducido a la niñera. Era quince años mayor que Fanni, maciza e incansable en la cama, pero él podía dormir porque ella se levantaba sin queja en mitad de la noche cuando el niño llamaba a su madre llorando.

Hasta entonces Alois le había sido fiel a Fanni. Ahora la única manera de que la niñera resultase más tolerable era alternarla con la cocinera. Fanni volvió de Viena con aspecto débil y cansado y no tardó mucho en enterarse de todo. No le gritó a su marido. Lloró. Confesó que no se encontraba bien y él, por su parte, no tenía paciencia para aguardar a que un enfermo se recuperase. Era una bestia, le dijo Fanni.

Habían vivido juntos casi tres años hasta que pudieron casarse, pero cuando Angela cumplió su primer año Fanni estaba gravemente enferma. Mostraba todos los síntomas de una dolencia cada vez más profunda. Pasaba de accesos de malhumor a la histeria, y de aquí a perder el interés por su marido, amén de una incapacidad para ocuparse de sus dos hijos. Un médico le dijo que padecía un principio de tuberculosis. Llamaron a Klara a Viena para que atendiese a Alois hijo y a Angela mientras Fanni abandonaba la fonda para trasladarse a una pequeña ciudad llamada Lach, en medio de un bosque denominado Lachenwald, «Risa en el bosque», pero ni el nombre ni el buen aire forestal lograron restablecerla. Pasó en Lach los diez meses que le quedaban de vida.

Libro III

La madre de Adolf

1

En estos meses, Klara visitó a Fanni más a menudo que Alois, y casi cicatrizó la herida que se habían producido ambas. En la primera visita, Klara se postró de rodillas delante de la cama donde yacía Fanni y dijo:

–Tenías razón. No sé si hubiera cumplido mi juramento.

Fanni, a su vez, lloró.

–Sí lo habrías cumplido –dijo–. Ahora te digo que renuncies a él. Alois no me quiere.

–No –dijo Klara–, ¡mi promesa sigue en pie! Tiene que ser más fuerte que nunca.

Hubo un momento en que pensó que quizás había comprendido por fin el verdadero sentido del sacrificio. Y se sintió exaltada. La habían enseñado a buscar un estado parecido de pureza espiritual. Eran enseñanzas inculcadas por su padre, es decir, su padre putativo, el viejo Johann Poelzl, que era huraño en todos los temas menos en la devoción. «La devoción a nuestro Señor Jesucristo lo es todo para mí en todos y cada uno de los días de mi vida», le decía a Klara; era, de hecho, más piadoso que cualquier mujer de Spital. En muchas comidas, después de bendecir la mesa, le decía a Klara (sobre todo cuando rebasó los doce años) que renunciar a lo que más se deseaba era lo más cerca que podía estarse de conocer la gloria de Cristo. Pero para alcanzar aquellos momentos había que estar dispuesto a sacrificar los propios sueños. ¿Acaso Dios no había sacrificado a Su Hijo?

Klara pronto intentó renunciar al deseo que le inspiraba su tío Alois. Aquella fiebre no había desaparecido en los cuatro años que trabajó para Anna Glassl ni en los cuatro siguientes en que sirvió a la anciana de Viena, que alternaba entre adorar a Klara y contar sus objetos de plata. Era una vieja que poseía el auténtico celo de la sospecha: la irritaba que el cómputo de la platería fuese correcto (y siempre lo era), porque la paranoia que no puede confirmarse es más difícil de sobrellevar que una pérdida derivada de un robo inequívoco. Estaba secretamente orgullosa de la perfección con que le llevaba la casa aquella joven sirvienta –prueba del respeto hacia su señora–, pero la honradez la volvía irritable.

Años antes, a manera de pago por su único pecado capital con Alois, Johanna se había convertido en un ama de casa muy buena, y Klara respondía a tales quehaceres. Era como si la madre y la hija creyeran que lo que quedaba de la familia –considerando los espectros de todos aquellos niños muertos– dependía de prestar una atención incesante a la escaramuza cotidiana contra el barro, el polvo, las cenizas, los desechos y toda la costra acumulada en los platos, tazas, ollas y cubertería.

Por entonces, Klara era incansable. Cada quehacer exigía respeto, incluso cuando alguien sabía hacerlo bien. Sin embargo, el sacrificio era distinto de un trabajo así. El sacrificio era un dolor alojado cerca de su corazón. Aunque deseara a Alois, aunque soñase con él, seguía estando obligada (una vez acostados los dos hijos de Fanni) a mantenerle a distancia. No había una noche en la posada, la mejor de Braunau, la fonda Pommer (a la que se habían mudado), en que Alois no la devorase con los ojos. Achispado por las tres jarras de cerveza que todas las noches trasegaba en compañía de uno u otro funcionario de aduanas antes de volver a Pommer para la cena que

Klara había preparado en la cocina de la fonda y subido después a sus habitaciones, comía con fruición y sin decir palabra, limitándose a asentir para mostrar su deleite. Después contemplaba a Klara en la intimidad del cuarto de estar, con los ojos de par en par como si quisiera compartir sus pensamientos. Su imaginación manoseaba enseguida los recovecos del cuerpo de Klara. Los muslos y las mejillas le ardían, su respiración quería aspirar la de Alois. Si uno de los niños lloraba en sueños, ella se levantaba de un brinco. El sonido equivalía a un grito de Fanni llegado hasta Klara directamente desde Lachenwald. A lo cual seguía con toda seguridad una punzada de desilusión.

Alois a menudo estaba a punto de expresar a sus camaradas de taberna cuánto amaba los ojos de Klara. Eran tan profundos, tan claros, tan desesperados por poseer a Alois.

¿Por qué no? Él mantenía su opinión de que era un individuo extraordinario. ¿A quién más conocía aparte de él que se atreviera a declarar su indiferencia hacia el temor religioso? Era su forma personal de valentía. Muchas veces se preciaba de afirmar que nunca iba a la iglesia. Y que no se confesaba nunca. ¿Cómo iba a reconocer como igual a un cura normal y corriente? Guardaba fidelidad a la corona y no necesitaba más. ¿Se disponía Dios a castigar a un hombre que prestaba tantos servicios al Estado?

La semana anterior, un primo le había preguntado si su hijo, ya mayor de edad, estaría contento trabajando para la inspección de finanzas. Alois le había escrito la siguiente respuesta:

Que tu hijo no piense que es como un juego porque rápidamente se llevará una decepción. Tiene que mostrar una obediencia absoluta a sus superiores de todos los rangos, y tanto más si no es muy instruido.

No duran en el servicio mucho tiempo los bebedores empedernidos, los amantes del juego y los que llevan una

67

vida inmoral. Por último, tiene que salir a la intemperie haga el tiempo de haga, de día o de noche.

Naturalmente, se sentía a la altura de los sentimientos que expresaba, y no tuvo que cavilar lo de quienes «llevan una vida inmoral». Sabía que no había que confundir la inmoralidad con los detalles de la vida privada. Inmoral era aceptar un soborno de un contrabandista, mientras que la vida privada era demasiado complicada para poder enjuiciarla. No tenía la certeza de que Klara fuese su hija: al fin y al cabo, no tenía por qué confiar en la palabra de Johanna Hiedler Poelzl. A fin de cuentas, ¿de qué servía ser una mujer si no sabías mentir con destreza? *Sie ist hier!* ¿Era verdad o no?

No obstante, podría ser su hija.

Alois sabía por qué no tenía que ir a la iglesia ni a confesarse, sabía por qué era valiente. Seguía el mismo camino prohibido en el que se extraviaban, al compartir una cama, aquellos campesinos y adolescentes borrachos. Pero él se distinguía de ellos en que miraba atrás con temor y remordimiento. Él lo hacía y punto. Sí, señor.

Lo hizo, a la postre, al final de una breve velada muy similar a todas las demás cenas en que la había mirado sin engaño en su expresión y ninguna otra actividad más que la de levantarse a intervalos con los pantalones totalmente a la vista y el orgulloso bulto que hablaba en su lugar. Iba a atizar el fuego, volvía a sentarse y otra vez miraba a Klara. La noche de marras, sin embargo, no le dio las buenas noches cuando ella puso la mano en la puerta del cuarto de los niños, donde también ella dormía, sino que dio unas zancadas, la cogió de la mano, la besó en la boca y se la llevó a su dormitorio y a su cama, por mucho que ella le suplicara con una voz baja e indecisa que no hiciera nada más, «por favor, no más», a lo que él respondió dejando una huella con su mano, tan avezada a infiltrar los dedos a través de las defensas de corsés y faldamentos, derecho hasta el nido de vello que durante tanto tiempo ella había ocultado. Y allí lo tenía, muy parecido a unas plumas –sedoso–, muy como él se esperaba. Klara tenía la mitad del cuerpo en llamas y la otra mitad, la inferior, helada. De no ser por el sabueso, podría haberse estancado al acercarse a una entrada tan fría, pero la boca de Klara formaba parte de su fuego y ella le besó como si el corazón lo llevara en los labios, una boca tan fresca y sabrosa y disoluta que él explotó en el momento en que la penetraba, le desgarraba el himen y entraba hondo, hasta el fondo, y todo había acabado cuando ella empezó a sollozar de congoja y miedo y algo peor: la vergüenza por la ráfaga de exaltación que la había estremecido de golpe y luego había cesado. Sabía que aquello había sido lo contrario de un sacrificio. Tampoco podía parar de besarle. Siguió haciéndolo como una niña que prodiga besos en la cara del gran adulto amado, y después hubo otros besos, más suaves y profundos. Era el primer hombre al que había besado como a un desconocido más que como a un pariente: sí, era el tipo de exaltación indebida. No lograba contener el llanto. Ni lograba parar de sonreír.

2

Así pues, Klara era ya su amante, su asistenta y la niñera de Alois hijo y de Angela. Muchas noches era también su cocinera, a menos (tras haber contratado a una sirvienta de la fonda para que se ocupase de los niños una hora) que bajasen a cenar al comedor de la fonda Pommer y se presentasen como tío y sobrina a la vista de todo el mundo, el funcionario de aduanas de mediana edad con su uniforme y su amante joven y recatada. En Braunau no engañaban a nadie, por muchas veces que ella le llamase tío. Ya era bastante agravio para los testigos que él se sentase allí como si fuera el mismo Francisco José y se jactara: «Al igual que el emperador, yo también tengo una amante preciosa.» Indefectiblemente, cualquier noche que cenaba con ella abajo le hacía el amor en cuanto volvían con una voz tan ronca que apenas podía hablar:

—Soy tu tío malo —le decía, en el calor del abrazo—, tu tío muy malo.

—Sí, sí, mi tío malo —decía ella, y se le aferraba, apenas capaz de distinguir el dolor de lo que intentaba que fuera un placer, un placer sumamente impuro—. Oh —exclamaba—, seremos castigados.

—¿A quién demonios le importa? —rezongaba él, y ella se arrimaba más al placer pecaminoso.

Invariablemente, Klara lloraba cuando habían terminado. Era lo único que acertaba a hacer para no gritarle. En su fuero interno no había pasado del todo la congestión de todo aquello. Tan culpable se sentía.

Ahora le tocaba a Klara ir a misa. Trabajaba para el diablo (¡lo sabía!). Sentía como si sus más nobles impulsos la acercasen al Maligno, incluso la amorosa atención que dedicaba a Alois hijo y a Angela. Cuanto más les adoraba, peor tenía que ser. Su presencia deshonrada podía contaminar su inocencia.

Y además estaba Fanni. Klara no se lo había dicho pero sabía que debía hacerlo. En efecto, si Fanni no lo sabía entonces sin duda lo descubriría tan pronto como su vida terminase, pues podría observar desde el otro lado. Fanni se quedaría con la idea insoportable de que Klara nunca se molestó en decírselo.

Sin embargo, cuando Klara se lo confesó, la última semana de la vida de Fanni, la respuesta fue breve:

—Es mi castigo por haberte tenido alejada cuatro años. Es justo.

—Cuidaré al niño y a la niña como si fueran míos.

—Los cuidarás mejor de lo que yo lo haría —dijo Fanni, y apartó la cara. Dijo—: Está bien, pero no vengas más a verme.

Entonces Klara supo de nuevo que vivía en las garras del

70

Maligno. Pues si al principio se sintió dolida, pronto la enfureció que Fanni hubiera vuelto a despedirla, y la rabia persistía el día en que la enterraron, un día muy largo, ya que Alois no la sepultó en Braunau. Había elegido Ranshofen (Al-borde-de-la-esperanza), el lugar donde se casaron. No fue una decisión sentimental, sino irritada. En Braunau circulaba el rumor de que había comprado el ataúd de Fanni meses antes de que falleciera. La gente decía nada menos que había encontrado antes una auténtica ganga (una caja de caoba confiscada a un contrabandista en el puesto aduanero). En verdad, había comprado la maldita caja sólo diez días antes. No llevaba meses sentado encima de ella. Por tanto, no perdonaba aquellas habladurías. Además, sobreestimaban la tragedia de la muerte. Muy a menudo, era como despedirse de un amigo que ha gastado todas las bienvenidas. En verdad, no tenía intención de visitar con frecuencia el cementerio. Sus ojos se posaron en Klara aquella noche. Después del entierro no paraba de mirarla. Aquellos ojos azules, ¡tan parecidos al diamante del museo!

En la cama, aquella noche calurosa de agosto, la vida de Klara recibió nueva vida. Le había llegado directamente hasta el corazón, o eso sintió. Su alma parecía residir ahora justo debajo del corazón, y a punto estuvo de caer en la oscuridad por causa del placer: salvo que el placer no se terminaba. Ahora no se detenía. Ella pertenecía al demonio. La había excavado con el deleite más maléfico que ella había conocido, y en consecuencia a la mañana siguiente sucumbió a una culpa tan pesada como un árbol empapado de agua. Pasó un momento atroz al comprender que parte de su placer procedía del hecho de que Fanni hubiese muerto. Sí. Todo el amor que profesaba a la amiga postrada tanto tiempo se había transformado en una alegría nefasta, en el júbilo largo tiempo contenido y que por fin podía liberar porque la mujer que la había proscrito durante años había muerto. Por fin Klara podía ser la esposa.

Se quedó embarazada. No era de extrañar.

Nunca declaró su deseo de que él la desposase, pero Alois lo sabía. «Un hombre puede ser un idiota», solía decir, «pero hasta un idiota aprende de la experiencia. Sólo por esto habría que juzgarle.» De modo que sabía que tenía que asumir aquel nuevo deber.

Además, quería casarse. El desagrado de las buenas gentes de Braunau se le había colado debajo de la piel. Literalmente. Le aquejaba un picor inaguantable que a veces duraba incluso una hora. Por primera vez, consideró la posibilidad de que las cartas anónimas escritas acerca de él al servicio de finanzas no necesariamente iban a ser desechadas por los funcionarios que las recibían. Se harían pesquisas. Los asuntos así avanzaban despacio, pero ahora que Klara estaba embarazada, podría resultar una imagen ofensiva que, al cabo de cuatro o cinco meses, no pudiera salir a la calle por culpa de su voluminosa barriga. Aquello no sería miel sobre las hojuelas enviadas a la inspección de finanzas.

También podía decirse a sí mismo que era la primera vez que le gustaba la mujer con la que se casaría. Anna Glassl había satisfecho su sentido de rango –un hecho indiscutible–, pero no le gustaba el olor tenue de su perfume. Y Fanni, por decir lo mínimo, era como una fiera con sus cambios de humor. Sin embargo, Klara era apacible y sabía de dónde procedía. A él tenía que gustarle cómo cuidaba a los niños y, bueno, no era una perspectiva horrible que Klara le diese una familia numerosa. Sellaría la boca a los murmuradores.

En todo caso, con la muerte frecuente de los niños, una familia numerosa era una forma más de seguro. Perdías unos cuantos y aún tenías otros.

Por otra parte, técnicamente, él y Klara eran primos. Cuando Alois hizo sus primeras investigaciones en la parroquia de Braunau, descubrió que tendría que rellenar una solicitud.

Ahora bien, debía preocuparse de la mentira que había sido certificada casi nueve años antes, cuando había viajado a Strones con Johann Nepomuk y los tres testigos. ¿Se interpondría aquello en su proyecto de una boda rápida? En el documento oficial él era hijo de Johann Georg Hiedler y por consiguiente primo segundo de Klara. ¿Sería un parentesco demasiado cercano? Si afirmaba ahora que Johann Georg no era en absoluto su padre, tendría que volver a ser Alois Schicklgruber. ¡Ni hablar! Así que él y Klara tendrían que dar el paso de pedir una decisión eclesiástica.

El párroco de Braunau, el padre Koestler, procedió a estudiar el problema. Al cabo de un mes emitió un dictamen desalentador: no estaba facultado para otorgar dispensas como la que solicitaba Herr Hitler. Klara y Alois tendrían que dirigirse al obispo de Linz. El padre Koestler ayudaría a Alois a escribir la carta.

3

Reverendísimo obispo:

Los que con la más humilde devoción han suscrito lo que sigue desean casarse. Pero según el árbol genealógico adjunto se lo prohíbe el impedimento canónico de una afinidad colateral. Por consiguiente solicitan humildemente de su Ilustrísima les conceda una dispensa basada en los motivos siguientes:

El contrayente es viudo desde el 10 de agosto del presente año y es padre de dos menores, un niño de dos años y medio (Alois) y una niña de un año y dos meses (Angela), y los dos necesitan los cuidados de una niñera, tanto más porque el padre es un funcionario de aduanas que pasa el día y en ocasiones la noche fuera de casa y no se encuentra, por tanto, en condiciones de supervisar la educación y la crianza de sus hijos. La novia se ha ocupado de ellos desde la muerte de su madre y la quieren mucho. De ahí que haya motivos para deducir que los niños serán bien educados y que el matrimonio será feliz. Además, la contrayente carece de recursos y es improbable que vuelva a tener otra oportunidad de hacer una buena boda.

Por las razones expuestas, los abajo firmantes reiteran su humilde petición de la misericordiosa concesión de una dispensa del impedimento de parentesco.

Braunau am Inn, 27 de octubre de 1884

Alois Hitler, novio

Klara Poelzl, novia

Alois se había hecho amigo del ama de llaves del padre Koestler, una mujer madura y regordeta con luz en los ojos.

Como él a su vez poseía esa misma luz, le enseñó la carta y dijo:

—No se menciona una razón importante para el casamiento. La novia está embarazada.

—Oh, eso ya lo sabemos —dijo ella—, pero no es buena idea dejar una piedra en el sobre.

Tras una pausa para digerirlo, Alois dijo:

—Es un buen consejo. Está muy en su sitio. —Y le puso la mano en el trasero, como para comprobar el centro de su sabiduría. Ella le cruzó la cara.

—¿Cómo ha podido hacer esto? —preguntó Alois.

—Herr Hitler, ¿acaso no le abofetean muchas veces?

—Sí, pero también recibo sorpresas agradables. De buenas mujeres que no son tan altivas y poderosas como usted.

Ella se rió. No pudo evitarlo. Los carrillos de su cara debían de estar tan rojos como el lugar en que él había depositado su cumplido.

—Buena suerte con el obispo de Linz —dijo ella—. Es un hombre tímido.

No hubo noticias de Linz hasta un mes después. El obispo no les concedía la dispensa.

Si Alois había sentido poco afecto por la Iglesia, ahora la despreciaba.

Los clérigos llevan sotanas negras, se dijo, para taparse sus culos blancos de lirio.

Al padre Koestler le preguntó, con respeto:

—¿Y cuál es ahora el paso siguiente?

—Ahora los eruditos diocesanos tiene que traducir al latín la carta que contiene su petición. De este modo podremos enviarla a Roma. Creo que la curia papal será más receptiva. Suele serlo.

Sí, pensó Alois, estarán lo bastante lejos para no preocuparse de una pareja de austriacos. Al cura le dijo:

—Gracias por sus conocimientos. Aprendo mucho de usted, padre. Creo que en Roma verán que el acto de proporcionar una madre decente a mis dos hijos constituye una buena virtud católica. Es la que yo quiero adquirir.

Sus insinuaciones no fueron pequeñas. Era un pecador que quizás decidiera volver al redil materno.

El padre Koestler estaba tan complacido que le ofreció un buen consejo económico. Como la traducción al latín era onerosa, podría ser sensato firmar una *Testimonium pauperatis*.

—¿Es decir, una «declaración de pobreza»?

Alois sabía traducir este latín sin ayuda.

—Suprimirá la obligación, Herr Hitler, de pagar la traducción.

Herr Hitler se abstuvo de comentar que como funcionario de la corona se consideraba pudiente, gracias. Y aceptó el consejo. No estaba tan alejado de la sabiduría natural para querer pagar un diezmo que podía ahorrarse.

Tres semanas más tarde, cerca de la Navidad de 1884, Roma concedió la dispensa. Pero Alois y Klara aún tuvieron que esperar. No se celebraban bodas hasta dos semanas después del aniversario del santo nacimiento. Este nuevo retraso resultó aciago para Klara; cuando llegara el momento su barriga de cuatro meses sería visible.

—Tenemos aquí un chico grande –dijo Alois.

—Espero que sí –dijo ella. ¿Qué podía salir de una madre como ella, que se había sentido tan próxima del Maligno en una noche tan crucial? E incluso si el niño vivía, ¿podría estar marcado? La idea rondaba su boda.

Al igual que en muchos casamientos de funcionarios de aduanas, el día se dividió en dos partes. Como diría Klara: «Estábamos en el altar antes de las seis de la mañana, pero a las siete el tío Alois estaba de servicio en su puesto. Estaba oscuro todavía cuando volví a nuestro alojamiento.»

Por la noche hubo una recepción en la fonda Pommer y Johann Nepomuk, a la sazón ya viudo, hizo el viaje desde Spital a Braunau acompañado de la hermana de Klara, Johanna, que se llamaba como su madre, Johanna Poelzl, quien envió sus «más sentidas disculpas». Tanto mejor, pensó Alois.

La hija de Johanna, que la representaba (y también se llamaba Johanna), era jorobada. Esto dio pie a unas burlas a escondidas de dos funcionarios.

—Sí –dijo uno–, la cuestión es saber si Alois pensará que trae suerte frotarle la joroba.

—No hables tan alto –dijo el otro–. He oído decir que esta cheposa tiene un genio endiablado.

Hubo música. Tocaron un acordeón y Alois y Klara bailaron como pudieron, pero Alois tenía las piernas rígidas. Tantas horas de pie en el servicio no te convertían en un artista del baile.

Otros les siguieron: funcionarios aduaneros y sus mujeres. Una de ellas tenía un hijo lo bastante mayor para bailar una polka vigorosa con la criada recién contratada por los recién casados, una chica de mejillas coloradas y ojos alegres que se llamaba Rosalie, y que también había preparado una pierna de ternera y un lechón asados para colocarlos en el centro del banquete nupcial.

Asimismo había arrojado demasiados leños al fuego. Los demás bailarines pronto desistieron. En la habitación hacía un calor excesivo. A medias enfadado y a medias eufórico, Alois no cesaba de pinchar a Rosalie:

—Oh, tú eres la que tiene prisa en quemar los bienes de un hombre, ¿eh?

Y Rosalie se tapaba las mejillas con las manos y soltaba una risita. Abría los ojos de par en par cuando la provocaban. No era su menor encanto lo pechugona que era, y sus pechos palpitaban después de la polka. Ni siquiera necesitaba esto para convencer a Klara. Alois se preparaba para su diversión siguiente. Ella recordaría aquella noche durante todos los años venideros, aquellos de tristeza en que el niño Gustav que estaba gestando y los dos que vendrían después, Ida y Otto, morirían el mismo año, Gustav con dos, Ida con uno y Otto con sólo unos meses de vida.

Johann Nepomuk también advirtió el calor que hacía en la habitación y la expresión en los ojos de Rosalie.

—Despide a esa criada —le susurró a Klara, pero ella se limitó a encogerse de hombros.

—La siguiente podría ser peor —le cuchicheó ella en respuesta.

Nepomuk tuvo una pesadilla horrible después de la boda. Le pareció que el corazón le estallaba. Podría haber muerto aquella noche en la cama, pero vivió tres años más. No hay nada más resistente a la rotura que el corazón de un viejo y rudo campesino. Sin embargo, nunca volvió a ser el mismo, un castigo cruel para un viudo anciano que intentaba aferrarse a lo que le quedaba. La muerte le llegó a los ochenta y un años, con la misma epidemia que se llevó a los niños.

4

La difteria había irrumpido en la familia como la peste negra.

Manaba mucosidad de la garganta del niño de dos años y la

niña de un año, una erupción de flema verde, más espesa y pesada que el barro de Strones. El niño y la niña emitían ruidos ásperos, sonidos emitidos con la autoridad torturada de un anciano y una anciana que esforzaban los pulmones como galeotes para despejar una salida estrecha como una paja. Gustav murió el primero, siempre enfermizo, un niño de dos años y medio que parecía el espectro de los hermanos y hermanas de Klara fallecidos, y tres semanas después de Gustav murió Ida, de quince meses, que con sus ojos azules era la viva imagen de Klara. Las dos muertes volvieron a la madre en el golpe que siguió pronto. Fue la muerte de Otto –¡que sólo tenía tres semanas!–, fallecido a causa de un cólico galopante que le vació entero. El hedor de un bebé nacido para morir en sus tres primeras semanas de vida se asentó en la nariz de Klara como si sus orificios nasales fueran otro miembro del recuerdo.

No dudó quién era el culpable. Alois había estado cerca del Maligno. Pero ella lo entendía. Un chico en Viena completamente solo y siempre lleno de deseos. ¡Por supuesto! Pero ella no tenía disculpa. Había deseado una familia en la que los hijos no muriesen, sino que llegaran a la mayoría de edad, y sin embargo había sido infiel a Dios Todopoderoso la noche en que Gustav fue concebido, sí, y aún intentaba encontrar aquel placer secreto las noches en que Alois le hacía el amor, por variar la dieta de su idilio con Rosalie, la cocinera nueva, en la fonda Pommer.

Le odiaba por aquellas acciones. Pero ya había aprendido que aquel tipo de odio era traicionero. Parecía acrecentar su deseo. Por el contrario, las noches en que sentía un momento de amor por Alois, toda aquella buena vida se convertía en hielo por debajo. Alois refunfuñaba cuando ya estaba consumado el acto y ella le besaba en un afán de arreglar las cosas.

–Tu boca hace promesas que no cumple –le decía él.

No era como si estuviesen casados. Tenía siempre presentes a Anna Glassl y a Fanni. Klara había empezado siendo una criada, luego pasó a ser la niñera de los hijos de Fanni y después su madrastra, pero sus propios hijos habían muerto. Alois hijo y Angela habían sido enviados a Spital cuando la difteria atacó a los más pequeños, y se salvaron del contagio. Habían vuelto con Klara, pero las tres habitaciones que ocupaban en la fonda seguían apestando a la fumigación posterior a cada muerte, y en la ropa de Klara persistía el olor de los tres días distintos en que había asistido a los entierros en el cementerio. Sabía lo pequeño que podía ser un féretro —lo había aprendido de los fallecimientos en la familia Poelzl—, pero los féretros en miniatura de sus propios hijos fueron como tres cuchilladas en el corazón que le despertaron el amor que no se había atrevido a sentir en vida de ellos. Había estado aterrorizada por el mal que podía causar a aquellas almas recién nacidas. Hasta después de la muerte de Gustav no se percató de que le amaba.

Alois, por su parte, había decidido que no iba a perdonar a Dios. A sus amigos en la taberna vecina de la casa de aduanas, sobre todo a los recién llegados, les hablaba con la autoridad de sus tres decenios de servicio en la oficina.

—Es el emperador el que tiene el poder de guiarnos —les dijo una calurosa noche de verano—. El auténtico poder reside en él. Dios no hace más que matarnos.

—Alois —dijo un viejo amigo—, hablas como si no tuvieras miedo de comparecer arriba.

—Arriba o abajo, la verdadera autoridad para mí es Francisco José.

—Vas demasiado lejos —dijo su amigo.

Por lo general, Alois no llegaba a casa de buen humor. La cerveza se disipaba en una nube agria. Reñía a su hijo Alois, reprendía a Angela y a Klara no le dirigía la palabra. Ahora bien, una vez a la semana, y no más (y le enfurecía cuánta vitalidad le habían arrebatado aquellas tres muertes), volvía a mirar a Klara como lo había hecho la primera noche y trataba de imaginar una manera de instruirla en determinadas *spécialités de la maison*. Alois no hablaba francés pero sabía todo lo que hacía falta saber al respecto de aquellas cuatro palabras. Un funcionario de aduanas había estado en París en su juventud. Contaba que en un burdel de allí había aprendido más en dos noches que durante todo el resto de su vida.

Alois se resistía a dejarse impresionar. Algunos de los detalles no le resultaban desconocidos. A Fanni, para empezar, le gustaba introducir la boca en muchos sitios, y Anna Glassl no se comportaba como una dama cuando entraba en materia. Y una y otra vez Alois recibía una agradable sorpresa húmeda de alguna de las criadas o cocineras.

Por supuesto, aquellos días estaba con una criatura asustada cuyo torso podía abrasarle aunque sus muslos estuvieran tan fríos como un banco de nieve. Ella hacía el amor, sí, cuando él conseguía entrar realmente en ella –no muchas veces–; ella era tan fuerte como el sabueso, sí, muy parecidas a perras a las que él había visto gruñir y lanzar una dentellada contra los genitales de un perro. Klara no gruñía ni mordía, sino que saltaba sobre su altar, sola, siempre sola, y era tan íntima que él quería colocar la boca donde más íntima era Klara, y luego introducir el sabueso dentro de la boca de ella. Él le indicaba el emplazamiento de la devoción. *Spécialités de la maison!*

Sí, la calurosa noche de verano en que intentó abrirle las piernas cerradas, y en que él empujó más que nunca con la fuerza de sus brazos, hubo un momento en que le superó el aliento. ¡Una punzada sorprendente! Por un instante sintió como si le hubiera fulminado un rayo. ¿Era su corazón? ¿Estaba al borde de la muerte?

–¿Estás bien? –le gritó ella cuando se tumbó a su lado, resollando con un estertor tan horrible como los últimos arrestos de los hijos perdidos.

–Muy bien. Sí. No –dijo. Después, Klara se le echó encima. No sabía si así le resucitaría o le remataría, pero le embargó el mismo desprecio, afilado como una aguja, que le había sobrevenido después de la muerte de Fanni. Ésta le había dicho una vez lo que debía hacer. Así que Klara se colocó al revés y puso su cosa más innombrable encima de la nariz y la boca resollantes de Alois, y tomó entre los labios el ariete viril. El tío Alois estaba entonces tan blando como una voluta de excremento. Le succionó, no obstante, con una avidez que estaba segura de que sólo podía proceder del Maligno. De él había surgido el impulso. De modo que ahora los dos tenían la cabeza en el extremo que no era y el Maligno estaba presente. Él nunca había estado tan cerca.

El sabueso empezó a cobrar vida. Justo dentro de la boca de Klara. La sorprendió. Antes, Alois estaba muy fláccido. ¡Pero ahora volvía a ser un hombre! Lubricada su boca por la savia femenina, se volvió y abrazó su cara con toda la pasión de la boca y el rostro, por fin preparado para penetrarla con el sabueso e introducirlo en la piedad de Klara, sí, maldita piedad toda, pensó Alois –¡maldita consorte meapilas, maldita iglesia!–; acababa de volver de entre los muertos, por algún milagro había retornado, con su orgullo igual que una espada. ¡Aquello era mejor que una tempestad en el mar! Y después fue más allá de aquel momento, pues ella –la mujer más angelical de Braunau– sabía que se estaba entregando al demonio, sí, sabía que estaba allí presente, con Alois y con ella, los tres libertinos en el géiser que manaba de Alois, después de ella y ahora juntos, y yo estaba allí con ellos, era la tercera presencia y me vi arrastrado hacia los maullidos del trío que se despeñaba por la catarata, Alois y yo llenando el útero de Klara Poelzl Hitler, y en efecto supe en qué momento la creación se produjo. Así como el ángel Gabriel sirvió a Jehová una noche trascendental en Nazaret, así también yo estaba allí con el Maligno en la concepción de aquella noche de julio, nueve meses y diez días antes de que Adolf Hitler naciera el 20 de abril de 1889. Sí, yo estuve allí, un oficial de rango en el mejor servicio de inteligencia que jamás ha existido.

Libro IV

El oficial de inteligencia

1

Sí, yo soy el instrumento. Soy un oficial del Maligno. Y este instrumento de confianza acaba de cometer un acto de traición: no es aceptable revelar quiénes somos.

El autor de un manuscrito inédito y sin firma puede intentar el anonimato, pero el margen de seguridad no es grande. Si desde el principio he hablado de mi temor a asumir esta tarea es porque sabía que tarde o temprano tendría que darme a conocer. Ahora, sin embargo, que he ofrecido esta revelación, hay un cambio de dato. Ya no se me puede considerar un oficial nazi. Aunque en 1938 pude afirmar que era un ayuda de confianza de Heinrich Himmler (por el medio, sí, de habitar un cuerpo auténtico de oficial de las SS), fue algo temporal. Cuando nos lo ordenan, siempre estamos dispuestos a asumir estas funciones, estas moradas humanas.

No obstante, reconozco que estas observaciones son apenas accesibles a la mayoría de mis lectores. Teniendo en cuenta la autoridad actual del mundo científico, casi todas las personas instruidas tuercen el gesto ante la idea de un ser como el diablo. Son aún más reacios a aceptar el drama cósmico de un conflicto en curso entre Satanás y Dios. La tendencia moderna consiste en creer que tal elucubración es un disparate medieval felizmente extirpado por la Ilustración hace siglos. La existencia de

Dios quizás sea aceptable para una minoría de intelectuales, pero no la creencia de que existe un ser opuesto e igual a Dios o casi. ¡Un misterio es tolerable, pero nunca dos! Eso es pasto para los ignorantes.

No hay que sorprenderse, pues, de que el mundo tenga una comprensión empobrecida de la personalidad de Adolf Hitler. Le detestan, sí, pero no le comprenden: al fin y al cabo, es el ser humano más misterioso del siglo. Con todo, yo diría que comprendo su psique. Fue mi cliente. Seguí su vida desde la infancia a lo largo de su evolución como la bestia salvaje de su época, aquel político de apariencia tan inofensiva con su bigotito.

2

Puedo decir que de recién nacido era el producto más típico de Klara Poelzl. No era saludable. Ciertamente, Klara se aterraba cada vez que de su nariz rezumaba una gota de mucosidad o que la burbuja de un esputo asomaba por sus labios de bebé.

Probablemente es verdad que ella se habría muerto si él no hubiera vivido. La atención que prestó a los primeros días de Adolf habrían parecido histeria en cualquier mujer con menos motivos de preocupación, pero Klara vivía al borde del abismo. Ahora impregnaba sus recuerdos de las noches con Alois el penetrante olor corrupto de la enfermería cuando Gustav, Ida y Otto fueron muriendo uno tras otro con pocos meses de diferencia en el mismo año. Había rezado devotamente a Dios para que salvara a sus tres pequeños, pero los rezos fueron infructuosos. A su modo de ver, la reprobación divina sólo confirmaba la situación de pecado en que ella vivía.

Después de haber concebido a Adolf, contrajo el hábito de lavarse la boca todas las mañanas con jabón de lavadero. (Alois sentía una ferviente predilección ahora –sobre todo al final del embarazo– por obligar a la boca de Klara a tomar el sabueso y guardarlo dentro, mientras él le sujetaba con una manaza el cuello.)

No era de extrañar, por tanto, que su amor lo ofrendase al bebé. Tan pronto como Adolf dio algún indicio real de vida –pronto sonreiría encantado cuando ella le acercaba la cara–, empezó a creer que Dios quizás fuese clemente esta vez, que incluso estuviera dispuesto a perdonarla. ¿Le respetaría aquel hijo? Así es la naturaleza de la esperanza piadosa. Luego tuvo un sueño que le dijo que no tuviera trato alguno con su marido. Así es la naturaleza de la obligación piadosa.

Alois no tardó en afrontar la posibilidad de que una voluntad de hierro, cuando la oración la forja, puede ser tan poderosa en una cónyuge como unos bíceps muy desarrollados en su compañero. Al principio, Alois no creía que la negativa de Klara a que la tocase fuese algo más que un capricho, una nueva clase de incentivo. «Las mujeres dais vueltas y más vueltas como un gatito que persigue su rabo», le dijo. Después, decidiendo que una rebelión semejante había que aplastarla sin misericordia, le agarró las nalgas con una mano y el pecho con la otra.

Ella le mordió en la muñeca con fuerza suficiente para hacerle sangrar. Él, en respuesta, le dio una bofetada que le dejó a Klara un ojo a la virulé. *Gott im Himmel!* A la mañana siguiente, Alois no tuvo más remedio que suplicarle que no saliera a la calle hasta que el ojo recobrara su color natural. Durante una semana, con la mano vendada, hizo las compras después del trabajo: fueron noches sin taberna. Después, ya borrada por fin la moradura de Klara, Alois tuvo que renunciar a derechos que consideraba irrevocables y tuvo que dormir acurrucado en su lado de la cama.

Como aquella situación se mantendría durante una buena temporada, opté por quedarme de momento más cerca de Klara. La intensidad emocional atrae siempre a diablos y demonios, del mismo modo que los campesinos sueñan con tierra negra para futuras cosechas.

Apenas necesito subrayar que la muerte de Otto, Gustav e Ida nos fueron de utilidad, aun cuando la muerte siga siendo jurisdicción de Dios, no nuestra. La pérdida de estos hijos intensificó la adoración de Klara por Adolf hasta superar la medida habitual de amplio amor maternal. Como él se echaba a llorar cada vez que ella le besaba en los labios, llegó a percatarse de que era por el olor a lejía en su boca. Pero puesto que Alois había sido desterrado a su lado de la cama, ya no hacía falta utilizar el desinfectante todas las mañanas. Así que pudo volver a besar a Adolf mientras él gorjeaba de gusto.

Confiábamos en que esto fuera provechoso. Un amor maternal excesivo es casi tan prometedor para nosotros como una falta de amor materno. Estamos programados para detectar excesos de todo tipo, buenos o malos, amorosos u odiosos, demasiado de algo o demasiado poco. Cada exageración de un sentimiento sincero sirve a nuestros propósitos.

Sin embargo, esperaríamos. Para convertir en cliente a un niño, seguimos una norma fiable. Nos movemos despacio. Aunque una procreación incestuosa, a la que siguen torrentes de amor materno, ofrece grandes posibilidades, sobre todo cuando el suceso se ha visto fortificado por nuestra presencia en la concepción, y tenemos, en consecuencia, motivos sobrados para esperar que existan oportunidades excepcionales para nosotros, aun así aguardamos, observamos. Puede que el niño no sobreviva. Perdemos muchísimos. Con excesiva frecuencia, Dios conoce nuestra elección y, cruelmente –diré esto de Él–, sí, Dios puede eliminar *cruelmente* a determinados niños, por alto que sea el precio para Él. ¿El precio para Él? Existe un curioso cálculo. El Señor no es insensible a las esperanzas de los que rodean al pequeño. La muerte prematura de un bebé excepcional puede desmoralizar a una familia. Dios titubea, incluso cuando sabe, por consiguiente, que en buena medida hemos capturado a un individuo concreto. A veces no quiere asumir el daño colateral para la familia. Además, Sus ángeles siempre pueden intentar arrebatarnos al niño.

De modo que el Señor respeta el amor materno incluso cuando es absorbente. Así pues, no es extraño que muchos artistas, monstruos, genios, asesinos y algún que otro salvador haya llegado hasta la madurez porque Dios decide no eliminarlos. El primer elemento de reconocimiento mutuo entre el D. K. (como en lo sucesivo Le llamaremos a menudo) y nuestro jefe –el Maestro– es su entendimiento mutuo de que ninguna espléndida calidad humana individual tiene probabilidades de imponerse sin que le afecten las potestades de Dios o las nuestras. Hasta la más noble, abnegada y generosa madre puede producir un monstruo. Siempre que estemos presentes. De todos modos, esto no es juego del que podamos conocer el desenlace. Por eso apostar por el recién nacido es correr un albur tanto para el Maestro como para el Señor.

Pero veo que poco se entenderá de esta exposición si no explico las condiciones, limitaciones y potestades del mundo donde resido.

3

Trataré, pues, de explicar estos dos reinos, el divino y el satánico. Podría denominarlos dos antagonismos, dos dominios, dos visiones de la existencia contrapuestas, pero a lo largo de incontables siglos se ha empleado el término «dos reinos». Huelga añadir que los demonios nos enfrentamos todos los días con un formidable despliegue de ángeles. (Los llamamos Cachiporras.)

Aunque estas huestes guerreras no serán desconocidas para quien haya leído *El paraíso perdido*, quiero señalar que muchos de nosotros somos muy versados en clásicos literarios. No puedo hablar por los ángeles, pero los demonios tenemos la obligación de admirar la buena prosa. Milton, por lo tanto, ocupa un alto lugar en nuestros arcanos de esos pocos artistas literarios a los que no tenemos que considerar como de una imperdonable segunda fila (debido a sus inexactitudes sentimentales). Milton, en suma, proporcionó su comprensión intuitiva de la contienda entre los dos reinos. Por impreciso que fuera en los detalles, hizo una descripción pionera del modo en que los dos ejércitos pudieron haberse enfrentado al comienzo de aquella gran separación que aconteció cuando los primeros escuadrones de ángeles se dividieron en dos bandos contrarios, y cada uno estuvo convencido de que eran los que habrían de dirigir el futuro de los seres humanos.

Así que podemos rendir homenaje a aquel gran hombre ciego, aunque sus relatos estén trasnochados. Los demonios que sirven al Maestro ya no forman falanges para guerrear contra ángeles. En cambio, estamos astutamente infiltrados en cada rincón de la existencia humana.

Para dar una primera explicación, por ende, de las sinuosidades, prominencias, impasses y recovecos de nuestra guerra, tengo que hacer un bosquejo de las fuerzas que procuramos ejercer actualmente sobre la sociedad humana. Empezaría señalando que hay tres aspectos de la realidad: la divina, la satánica y la humana; en efecto, tres ejércitos distintos y no dos, sino tres reinos. Dios y Su cohorte angélica actúan sobre los hombres, mujeres y niños para someterlos a Su influencia. Nuestro Maestro y nosotros, sus representantes, queremos poseer el alma de muchos de esos mismos humanos. Hasta la Edad Media, las personas no pudieron desempeñar un papel muy activo en la lucha. Con frecuencia eran peones. De ahí el concepto de dos reinos. Ahora, sin embargo, no tenemos más remedio que tener en cuenta al hombre o la mujer individuales. Diré incluso que muchos, si no la mayoría, de los humanos hacen hoy todo lo posible para que no los contemplen ni Dios ni el Maestro. Quieren ser libres. Muchas veces manifiestan (muy sentenciosamente): «Quiero descubrir quién soy.» Entretanto, los demonios guiamos a la gente a la que hemos atraído (los llamamos clientes), los Cachiporras nos combaten y muchos individuos hacen lo que pueden por repeler a ambos bandos. Los humanos se han vuelto tan engreídos (con la tecnología) que más de uno confía en emanciparse de Dios y del diablo.

Cabe reiterar que todo esto no es sino un primer atisbo de las corrupciones arraigadas en la existencia, un boceto de la verdadera complejidad de los sucesos.

Por ejemplo, puedo recuperar, si es necesario, los recuerdos ocultos, incluso largo tiempo sepultados, de un cliente. Esta facultad, no obstante, exige tiempo. (Tiempo es una palabra que escribo con mayúscula porque para nosotros, y también para los ángeles, es un recurso comparable al poder del dinero sobre los humanos.) Siempre estamos calculando el Tiempo que podemos permitirnos conceder a cada cliente. Mi necesidad de adquirir más información en una situación determinada tengo que contrapesarla siempre con el esfuerzo que requiere ejercer nuestra voluntad sobre una persona concreta. Por esta razón, el humano normal ni suele interesarnos. Sus facultades de penetración, memoria y mala intención son limitadas. En cambio, tratamos de encontrar hombres y mujeres que estén dispuestos a transgredir unas pocas leyes importantes, ya sean sociales o divinas.

Me temo que esos hombres y mujeres ya no son corrientes. A menudo tenemos que conformarnos con mediocridades. En nuestra empresa, siempre que tengamos la suficiente paciencia, podemos mejorarlos. Gracias a lo cual llegamos a conseguir ascensos. He tenido clientes a los que pude desarrollar hasta el extremo de que fueron útiles en uno u otro de nuestros proyectos más amplios, y mi situación prosperó gracias a ellos. El cliente medio, sin embargo, atrapado en el tira y afloja de un ángel de la guarda y un demonio director como yo, muchas veces acaba siendo de poco provecho para cualquiera de los reinos, y desde luego recuerdo algunos casos infaustos en los que el ángel de la guarda que era mi rival se llevó los despojos.

Mi posición empeoró, de resultas de estas pérdidas, en un desdichado período pasado. Durante una temporada me asignaron clientes de origen vulgar o de rendimiento escaso. Por ejemplo, alenté a soldados rasos a minar la moral de su regimiento desertando, animé a trabajadores y campesinos que pretendían desatar revoluciones, pero que se corrompieron. Conocí a unos curas de ciudades pequeñas que se metieron en líos con niños y a más de un administrador de bienes que se incautó de fondos. Consentí a barones y condes de la baja nobleza que dilapidaran en el juego el remanente de antiguas propiedades, y también podría enumerar en mi lista a rateros, patanes borrachos y maridos y mujeres infieles de la peor ralea. Tenía una multitud de clientes, pero sólo unos pocos estimulaban mis desarrolladas aptitudes. Muchísimas veces tuve que actuar como supervisor de clientes nacidos con poco y que enseguida tuvieron aún menos. Aunque raramente sabía si el Maestro estaba salvaguardando mis talentos para alguna empresa futura o continuaba relegándome a rincones remotos, concebí esperanzas en una ocasión en que comentó que quizás pudieran confiarme un puesto comparable por su desafío a algunas de las confrontaciones épicas de nuestro reino durante los tres primeros siglos de la Iglesia de Roma. Sí, aquello quizás siguiera estando a mi alcance, siempre que prestara una atención infatigable a desventurados, matones y borrachos. Así lo hice y al final fui seleccionado para supervisar el trabajo de una serie de demonios menores que vigilaban a una familia austriaca cuyo potencial desarrollado aún podría resultar asombroso. De momento aquel embrión, así como sus padres, era insignificante, pero tenía deficiencias ancestrales, llenas de la pestilencia embriagadora de nuestro viejo amigo: el escándalo de sangre. Así que yo habría de mantenerme a su lado desde su nacimiento.

No me atrevía a preguntar, pero en aquel punto el Maestro decidió satisfacer directamente mi curiosidad. Dijo:

–¿Por qué me he interesado tanto por esta criatura que todavía no ha nacido? ¿Será porque llegará a poseer una poderosa ambición? Puede que te proponga que te ocupes de ella continuamente. Por ahora, sin embargo, no es más que un proyecto. Podría fracasar, desde luego. Con el tiempo, si desarrolla la mayor parte de su promesa, podría, como digo, ser tu único cliente. ¿Necesito decir más?

El Maestro profirió todo esto con su característica ironía. Nunca sabemos su grado de seriedad cuando nos habla al intelecto. (Su voz es una cornucopia de humores.)

En todo caso, no me atreví a preguntar: ¿Y si fracaso? Muchos proyectos lo hacen. Por otra parte, pronto supe cómo fue concebido mi cliente.

Algunos lectores quizás adviertan que la primera vez hablé de aquel suceso extraordinario como si yo hubiera estado en el lecho conyugal. No, declaro que no estuve. No obstante, cuando menciono mi participación, sigo diciendo la verdad. En efecto, así como los científicos asumen actualmente su confusión científica de que la luz es tanto una partícula como una onda, así también los demonios vivimos en la verdad y en la mentira, codo con codo, y las dos existen con igual fuerza.

La explicación –siempre que uno se proponga seguirla– es notablemente menos dificultosa que, pongamos, la teoría especial de la relatividad de Einstein.

4

Los espíritus como yo pueden asistir a acontecimientos en los que no están presentes. Por consiguiente, yo estaba en otro lugar la noche en que Adolf fue concebido. Aun así, ingerí la *experiencia exacta* recurriendo al demonio (de rango inferior) que había estado en la cama de Alois la noche original. Debo decir que siempre disponemos de esa opción de compartir un acto carnal con posterioridad. Por otro lado, un demonio menor puede implorar al Maligno, en las ocasiones más cruciales, que esté presente a su lado durante el clímax. (El Maestro nos exhorta a llamarle el Maligno cuando decide participar en actos sexuales, y aquella vez no cabe duda de que estuvo allí.)

Más adelante, en cuanto comencé a hacerme cargo del joven Adolf Hitler, el demonio que había asistido al momento de la fecundación lo revivió para mí. Mis sentidos percibieron con tal perfección el olor e impacto físico que cabe calificarla de absoluta. Así pues, me sucedió a mí. Entre nosotros, la transmisión de un recuerdo exacto es lo mismo que haberlo vivido. Del mismo modo, gracias a la intensidad incomparable del instante, supe que el Maestro se había sumado por un momento al demonio asistente (de igual manera que Jehová ofreció Su inmanencia a Gabriel durante otro acontecimiento excepcional).

Si bien estuve varios años sin que me asignaran exclusivamente a Adolf Hitler, siempre lo tuve en mi perspectiva general. Por tanto, estoy en condiciones de escribir sobre su infancia con una confianza que no poseería ningún biógrafo convencional. En realidad, debe de ser evidente a estas alturas que no hay una clasificación clara para este libro. Es más que unas memorias y sin duda debe ser muy curioso como biografía, puesto que es tan privilegiado como una novela. Poseo la libertad de entrar en muchas mentes. Hasta podría decir que especificar el género carece de verdadera importancia, porque mi preocupación mayor no es la forma literaria, sino mi miedo a las consecuencias. Tengo que realizar esta tarea sin llamar la atención del Maestro. Y esto sólo es posible porque en la Norteamérica actual está más acostumbrado a la electrónica que a la imprenta. El Maestro ha seguido el progreso humano en las cibertecnologías mucho más de cerca que el Señor.

Así que he decidido escribir en papel: lo cual ofrece una pequeña protección. Mis palabras no pueden asimilarse tan deprisa. (Hasta el papel procesado contiene un atisbo ineluctable de la ternura que Dios puso en Sus árboles.)

Aunque el Maestro no tiene intención de agotar ninguno de sus recursos controlando hasta el último de nuestros actos –hay demasiados demonios y diablos para eso–, tampoco es muy partidario de dejarnos acometer empresas que él no haya escogido. Hace años yo no habría osado embarcarme en esta crónica escrita. Habría tenido un temor inmenso. Pero ahora, en las inundaciones y confinamientos de la tecnología, se puede tratar de obtener un poco de secreto, una zona privada para uno mismo.

Ergo, me siento con ánimo de continuar. Presupongo que conseguiré ocultar mi producción al Maestro. Cabe entender la labor de inteligencia como una lucha entre el código y la confusión del código. Puesto que el Maestro está muy atareado, y su existencia actual es más ardua que nunca –creo que se considera más cerca de una victoria final–, me siento libre de aventurarme. Tengo mayor seguridad en que podré ocultar la existencia de este manuscrito hasta que esté terminado, como mínimo. Después me veré obligado a imprimirlo o... destruirlo. La segunda alternativa siempre ha sido la solución más segura (excepto por el golpe casi mortal a mi vanidad).

Claro está que si lo publico tendré que huir de la cólera del Maestro. Hay varias posibilidades. Podría optar por acogerme al equivalente, en nuestra vida de espíritus, del programa federal de protección de testigos. Es decir, los Cachiporras me esconderían. Por supuesto, tendría que colaborar con ellos. Su especialidad son las conversiones.

Ergo, tengo que elegir: traición o extinción.

Pero tengo menos miedo. Al revelar nuestros procedimientos, disfruto del placer insólito (para un demonio) de no sólo describir, sino explorar la naturaleza esquiva de mi propia existencia. Y si logro terminar mi obra, todavía tendré la posibilidad de destruirla o pasarme al otro bando. Diré que esta última opción empieza a atraerme.

Como soy desleal con el Maestro, no debo dar pistas. Cumplo de una forma impecable mis modestos deberes en Estados Unidos, aunque facilite estos detalles adicionales de la obra que realicé en la educación temprana de mi cliente más importante.

Libro V

La familia

1

Cuando cumplió un año, Klara llamaba al niño Adi, en vez de Adolf o Dolfi. (Dolfi estaba demasiado cerca de *Teufel*.[1])

–Mirad –les decía a sus hijastros–; mira, Alois, mira, Angela, ¿verdad que Adi es un ángel, no os parece un angelito?

Como el bebé tenía una cara redonda, grandes ojos redondos, tan azules como los de su madre, y una boca pequeña, y por lo tanto a ellos les parecía como cualquier otro bebé, asentían con dócil obediencia. Klara era una buena madrastra y Alois y Angela no tenían problemas, sobre todo desde que su padre les había dicho que Fanni se había vuelto loca.

Klara no tenía pensado hablar del recién nacido a sus hijastros con un entusiasmo tan abierto, pero no podía evitarlo. Sus ojos emanaban beatitud. Adi daba todos los signos de que seguiría vivo al día siguiente.

La lactancia alimentaba esta certeza. Klara le estaba inoculando su fuerza, su pezón disponible nunca estaba muy lejos de la boca de Adi. Algunos de nuestros demonios menores, que pasaron por Braunau de noche, informaron de que las oraciones de Klara eran más sentidas que las de cualquier otra joven madre de las cercanías. Los demonios, obviamente, no

1. Es decir, demonio, en alemán. *(N. del T.)*

sienten el menor afecto por algo sentimental, y no digamos por algo sentido, pero a uno o dos les impresionó. La plegaria de Klara era tan pura: «Oh, Señor, toma mi vida si sirve para salvar la suya.» Otras mujeres, más prácticas, se quejaban a Dios de las cosas que les faltaban. Las más codiciosas siempre estaban pidiendo una casa mejor. Las estúpidas anhelaban un amante sorprendentemente bueno, «sí, Señor, si lo permites». Rara era la golosina por la que no suspirasen. Las oraciones de Klara, en cambio, ansiaban para su hijo una larga vida.

Si bien el Maestro no muchas veces se mostraba comprensivo con el amamantamiento, ya que su ausencia podía estimular feas energías que más adelante utilizaríamos, era más tolerante con los casos de incesto en primer grado. Entonces quería que la madre estuviese cerca del niño. ¡Tanto mejor para nosotros! (Un monstruo es mucho más efectivo cuando puede apelar al amor materno para seducir a nuevas relaciones.)

Los dramas excretorios también ofrecen ventajas. Un trasero sucio de bebé envía una señal: la madre es una cliente potencial nuestra. Lo contrario es asimismo útil. Klara es un excelente ejemplo a este respecto. Siempre tenía la casa limpia. Su alojamiento en la fonda Pommer estaba entonces tan inmaculado como un hogar atendido por varias buenas sirvientas. Los muebles relucían. Así también brillaba el ano diminuto de Adi, que su madre mantenía impoluto como un ópalo, pequeño y resplandeciente, lo cual yo también aprobaba: un hijo incestuoso tiene que ser siempre consciente de la importancia de sus excrementos, aunque eso se reduzca a un agujerito del culo al que siempre se le está sacando brillo.

2

No mucho después de que naciera Adolf, Alois decidió abandonar la fonda Pommer. La mudanza representaba su duodécimo cambio de dirección en Braunau durante catorce años. Pero tuvo palabras de elogio para la fonda: «Posee *elegancia*. Creo que no emplearía este término para muchas cosas más de esta pequeña ciudad.» Tenía una docena de comentarios parecidos para amenizar cien situaciones de charla trivial. «Las mujeres son como ocas», decía. «Se las reconoce por detrás.» Esto provocaba carcajadas de taberna, aunque ninguno de los circunstantes supiera explicar qué tenía de particular la retaguardia de una oca. O, cuando hablaba con colegas: «Pillar a un contrabandista es fácil. O bien parecen los infelices que son o bien parecen demasiado perfectos para ser auténticos. Se visten y hablan demasiado bien, y los aficionados hacen un gran esfuerzo por mirarte a los ojos.»

Se encogía de hombros, sin embargo, cuando le preguntaban por qué se había marchado de la fonda Pommer después de cuatro años de residir en ella. «Me gusta variar», decía. La verdad era que ya les había exprimido todo el jugo a las camareras, criadas y cocineras de la fonda que no eran ni muy viejas ni muy feas, y habría podido añadir (y lo hizo, hablando con uno o dos amigos): «Cuando una mujer se te vuelve seca, cambia de casa para aceitarla un poco.»

Con todo, el día en que la familia Hitler abandonó la fonda Pommer, Alois tuvo un pensamiento infrecuente. Fue que el destino aún podría depararle una posición encumbrada. Puntualizaré que su idea de una posición así era que le nombraran jefe de aduanas de la capital de la provincia, Linz. El destino, en efecto, le reservaba aquel puesto. Alois, que no era supersticioso (salvo cuando lo era), decidió que el traslado de la fonda a una casa alquilada en Linzerstrasse fue una buena iniciativa. Él y Klara convinieron en que necesitaban más espacio, y ahora lo tenían. Naturalmente, no había féminas en el desván, pero él ya se las apañaría. Tenía fichada a una mujer que vivía en el trayecto a su casa desde la taberna. Tenía que pagar el privilegio comprando de vez en cuando un pequeño regalo, pero el alquiler de Linzerstrasse era bajo. Era una casa tediosa.

Mientras tanto, se resistía a enamorarse de su mujer. Ella le enfurecía. Si las hormigas fueran como las abejas y tuviesen una reina para la que trabajaban, Klara era la reina de las hormigas, porque ordenaba que a Alois se le pusiera la piel de gallina, que le picase la entrepierna y el corazón le aporreara el pecho, todo lo cual a causa únicamente de que Klara no se movía de su mitad de la cama dividida. Él tenía que pensar en lo bonita que le había parecido la noche de bodas. Llevaba un vestido de seda oscuro, de color rosa y con un cuello blanco −tan blanco como se lo permitió la novia−, y sobre la frente blanca se había cardado unos rizos preciosos. Prendida en el pecho lucía la única joya que poseía, un pequeño racimo verde de uvas de cristal tan reales que te inducían a coger una. Y luego estaban sus ojos: ¡inconfundibles! Tuvo que hacer grandes esfuerzos para no enamorarse de una mujer que tenía la casa más limpia de Braunau sólo para él y tres niños −¡dos de los cuales ni siquiera eran suyos!−; una mujer siempre tan educada con él en público como si fuese un emperador, una mujer que nunca se quejaba de lo que poseía o no poseía y que no le fastidiaba por cuestiones de dinero; que seguía teniendo un solo vestido, el que llevaba el día de la boda, y que, no obstante, si él le hubiera puesto un dedo encima, se lo habría arrancado de un mordisco. Se preguntó si el problema radicaba en la diferencia de edad entre ambos. En vez de casarse con ella tendría que haberla metido en un convento. Pero la piel le escocía al pensar en que ella no le dejaba acercarse.

Cuando bebía en la taberna intentaba recobrar algo de orgullo. Su aversión a la Iglesia se había ya convertido en una tema fijo de conversación. En casa espigaba más material en un libro anticlerical que había encontrado en una librería de viejo de Braunau. De hecho, el librero, Lycidias Koerner, muchas noches tomaba con él una cerveza. Aunque Koerner se mantenía en un nivel académico, más elevado que unas charlas prosaicas, y se li-

102

mitaba a asentir con la cabeza de vez en cuando, su juiciosa presencia, su barbilla y su labio superior afeitados, sus patillas de boca de hacha y sus anteojos, su cabeza medio calva de pujante pelo blanco, ofrecía un ligero pero legitimador parecido con Arthur Schopenhauer, que de este modo respaldaba hasta el menor asentimiento de Herr Koerner, el suficiente para que los demás funcionarios atendieran a los giros más espinosos del argumento de Alois. Aun así, eran funcionarios –la mayoría admitiría que «Ningún buen hombre quiere que le castren»–, a pesar de que difícilmente se les podía considerar practicantes. En suma, no se sentían muy cómodos cuando alguien se burlaba de una institución prestigiosa, y no digamos de la Santa Iglesia de Roma.

No así Alois. No denotaba miedo al declarar que no tenía miedo.

–Si hay una Providencia más grande que la de Francisco José, yo no la he encontrado.

–Alois, no todo va a parar a un hombre con un signo impreso –dijo el oficial de rango más próximo al suyo.

–Todo es un misterio. Misterio, misterio y misterio, la Iglesia tiene las llaves, ella es nuestra guardiana, *ja?*

Los demás soltaron una risa incómoda. Pero Alois pensaba en Klara y en la piedra caliente que su piedad le depositaba en el estómago. Haría polvo esa piedra.

–¿Sabéis? –dijo–. En la Edad Media, las prostitutas eran más respetadas que las monjas. Hasta tenían un gremio. ¡Para ellas solas! He leído algo sobre un convento en Franconia tan apestoso que el Papa tuvo que investigar. ¿Por qué? Porque el gremio de prostitutas de Franconia se quejó de la competencia ilegal que les hacían las monjas.

–Venga ya –dijeron al unísono dos bebedores.

–Es cierto. Sí. Absolutamente cierto. Herr Lycidias Koerner puede enseñaros el texto. –Hans Lycidias asintió lenta, pensativamente. Estaba un poco borracho para saber con certeza a quién debía favorecer su autoridad–. Sí –dijo Alois–, el Papa dice: «Mandad un monseñor a averiguarlo.» Os pregunto: ¿Qué dice el informe del monseñor? Que la mitad de las monjas están encintas. Éste es el hecho escueto. Así que el Papa investiga a fondo en sus monasterios. Orgías. Orgías de homosexuales.

Dijo esto con tal fuerza que tuvo tiempo de dar un largo trago de su jarra.

–Lo cual no debe sorprendernos –dijo Alois, después de haber ingerido también una bocanada de aire fresco–. Hasta el día de hoy, la mitad de los curas están enmadrados. Lo sabemos.

–No es verdad –rezongó uno de los funcionarios más jóvenes–. Mi hermano es cura.

–En tal caso, le saludo –dijo Alois–. Si es tu hermano es distinto. Pero así era entonces. Y os aseguro: los curas que eran hombres de verdad eran los peores. ¿No lo dijo el Papa? ¿El propio Papa? Dijo: «Los curas no necesitan casarse mientras el campesino tenga una esposa.»

La tácita exigencia de su voz era que los funcionarios más jóvenes se rieran. Por tanto, así lo hicieron.

–Era exactamente así –dijo Alois–. El comerciante pobre tenía una mujer, el cura tenía diez y el obispo no podía entrar en el cielo. Llevaba consigo demasiadas esposas.

–¿Qué obispo?

–El obispo de Linz, ¿no lo sabes?

Alois no había olvidado al obispo que seis años antes había rechazado su solicitud para casarse con Klara. Se acordaba, desde luego, de que había tenido que declararse insolvente para que le sufragaran los gastos de la traducción al latín de la carta. Aquello aún le dolía.

Sin embargo, camino de casa llegó a una conclusión desdichada: quizás tuvieran que cesar sus diatribas contra la Iglesia. Tenía cincuenta y cuatro años y durante muchos no se había preocupado de su posición en la vida. Sabía que ascendería en los rangos que le eran accesibles, pero no más arriba.

Pero ahora un amigo bien situado en la inspección de finanzas le había dicho que se hablaba de ascender a Alois Hitler a jefe de aduanas en Passau. Habida cuenta que carecía de estudios formales, aquello supondría un verdadero ascenso en la jerarquía.

–Pero ándate con ojo, Alois –le dijo el amigo–. Esto no será hasta el año que viene. Conserva una buena reputación si quieres que te trasladen a Passau.

Él siempre se había considerado extraordinario, un hombre que no temía a nadie (salvo a determinados superiores de uniforme) y dotado de un auténtico magnetismo para las mujeres. (¿Cuántos hombres podrían decir lo mismo?) Además, nunca le había asustado la opinión pública. Nadie que él conociese podía afirmar lo mismo. En aquel capítulo no era un cobarde.

Pero ahora aquel amigo respetado (por medio de su confidente en los consejos superiores de la inspección de finanzas) le estaba diciendo: «Cuidado con la gente de Braunau.»

Esta advertencia le trastornó la digestión. Pues Alois no sabía si confiar o no en su amigo. El hombre gastaba bromas pesadas. De hecho, era el mismo que en una ocasión le había dicho: «La gente de Braunau no es nada. Puedes dejarla con un palmo de narices.» Alois, en efecto, había observado muchas buenas costumbres después de aquella observación, pero lo cierto era que, si tenía algún fundamento el rumor acerca de Passau, sin duda había hablado demasiado aquella noche. De repente se estaba percatando de la gran ambición que tenía, una ambición auténtica que nunca se había confesado a sí mismo. No podía. Habría sido como un río que rompe un dique. Pero ahora sabía al menos esto: tenía que dejar de despotricar contra la Iglesia.

Sí, su mujer quizás fuera una teta fría para él y un jarro de leche caliente para el bebé: ¡vaya un chupón! No se despegaba de la teta. Pero Alois tenía que apechugar con todo aquello: era una esposa útil. Buena para los niños, buena cocinera, muy buena con la Iglesia.

Ahora bien, a él, personalmente, no iban a pillarle en una misa mayor, salvo en días festivos y ceremonias oficiales. No quería sufrir un nuevo acceso de picor, no, no se veía en el confesonario. Le escocía la piel. Un funcionario serio de la corona como él no debía desnudar su alma ante un sacerdote.

Las mujeres, sin embargo, debían ser vistas en la iglesia. De modo que sí, se dijo, Klara era una baza para sus nuevos objetivos profesionales.

3

En nuestras filas, consideramos que una ambición excesiva es una fuerza a nuestra disposición. Nos adherimos a cualquier impulso que se descontrole. De ninguna pasión esto es más cierto que de la ambición desmedida. Pero la ambición también está relacionada con los designios de Dios. En definitiva, Él la concibió para los humanos. (Quería que se esforzaran en alcanzar Su visión.)

Por descontado, la suposición divina era una locura. Como el Maestro nunca se abstiene de decirnos, un ser humano que sufre una ambición excesiva sólo está ejemplificando la falta de previsión del Creador. El D. K., al desear que Su visión fuera innovadora, había creado la voluntad humana como un instinto casi liberado de Él. Una vez más, Dios se había equivocado en sus cálculos. La ambición no sólo es la más poderosa de las emociones, sino la más inestable. Son legión los ambiciosos que culpan a Dios de una racha de mala suerte.

En consecuencia, un gran apetito de éxito despierta forzosamente nuestro interés. Dios, un optimista prodigioso, no había previsto la conveniencia de que los hombres y las mujeres que se proponían promulgar Su visión tuvieran las ambiciones abnegadas de los santos. En cambio, el Maestro siempre había estado atento a los filones de maldad que había en los hombres.

Examinemos el caso de Alois. Muchas personas esconden su ambición en lo más recóndito de su intimidad (escondida hasta para ellas mismas). Pues en cuanto la ambición se desmanda, está dispuesta, de ser necesario, a triturar no pocas convicciones arraigadas sobre la naturaleza inviolable del honor personal. O sobre la lealtad a los amigos. Con demasiada frecuencia, la ambición puede ser tan ciega como una guadaña.

No es de extrañar, pues, que Alois no fuese el único miembro de la familia de Hitler en padecer este trastorno. Por ser un auténtico germen, la ambición es infecciosa. Como Klara tenía ya un hijo que daba todos los indicios de sobrevivir, sus pechos, en consecuencia, estaban henchidos de alegría, la más generosa que nunca había conocido, y lo quería todo para Adi. Hasta tal punto, en realidad, que estaba dispuesta a consentir que su marido traspasara la mitad de la cama.

Empezó un segundo cortejo. Ella todavía amamantaba a Adolf. No había, por tanto, temor a un embarazo. Lo que inspiró el retorno de un cierto interés sexual fue su creciente aprecio de Alois. Después de todo, había edificado cimientos fuertes para el buen futuro de Adolf. Así como su marido se había elevado desde el barro de Strones y de Spital hasta el honor de servir como funcionario a Francisco José, ella, a su vez, se aprestaba a soñar con las alturas a las que Adolf ascendería si demostraba poseer una capacidad equiparable al vigor de su padre.

Para lo cual, sin embargo, necesitaba que aquel mismo padre le amara. Una vez, con su voz más suave, Klara le dijo a Alois:

—A veces me pregunto por qué nunca coges en brazos a Adi.

—Los otros dos se pondrán celosos —respondió él—. A unos niños celosos no se les puede confiar bebés.

—Alois y Angela lo cogen a todas horas —dijo ella—. No tienen celos. Adi les gusta. A veces parece que le quieren.

—Dejemos las cosas como están. Quizás están contentos porque no lo cojo.

–Algunas veces temo que no sea muy importante para ti
–osó decir ella.

Había dado un paso más allá de lo que ella pensaba. ¿No tenía él bastante con disponer sólo de una mitad de la cama para que encima ella le regañase?

–¿Importante para mí? –dijo–. A *eso* sí voy a responder. No lo es. No todavía. Quiero ver si sobrevive.

Klara no lloraba con frecuencia, pero en aquel momento prorrumpió en llanto. Lo peor había sucedido y de nuevo se sentía débil delante de su marido. No conseguía no amarle.

Justo entonces empezó a ladrar el perro. Alois había comprado un mestizo por unos pocos kronen a un granjero que conocía. Como vivían en una casa y ya no en una posada, la compra podía considerarse una protección digna de su precio. Pero el perro, al que llamó Lutero, resultó decepcionante. Aunque Lutero adoraba a Alois y temblaba cada vez que el amo cambiaba el tono de voz, por lo demás no parecía muy alerta. Además, tenía reacciones nerviosas. Aquella noche, como Alois le gritó que dejara de aullar, el pobre animal mojó el suelo.

Más tarde, Alois tuvo remordimientos. El perro, al fin y al cabo, le adoraba. Primero, sin embargo, le azotó. Mientras intentaba huir reptando, el pobre trasero perruno se empapó de sus propias aguas. Entretanto daba alaridos de terror. El alboroto despertó a los niños. Alois hijo acudió el primero, seguido de Angela y por fin de Adi, que aún no tenía dos años, pero era lo bastante ágil para bajarse de su cama baja y aparecer en escena. Klara se levantó de un brinco para atraparle. Estaba preparada para lo peor, aun sin saber apenas lo que era –que el niño pisara la orina, que pidiera a gritos la teta de su madre, que Alois les golpeara a los dos–; había visto la expresión de los ojos del marido cuando Adi se volvía demasiado ávido de su pezón. Pero no sucedió nada de esto. Al contrario, el niño miró con un solemne interés al perro que gemía, después a la mano fustigadora del padre, y en sus ojos azules hubo un brillo, una expresión de intensidad notable para una criatura tan pequeña. Klara la había visto en su cara cuando le daba de mamar. La miraba con el semblante enternecido de un amante abrumado durante un momento por la implícita igualdad de una piel contra la otra, de dos almas fundidas. En instantes así, sentía más cerca a su hijo y pensaba que sabía más de ella que nadie.

Pero cuando Adolf miró al perro mojado y la cara coloradísima de su padre, en su semblante no había ternura, sino mucha comprensión.

Klara experimentó un extraño pánico, como si tuviera que sobresaltar al pequeño para que llorase y ella le diera el pecho y de esta forma sacarle de la habitación. Y lo logró. Adi se puso furioso cuando su madre le levantó del suelo, se lo llevó y le obligó a mamar. De hecho, la mordisqueó tanto con sus dientecitos que Klara lanzó un grito y él dejó de berrear el tiempo suficiente para soltar una fuerte y profunda risotada.

Klara oía vociferar a Alois en la habitación de la que ella acababa de salir.

—Este perro no aprende a controlarse —gritó, dolido por el sesgo que había cobrado la velada. Lutero sangraba de la boca a causa de los golpes que había recibido de lleno en el hocico, pero a su vez Alois tenía la palma de una mano lacerada por un pequeño pero feo desgarrón que se había hecho al atizar una bofetada feroz contra un incisivo roto en mitad de los pobres dientes delanteros de Lutero.

4

Aunque me deleita escribir sobre estas personas como un buen novelista, y por ende las observo, por turnos, sardónica, objetiva, irónica, comprensiva, crítica y compasivamente, debo no obstante recordar al lector que si bien no me presento como alguien siniestro (ya que no deseo refrendar la idea superficial de cómo se supone que debe comportarse un demonio), sino como un diablo, no un novelista. Mi interés por los personajes es, sin embargo, sincero. Desde el principio de nuestro servicio, el Maestro nos enseñó a hacer de la humanidad un estudio continuo. Hasta nos alienta a sentirnos cercanos al sentimiento religioso de la gente. Si hay que estar alerta a los despojos que pueda haber más tarde, es provechoso captar las sutiles diferencias entre la nobleza verdadera y la falsa. Si en nuestra asamblea tuviéramos órdenes religiosas, yo podría ser el equivalente de un jesuita. Comparto con ellos un conocimiento fundamental. Siempre trato de adquirir una comprensión compasiva de un oponente; en efecto, considero mi deber saber más de sentimientos religiosos que todos los ángeles, salvo los más dotados.

Tal vez por eso el Maestro nos incita a llamar a Dios D. K. (Al menos a los que trabajamos en países de habla alemana. En Estados Unidos es el D. A.: *dumb ass!* En Inglaterra, el B. F.: *bloody fool!* En Francia, A. S.: *l'âme simple.* En Italia, G. C.: *gran cornuto.* Entre los hispanos, G. P.: *gran payaso.*) De modo que D. K. significa *Dummkopf.*[1] No es que consideremos estúpido a Dios: ¡nada de eso! Además, sabemos por experiencia (y batallas perdidas) que los Cachiporras son, algunas veces, tan listos y mordaces como nosotros. El empleo que hacemos de la palabra Dummkopf proviene, supongo, de la determinación que tiene el Maestro de curarnos de nuestra debilidad más grande: la admiración involuntaria que sentimos por el Todopoderoso. El Maestro no nos consiente olvidar que Dios quizás sea poderoso, pero no es Todopoderoso. De eso nada. También nosotros estamos aquí, al fin y al cabo. El D. K. es el Creador, pero nosotros somos Sus más profundos y exitosos críticos.

No obstante, debemos reconocer que los ángeles han conseguido convencer a la mayoría de la humanidad de que nuestro caudillo es el Maligno. De modo que el Maestro nos propo-

1. En alemán «idiota». *(N. del T.)*

ne que lo mejor es tener a gala el título. Cuando escribo E. M., o hablo del Maligno, lo hago con pleno conocimiento de la ironía del concepto. El Maestro, nuestro sutil amo, nos ha dado muchísimo.

–Dejad a los que adoran a Dios la reverencia excesiva –nos dice–. La necesitan. Siempre están de rodillas. Pero nosotros tenemos trabajo que hacer, y es peliagudo. Os recomiendo que sigáis considerándole el Dummkopf. Es lo que es, en realidad, si se piensa en lo que podría haber logrado. Recordad: se trata de ganar nuestro universo. De que Él pierda el Suyo. Seguid llamándole Dummkopf. No ha sacado de Sus hombres y mujeres todo lo que quería.

5

La efusión de orina, la mierda y la sangre de Lutero fueron el primero de una serie de episodios notables por su poder de *transmogrificación:* es decir, una profunda y espectacular metamorfosis.

Así, por ejemplo, los movimientos intestinales de Adolf empezaban a dominar la vida de Klara en la casa de Linzerstrasse. Antes de que aconteciera el episodio con Lutero, ella, desde luego, se había encargado, por muchas veces que Adi manchase los pañales, de mantenerle limpio; de hecho, como he señalado, este acto se convirtió en un coqueteo entre madre e hijo. Le limpiaba con tanta minucia que al niño le brillaban los ojos. Descubrió el cielo. Estaba en lo alto del ano, al lado del gas y los retortijones. Hábil, tierna, delicadamente, su madre limpiaba sin cesar la suciedad, ya fuese húmeda o seca, de su *pimpollo* (que era, por supuesto, el nombre secreto de Klara para el querido e incomparable agujerito de su amado bebé: *die Rosenknospe).* Estaba tan orgullosa del brillo rosa del orificio que ni siquiera reprimía su gozo cuando los hijastros les observaban. En realidad, a diferencia de otras buenas madres de Braunau, apenas se molestó en enseñar a Angela a sustituirla. Al fin y al cabo, Klara estaba muy por encima de los elementos infaustos del proceso. Las deposiciones de Adi (que en ocasiones podían ser tan fétidas como las de cualquier otro niño con cólicos) no le daban asco. Si los desechos eran malolientes o, aún peor, daban un indicio de la caverna vacía que acecha en el olor de una enfermedad grave, Klara seguía respirando tranquila. En verdad, prefería que la fetidez fuese intensa. Cuanto más mejor. Un signo de salud. Tal era su amor por Adi.

Sí, el amor centelleaba entre ellos. Los ojos le bailaban a Adi cuando ella le rebozaba las mejillas con un trapo suave como una pluma, y de los ojos de Klara –lo supiera ella o no– desbordaba tanta admiración que a él se le empinaba el pequeño pene. Ella, a su vez, soltaba una risita y le hacía un mimo (de lo más decente) mientras los dos se reían. Ya que, por supuesto, volvía a empinarse: momento en el cual ella tenía ganas de besarle la punta y luego ruborizarse. ¡No se asusten! No lo hacía. Su alegría era inocente.

Todo aquello cambiaría después del episodio con Lutero.

Ella vivía de nuevo con un gran temor de Alois. Tenía el miedo constante de que los pañales de Adi pudieran abrirse por culpa del peso. ¿Y si Alois topaba con un vertido excrementicio en el suelo? En una ocasión en que ella había salido de la sala para preparar un plato en la cocina, al volver un minuto después vio que el niño jugaba con sus heces y tembló ante la idea de que Alois cruzara entonces la puerta.

De modo que el adiestramiento dio comienzo. Era como intentar enseñar a un perro inteligente pero terco. Al principio, Adi incluso llegaba a tirarle de la falda o la llevaba al retrete donde estaba el orinal y lloraba para que ella le quitase el pañal. Tras lo cual, mientras ella le felicitaba por su proeza, procedían juntos, en comunión íntima, a la operación de limpieza. Ella se deshacía en alabanzas por semejante inteligencia. Al niño le brillaban los ojos.

Klara, sin embargo, exageró la esperanza, es decir: concibió una ambición excesiva. Quería que el niño aprendiese a abrir los imperdibles que sujetaban el pañal. De hecho, sabía hacerlo. Día tras día, un éxito sucedía a otro hasta que una mañana se pinchó un dedo. A partir de entonces rehuyó los imperdibles. Ella perdió la paciencia. Adi había estado tan cerca de lograrlo y de pronto se negaba a proseguir. Por último, ella le regañó y fue sin duda la primera vez que él oyó un tono semejante en boca de su madre. Se rebeló. Sabiendo lo importante que él era para ella, fue una reacción aguda: sintió la misma claridad mental con la que había presenciado cómo Alois golpeaba a Lutero. En aquel momento, un conocimiento nuevo iluminó al niño. No medía la diferencia entre un perro y un hombre, pues Lutero era para él tan persona como su padre, pero vio el resultado instantáneo: Lutero había sucumbido a un terror abyecto y no obstante el animal seguía amando a su amo.

Así pues, decidió que Klara le amaría aunque no la obedeciese. Despojado del pañal y autorizado a correr desnudo de cintura para abajo, empezó a depositar sus sedimentos al lado mismo del orinal (nunca cuando su padre estaba en casa). Aquello ponía a Klara tan al borde del grito que Adi oía cada sonido que ella no pronunciaba. En consecuencia, se sentía poderoso.

Fue demasiado lejos. Un día en que ella estaba encerando el suelo de la cocina, él esparció las heces sobre el brazo tapizado del sofá de la sala, las examinó y supo, por el nuevo alboroto en su pecho –qué sensación tan curiosa–, que aquello era distinto. Entrañaba un riesgo. Aun así, se lo enseñaría a ella. Se lo enseñó.

Esta vez ella se quedó inmóvil. Intuyó que Adi lo había hecho adrede y no dijo una palabra; se limitó a limpiar el sofá y en aquel momento él tuvo un ataque de diarrea y empezó a reírse y a berrear, pero ella sólo suspiró y le limpió en silencio, de un modo apático y sin amor. Esto causó tal impresión al niño que se despertó en mitad de la noche y fue al dormitorio de su madre. Alois había sido convocado en Passau para las entrevistas preliminares y había estado ausente durante una semana, pero justo antes de medianoche volvió a casa. Como al niño le gustaba ir a la cama de su madre cuando estaba sola, al abrir una rendija de la puerta le sorprendió oír un pequeño jadeo, un resoplido y después el rugido de toro de la voz de Alois. Debajo estaban los gritos de la madre, suaves y ocasionados por la tortura más extraña, gritos que hablaban de gozo inminente, ¡tan inminente pero todavía fuera de alcance, sí, ya, casi! ¡No, todavía no! Por la puerta entornada (dejada abierta expresamente para que ella le oyese si Adi lloraba) vio una escena que su cerebro no pudo asimilar. Había algo parecido a cuatro brazos y cuatro piernas y dos personas, pero una de ellas estaba boca abajo. Vislumbró la cabeza calva de Alois y sus patillas apretadas entre las piernas de la madre. Después, sin decir una palabra, el padre se sentó. ¡Ahora se había sentado encima de la cara de la madre!

Adolf se fue con tanto sigilo como había llegado, pero no le cabía la menor duda. Su madre le estaba traicionando. En aquel preciso instante oyó una última sucesión de gritos lo bastante intensos como para que él se volviera hacia la habitación. Por lo que pudo ver a la luz de la luna que entraba por la ventana, su padre había empezado a fustigar a Klara con todo el cuerpo, y le golpeaba el vientre con su barrigota. Y ella gruñía como un perro. ¡Tan llena de satisfacción! «¡Eres una fiera, un hombre feo, eres un animal!», y a continuación: «Tú, sí, *ja, ja, ja.*» No había duda. Estaba feliz. *Ja!*

Adi nunca la perdonaría. El niño de dos años estaba seguro de ello.

Esta vez recorrió todo el camino hasta su cuarto. Sin embargo, aún les oía. En la cama de al lado, Alois hijo y Angela se reían. «Ganso, ganso», repetían sin cesar.

6

Empezó a berrear pidiendo leche menos de treinta minutos después de que Klara se hubiese sumido en el mejor sueño que había conocido en años.

¿Debemos suponer que un niño no puede tener reacciones muy profundas porque su vida media no dura más de treinta minutos? Debido a aquella traición, quizás no volviera a amar a su madre tanto como antes. Sin embargo, sus sentimientos se fortalecieron. En su amor había ahora sufrimiento, y una rabia que se manifestaba mordisqueando la teta con los dientes. De hecho, durante unos días se sintió próximo a Lutero, y cuando se adormilaba dormía toda la tarde al lado del perro. Ciertamente, veía al animal como a un hermano, y su afecto fraternal duró hasta que Adolf empezó a aprovecharse demasiado y a aporrear a Lutero en la barriga, a tratar de meterle los dedos en los ojos y, en ocasiones, a darle patadas en las costillas. Si el perro empezaba a gruñir cuando se acercaba, corría lloriqueando donde Klara. Hubo un período en que cesó el placer que a ella le producía amamantarle. Los responsables eran los mordiscos. Los días del destete se acercaban.

En aquellos consejos privados que se celebraban en la cabeza de Klara y que nunca serían accesibles al niño, a sus hijastros, a su marido y ni siquiera al confesonario, había llegado a la conclusión de que tenía que tener otro hijo. Si bien este deseo nacía de su antiguo temor, que persistía, de que Adolf no sobreviviera, también temía que nunca volviese a amarle tanto, no como le había amado, y por eso quizás debería concebir otro hijo.

Además, su matrimonio estaba comenzando una nueva época. Aguardaba impaciente la llegada de Alois al lecho conyugal. Aquellas noches, al cabo de tantos años, ¡el deseo renacía, resurgía en el tuétano, en lo más hondo!

Recordaremos que la última vez que vimos a Alois estaba sepultando la nariz y los labios en la vulva de Klara, con una lengua tan larga y demoníaca como el falo de un diablo. (Digámoslo: no nos abstenemos de hacer nuestra aportación a estas artes.) Alois, desde luego, contaba con nuestra ayuda. Hasta entonces nunca se había entregado tan totalmente a aquella práctica, y pronto había llegado a dominarla, y tan deprisa que sin nuestra contribución el hecho resulta inexplicable. (Por eso hablamos del Maligno cuando participamos en el acto: tenemos la facultad de transmitir esos dones lúbricos a hombres y mujeres, incluso cuando no tratamos de convertirles en clientes.)

A la mañana siguiente, Alois no acertaba a creer que hubiese hecho aquello. ¡Rebajarse hasta aquel extremo! Para vengarse de su degradación en Klara, había –recordemos– aposentado sus posaderas una vez más sobre la nariz y la boca de la cónyuge: justamente la escena espantosa que incitó a Adolf a volver a la cama y a berrear pidiendo leche menos de media hora más tarde.

Sin embargo, a la mañana siguiente, Alois también sintió ternura por Klara. Aquella deferencia inesperada, unida al placer asombroso que él le había causado por medio de la lengua, un gozo cuya insospechada exquisitez le había elevado hasta, sí, regiones casi ocultas, la predispusieron asimismo a perdonar la parte ingrata. (En realidad, el pesado trasero de Alois olía mejor que el de Adi.)

Como demonio que soy, estoy obligado a vivir en íntimo contacto con excrementos en todas sus formas, físicas y mentales. Conozco el desperdicio emocional de sucesos feos y decepcionantes, el agrio veneno inherente del castigo injusto, la corrosión de los pensamientos impotente y, por supuesto, también tengo que tratar con caca. Es cierto. Los demonios vivimos en la mierda y trabajamos con ella. Así que muchas veces procuramos entender un matrimonio a través del ojo de la cloaca, y añadiré que no es el peor enfoque, ya que los deberes parentales no son sólo la corona sino el anexo de la coyunda. Como San Odón de Cluny declaró en una observación inolvidable y digna

116

del mejor de los diablos: *inter faeces et urinam nascimur* (entre heces y orinas nacemos). Lo cual me lleva a decir que el estudio apropiado del matrimonio reside no sólo en la asociación, armonía, afecto, aburrimiento, costumbres previsibles, disgustos cotidianos, refriegas verbales y desesperación diaria, sino en las tripas y la mancha de todo ello: el conocimiento como camaradas de todos los sabores, olores y recovecos anatómicos prohibidos. De hecho, si faltaran todos estos elementos, el sacramento tendría cimientos más frágiles. El matrimonio se basa en la caca. Es lo que yo afirmaría. El lector, a su vez, es libre de rechazar mi opinión porque soy un demonio, a fin de cuentas, y buscamos el mínimo común denominador de cualquier verdad. Nada tiene de extraño que las merecidas propiedades del desecho entren dentro de nuestra competencia.

7

Llegó el ascenso de Alois. La inspección de finanzas le nombró jefe de aduanas del puesto de Passau y Klara estaba contenta, contentísima. Se había casado con un hombre de provecho.

Por otra parte, difícilmente podían mudarse antes de que Alois ocupara su nuevo cargo en Passau. La ciudad estaba a un día entero de viaje desde Braunau, lo que significaba que Alois tendría que pasar semanas lejos de su familia. En consecuencia, Adolf ganduleaba al lado de su madre en la cama grande.

Aunque era doloroso que Klara le expulsara cada vez que Alois volvía a casa, el niño aprendió también que la pérdida de aquella felicidad se remediaría en cuanto Alois regresara a Passau.

Esta situación duró un año. Incluso cuando al final la familia tuvo que alquilar un alojamiento en Passau, Alois debía supervisar otras ciudades fronterizas. En consecuencia, estaba ausente tanto tiempo como antes, lo que permitía a Adolf dormir cerca de su madre.

En cuanto a Alois, su nuevo cargo gratificaba su vanidad, pero introdujo una amenaza para su confianza. En Braunau, un puesto menos importante, los contrabandistas apresados eran normalmente sujetos sin importancia. Como la mayoría de los productos que cruzaban eran agrícolas, pesarlos era tedioso. Aunque Braunau tuviera una bonita ubicación a la orilla del río Inn, hasta su arquitectura era monótona.

En Passau, las aduanas austriacas, de mutuo acuerdo entre los dos países, operaban en la ribera alemana del Danubio. La diferencia era visible. Passau había sido gobernado en otro tiempo por un príncipe obispo y podía vanagloriarse de sus torres medievales. Algunas de sus iglesias databan de los albores de la Edad Media. Los muros de Passau reflejaban la grandeza del deber abnegado, crímenes antiguos, cámaras de tortura, secretos oscuros, gloria fenecida y –muy oportunamente para Alois– contrabandistas dotados de suficiente imaginación como para representar un desafío.

De modo que el nuevo cargo tenía sus molestias. Si bien su presencia uniformada había sido hasta entonces una plena advertencia para malhechores en potencia, sabía que mucho dependía del rigor de su actitud profesional. Se esforzaba, por tanto, en presentar una personalidad de calma oficial suprema, la de un hombre que se había investido de un sello incorruptible. Que los viajeros supieran que no era un hombre con quien jugar. Había estudiado a muchos funcionarios de aduanas de la clase alta: los que poseían una educación universitaria, y algunos ostentaban lívidas, inestimables cicatrices de duelo. Eran los que le servían de modelo.

Al asumir el mando en Passau se sintió, sin embargo, menos a gusto en su piel de buen ciudadano austriaco. Su tono, a raíz de hallarse en el lado alemán de la frontera, se volvió una pizca demasiado áspero. A veces una nimiedad suscitaba en él una reacción desmedida. En una ocasión soltó una diatriba porque un subordinado le llamó «Herr oficial» en lugar de «Herr alto oficial Hitler». Intuía que sus nuevos subalternos eran más instruidos que los de Braunau. ¿Se le tornarían críticas aquellas caras nuevas? De vez en cuando, mirando desde su puesto el curso del Danubio por debajo del puente aduanero, los ojos se le llenaban de lágrimas. Daba en pensar en Braunau y en las dos mujeres enterradas en la región, la querida y ardiente Franziska, sí, y por un instante también lloraba a Anna Glassl. No era una belleza, pero sabía qué hacer debajo de las sábanas.

Fumaba sin parar. Sin que él lo supiera, le apodaban «la nube de humo». (Aquí, el alemán es muy expresivo: *die Rauchwolke!*) «¿Y de qué humor está hoy *die Rauchwolke?*», preguntaba un joven funcionario a otro cuando llegaba al trabajo. Alois sabía que aquellos inferiores le guardaban rencor porque no les permitía la libertad que él disfrutaba: no obstante, esta misma injusticia reforzaba su autoridad. Aunque un buen funcionario debía ser, en general, justo, podía ejercer algunas arbitrariedades. Hecho con sensatez, resultaba eficaz. Rebajaba un peldaño a los subordinados.

Ahora que Klara y los niños se habían reunido con él en Passau, también se volvió más severo con su prole. Alois hijo y Angela pronto aprendieron a no dirigirle la palabra, a menos que les hiciese una pregunta directa. De lo contrario, no debían interrumpir sus pensamientos. Si Alois hijo estaba fuera, el padre se colocaba dos dedos en los labios y silbaba. Era una forma de llamarle idéntica a la que utilizaba con Lutero. A su vez, Alois hijo, de mejillas frescas, fuerte y fornido, y con una cara que recordaba a la de su padre, había provocado en Klara y Angela un acceso de histeria recogiendo una tarde un excremento monumental que Adi había tenido a bien depositar en la alfombra de la sala. Cuando la madrastra y la hermana empezaron a gritar al ver aquello en la mano de Alois, oscura, aguerrida y tan imponente como una estaca primaria, él las persiguió, con ojos fieros. ¡Qué travesura! Klara y Angela gritaban aterrorizadas. Adi se sumó entonces al coro y gritó con las otras dos incluso mientras

119

hacía cabriolas detrás de Alois, y no paró hasta que el hermano mayor, cansado de la juerga, arrancó un trozo de la cagarruta, se dio media vuelta y lo plantó en la punta de la nariz de Adolf.

Aquella noche Klara se lo dijo a Alois padre. La zurra que siguió fue comparable a la que recibió Lutero. Al día siguiente, Alois hijo a duras penas salió arrastrándose hacia la escuela. Rigurosa fue, después de este episodio, la disciplina en la casa. Cuando Alois volvía de su trabajo, los niños a lo sumo osaban susurrar. Klara, no queriendo disgustarle, también estaba callada. Cenaban en silencio. El aliento de Alois, que olía a carne y a cerveza agriada, se mezclaba con el aroma de la lombarda.

Después de la cena se sentaba en la butaca, elegía una de sus pipas de larga boquilla, apretaba el tabaco en la cazoleta con toda la autoridad que se arroga el pulgar de un hombre de importancia oficial y procedía a enrarecer el aire con la humareda. Alois hijo y Angela se iban a su cuarto en cuanto él les daba permiso. Adi, en cambio, se quedaba.

El padre sujetaba con la mano la cabeza del niño de tres años y con una sonrisa híbrida –cincuenta por ciento de afecto y otro cincuenta de pura ruindad– soplaba humo en la cara de Adolf. El niño tosía. El padre se reía.

Cuando Alois le soltaba la cabeza, Adolf sonreía y corría al retrete. Allí vomitaba. A veces, con la cabeza encorvada sobre el cubo, el pequeño recordaba los sonidos de Alois haciendo el amor con Klara y aquellos mismos gruñidos acompasaban las arcadas del estómago. Se preguntaba una y otra vez por qué su madre nunca se quejaba del humo.

No se atrevía. Intuía que la mayor provocación a su marido sería hacerle un comentario acerca de su pipa.

Además, Adolf le había dado otro motivo de miedo. Un día en que ella le limpiaba el trasero (y no hizo este gran descubrimiento hasta que el niño tenía tres años, tales eran las curiosas convenciones de Klara), advirtió que en vez de dos sólo tenía un testículo.

120

Un doctor de la ciudad la tranquilizó diciendo que no había que temer aquel fenómeno médico.

–Muchos chicos así, cuando crecen, son padres de familia numerosa.

–¿Entonces no será distinto de los demás cuando vaya a la escuela?

–Los chicos así son a veces activos. Muy activos. Eso es todo.

Estas amables palabras no sosegaron a Klara. La falta de un testículo dejó una mancha más en la familia Poelzl. No sólo había una contrahecha, su hermana Johanna, sino un primo carnal que era un perfecto mentecato. Por no hablar de todos los hermanos difuntos de Klara, de sus hermanas e incluso de sus hijos muertos. Decidió que Adolf no había heredado la fuerte constitución de Alois, no, nada de la fuerza que el padre había obviamente transmitido a Alois hijo. Lo cual era también culpa de Klara. Había amado a su marido la noche en que Adolf fue concebido, pero sólo aquella noche, y de un modo..., ¿no fue pecaminoso? ¡Vaya una noche!

Pero de nuevo –¿sería demasiado tarde?– ella creía que había vuelto a amarle. Llegó a esta conclusión despacio, paso a paso, a lo largo de muchos meses, pero una hermosa noche de junio, año y medio después del traslado de Alois a Passau, sintió por él un nuevo respeto. Pues aquella tarde misma él había sabido que al cabo de otros seis meses sería destinado a Linz, la capital de la provincia, como jefe de aduanas. Era el cargo más importante que existía en todos los servicios entre Salzburgo y Viena, y llegaba en un momento oportuno, ya que iba a jubilarse al cabo de pocos años y su ascenso aumentaría la suma de su pensión.

Aquella noche engendraron. Quizás no hubo nunca una hora en que amó a Alois más simplemente, o en que comprendió lo mucho que ella deseaba un segundo hijo. Adi, con su testículo único, había sembrado en su corazón un horror ínfimo

121

pero duradero. No se atrevió a pensar por más tiempo que el niño viviese una larga vida. Por el contrario, necesitaban otro hijo. Osó rezar para que fuese un varón. Resolvió que el nuevo sería tanto de ella como de Alois.

8

Edmund nació el 24 de marzo de 1894, unos meses antes de que Adolf cumpliera cinco años. Klara le había dicho que pronto tendría un hermano o –si Dios quería– una hermana, y Adolf estaba preparado para los dos casos. Tenía ganas de jugar con el bebé cuando llegase. Esperaba conocer a un niño de la mitad de su edad, al menos medido conforme al tamaño, un ser vivo que supiese hablar o, como mínimo, capaz de escuchar. Sin embargo, al acercarse a la cama de Klara se quedó boquiabierto, pues allí sólo vio un rebujo de tela sobre su pecho y una cara dentro del envoltorio tan arrugada como una manzana vieja.

Supo que se avecinaban cambios cuando la noche anterior le enviaron a la casa de un vecino, donde sufrió las molestias de dormir en una cama pequeña entre Angela y Alois hijo (que no paraban de pellizcarse por encima de su cuerpo, situado entre ambos). Esta conciencia se convirtió en su primera gran tristeza cuando, al día siguiente, corrió a la cama de su madre y la comadrona estiró una mano tan grande como su cara y dijo: «No hagas daño al bebé.»

Klara lo empeoró. Le puso una mano en la cabeza. Pero fue un contacto pasajero y en él Adi no percibió amor. Las lágrimas afluyeron a sus ojos.

–Ah, el pobrecillo –dijo la comadrona, y le sacó de la habitación–. Dentro de unos días podrás acercarte a tu nuevo hermano.

–¿Hablará conmigo?

–Oh, serás el primero que le comprenda.

Dicho lo cual, se rió y volvió junto a la cama donde estaba la madre.

Rara vez Adolf se aproximaba lo bastante a Klara. Pero unas pocas semanas antes, todas las mañanas había disfrutado de la misma conversación con ella.

—Mamá —preguntaba Adi—, ¿eres la mujer más guapa del mundo?

Ella le revolvía el pelo.

—¿Tú qué crees?

—Creo que eres la más guapa.

Ella le estrechaba contra el pecho. El amor que él sentía por sus pechos no era tan absoluto como antes. Sin embargo, fingía que lo era, aunque hacía ya un año que ella le había destetado. Ahora no sólo se atiborraba de los pastelitos de nata que ella solía preparar para el postre, sino que los devoraba a tal velocidad que Alois hijo se quejaba sonoramente si Klara estaba presente o, en su ausencia, le daba un coscorrón en la cabeza a su hermano menor. Presa de un nuevo desasosiego por la escasa atención que por entonces le prestaba a Adi, Klara defendía su derecho a los pasteles.

—Es tan pequeño —decía— que los necesita más que tú.

De resultas del parto, estaba a menudo tan fatigada que no podía cocinar. La criada temporal hacía pastelillos de nata que sabían a leche cortada. Klara, a su vez, estaba amamantando continuamente a Edmund. O eso le parecía a Adolf. Experimentaba una nueva tristeza que se mezclaba con el triste tono de las campanas de la iglesia de Passau, que eran muchas y frecuentes.

Cuando ahora él intentaba preguntar si era la mujer más guapa del mundo, ella se reía, afligida.

—Oh, soy una chica ajada —decía—. No soy guapa, Dolfchen. Pero tu hermana Angela lo será.

Adi no estaba de acuerdo. Angela no era de fiar. Angela siempre quería pellizcarle. A veces era amable, pero pérfida.

—No, tú eres más guapa que Angela —decía Adi, y su madre negaba con la cabeza.

Entretanto, su padre pasaba en Linz la mayor parte del tiempo. Una semana después del nacimiento de Edmund tomó posesión plena de su puesto allí. Como Linz estaba a ochenta kilómetros de Passau, Alois no descargaba el peso de su fuerte voz más de dos veces al mes. Ahora, cuando Angela y Alois hijo estaban en la escuela, Adi se quedaba solo con su madre y el bebé, pero Klara seguía sin dedicarle tiempo. Y por la noche ya no sabía con certeza dónde iba a dormir. Alois hijo le usurpaba muchas veces el catre y Adi tenía que meterse en la cama de Angela. A veces ella le decía que no olía bien.

—Te apesta el aliento, Adi —decía. A menudo él ponía una manta en el suelo para no dormir con ella.

También tenía miedo de salir a la calle. Había niños de su edad y mayores jugando en el campo de detrás de la casa y sus gritos le asustaban. Pasaba el rato mirando las ilustraciones de un libro que su padre había comprado sobre la guerra franco-prusiana de 1870. Decidió que sería un valiente soldado. ¿Podría? ¡Era tan miedoso!

Una tarde, después de la escuela y en gran parte a instancia de Klara, Alois hijo sacó a Adolf de casa y le llevó al campo que había detrás. Sí, él había sabido que sería así. Una docena de niños jugaba a la guerra.

Alois examinó al grupo y eligió al cabecilla de un ejército, un robusto crío de cinco años.

—Éste es mi hermano —le dijo—, y si dejas que le pegue alguno de tu bando, tendrás que vértelas conmigo.

Asestó al niño en el brazo un golpe lo bastante fuerte para ratificar sus palabras y se fue.

Cuando Adolf volvió a casa aquella tarde, su hermano Alois le dijo:

—De ahora en adelante, yo me comeré primero los pastelillos de nata. Todos los que quiera. Si le lloras a tu madre, mimado, no te protegeré en el campo.

—No lloraré —dijo Adi, conteniendo la respiración como si estuviera aferrado a una cuerda.

124

Al día siguiente fue a jugar solo. Le asustaba más la burla de Alois que cualquiera de los golpes que pudiera recibir en la batalla.

En realidad, el primer día había sufrido un castigo muy pequeño. El chico gordo se apresuraba a interponer su cuerpo como escudo para proteger a Adi de los ataques. Además, no tardó mucho en captar el principio básico. Divididos en dos equipos, los niños jugaban a perseguirse por turnos. No era una guerra, sino más bien un corre que te pillo. Si te tocaban estabas muerto. Y cada refriega duraba a lo sumo unos minutos. A continuación, casi sin resuello, contaban las bajas, se recuperaban y empezaban de nuevo. Siempre había alguien que rodaba por el suelo en la primera carga a través del campo. Le sucedió incluso a Adolf, en una ocasión en que el gordo elegido por Alois fue interceptado por dos contrincantes. Un brusco empujón en el hombro y Adi mordió el polvo. Le entró tierra en la nariz.

No lloró. Le costó un gran esfuerzo de voluntad. Tuvo que negociar consigo mismo para abstenerse de llorar, y le dolió que nadie aplaudiera su reciente estoicismo. La herida en su amor propio era como el rasponazo en la mejilla. La nariz le ardía del atropello sufrido por sus orificios nasales, pero logró no llorar.

También se las apañó para eludir otra colisión durante el resto de las batallas del día. Salía disparado cada vez que se le acercaba un enemigo. Para su satisfacción, incluso eliminó a un niño.

Al día siguiente volvió a aterrizar en el suelo. El gordo le suplicó, compungido, que no se lo dijera a su hermano. Adi se concedió el placer de darle una palmada en la espalda. Que no se alarmara, le dijo: no diría una palabra. Pero aquella noche apenas pudo dormir. Pensaba que con el tiempo, cuando fuese capitán, el gordo, Klaus, sería su teniente.

Para cumplir aquel objetivo, inventó una nueva serie de reglas. Razonó que la guerra no consistía en dos ejércitos cargando entre sí, sino que también eran maniobras de un lado a otro. No conocía aún las palabras, pero poseía un instinto para el concepto.

A sus nuevos camaradas les propuso que se trasladaran desde el campo llano a una colina que había en el prado contiguo. Cada ejército comenzaría al pie de las laderas opuestas y así no sería visible hasta coronar la cima.

Una vez convencidos los niños de este cambio, introdujo una enmienda. Insistió en que no debían tocar al cabecilla de cada bando.

—Siempre —alegó— hay que respetar al oficial de más rango.

Para salirse con la suya, no venía mal que el fuerte y robusto Klaus estuviese siempre en su bando. No obstante, a Adi le asombró un poco lo bien que se manejaba en aquellos asuntos. A mí también.

9

Tras los primeros juegos bélicos de Adolf, me encomendaron que siguiera su evolución más de cerca.

Entiéndase que un seguimiento adicional no es la norma. Cada caso es único. El hombre o la mujer normales dan por sentado que se puede perder el alma ante el diablo en un instante y de forma permanente, pero es una premisa tan falsa que todos los domingos la repiten en el sermón de la iglesia como una amenaza activa. La realidad, sin embargo, es que no nos apoderamos de la gente a la velocidad de un relámpago. Y tampoco la incitación satánica hace de un hombre o una mujer eternos vasallos nuestros. Más bien se trata de un tira y afloja. Tan pronto como intentamos ejercer nuestros poderes sobre un cliente, aparecen los Cachiporras. La posesión completa se da muy pocas veces. De hecho, tras una serie de batallas así, es posible que el alma aislada que ha sido capturada por los Cachiporras o por nosotros parezca más un desecho que un premio. (Los esquizofrénicos pueden ser las víctimas de estas contiendas.)

La incitación, por tanto, no está exenta de paradoja. Los clientes que más difícil nos resulta abordar son los que poseen el mayor potencial. A la inversa, los individuos fáciles de captar rara vez ofrecen aptitudes reales. Cuesta tan poco vilipendiar a un borracho. No obstante, pulimos lo que queda de su encanto. Esto contribuye a que su familia consuma un poco más de compasión, sobre todo si la madre, el padre o cualquiera de las hermanas están obsesionados con no perder la última caridad que les queda. En efecto, herimos esos corazones amantes de Dios. Pero es una tarea sencilla. El provecho es pequeño. No se cumplen los fines últimos. Nuestra meta final, al fin y al cabo, es privar al D. K. de la lealtad de la mayoría de los humanos.

Pero hay otro factor en toda lucha: un factor económico. Afecta a los recursos separados de la energía divina y la energía satánica. Difieren.

Concederé que incluso en los cuadros más altos de demonios y ángeles apenas sabemos quién tiene más tiempo que asignar a una contienda en cuanto rivalizamos por la posesión de un hombre o una mujer concretos. Esto, por supuesto, no entraña *happenings* inmensos. El D. K., por ejemplo, desembolsa una sobreabundancia de sustancia divina en Sus puestas de sol, que no negaré que levantan la moral humana. En eso yo le tacharía de manirroto, pero también los demonios dedicamos atención a las inversiones en tiempo que requiere asegurar un cliente nuevo. Consagrar años a un valet prometedor que al final se pasa a los Cachiporras deja una mancha presupuestaria en nuestro expediente. Por tanto, al elegir un objetivo tratamos de ser más perspicaces que nuestros adversarios.

Por ejemplo, es raro que no asistamos a los acoplamientos de los ricos y los poderosos (¡tan dados a la infidelidad!). Como ya se ha señalado, mostramos interés por el incesto, sea entre ricos o pobres. Los actos sexuales, sin embargo, en particular los iluminados por ángeles, representan una tarea más exigente: no es sencillo infiltrarse en su bloqueo.

Pero lo intentamos. Es –aquí me atrevo a hablar sólo por mí mismo– como si E. M. nunca hubiera podido aceptar el hecho de no haber estado presente en el momento de la concepción de Jesucristo.

Por suerte para nosotros, Jesús demostró que no era un Hijo atípico. El historial que nos facilitan informa de que a menudo estaba en desacuerdo con Su Padre.

Divago. El hecho fundamental de nuestra existencia es que nos vemos constreñidos a vivir con arreglo a un presupuesto limitado y en consecuencia elegimos con discreción nuestros proyectos. Salvo en casos especiales, no nos volcamos en el desarrollo inicial de los niños.

–En sus primeros años –observará el Maestro–, el niño se ve atrapado entre la necesidad de amor y el desarrollo de su voluntad. Estas inclinaciones chocan entre sí de un modo tan natural que raras veces hace falta un enfoque temprano.

Excepto en casos infrecuentes como el de Adi, no intervenimos hasta los siete años. Hasta bien entrado el siglo XIX, un niño muy pequeño siempre corría el peligro de que se lo llevase una enfermedad u otra.

A partir del séptimo cumpleaños, nos resulta más fácil valorar la salud potencial de jóvenes clientes. Por otra parte, nuestro Maestro denomina «la edad de los zopencos» los cinco años siguientes. «Están conociendo el mundo en su forma básica: los años escolares: casi todos ellos se precipitan hacia la costumbre, la rutina y la estupidez como las formas inmediatas de aislamiento protector.» Así pues, lo más frecuente es que nuestra selección comience en la adolescencia. Por fin podemos ya explotar las energías gastadas por el D. K.

He hablado tan por extenso de nuestro cauteloso proceso

de selección porque quiero enfatizar lo inusitada que era la atención especial prestada a Adi en sus años infantiles. En definitiva, que se llamara Adolf Hitler carecía de importancia entonces.

De todos modos, yo había vivido (por poderes) el instante demoníaco de su concepción y después me habían encomendado revisar la obra de los demonios que supervisaban las actividades de su familia. Era una vigilancia ligera. *Misión rutinaria* era la expresión de jerga que empleábamos para este cometido, mucho antes de que fuese adoptada por los pilotos del ejército del aire en la Segunda Guerra Mundial. Cualquiera de los demonios podía pasar por una casa en las horas que precedían al alba y obtener información nueva por medio de las pequeñas y grandes tormentas domésticas que habían acontecido desde la última visita. No entrañaba grandes gastos, a menos que un Cachiporra custodiase la morada. Lo normal, sin embargo, era que pasara rápidamente por la casa y espigase los datos. Hacíamos el trabajo mientras los humanos dormían.

De modo que yo me había mantenido estrechamente informado de la historia de la familia Hitler durante todos los años transcurridos desde el nacimiento de Adolf. (Téngase en cuenta que mis demonios también estaban al corriente de otros numerosos proyectos en aquella región de Austria.) Si bien era modesta la aportación de mis agentes hasta entonces, no obstante había sido suficiente. Al repasar los primeros años de Adolf, confieso que no vi en el niño una gran promesa. Su necesidad de amor era escandalosa y su carácter tremendamente vulnerable. Lo más probable era que desfilase por la vida con un yo a la defensiva. Al menos así lo habría yo juzgado de no haber estado presente el Maligno el día en que lo concibieron. El suceso, sin embargo, tuve que anotarlo en mi registro, e incluso durante las noches más atareadas la familia Hitler estaba incluida en cada misión rutinaria.

La tarea de observación atenta pero pasiva sufrió para mí un vuelco completo el día en que Alois hijo arrastró a Adi fuera de la casa para llevarlo al juego de guerra de los niños. El Maestro intervino. Recibí un mensaje directo:

–Cuídale mejor a partir de ahora. Fortalece su columna vertebral. Perderemos mucho de su potencial si no tomamos medidas.

10

Cuando te imparten una orden directa no hay modo de esquivarla. Tuve que hacer lo que me mandaron. Fortalecí la columna vertebral del niño. De hecho, afirmaré que la tarea fue realizada con finura: no inyecté fondos especiales en su valentía ni su voluntad; en cambio, le proporcioné el ingenio necesario para que él mismo llevara a cabo el trabajo, puesto que después de todo había sido él quien optó por no llorar cuando su cara besó el suelo. Posteriormente también demostró astucia a la hora de encontrar medios de evitar el castigo físico.

Capté de nuevo la superior sagacidad del Maestro. Adi dio unas cuantas muestras de que valía la pena. El chico quizás fuese incluso tan superior al típico niño de cinco años como un joven caballo de carreras a una mula común y corriente. Disfruté trabajando con él, y menos mal que así fue, porque la orden llegó en una época en que yo no podía permitirme nuevos recortes en mi presupuesto. Mejorar la valentía de un niño normalmente requiere el desembolso de reservas preciosas, los fondos precisamente que hemos conseguido robar a los Cachiporras. La necesidad nos ha forzado a ser hábiles suplantando a ángeles. Hasta un adulto, al percibir nuestra efusión de amor, tiende a creer que es auténtica. Sospecho que Kierkegaard tenía esto mismo en mente cuando recomendó a la gente que desconfiase de los sentimientos muy devotos, porque no podían saber de qué fuente procedían. Quizás estuvieran trabajando para Satanás.

Asimismo podría yo añadir que los demonios somos humanos en esto: un pingüe beneficio en nuestras inversiones nos pone de un humor excelente, por lo que llegué a disfrutar con Adi cuando mostró su capacidad de mejorar en los juegos bélicos.

Pronto vio, y creo que se debió tanto a su percepción como a la mía, que eran necesarios los puestos de avanzada. Era un error enviar a soldados a lo alto de la loma sin saber lo que encontrarían. Por consiguiente, un explorador de cada ejército tenía que intentar acercarse lo suficiente a la cima para echar un vistazo a lo que había al otro lado. De ahí, en la secuencia lógica, surgió otro cambio en las reglas: un ejército que avanza tenía que desplazar libremente a sus fuerzas de un flanco al otro, incluso mientras ascendían la colina. La defensa también podía desplazarse. Por supuesto, esto exigía contingentes mayores en ambos bandos, pero Adi no tardó en convencer a sus camaradas de que había que invitar a más chicos de las calles y campos vecinos. Naturalmente, ellos, los originales, por haber sido los primeros en aquella colina, tenían derecho a los ascensos de rango. Permítanme ofrecerles una de sus alocuciones a las tropas.

–¿Por qué estamos aquí? –preguntaba–. ¿Porque necesitamos saber más de la guerra? Sí. Porque, amigos míos, cuando seamos mayores queremos ser héroes. ¿No es cierto? Klaus, ¿tú quieres ser un héroe?

–Es lo que quiero ser.

–Por supuesto. Es lo que queremos todos. Todos nosotros. Pero para ello tenemos que saber más. Así que necesitamos más soldados. ¿De dónde vamos a sacarlos? Os lo diré: hablando con todos los que quieran unirse a nosotros. Los que estamos aquí, entonces, tendrán un alto rango. Y los que mandemos tendremos uno muy alto. No sólo capitán o comandante, sino general. Klaus, aquí presente, será mi coronel.

Tales eran las palabras que empleaba. Admitiré que me

tomé la molestia de inspirárselas. Tenemos ese poder, al igual que los ángeles. Bajo nuestra influencia, los clientes hablan con más agudeza, confianza y sensatez que cuando están solos. Sin embargo, utilizamos con moderación esta técnica. Exige el empleo de fondos especiales.

En aquella ocasión valió la pena. Aunque sin duda contribuí a dotarle de una elocuencia que ningún niño normal de cinco años habría podido poseer, algunas de las buenas expresiones procedían de él. ¡Unas pocas!

Adi y sus tropas no tardaron en enzarzarse en luchas que duraban horas. Había interminables modificaciones de las reglas. Las huestes aumentaron a quince y a veinte cada bando.

Llegó la orden de E. M.

–Ya basta por ahora. Veamos cuánto de esto perdura después del traslado.

No era algo insólito en el Maestro. Teníamos que aceptar enseguida cambios rápidos. En este caso, la situación de la familia había cambiado. Alois iba a trasladar a Klara, Angela, Alois, Adi y el bebé Edmund desde Passau a una granja a poca distancia de Linz.

Si bien los juegos bélicos se han terminado por algún tiempo, siento la necesidad de calmar lo que podría ser un creciente desasosiego del lector. Los buenos lectores son una especie no protegida: su lealtad va por delante de su juicio. Por lo tanto, puede que a algunos les incomode descubrir que estaban gozando aquellos primeros éxitos del niño, Adolf Hitler. No les quepa duda. Leer sobre las habilidades o triunfos de cualquier protagonista por fuerza produce felicidad en casi todos los que siguen el relato, sobre todo si hay indicios de algo sentimental o, aún mejor, mágico: instrumentos útiles para cualquier autor que desee suscitar emociones rápidas en el lector. Por eso tantos escritores populares nos observan. Les amamos. No les desengañamos. Los disfrutamos. Los escritores populares suelen creer que trabajan para Dios y para sus prósperos egos. Entretanto, les exhortamos a remojar a sus lectores en baños de ofuscación. Los beneficios revierten en nosotros. Una visión ilusoria de la realidad consumirá, como mínimo, el tiempo de Dios, y eso es una forma de interés compuesto en nuestra economía.

Libro VI

La granja

1

Sí, Alois iba a jubilarse. Compraría una granja. El último año de trabajo en la aduana había empezado a buscarla, y en febrero de 1895 compró lo que consideraba la propiedad adecuada en una ciudad llamada Hafeld, a unos cuarenta y cinco kilómetros de Linz. Así que en abril Klara y los niños se trasladaron desde Passau a su nuevo domicilio. Era, en realidad, un retiro rural. La escuela más cercana estaba en la aldea más próxima, Fischlham, a menos de dos kilómetros, y allí, después del verano Adi entraría en el parvulario. Durante los meses siguientes, Klara viviría en la granja con toda su prole mientras Alois completaba su servicio en Linz.

Por supuesto, la jubilación no dejaría de abrir unas cuantas grietas en lo que había sido un edificio imponente. Me refiero al ego de Alois. Cuando consideramos los escasos materiales con los que había tenido que alimentar a aquel compañero incondicional de su psique, puede que incluso hubiera tenido derecho a probar un poco de néctar meditativo.

Pero no pudo gozarlo. ¡Qué lástima! Si al menos hubiera disfrutado trabajando en su último puesto en Linz, su último título, oficial jefe de aduanas, le habría dejado un poso de auténtica satisfacción. Pero todos los problemas que había tenido con el personal de Passau fueron magnificados. Linz era un importante centro de atención de la inspección de finanzas. Era la capital de una provincia muy importante, la Alta Austria, y la aduana, por consiguiente, rebosaba de jóvenes funcionarios ambiciosos que no desaprovechaban ocasión de mostrar su sutil desprecio por las deficiencias de oficiales superiores de cuna más humilde que la de ellos. La mayoría de aquellos jóvenes daban por sentado que en el futuro obtendrían altos cargos, y semejante confianza por su parte hacía que Alois se sintiera desplazado. Por primera vez en todos los años en que había llevado uniforme, no siempre las miradas de quienes se lo cruzaban en la calle lo tomaban por un funcionario inmaculado. (Ahora esto exigía excesivos esfuerzos.) Tampoco era tan puntual como antes. A veces, llegado el momento de formular una reprimenda disciplinaria, titubeaba el tiempo necesario para ponderar las posibles repercusiones. Peor aún. Hubo una o dos ocasiones en que se olvidó de lo que estaba a punto de decir.

Por este mismo motivo suavizó las restricciones sobre el hábito de fumar. Ya no disfrutaba enfrentándose con la ira contenida de los funcionarios más jóvenes. Pero en consecuencia gozaba menos su propio tabaco. También empezó a sentir como si todos sus camaradas, jóvenes y veteranos, aguardaran con impaciencia su retiro. Al fin y al cabo, había cumplido casi cuarenta años de servicio. Aunque tenía derecho a continuar otros doce meses, no lo juzgó prudente. Pequeñas y continuas infiltraciones en su vanidad rebajaban sus sueños a una escala cada vez más modesta. ¿Y si se convertía en un hacendado? No estaría tan mal, ya en el sol otoñal de sus últimos buenos años. ¡Qué demontres! Nacido campesino, acabaría sus días como un acaudalado que había vuelto al campo.

Tenía dinero suficiente. Podía comprar directamente una granja decente. Tendría su pensión y sus ahorros: él y Klara habían hecho economías. Además, conservaba la suma y los intereses de una gran parte de la dote de tres cónyuges. Podía afirmarse que las dos primeras habían aportado dinero efectivo al vínculo matrimonial. Aunque Anna Glassl había conseguido recuperar, por vía judicial, la mitad de su cuantiosa dote a causa de la separación, la mitad restante no era desdeñable. Franziska, si bien no llegaba a aquella altura, era no obstante hija de un granjero próspero. Incluso el viejo Johann Poelzl, el padre de Klara, había desembolsado cuando se casaron algunos kronen largo tiempo ahorrados.

Por otro lado, Alois entendía de maravilla el dinero. No todas las monedas eran iguales. En lo más hondo de la conciencia, uno tenía que pagar un diezmo por el dinero mal habido. El dinero devolvía el reflejo de cómo había sido adquirido. A veces esto le producía un escalofrío pasajero. Podía pensarse que una buena parte de su prosperidad era la flor que brotaba del suelo donde estaban enterradas las dotes de esposas difuntas.

Durante su último año de servicio, mientras Klara se ocupaba de los niños en Passau y él estaba libre en Linz, había empezado a sentirse demasiado viejo para otras mujeres. Fue cuando se dijo a sí mismo que debía retornar al campo. Era lo que siempre había oído decir a Johann Nepomuk: «La mujer auténtica está en los campos.» Bastaba con que el viejo tomase una copa para que lo repitiera sin cesar. «La mujer de verdad..., la mujer de verdad hay que buscarla en los campos. Respeta los campos.»

Era un proverbio que Alois celebraba aun cuando entre sus planes no figurasen las pesadas labores de labranza. Su objetivo era más bien la apicultura. Tenía pensado dedicarse a las colmenas. Vendería la miel. Sería su cosecha. De todos modos, poseer un poco de tierra podría ser como adquirir otro miembro, un quinto apéndice, por así decirlo, tan importante para un hombre de raíces campesinas como la trompa para un elefante.

Cinco años antes, por la época en que nació Adolf, había comprado una granja. En más de un sentido, la compra le había emocionado más que el nacimiento. A diferencia de los tres primeros vástagos de Klara, la tierra no moriría.

Había ocurrido lo contrario. La tierra no pereció, pero sí su condición de propietario. La granja había estado cerca de Spital, a unos ciento sesenta kilómetros de donde a la sazón estaba trabajando en Braunau, pero ya entonces había abrigado una vaga idea de jubilarse allí más adelante. En el ínterin, podría ser una buena manera de ocuparse de su cuñada, Johanna Poelzl, de preferencia pidiéndole que viviera con ellos como criada. No quería a Johanna todas las noches en la sala, no con aquella cúpula en la espalda. ¡Pobre jorobada!

No obstante, sentía cierta admiración por su cuñada. Johanna no era temerosa de Dios en absoluto. No confiaba en Él. «Dios», declaraba, «no tenía que haber matado a tantos de nuestros familiares.» Alois se descubría ante esto. «No es como mi mujer», le gustaba decir en la taberna. «Klara se apresura a besar cada cruz que encuentra.»

De todos modos, Johanna no regentaba la granja muy bien. Tarde o temprano, cada jornalero que pasaba por allí sufría los ataques de su lengua afilada. Acabó decidiendo volverse a la casa de su padre y su madre, que también se llamaba Johanna. Recordemos que esta última Johanna era la que había sido amante de Alois en una ocasión inolvidable. (*«Sie ist hier!»*)

Alois pudo, sin embargo, obtener una ganancia modesta vendiendo aquella primera granja y ahora estaba predispuesto a adquirir la de Hafeld. Allí había una granja que podía trabajar él mismo. Se llamaba Rauscher Gut (que puede traducirse como «la finca batida por el viento») y contenía poco más de tres hectáreas y media de pastos y una casa de madera de dos plantas bajo un techo de paja, con buenas vistas de las montañas de la Salzkammergut. Además, había frutales, robles y nogales. En el establo había un pajar, pesebres para dos caballos y una vaca, aparte de una cerda premiada.

Parecía perfecta. Después de la compra (y sólo *después* de la compra), los granjeros de las cercanías empezaron a insinuar al recién llegado que la propiedad quizás fuese hermosa, pero no iba a ser necesariamente famosa por sus cosechas.

Él consideró que aquellos comentarios eran exactamente el tipo de novatadas que los lugareños gastarían a un forastero. Oh, les aseguró él, aquello no tenía importancia. La tierra descansaría. Él pensaba cultivar abejas. Era su elemento. Una buena miel podía ser la cosecha más próspera.

De hecho, en los últimos días anteriores a la ceremonia de su jubilación (que fue aceptablemente laudatoria para Alois y muy impresionante y hasta emocionante para Klara), vivió una serie de noches tabernarias como el medio más directo de despedirse de su personal y de decenios de servicio. Como ya no quería en absoluto que le considerasen un hombre dado a soñar con el pasado, pensaba en el futuro y desafió a sus jóvenes colegas, así como a un par de viejos compinches y unos cuantos funcionarios municipales respetados, a beber con él más de una jarra departiendo sobre los méritos y los misterios de la apicultura. De hecho, fustigó a cada mesa cada noche con tanta información sobre «la psicología misteriosa de esas pequeñas criaturas» que los oficiales jóvenes se avisaban unos a otros: «Esta noche, procuremos que la "nube de humo" no nos asfixie de tabaco con esa cháchara acerca de las abejas.»

En verdad, Alois se veía como un filósofo sobre esta materia. ¡Qué logro para un campesino del Waldviertel sin estudios dar una conferencia al nivel de un sabio universitario!

Así pues, aquellas últimas semanas que precedieron a la jubilación, en la misma taberna de Linz que había frecuentado todas las noches después de su turno en aduanas, Alois hablaba cada vez más de los más altos conceptos de la apicultura. Informaba a sus compañeros de borrachera que las abejas constituían un universo asombroso.

–Con raras excepciones, esas criaturas diminutas dedican su vida a un único propósito: construir un futuro para las generaciones posteriores. No sólo consumen ellas la miel que transforman a partir del néctar y el polen, sino que, caballeros, también alimentan a sus larvas. –Asintió–. Esas larvas se alojan en las celdas hexagonales más minúsculas, un espectáculo prodigioso porque están construidas simétricamente con la mismísima cera que las obreras fabrican a partir del polen, proceso tan misterioso, señores, que ni siquiera lo comprenden del todo los químicos más modernos.

Sus acompañantes asentían, cabizbajos. Aquello no era una animada charla cervecera. Pero Alois, las últimas noches, se había convertido en el típico conferenciante que exhibe una incorruptible insensibilidad hacia sus oyentes.

–Algunas abejas –observó–, las más robustas, actúan de guardianas que custodian las entradas a la colmena. ¿Sabéis que están dispuestas a morir combatiendo? Incluso se enfrentan a agresores tan poderosos como las avispas, las arañas o las termitas. Sí, todos los insectos buscan en la miel un alimento gratuito. Pero éste no es el único obstáculo que priva a la abeja de una vida apacible. A lo largo del verano, muchas obreras despliegan un constante esfuerzo por mantener fresco el interior de la colmena. ¿Cómo? Por medio de una actividad incansable. Aletean sin cesar. No pocas llegan a gastar las alas. Después de lo cual, se disponen a expirar. Entregan la vida en la dura tarea de crear una corriente de aire que refresque la colmena. ¿Por qué? Porque las larvas no sobreviven a un calor tan intenso. Pensadlo. Miles de alas batiendo mientras otras salen a explorar y traer más suministros de los campos de flores. Recogen el polen en unas vainas que tienen en las patas y luego, cuando vuelven volando a la colmena, se las arreglan para sostenerse en el aire con cargamentos de polen y néctar que pesan más que su cuerpo. Os aseguro que crean una sociedad no muy diferente de la nuestra, pero sin duda más laboriosa.

No chistaba ninguno de sus subalternos. (Si lo hicieran se arriesgaban a que Alois continuara hablando una hora más.) El único que intervino fue uno de los más antiguos funcionarios municipales. Aspirando de su pipa solemnes bocanadas de humo, dijo:

—Vamos, Alois, sólo son insectos.

—¡No, señor! Con el debido respeto, usted se equivoca. Son mucho más de lo que pensamos. Algunos, a mi entender, viven para designios más bellos que el típico mentecato humano. Permítame decirle que son una de las maravillas de nuestro universo.

2

Yo no estaba preparado para el interés que Alois mostró por estos temas. Aquél no era el hombre que yo conocía. Aunque veía su propósito práctico, puesto que el producto era vendible por excelencia, la apicultura entrañaba sus riesgos, y entre ellos el de recibir un grave número de picaduras de abeja. Por otra parte, quizás fuese razonable emprender tal esfuerzo en vez de poner en peligro su corazón fatigado arando un campo.

Me asediaba, no obstante, una sospecha incómoda. El entusiasmo de Alois era demasiado sincero. Las ganancias no le preocupaban suficientemente. Era esto lo que turbaba mi entendimiento. El ansia de dinero es el incentivo que en general impulsa a embarcarse en una nueva actividad a hombres como Alois. Por tanto, la relativa ausencia de afán de lucro indicaba que Alois iba a emprender aquella empresa porque satisfacía algo que yo aún no le había detectado.

Recordé que había tenido sus escarceos con la apicultura en una pequeña ciudad cerca de Braunau, pero pronto vi una razón mejor. En aquellos pocos meses se había molestado en escribir un artículo corto que fue publicado por una revista de apicultores. El grado de conocimiento libresco que Alois había adquirido sobre el tema le daba un punto de vista sobre nuevos métodos de cultivo. Afirmó que las colmenas construidas con paja pronto quedarían anticuadas. Eran objetos rechonchos, pa-

143

recidos a una cúpula, de un tamaño y forma como un torso humano con una gran panza, y habían tenido sus inconvenientes. Para cosechar la miel, los apicultores tenían que mantener aturdida con humo a la colonia de abejas. Este procedimiento dejaba la colmena en un estado cuasicomatoso. Era impreciso y violento. A veces, había que partir en dos la colmena de paja para recoger el producto. A pesar del humo, algunas abejas seguían lo bastante activas para picar al recolector.

Sin embargo, en Inglaterra y Estados Unidos estaban desarrollando una innovación muy comentada. De ella trataba el artículo. Incluso en Austria había apicultores deseosos de erradicar las viejas colmenas de paja. Para su época habían representado una mejora sobre la práctica más bárbara –común durante el medievo– de expulsar a las abejas de su agujero en un árbol, pero cultivadores punteros hablaban en aquellos tiempos de colmenas que podían convertirse en el equivalente, o al menos esto proclamaba el artículo, de una metrópoli de abejas. La nueva vivienda, no mayor que un cajón de madera que se pudiese instalar sobre un banco, estaría llena de bandejas de cera dispuestas verticalmente. Así las obreras podían construir sus minúsculas celdas en ambos lados de cada bandeja. ¡Y de la forma más ordenada! Como el cajón contenía una serie de bandejas y cada bandeja tenía espacio para miles de celdas en una rejilla de filas e hileras, algunos apicultores calcularon que cada colmena se asemejaba ahora a lo que podrían ser en el futuro los edificios de apartamentos gigantescos.

Tal había sido el asunto de su artículo –visionario, realmente–, pero para explicarle a Klara su objetivo, Alois optó por recalcar la promesa pecuniaria. Le dijo que un trabajo limpio reportaría unos buenos ingresos, y que Alois hijo y Angela aportarían su ayuda. Adi también. La convenció de que era un proyecto eminentemente práctico.

Yo estaba más que preocupado. Quizás Klara le creyera, pero yo no. Yo había decidido que Alois trataba de encontrar un medio de acercarse más al Dummkopf. No era algo que yo pudiese pasar por alto.

3

Alois nunca había sido cliente nuestro. Para nuestros parámetros, era un hombre normal, es decir, lo bastante corrupto para utilizarlo en caso de auténtica necesidad. Presumíamos que entonces estaría disponible. Los Cachiporras apenas custodiarían al hombre. ¿Con qué fin? ¿Qué había que proteger? Por otra parte, en lo referente a Klara, preferimos no acercarnos: ¿con qué fin? No teníamos de ella una necesidad directa; como ya he señalado, niños malvados pueden muy bien proceder de madres muy amorosas. Por supuesto, a los hombres y mujeres normales esta idea les repugna. Socava su fe en el Dummkopf. ¿Cómo lo consentía Dios? Un lamento típico.

Alois nos era directamente útil. Eran tan fiables sus fuerzas y sus costumbres, sus aportaciones productivas, sus crueldades inherentes (por no mencionar sus groserías) que, de ser necesario, se podía intensificar o reducir el calor del odio de Adolf por su padre con objeto de moldear al chico. Denlo por seguro..., dependíamos de Alois.

Pero ahora su desmedido amor por las abejas parecía impropio de él. Los ateos como Alois, que intentan recorrer todo el camino hasta la tumba sin que los perturbe el presentimiento de que Dios quizás haya creado el universo, no se diferencian mucho de las vírgenes piadosas que temen la tentación de calenturas pecaminosas. Esas féminas sólo aceptan su carnalidad transida mediante adulteraciones diversas. Así también los ateos encuentran sustitutos en el paganismo, el servicio al prójimo o, actualmente, la tecnología: suelen verla como la mejor solución posible de los problemas de la humanidad. De vez en cuando profesan una lealtad excepcional hacia algún fenómeno de la naturaleza. En el caso

145

de Alois, resultó ser el reconocimiento de que era posible una colaboración entre lo poderoso y lo minúsculo, él y las abejas.

Asaz inquieto, una noche penetré en su mente, una iniciativa onerosa porque no era un cliente, pero necesaria para comprender su motivación y, en efecto, supe algo más. Alois veía en la vida de las abejas paralelismos con la suya propia. Esto era para mí una causa de aprensión. Para Alois, unas abejas en busca de nuevos campos de flores eran criaturas a las que entendía.

Cualquier día caluroso, estas exploradoras conocen el calor del sol y el anhelo íntimo que despierta en los pétalos de las flores. Alois no iba a abrir de par en par la puerta con que había atrancado su lado místico, pero seguía imaginando a las abejas cuando entraban en las cavernas de las flores. Bajo el calor pujante del sol, entregaba su néctar a la lengua de la abeja mientras el polen cubría los pelos del insecto. En otro momento, la misma abeja se apartaría de un deseo apasionado para zambullirse en otro, fuera cual fuese la hermosa flor de la misma especie que la llamara en la brisa, listo otra vez el insecto para recoger más néctar al mismo tiempo que regaba sobre la segunda flor el polen recolectado en la primera. ¡Dura tarea y ansia satisfecha!

Se sentía próximo a la abeja que volvía volando con su carga de pesadas bolsas de polen y el abdomen lleno de néctar, porque había dado mucho a las mujeres que, no obstante, a su vez le habían reportado mucho: mucha sabiduría acumulada sobre el modo de llevar su rincón aduanero del mundo. Al final, era infalible distinguiendo lo verdadero de lo falso en las declaraciones de extranjeros, en especial de mujeres que pretendían engañarle pero que no podían porque él era más sabio. Poseía la miel auténtica: el conocimiento. Sabía lo que otros estaban tramando, todos los secretos que escondían comerciantes y viajeros de paso, secretos dulces como la miel, todo lo que aquellas buenas gentes procuraban robar y guardárselo. Pero su misión consistía en descubrir sus secretos. Trabajaba con tanto ahínco y

146

tanto tiempo como una abeja el día más caluroso y productivo del verano para proteger la gloria, que databa de siglos, del imperio excepcional de los Habsburgo. Admitía que no todos ellos habían sido grandes, ni siquiera todos eran buenas personas, pero los mejores, como Francisco José, habían sido muy buenos. Como sabemos, Alois se encontraba un parecido con el emperador en las facciones: la mismas patillas, la misma dignidad. Se decía que el emperador Francisco José era capaz de trabajar horas interminables en sus deberes necesarios y casi inacabables. Él también, Alois, cuando era menester, estaba dispuesto. Y sin embargo los dos sabían –el emperador y él– que no bastaba con acumular miel; tenían que degustarla ellos mismos.

Sabía que alguna gente de Linz, en su mayoría estúpida, se había escandalizado al oír rumores de que Francisco José había tomado como amante a la actriz Katharina Schartt. ¿Cómo era posible? El emperador tenía una mujer tan bella..., la emperatriz Isabel. La noticia había corrido como un reguero de pólvora. Pero a Alois no le había escandalizado. Él comprendía. Los hombres tenían que reservarse parte de la miel.

Permítanme que me deje transportar por las voluptuosas oleadas de la meditación de Alois. A decir verdad, tenía cierto miedo de las abejas. Una vez, años atrás, había sufrido una picadura tan feroz y apocalíptica (si puedo expresarlo así) que nunca olvidó el ataque de vértigo que le ocasionó. ¡Qué facultad de causar dolor! ¡Y que la poseyeran criaturas tan pequeñas! Concluyó que no podía infligirlo la abeja sola. Un dolor así tenía que expresar la cólera del sol. Con la cual Alois estaba familiarizado. Había trabajado muchas tardes de agosto embutido en su uniforme. Pues claro que conocía la cólera del sol, y las abejas eran sus agentes del mismo modo que él lo era de los Habsburgo, y por consiguiente próximo a la grandeza del poder último.

¿Serían estas revelaciones producto de su jubilación cercana? Yo también estaba deseando inquieto los cambios que no alcanzaba a prever una vez que Alois empezara a vivir con su familia en la granja.

4

La misma noche de abril en que durmieron por primera vez en la casa de Hafeld, Klara se quedó embarazada. Hasta entonces había permanecido con los niños en Passau. Edmund estaba enfermo, y era invierno. Además, Alois no podría reunirse con ellos en la granja definitivamente hasta que se jubilase, a finales de junio. En abril, sin embargo, Klara decidió afrontar las dificultades y, justo después de Pascua, acompañado de Angela, Adolf, Edmund y el conjunto de sus pertenencias, realizó la mudanza a Linz. La dificultó aún más el hecho de que Alois hijo no pudo ayudarla con el equipaje: había tenido que quedarse alojado en casa de una vecina hasta el fin del curso escolar. Pero Angela le sirvió de gran ayuda. Había insistido en no terminar su curso y acompañar a Klara.

–La escuela no es tan importante –dijo Angela–. El año que viene compensaré el tiempo que he perdido, pero ahora me necesitas en la granja. Quiero estar allí contigo.

Tenía razón. Klara lo sabía, y se conmovió. Yo diría que fue el momento en que empezó a querer a Angela como a una verdadera hija. Klara era lo bastante sagaz en su inocencia para saber que la niña era sincera. Le gustaba la escuela pero le preocupaba más el bienestar de Klara, y ésta a su vez se convirtió en algo más, mucho más que su madrastra.

Pese a los contratiempos, subieron temprano a un tren en Passau y el marido la esperaba en la estación de Linz con un carro y dos caballos de tiro para transportar los baúles, maletas, cajas de embalaje y paquetes a lo largo de los cerca de cincuenta kilómetros que faltaban hasta Hafeld.

Este recorrido duró desde el mediodía hasta la noche, pero

el día había sido caluroso y Alois, para sorpresa de todos, distrajo a los niños con una canción tras otra: tenía una voz potente y Klara, que tenía un timbre claro, aunque delicado, de soprano, le acompañaba cuando conocía la letra. Alois estaba de un humor extraño, y orgulloso de su destreza con los caballos y el carro. Hacía años que no había montado en una calesa y a punto había estado de alquilar un cochero, pero en vista de sus responsabilidades inminentes de labrador asumió el transporte él mismo.

El propietario anterior —tal como era la usanza del lugar— había llenado cada chimenea de leños y astillas, y las habitaciones no tardaron en caldearse. Un bote de sopa de patatas, pan y paté de hígado les proporcionó una cena suficiente. Se acostaron contentos. Alois pasaría con la familia el día siguiente, antes de llevar de vuelta a Linz el carro alquilado.

La primera noche, sin embargo, también se dispuso a tomar posesión de la vivienda. A la luz de la lámpara de gas del dormitorio, vio que Klara lucía un buen color, nada pálido, y cuando se lo dijo ella se rió alborozada.

—Tú también, tío —dijo—. El sol te ha puesto la nariz muy roja.

—*Ach* —dijo él—, sigues llamándome tío. Hace diez años que nos casamos y ¿qué soy yo para ti, todavía? ¿El tío Alois? ¿Te refieres al bueno del tío Alois?

—No —dijo ella—, estamos muy orgullosos de ti. Hoy. Muchísimo. Los caballos y el carro. Tú lo has hecho todo. Y qué bien. Algo que nunca habías hecho.

—Bueno, sé hacer un montón de cosas que tú no sabes. No soy tan simple como crees.

—No creo que seas simple —dijo ella—; no, no lo pienso.

—Sí, dímelo. ¿Qué piensas, sobrinita?

No era frecuente que ella se atreviera a hablarle con tanta franqueza, pero aquella noche, que en definitiva era excepcional, le dijo:

–No sé por qué nunca me dices que me quieres.

–Quizás –contestó él– porque sigues llamándome tío.

Para asombro de Alois, la respuesta de Klara fue lo más cerca que ella había estado de hablar de una forma que sin la menor duda era propia de otro tipo de mujeres.

–Quizás te llamo tío –dijo ella– porque eres un grande y saludable pedazo de tío.

A él esto no le pasó inadvertido. El sabueso tiró al instante de la correa.

–¿Cómo sabrías cuál es el tamaño de un tío sano? –preguntó.

–No lo sé. Pero soy libre de imaginarlo. Eres un tío grandísimo.

Así se quedó embarazada. Él se excitó tanto que la poseyó junto a la cama, los dos de pie, medio vestidos, y después otra vez en la cama. Rebosaba de amor, primero por él mismo y por su proeza: qué hermosa fuerza a su edad. Luego sintió cierto amor por ella, amén de un grado considerable de amor por la granja. Era una hermosa parcela. Hasta le complacía la idea de acercarse un poco más a sus hijos, es decir: se veía trabajando a su lado en los campos. A punto de dormirse, pensó, en cambio, en abejas explorando los prados en verano. Estaba insólitamente encantado con la potencia que aún poseía su pelvis. Con encontrarla allí íntegra aquella noche, justo cuando empezaba a tener dudas.

Incluso estrechó a Klara en sus brazos, cosa que raras veces hacía, y cuando despertó para atender a las urgencias de la vejiga, estuvo a punto de derribar el orinal de una patada. Trastabillaba en la oscuridad, extraviado en el nuevo dormitorio, y Klara se reía. Después le rodeó con los brazos cuando él volvió a la cama.

–Soy feliz –dijo ella–. Creo que éste será nuestro sitio.

–¡Silencio! –bramó él–. ¡No seas gansa! No se hacen predicciones idiotas.

Sí, Alois sentía la tierra de la granja, aquellos tres acres que les circundaban por delante y por detrás, y se sintió tan supersticioso como cualquier campesino de su infancia. Una persona no debía airear como Klara felices presentimientos en el aire vacío de la noche. ¡Al menos, no en voz alta! ¿Era una noche tan vacía, de todos modos? ¿Quién sabía si habría alguien escuchando?

Por la mañana, Klara intuyó la impaciencia con que Alois quería terminar de deshacer el equipaje. Quería salir a recorrer sus tierras. Por tanto, ella asumió la mayor parte de las tareas inmediatas mientras él llevaba a los niños a visitar el establo, Adi y Edmund acurrucados contra su padre ante la inmanencia animal de los dos caballos, la vaca y la cerda que habían sido incluidos en el precio de compra. Eran animales enormes y la cerda despedía un olor inaguantable.

Bueno, Alois dijo a Adi y a Edmund que volvieran a la casa para ayudar a su madre. Era una broma. Klara tendría que ordeñar la vaca, alimentar a la puerca, almohazar al caballo y ocuparse del gallinero, pero él necesitaba recorrer sus tierras solo. Tenía que tomar bastantes decisiones. De modo que una vez más examinó el estado de los nogales y los árboles frutales. La última vez que los había visto había bastante nieve en el suelo, pero los árboles parecían sanos y las grandes ramas aparentaban poseer integridad, fuerza, una derechura aceptable, no demasiadas formas torturadas que indicaran secuelas de tormentas tremendas cuando los árboles eran jóvenes.

Comprendió que en verdad apenas había inspeccionado el lugar antes. Le bastó con que el precio fuera razonable y con que la casa tuviera una hermosa vista. Había tenido que apresurarse: no podía pasar días yendo y viniendo de Linz.

No obstante, la compra no le satisfacía tanto como había previsto. Al recorrer los prados y subir el único repecho de su nuevo dominio, descubrió que el terreno era menos extenso de lo que recordaba, eran exactamente nueve acres, un buen tamaño para un desfile de tropas. De otro lado, tres o cuatro acres valdrían para un campo de patatas decente y manejable. ¿Plantaría remolachas en otro acre? ¿Podría plantar aquel año? Ahí estaba el problema. No podría empezar hasta el final de junio, o a principios de julio, pero por esas fechas ya habría vuelto Alois hijo, terminado su curso, y sí, quizás pudiesen comenzar algún arado tardío.

Mientras tanto se sintió decepcionado. Tuvo que reconocer –una vez más– que aquel verano aún no podría criar abejas. El grueso del proyecto tendría que esperar. La recogida de miel comenzaba en abril y apenas duraba hasta septiembre. Había que estar allí desde el principio. Debía esperar, en suma. De acuerdo, disponía de nueve meses para prepararlo todo, a partir, como mínimo, del momento en que volviera allí para quedarse *permanentemente*, en junio, a fines de junio, y le asaltó al pensarlo un inesperado y muy desagradable escalofrío anticipatorio. ¿Sabía lo que estaba haciendo? Era un pensamiento que tuvo que relegar a la trastienda de su cerebro. Llevaba muchos años controlando sus sentimientos, y no estaba dispuesto a perder el control.

5

El primero de julio, Klara estaba visiblemente encinta. Al cabo de siete meses, suponiendo que el bebé naciera sin percances, habría un total de ocho niños vivos o muertos que habían venido al mundo por intermedio de Alois. Por supuesto, si él quería, podía añadir algunos no muy justificados: había conocido a una serie de cocineras y doncellas que habían concebido gracias a lo que cabría denominar una paternidad mixta. Y sí, cada vez que una de ellas se había declarado embarazada, él había admitido que podría ser el verdadero padre, pero ¿ella no había estado también con Hans y Gerhardt y Hermann y Wolf? Con raras excepciones (como Fanni), aquellas mujeres no estaban en condiciones de discutir. Bastaba con hacerles un regalo decente.

Allí, en Hafeld, topaba cara a cara con el otro lado de aquellos logros. A través del calor de julio, en su granja encima de la colina, tenía que mirar a las cinco caras durante todas las comidas, desde la de Klara a la Edmund, que tenía dieciséis meses y ya empezaba a hablar. En enero habría otro niño. Estaba acostumbrado a vivir con caras de gente delante, más caras nuevas que las que veía la mayoría de la gente, pero ahora eran siempre las mismas jetas. No estaba habituado a afrontar cuestiones como si Edmund, por ejemplo, había descubierto una nueva expresión o si sólo estaba gorgoteando viejas gotas de sonido.

Regentar la granja era otro cantar. Le complacía el trabajo de Angela. Para ser una chica de doce años que se había estado poniendo crema en las manos desde los ocho –una niñita urbana, proclive a que la mimaran–, prestaba, para sorpresa de Alois, una ayuda decente. Siempre estaba almohazando a los dos caballos y bañando a la vaca aun cuando la corpulenta hembra no lo necesitara. También hacía reír a Adolf y a Edmund con la alegría entusiasta que expresaban los gruñidos vigorosos de la cerda cuando se le acercaban con comida. Rosig (Rosada) era un ejemplar grande, incluso para un puerco de feria, y parecía feliz en su revolcadero hediondo, con su escarapela rosa encima de la pocilga, un premio del verano anterior a la compra de la granja. El invierno siguiente, cuando no les agobiaran todas las labores nuevas y dispusieran de tiempo, Angela quería preparar de nuevo a Rosig para una competición local. Sí, decidió Alois, su hija era un premio ella misma. Angela incluso se esforzaba en mantener apartado el estiércol de los animales. Insistía en llevar cada recolección a un montículo distinto. ¿Por qué? Porque le dijo a Klara: «Mi padre lo querría así. Bonito y limpio.» Hasta logró que Adi participara en la tarea. Aunque era seguro que al niño le entraría una rabieta, ella la sobrellevaba. Después el chi-

153

co la seguía, con la nariz levantada de horror hacia el cielo, pero aun así acarreaba un segundo cubo de estiércol.

Terminado su curso escolar, Alois hijo llegó a la granja a comienzos de julio. Durante una temporada corta, nadie pudo superarle en el trabajo. Desde el principio fue espléndido con los caballos, sobre todo con Ulan, un semental de cinco años. Alois estaba orgulloso de lo rápido que el chico se acostumbró a la silla. El joven siempre estaba dispuesto para la alegría de un medio galope a pelo cuesta arriba y abajo, acompañado por los gritos a pleno pulmón de Angela y Adi. Sí, también se ofrecía a pasar el arado con el caballo de tiro, Graubart. Pronto hubieron removido acres de duro suelo de pasto para cultivar patatas, las mismas de simiente que Klara había comprado y almacenado en la bodega una semana antes de su llegada. Alois hijo trabajó dos semanas con más ahínco de lo que su padre habría creído.

De repente cesó aquella ráfaga. Llegó una mala noticia en una carta de la escuela de Passau. Alois había suspendido la mitad de las asignaturas. Tendría que repetirlas.

—No volveré —le dijo a su padre—. Los maestros son tan estúpidos que nos reímos de ellos.

Sí, el chico debía de haber rumiado durante las dos semanas la mala noticia escolar, pero sin decir una palabra se había limitado a trabajar de firme. Durante este tiempo habían excavado hoyos de veinticinco centímetros en los tres acres elegidos, un suelo terco y resistente, y después habían depositado las patatas de siembra en aquellas trincheras superficiales y las habían cubierto ligeramente, cada retoño a treinta centímetros del otro, cada surco a menos de un metro del siguiente, pero aquello sólo había sido el comienzo. A continuación venía la tarea de desherbar y fertilizar. A Alois le asaltaron malos recuerdos de cincuenta años atrás. Ahora encontró larvas blancas y gusanos, y tuvo que vigilar para que los escarabajos y los áfidos no mordisquearan las primeras hojas de la patata hasta transformarlas en un encaje verde. Todos los días había que volver a desbrozar.

El riego no tardó en ser un problema. Sólo se podía cavar unos centímetros para la irrigación de los canales. Si cavaban más hondo, la pala destrozaría las raíces de las patatas. Sin embargo, las trincheras pronto se llenaron de cieno. Había que dedicar horas a acarrear cubo tras cubo de agua de pozo ladera arriba hasta el prado. Una de aquellas tardes, el chico desapareció. Se había ido a cabalgar con Ulan. Alois lo sustituyó con Angela y ella cargó el agua durante el resto de la jornada, una labor pesada para una chica de su estatura.

Aquella noche, Alois echó una bronca a su hijo delante de los demás.

–Te pareces mucho a la loca de tu madre –le dijo–. Sólo que tú eres peor. No tienes excusa. Tu madre, al final, no estaba en sus cabales, pero al menos había trabajado duro. Tú eres un haragán.

Si el episodio hubiese ocurrido tan sólo un año antes, Alois le habría propinado una tunda, de esa variedad apocalíptica que deja una cicatriz en el corazón, pero ahora el chico, a juzgar por la expresión de sus ojos, era lo bastante bravo para no dar cuartel a Alois. Por tanto, no le pegó. Llegó a la conclusión de que no hacerlo fue un error. Una buena zurra habría dejado zumbando la cabeza del chico. Ahora Alois hijo podría pensar que su padre le tenía un poco de miedo, quizás un poco, sí. En la práctica, siguió reduciendo la duración de su horario: era un mozo de ciudad haciendo un trabajo veraniego. Poco antes de la puesta de sol, pedía permiso al padre para montar a Ulan.

Alois se dijo a sí mismo que el problema consistía en que no era un padre severo. Por debajo de toda su aspereza, tenía un corazón blando. Lo cierto era que adoraba a su hijo. Era tan atractivo. Inquieto, sí, y víctima de arrebatos terribles, igual que su madre. Tenía un orgullo un tanto desmedido, y distaba mucho de estar obteniendo una educación decente. Aun así, cuando quería sabía ser tan encantador como Fanni. A Alois le recordaba lo bien que ella se movía. Incluso se enorgullecía de la rapi-

155

dez con que el chico se había entendido con el semental. El propio Alois dudaba a la hora de montarlo. Era en verdad un largo recorrido hasta el suelo para un hombre pesado. Pero Alois hijo lo ensillaba con todo el esplendor de un cadete, de aquellos que paseaban por las mejores calles de Viena luciendo las botas que Alois les había hecho en aquellos años en los que admiraba tanto su prestancia de jóvenes. Evocó recuerdos de aquellos oficiales pavoneándose en la Ringstrasse con sus bellas damas, mientras él, el aprendiz, había soñado con encontrar para sí a una joven, elegante y bonita sombrerera, ¡sí, el viejo sueño! Abrirían una tienda que ofreciese los más finos sombreros artesanos y las botas más espléndidas, un sueño idiota, pero su hijo Alois le recordaba a aquellos cadetes. Era un joven muy atractivo. No se parecía en nada a Adolf, con su mal genio histérico, ni a Edmund, lleno de mocos.

Así que era incapaz de negársela cuando Alois le pedía una hora libre. Al fin y al cabo, había que ejercitar a Ulan. Y el caballo amaba a su joven jinete, pero no al padre: cada vez que se acercaba, el animal le enseñaba los dientes, en un gesto de maldad inconfundible.

6

Una noche calurosa de agosto, Alois hijo se tomó otra licencia desagradable. Esta vez, Klara se enfureció. El chico estaba sentado a la mesa para la cena, pero faltaba Angela. Estaba en el establo almohazando la piel mojada de Ulan después de que su hermano le hubiese puesto al galope al volver de los bosques, y de que luego le hubiera permitido sentar el paso un tiempo demasiado breve para que descansara. Klara no daba crédito a una conducta tan egoísta. Fue una de las pocas veces en su matrimonio que habló con brusquedad a su marido. Se hallaba ahora en su sexto embarazo y él, en aquel momento, no era el tío para ella.

–¿Le has consentido a tu hijo que deje ese trabajo a Angela? Eso no está nada bien.

–A Angela le gusta almohazar a Ulan –dijo él–. A mí no.

Alois hijo, por su parte, alzó la voz.

–Quizás yo no sepa tanto de caballos –dijo Klara–, pero sí puedo decir que el que monta al animal tiene que atenderlo luego. El caballo nota la diferencia. Aunque tú no la veas.

–No sabes nada de esto –dijo su hijastro–. De caballos no tienes la menor idea.

–¡Silencio! –gritó Alois–. Y cierra la boca hasta el final de la cena. No digas una palabra.

Al entrar en la refriega varios pasos por detrás de Klara, tuvo que demostrar autoridad.

–Sí, silencio –repitió–. Lo exijo.

–*Jawohl!*[1] –gritó su hijo.

Alois hubo de preguntarse si le estaba obedeciendo o se estaba burlando.

–Lo repetiré –dijo Alois–. No abras la boca hasta que acabe la cena. Ni una palabra.

El hijo se levantó y abandonó la mesa.

–Vuelve –dijo Alois–. Vuelve, siéntate y no hables.

Hubo una pausa y el chico volvió, pero en ella ya hubo una sugerencia de todo lo que podría avecinarse.

Terminaron la cena sin decir una palabra. Angela llegó acalorada por la tarea, empezó a hablar y luego se calló. Se sentó, con la cara todavía húmeda por la rápida limpieza que había hecho con el cucharón, y bajó la cabeza ante la comida. Sentado a su lado, Adi estaba tan excitado y lleno de aprensiones que se quedó rígido de miedo a ensuciarse encima. ¿Y Klara? Comía despacio, haciendo muchas pausas, con la cuchara en alto. Le embargaba el deseo rebelde de reprender otra vez a su hijastro y después –un impulso no menor– a su propio Alois. Pero no dijo

1. «¡Claro!», en alemán. *(N. del T.)*

nada. Estaba vedado entrometerse con dos hombres que estaban tan furiosos. Edmund, el pequeño y babeante Edmund, se echó a llorar.

Esto brindó una solución. Klara lo cogió y abandonó la mesa. Alois se levantó entonces y salió de la habitación. Angela y Adi recogieron los platos para fregarlos y Alois hijo siguió sentado a la mesa, instalado dentro de su silencio, con una grave compostura, como si hubiese transmutado la orden de su padre en una especie de reverencia dirigida a sí mismo.

Alois padre no pudo dormir aquella noche, y al final de la tarde siguiente dejó el trabajo temprano. Por primera vez en bastante tiempo, fue a la única taberna que había en la zona, en Fischlham, a un buen kilómetro y medio.

Había dudado si debía ir. La parroquia era menos de su gusto que sus antiguos compinches de Linz. Además, conocía a los campesinos lo bastante para saber cómo le recibirían. Oía de antemano algunos pensamientos. «El campesino que trata de comportarse como un millonario», dirían a sus espaldas. O, igual de probable, lo contrario: «Este rico idiota que quiere jugar a ser campesino.»

Había visitado a un par de vecinos en enero, cuando vio por primera vez la casa que iba a comprar, y les había hecho algunas preguntas. No le habían tratado con mucha confianza. Se lo esperaba. No iban a hablar con un extraño que quizás optase por no comprar la granja, pero que podría repetir cosas que les había oído decir y que quizás fueran ofensivas para el dueño. En suma, a Alois le dieron sólo las buenas noticias, buena tierra, sólo unos pocos animales pero un ganado excelente, una cerda de feria, un buen huerto; sí, y nueces, que era dinero fácil una vez al año.

No se había molestado en creerles. Tampoco en no creerles. Quería la granja. Había contado con que no podía ser tan buena como parecía y, en efecto, no lo era. Ya la vaca grande que había estado dando una leche estupenda tenía enfermas las ubres.

Sacó a colación este asunto en la taberna de Fischlham. Necesitaba hacerlo. Buscaba unas cuantas opiniones sobre los méritos respectivos de los veterinarios de la comarca, y las utilizó como una oportunidad de incitar a los granjeros a que también fueran francos sobre otras materias. Quizás no le considerasen siempre un idiota jubilado. Así que escuchó las opiniones prudentes sobre los veterinarios locales y no aprendió nada útil. A continuación habló de su tierra.

Cuando les dijo que había plantado patatas, parecieron incómodos. Del modo más indirecto, le dieron a entender que podría haber sido más juicioso cultivar remolachas.

—Tenía pensado plantar un acre, pero no el primer año. Demasiado a la vez.

Ellos asintieron. Labranza y trabajo. Sí. El matrimonio más antiguo. Quien mucho abarca poco aprieta.

Estaba claro que no eran parlanchines. Se pasaron una hora mirando a las paredes de madera sin adornos de la taberna, todo el rato preocupados por la punta de una astilla que Alois tenía en el trasero (regalo de la madera reseca del banco del local), hasta que uno de ellos soltó la insinuación apagada de que en la tierra que había dedicado a las patatas tendría que haber plantado remolachas. Era porque la cosecha del año anterior había sido de trigo. Hablaron, pues, de una variedad de trigo que él desconocía, pero que era la que el dueño anterior había plantado los tres últimos años. ¿Quién sabía? El suelo quizás estuviera agotado. No dijeron tanto; se limitaron a aspirar de la boquilla de sus pipas y a beber su cerveza con expresión triste. Lo peor de todo fue para Alois advertir que no se entristecían por él, no, sino por la atrocidad cometida contra la tierra que ahora poseía otro hombre rico, un intruso que pretendía hacerse campesino.

El olor de la taberna se volvió desagradable. No localizaba el mal olor que se mezclaba con la cerveza, pero era impuro: ¿leche cortada? ¿Estiércol viejo? ¿Un montículo de abono delante de la puerta? Lo que más le molestaba de aquel antro silencioso de madera parda era que ni siquiera había rastro de *schnapps* en el aire, ni siquiera un buen borracho de ciudad.

No perdió la velada, sin embargo. Se enteró del nombre de un apicultor que vivía en Hafeld. Y, para más consuelo, el regreso a casa fue agradable. Había despuntado una luna llena y anaranjada de finales de verano. Empezó a sentir cierto bienestar por la cerveza. Aquella noche, la que había ingerido debía de habérsele almacenado en el estómago, para dispensarle algún placer sólo ahora. Efectuó una larga y magnífica micción en la orilla de la carretera.

A la mañana siguiente le invadió de nuevo una melancolía creciente. Tenía que sobrellevar la decepción de tres acres de patatas. Probablemente acabaría vendiendo media cosecha. Sus compañeros tabernarios de la noche anterior (que en el recuerdo olían igual que la tasca de Fischlham) tenían razón. Tres años de trigo habían dañado a la tierra. Lo sabía cada vez que desenterraba una patata temprana. Y de pronto sintió unos tirones en el intestino. ¿Le estaría dando guerra el corazón? A veces sentía como si aquel órgano que tan fiable había sido durante largo tiempo –un camarada tan animoso– se esforzara en subirle hasta el cerebro. Sí, cefaleas.

En vista del trabajo pendiente de desenterrar las patatas y llevarlas en un carro al mercado de Fischlham, terminó contratando a un jornalero durante una semana, un mentecato, pero que, a la postre, seguramente prestaba un servicio tan útil como Alois hijo. ¿Cómo acabaría el chico? ¿Se convertiría en un delincuente? Alois, desde luego, se lo imaginaba yendo a parar a algún sitio como la legión extranjera francesa. Pensamientos sombríos, pero que tenían su atractivo. Cuando era joven, habría sido un buen legionario, dispuesto a cualquier cosa. ¿O era una insensatez? El chico era en algunas cosas más desmedido que el padre. ¿Era por esto por lo que, en aquella época, siempre se hablaban como si estuvieran ambos de puntillas?

160

El jornalero era un majadero, pero resultó capaz de reservarse algunas de las patatas. Alois ni siquiera tuvo la certeza de que le hubiese robado. Una tarde en que no se encontraba muy bien, había dejado que el peón llevase el producto al mercado, y volvió con menos kronen de los que Alois había calculado. Una pequeña sisa. Sin asomo de duda.

Después vino el fin desgraciado de la cerda. Murió. Angela estaba inconsolable. A Alois le asombró el largo tiempo y el desconsuelo con que podía llorar una fémina de doce años.

Empezó cuando el animal grande y bonito se puso de mal genio. Día tras día, la cosa empeoró. Angela estaba tan afligida que Alois echó mano de sus propios depósitos de orgullo y pidió consejo a sus tres vecinos más cercanos. Entonces tuvo que reconocer que había olvidado una de las leyes que en su infancia, antes incluso de cumplir diez años, le había enseñado Johann Nepomuk. En materias agrícolas, no había normas a las que atenerse, no si tenías la mala suerte de topar con un problema inesperado. Hasta tus amigos más juiciosos discrepaban acerca de la solución. Por supuesto. Ahora aprendió que cada granjero tenía su propia idea de cómo curar a un cerdo enfermo. Por supuesto.

Los tres vecinos, respectivamente, recomendaron un emético, un astringente y un diurético. Los tres se equivocaron. La cerda dejó de respirar, sufrió una hemorragia y se murió. Los tres habían supuesto que el mal sólo podía estar en el estómago o en los intestinos. ¿Dónde, si no, en un gorrino? ¿Quién había oído hablar de tisis en un cerdo tan grande? ¿Quizás fuese otra cosa? Tampoco el veterinario al que llamaron después del fallecimiento estaba seguro. Seguramente los pulmones, pero no se atrevería a jurarlo.

Nada podía haber agravado más el estado de Alois. ¡Pagar dinero después de muerto el animal! ¿Por qué? Porque tenía que conocer la causa. ¡Qué estupidez! No pensaba criar más cerdos de momento, pero aun así tenía que conocerla. Y he aquí que descubría que el veterinario –si merecía tal nombre– no estaba

161

más seguro del motivo que los tres vecinos. Le dijo a Alois que habría que pagar las pruebas de laboratorio que le harían en Linz. ¡Al infierno con la idea! Semejante dispendio sería inmoral. Para colmo, tenía que enterrar al animal entero. Estuvo tentado, pero no osó clavarle el cuchillo en busca de buena carne. Si hubiera estado solo, habría buscado algunos cortes selectos: al fin y al cabo, los jamones ¿cuánto tenían que ver con los pulmones? Pero no, el veterinario fue categórico.

—No se arriesgue a tocar ninguna parte de este animal, Herr Hitler.

¡Sí, fue lo que le dijo el hombre, pero sólo después de haber cobrado! Y encima estaba Angela con sus hipos y sollozos: «¡Ay, ay, ay!» Por no hablar de la tarea de cavar el propio Alois un hoyo para el cadáver.

Sí, eran pérdidas que tener en cuenta. ¿Qué clase de ganancias cabía esperar de la mediocre cosecha de patatas? Cuando añadió el coste de las patatas de siembra y el abono comprado para los tres acres, y luego restó el sueldo del bracero que había contratado, la pérdida de la cerda y los honorarios del veterinario, ¿cómo afirmar que había ganado una suma respetable? De no ser por las nueces, que habían sido, como prometían, dinero fácil levantado del suelo, no habría tenido ningún beneficio.

Logró tranquilizarse. Por fortuna no se hallaba en un aprieto económico. Su pensión era seis veces el salario de cualquier jornalero como el pobre que había contratado. De todos modos, aquello no le extraía la auténtica espina que llevaba clavada en la barriga. Uno de sus puntos fuertes siempre había sido la certeza de saber cuándo la gente pretendía engañarle. Y ahora había descubierto que la tierra adquirida no era para jactarse. Hubo un tiempo en que podría haber sido campesino. Ahora, como mucho, podía considerarse un incauto de ciudad, embaucado en una compra de terreno. ¿Se sentiría peor si Klara se liaba con un mozo de labranza? Esto era imposible, pero ¿cómo había sido posible que a él, Alois Hitler, le timaran en aquel negocio?

162

En octubre estaba ya empozado en la tristeza. Hasta el sabueso era un cachorro compungido. ¿Cómo iba a mirarse a sí mismo: como a un hombre maduro con un cachorro marchito colgado entre las piernas?

Klara, encinta de siete meses y medio, intentó explicárselo. Una vez recogida la cosecha de patatas y terminado tanto trabajo rudo, era normal sentirse un poco desdichado. Podía asegurarle que las mujeres se sentían así al día siguiente de haber dado a luz. Habían depositado en el útero muchísima esperanza y esfuerzo, pero después volvía a estar vacío. El bebé estaba allí, hermoso, pero por un tiempo la parturienta se sentía vacía. Por un tiempo. Era natural.

Ella nunca se había puesto tan filosófica, pero él tuvo ganas de cortarle la cabeza. «¿Qué soy yo, una mujer?», quiso gritarle.

7

No obstante, vinieron cambios. Disminuyó la depresión de Alois. Alois hijo ya no estaba en la granja. Klara se había encargado de proponer que le enviaran a Spital a trabajar con el padre de ella, Johann Poelzl, que a buen seguro estaba ya tan viejo que necesitaba la ayuda de un pariente. Vieron que el chico también aprobaba la idea. La depresión de su padre, con toda la amenaza muda que representaba de aún más despotismo, era como un puño en medio de los pensamientos del hijo.

Así que quedó acordado. El carro de Alois, conducido por el jornalero, llevaría a Linz al chico de catorce años. Desde allí viajaría en tren a Weitra, donde tomaría otro carro que atravesaba Spital. El hijo se había ido y se disipó una nube de aciagos presentimientos.

En septiembre, Adi y Angela empezaron la escuela en Fischlham, Angela en cuarto curso, el más avanzado para niños de doce años, y Adi, que tenía seis, en primer año.

Sus primeros días escolares transcurrieron a lo largo de un septiembre apacible y luminoso, un hermoso paseo con su hermana por colinas y prados. Sólo había un peligro: un toro adulto que pastaba en un cercado. Según el humor del toro, optaban por rodearlo o se atrevían a cruzar el campo. La mayoría de los días no osaban hacerlo.

Adi no tardó en aprender que era insensato culpar a Angela de que él tuviese miedo. Ella sabía vengarse. Siempre podía informarle de que olía mal. A veces era el aliento y muchas veces era olor corporal.

Era probable que ella no supiese hasta dónde calaban estas acusaciones en el pecho acelerado de Adi, pero calaban muy hondo, y con razón. Eran verdad. Despedía un mal olor –un toque de azufre y un tufo inconfundible de algo podrido– del cual puede que pronto les hable. Este hedor es uno de los problemas constantes que asedian a nuestros clientes; los Cachiporras son rápidos en captar esta pista.

Para Angela era algo sencillo. Cada vez que Adi la chinchaba, ella le decía que olía mal. En realidad, a ella le daba igual. Los malos olores no la molestaban. Estaba acostumbrada al de la leche cortada y el estiércol de caballo. Un soplo de viento que apestaba a pocilga de una granja vecina incluso le causaba una auténtica tristeza: ¡pobre Rosig muerta!

–¿Por qué lloras? –preguntó Adi–. Me has dicho lo mal que huelo y soy yo el que debería llorar.

–Oh, cállate. No lloro por ti.

Lo cual significaba que pensaba en Rosig y Adi se entristeció por su hermana. No era porque la cerda le hubiera gustado mucho (de hecho, tenía celos del afecto que Angela mostraba por el animal), sino porque le gustaba su hermana mayor. Casi siempre era buena con él. Además, era la chica más espabilada dentro de las cuatro paredes de la escuela que constaba de una sola aula, así como él era el chico más listo.

Según el clima y las necesidades inmediatas de trabajo adicional en las granjas próximas, había en ocasiones menos de cuarenta chicos y chicas, y a veces llegaban a treinta y hasta veinticinco, pero el aula contenía divisiones de asientos para los cuatro cursos; y cada alumno, del primero al cuarto, desde seis hasta doce años, podía oír todo lo que sucedía en las demás clases. Era un hecho rutinario, ya que sólo había una maestra, una mujer de mediana edad, Fräulein Werner, que tenía una narizota y usaba gafas.

Adi pronto pudo seguir las lecciones de los cuatro cursos. Su introducción a la historia de Alemania vino de la mano del curso superior, el cuarto, donde Angela y los demás estaban estudiando los hechos extraordinarios de Carlomagno. Una hora después, en primer año, a Adi y a los otros párvulos les pidieron que decidieran qué dibujos de animales había que relacionar con las palabras impresas en una cartulina grande que Fräulein Werner sostenía en alto. Al principio era un prodigio: todas aquellas letras retorcidas que formaban una palabra. Al principio las letras le vibraban en los ojos, pero poco después se transformaron en nada menos que un rompecabezas. Cuando lo hubo reducido a un problema soluble, procuró no volver a cometer el mismo error. En efecto, enseguida se aburrió de aguardar a que sus condiscípulos asimilaran la lección. Más tarde, a duras penas contenía la impaciencia con que esperaba las clases de tercero, que estaban estudiando la geografía del dominio Habsburgo, el gran imperio Habsburgo, como la señorita Werner decía siempre. Si se lo hubieran permitido, habría recriminado a aquellos simplones que no encontrasen en el mapa ninguno de los lugares que él ya había localizado, Braunau y Linz los primeros. Además de Passau, en la otra ribera del Danubio.

De modo que a los seis años estaba aprendiendo las lecciones de los niños de diez y doce, y le complacía que Angela fuera la mejor alumna de su clase. Adi veía la aprobación en los ojos de Fräulein Werner cada vez que ellos entraban en el aula, pero además eran los hermanos más aseados de la escuela. Esto, que era obra de Klara, había contribuido a que la maestra tuviera un alto concepto de los dos alumnos.

Sin embargo, su pulcro atuendo obligaba a Adi a mantenerse aparte de los otros chicos durante el recreo. Enseguida tuvo que encararse con un matón empeñado en que lucharan.

–¿Estás loco? –le decía Adi–. Llevo mis mejores ropas. Mi madre me matará si las mancho.

Las guerras cotidianas de Passau le habían enriquecido la voz con el aplomo necesario para que el otro desistiera. Claro que aquel chico no era peligroso. Si Adi se las apañaba para vivir con Alois hijo, ¿cómo iba a temer a un idiota como aquél, que también se llamaba Klaus? La que le molestaba con sus pullas era su hermana mayor.

8

Por entonces Angela tuvo su primera regla y Klara hizo lo que pudo para mitigar la aflicción de la chica. Vio que Angela la relacionaba con Rosig, que había sufrido una hemorragia por todos sus jamones antes de morir.

Para sosegar ideas tan angustiosas, Klara le habló por primera vez de asuntos íntimos. Adoraba a su hijastra. La chica de doce años era ya una amiga muy cercana y por tanto Klara no sólo le habló de su nueva situación, sino que continuó hablando por un largo espacio del olor en general y de sus singulares sutilezas. El olor formaba parte de la naturaleza. Buscando ejemplos certeros, le dio una información que Alois le había facilitado de pasada. Una vez, Klara le había preguntado cómo podía estar seguro de que sus abejas (cuando ya tuvo colmenas) sabrían encontrar el camino a casa. Ella tenía entendido que él proyectaba comprar un par de colmenas que constituían colonias completas. Y allí estaban los dos sentados a la sombra del roble grande cerca de la casa.

–¿Cómo sabrán estos miles de abejas a qué caja pertenecen? –preguntó Klara.

Su curiosidad agradó a Alois lo suficiente para explicarle que pintaría cada caja de un color distinto, una de verde y la otra de azul cielo, y hasta de rosa, posiblemente, una tercera colmena. Explicó que a las abejas les gustaba volver a unos hogares que tuviesen un color parecido al de las flores cuyo néctar habían recogido.

–Pero me has dicho que esas pequeñas criaturas van todos los días a una flor distinta. Sólo son fieles un día a cada especie de flor. ¿No es así?

–Sí.

No estaba muy convencido de que le gustara esta conversación. ¿Podría responder a todas las preguntas sin deslizarse y desviarse hacia otros temas?

–¿O sea que podría ocurrir que les gustara un color un día y al siguiente otro distinto?

–Sí.

–¿Cómo no se mezclan esas abejas?

Sí, Alois era reacio a decírselo. No era un tema del que hablar. No necesariamente. Pero optó por proseguir. Que Klara se interesara por la apicultura sería, en compensación, mejor para él que si mostrara indiferencia.

–Cada reina tiene su propio olor –informó a Klara–. Como va a fertilizar cada celda de cada panal y pone decenas de miles de huevos para que empiecen su vida en celdas de cera separadas, tiene que asegurarse de que transmite su olor a cada una de sus miles de larvas, sí, a sus huevos, sus futuros hijos.

–Es algo sorprendente –dijo Klara–. ¿Cómo sabes esto, Alois? Sabes muchísimo.

–He leído cosas sobre estos descubrimientos –dijo él, a regañadientes.

–¿No las has olido tú?

–¿Parezco tan imbécil como para meter la cabeza en una

167

colmena y darle a un enjambre la oportunidad de que se me cuele en la nariz?

Ella se rió. En algunas cosas, le conocía muy bien. Ya podía leer libros sobre el tema, pero en el fondo se resistía a admitir que no había adquirido sus conocimientos por medio de las manos, los pies, la fuerza, sus cinco sentidos sólidos de campesino.

Ciertamente, Alois le había dicho demasiado. Ahora Klara tenía que saber más.

Aquella noche, antes de que la conversación concluyera, le pinchó para que explicara cómo fecundaban a la reina. Al fin y al cabo, le intrigaba una monarca que diese a luz tantos miles de hijos sin dejar de ser reina. En los ojos de Alois había una admiración enorme cuando habló de esto. Todo dependía de *la reina:* el éxito de la colmena, nada menos.

Alois, por tanto, decidió ilustrar a Klara mediante unos cuantos paso descriptivos. Presintió que esa noche habría de favorecerle la emoción evidente de su cónyuge. A todas luces, la enardecía pensar en una criatura tan hembra, tan diminuta y extraordinaria.

Le explicó que la joven reina, muy virginal, menos de veinte días después de salir de su celda de cera (cuya profundidad y anchura no eran mayores que las de la goma de borrar en la punta de un lápiz nuevo), al momento de emerger de la misma sería alimentada por nodrizas y un séquito de ayudantes. Sí, sólo tres semanas después de aquel primer día, estaría lista para emprender el vuelo inaugural desde la colmena. Por lo general, esto sucedía el primer día caluroso de mayo. Se elevaba hacia el cielo y volaba más alto que todos los machos, salvo unos pocos que intentaban seguirla.

–¿Esos que se llaman zánganos?

–Sí, esos tíos gordos y mimados. Obstruyen su rincón de la colmena. Viven para comer, y un buen día revolotean como locos. Por divertirse. Ni siquiera se molestan en recolectar polen. Sólo justifican su existencia cuando la reina virgen, de la que podríamos decir que es todavía una princesa, sale para su primer vuelo. Ese día la están esperando en el aire. Saben que ella llega. La reina que vuela tan alto, que es tan hermosa comparada con todas sus hermanas, esos millares de obreras, sí, bestias de carga siempre en busca de más néctar: como las pobres hembras no tienen ovarios completos salen a explorar, excepto cuando otras tareas las mantienen ocupadas en la colmena. Labores de limpieza. Quehaceres. Pero la reina es distinta, es aún virgen, aún no es una reina del todo, sino más bien, como digo, una princesa. Entonces decide volar tan alto que sólo unos pocos zánganos pueden seguirla. Se reducen a dos, luego a uno solo, pero, oh, este último fortachón la alcanza y saca lo que tiene, sí, ya sabes a qué me refiero, el mismísimo órgano que ha tenido guardado dentro de su cuerpo pero que de repente emerge, se alza, por así decirlo, y se introduce en la, sí, sí, llamémosla vagina, ¿por qué no? Así es, y ella lo absorbe todo mientras los dos solos siguen muy arriba en el aire.

–Es un prodigio –dijo Klara. Los ojos le empezaron a brillar. Poco le faltó para decir: «Un milagro de amor.»

–No, no exactamente –dijo Alois. En aquel momento no supo cómo seguir. Si se excedía, podría malograrse lo que estaba buscando aquella noche. Con todo, su perspicacia se impuso y supo que, sí, lo más provechoso, seguramente, sería decirlo todo.

–Este zángano –dijo–, este único zángano valiente, clava su órgano tan dentro, que es justamente, debemos suponer, lo que la naturaleza exige, que luego no puede extraerlo.

–¿Qué?

–¡No! ¡*Donnerwetter*, no puede sacarlo! La reina tiene ganchos o algo parecido, ganchos muy afilados que lo retienen dentro. Le gusta tenerlo allí. Él está encallado. Cuando se debate, cuando tiene que despegarse, no te lo vas a creer, el miembro se le desgaja del cuerpo. No tiene más remedio que desprenderse de él. ¡De su virilidad! La pierde. La pierde entera.

–¿Y él? ¿A él qué le pasa?

–Oh, se muere. Desaparece. Cae al suelo.

–Pobre criatura –dijo ella. Pero no pudo evitarlo. En contra de su voluntad, la boca de Klara esbozó una sonrisita que enseguida desembocó en una sonrisa. Una vez que empezó, ya no pudo contener la risa. Después no pudo parar. Alois nunca la había visto reírse tanto tiempo.

–Vaya una vida –dijo por último, y Alois había hecho bien en contárselo. Estaba embarazada de más de seis meses, pero hicieron el amor aquella noche. Alois había conocido más de una mujer con quien podías darte un buen revolcón incluso en la ultimísima semana antes de que pariese al bebé de algún otro. Pero en absoluto había sido el caso de Klara. Aquella noche, sin embargo, fue distinto. Ella estuvo a la altura de su mejor momento.

Naturalmente, él se abstuvo de decirle las otras dos cosas. La primera era que la reina podía tener perfectamente otros amantes después del primer y fabuloso vuelo. Durante las semanas siguientes, y hasta junio, podía tener cinco o seis amantes nuevos. Así almacenaba más semen en sus ovarios, el suficiente para poner miles y más tarde decenas de miles de huevos, uno para cada celda de los millares de celdas, y seguiría haciéndolo hasta que llegase la estación fría. Así este ciclo podía repetirse cada primavera durante los tres años siguientes. ¡Toda aquella abundancia de impregnación procedía de no más de cinco o seis cópulas! Lo cual significaba que durante el resto de su vida la reina no tendría más relación con los zánganos, pero alimentaría con miel y polen a las crisálidas que había creado mientras su corte, las abejas obreras, la seguían con devoción, tapando las celdas de larvas con una sustancia misteriosa de cera que fabricaban con el polen de las flores de mayo y que ningún químico sabía duplicar en el laboratorio. No, a Klara no le describió la abnegación con que la reina tendría que trabajar toda su vida, y desde luego no le dijo que cuando terminaba la estación de apareamien-

170

to, las obreras expulsaban de la colmena a los zánganos. A la hora de lidiar con los poltrones que no se movían de su sitio, las obreras los mataban con sus aguijones. (No lo perdían al utilizarlo. La tripa de un zángano era más blanda que la piel humana.) Después de la matanza, las mismas obreras barrían los cadáveres fuera de la colmena. Alois tampoco le habló de otras complicaciones. Siempre había la tendencia, en cuanto empezaba de verdad el clima caluroso, de que la mitad de la colonia se dispusiera a enjambrar, es decir, a irse volando, a desertar la colmena y retornar al estilo de vida anterior en el hueco de un árbol. En un santiamén perdías tus ganancias. Tampoco le habló de princesas que a menudo eran eliminadas por la corte de abejas en torno a la reina. No mencionó estos detalles. Más valía que Klara siguiera mostrando comprensión hacia lo que sería la empresa actual de Alois.

A Klara no sólo le había cautivado lo que él le contó aquella noche, sino que pensó que acaso distrajera a Angela de sus tribulaciones, y decidió hablarle del fin desventurado del zángano valeroso que lograba dar alcance a la reina. Esta vez la risa de Klara tuvo acompañante. Se comportaron como si las dos tuvieran la misma edad, y a medida que Klara refería más cosas de lo que había aprendido de Alois, el tema no sólo derivó hacia el olor, sino al poder excepcional de la reina. Ahí la tenías, una criatura apenas más grande que sus abejas nodrizas y desde luego más pequeña que cualquier zángano. No obstante, poseía la facultad de impregnar el aire de la colmena y a sus miles de habitantes. Todos ellos reconocían su colmena gracias a que todos olían igual.

—Es como si —dijo Klara, presa de un nuevo arrebato de risas— todos los rusos y rusas tuvieran el mismo olor espantoso, y esos zoquetes polacos otro. Quizás los ingleses tengan un olor aceptable a té, y nosotros, los austriacos, tenemos que ser algo especial, somos calientes como el *strudel*. —A Angela se le contagió de nuevo la risa—. Y los franceses, un olor desvergonzado y

feo. ¡Tan fuerte! Peor que el de una cebolla podrida y salsa rancia. Los italianos..., puro olor a ajo. –Ahora las dos se estaban
abrazando–. Quizás los peores sean los bohemios. No sabría
describirlos. Apestan a col vieja.

Se enjugaron los ojos. Adi, al oírlas reír, fue a reunirse con
ellas. Se enfadó porque en vez de explicárselo seguían riéndose
al mencionar países.

Toda aquella charla sobre malos y buenos olores produjo un
cosquilleo especial en la nariz de Angela. En la escuela era ahora más consciente del olor a polvos de talco de Fräulein Werner,
y allí estaba también el pequeño Adi. A veces despedía un tufo
hediondo, sobre todo cuando subía y bajaba muchísimas cues-
tas. Ella siempre le estaba instando a que utilizara más jabón, o
bien las noches, una vez a la semana, en que Klara hervía agua
suficiente para que todos pudieran bañarse en la tina grande,
Angela se empeñaba en jabonarle la espalda y los sobacos antes
de devolverle la jaboneta. Después le decía, con una sonrisa de
lo más pícara:

–Ahora que tienes el jabón, chico sucio, pásalo por donde
pueda servir de algo.

Adi gritaba de rabia ante tal descortesía, y gritaba tan alto
que Klara acudía corriendo. Pero él no repetía una palabra a su
madre. Estaba confundido. ¿Olía tan mal como decía su hermana o estaba loca? ¿Quién sabía? Él apenas percibía olor en su
cuerpo.

Angela, sin embargo, empezaba a cavilar de nuevo sobre la
muerte de Rosig. La cerda ciertamente emanaba un olor intenso, no muy distinto al de Adi cuando más apestaba, ¿o el hedor
máximo procedía de Rosig? ¡Basta! Angela empezaba a llorar por
los dos, por el chico y la cerda. Llena de remordimiento por hos-
tigarle, intentó corregirlo diciéndole algunos de los secretos por-
tentosos que Klara le había revelado, todo aquel conocimiento
sobre las abejas, y muchas mañanas en que iban andando a la escuela, ella reanudaba el tema: ella tenía la cabeza tan revuelta

por lo que le habían contado que los misterios de la reina pronto inflamaron la imaginación de Adi.

Desde abril, cuando llegaron a la granja, había tenido plena conciencia de la proximidad de las abejas. En mayo y junio había habido horas en que el cielo estaba lleno de lucecitas, destellos que titilaban, volando en muchas direcciones. Su madre no paraba de advertirle que no tocara a ninguna de aquellas criaturillas si las veía posadas encima de una flor. Y aún menos atreverse a matar una. ¡Aquella abeja podía hacer que se acordase de ella! Más tarde, una hermosa mañana de julio, a Edmund le picaron y estuvo chillando un rato interminable. Adolf, en consecuencia, había sido muy respetuoso con los peligros que entrañaban aquellos insectos.

Pero saber que la reina compartía su olor con cada abeja de su colmena había excitado su pensamientos.

La noche después de haber oído que su padre quizás fuese a hablar con un vecino acerca de la compra de lo que Alois llamaba «los primeros materiales» –un anuncio que hizo una noche de sábado, en la cena–, Adi tuvo un sueño vívido. Vio un ejército de abejas que sobrevolaban en círculos la granja. Cerca de la casa había un viejo vestido de una forma que Adi nunca había visto. La camisa le salía de los pantalones y le llegaba hasta las rodillas, y llevaba un sombrero de punto encima del pelo blanco, un sombrero de lana tan largo como una media. Le colgaba hasta la mitad de la espalda. No era bajo, pero seguía pareciendo un enano porque estaba encorvado. En el sueño Adi conocía su nombre. El viejo se llamaba *Der Alte*,[1] y el chico, al despertar la mañana del domingo, supo que su padre, en efecto, iba a visitar a un apicultor llamado Der Alte.

¿Cómo no preguntarle a su padre si podía acompañarle? Alois se sorprendió y luego se alegró. Hasta entonces, otra pareja de granjeros recogía a Klara cada domingo en su carreta para

1. En alemán, «El viejo». *(N. del T.)*

ir a misa en la pequeña capilla de Fischlham. Viajaba con los tres niños, aunque Alois se quedaba en la granja. «De verdad, sinceramente, no puedo ir», le decía a Klara, y se quedaba solo para recorrer sus campos. Aquella mañana, sin embargo, le complació tanto más que Adi le pidiera permiso para acompañarle.

Puedo decir que tuve una participación directa en configurar el sueño del niño. Había sido la primera vez que intervenía en la familia desde la noche en que entré en la mente de Alois, justo después de su sermón cervecero en Linz sobre las bellezas y las maravillas de la apicultura.

Siento que debo hablar de nuevo al lector sobre un asunto poco apetecible. Atañe a la fetidez de Adi.

9

Es curioso, aunque, en definitiva, no lo es tanto, que pocos temas relativos a hombres y mujeres sean tan embarazosos como el mal olor. Añadiré que los humanos que trabajan para el Maestro difícilmente eluden esta calumnia.

¡Basta! El hedor no contribuye a la felicidad de los demonios. En aquella época, cercano ya el fin del siglo XIX, nuestros problemas a menudo se reducían a un único fenómeno. Muchos seres humanos de los que enrolábamos consideraban necesario mantenerse sumamente maniáticos en sus hábitos personales. De lo contrario, en diversas ocasiones apestaban tanto que despertaban recelo.

Ignoro cómo empezó esta situación. Mis recuerdos de eras anteriores son muy imperfectos y me son tan poco asequibles como el instinto atrofiado que un humano tendría de sus encarnaciones previas. Es probable que no interese al Maestro que sepamos más de lo que necesitamos conocer. Al fin y al cabo, no tenemos que apelar a Judas ni a Barba Azul ni a Atila, rey de los hunos, para animar a un borracho a que se tome otra ronda de copitas. Por consiguiente, no tenemos una visión casi definitiva del comienzo de la guerra entre el Dummkopf y el Maligno. Queda fuera de mi competencia la cuestión de si los dos fueron dioses o, como propuso Milton, la disputa fue entre Dios y un ángel tan importante como Lucifer. Tampoco podemos desechar la posibilidad de que el Dummkopf, al mando (y caos) temprano de esta tierra y este sistema solar, haya tenido dificultades suficientes para recurrir a poderes superiores en las galaxias. Es posible que esos mismos poderes enviasen aquí al Maestro porque estaban descontentos del progreso realizado por el D. K. La evolución ya había conocido numerosos impasses. No obstante, para mí estos asuntos sólo pueden seguir siendo preguntas.

Aun así, si debo ofrecer alguna conjetura respecto a lo que pudo haber acontecido durante los eones ya consumidos, tengo que suponer que el D. K. es el Creador del mundo del clima, la flora, la fauna y todos los seres humanos, y que la evolución fue Su laboratorio: los signos de Su locura, así como las marcas de Su genio hay que buscarlos entre la miríada de Sus creaciones y los obstáculos que encontró. Basta con pensar en los siglos interminables que transcurrieron hasta que pudo inducir a que volaran a unas pocas de sus criaturas. Añádase a esto la anchura y el volumen de Sus especies terrestres y marinas, o las esperanzas divinas que se depositaron, por ejemplo, en el brontosaurio (hasta que se descubrió que aquel animal concreto y descomunal era demasiado grande para sobrevivir: fue un fracaso). Dejémoslo aquí. El Creador tuvo éxitos relativos y fracasos abismales. Si bien hay que reconocer que nunca desistió, aunque no siempre controlase la tierra que Él había creado, es asimismo indiscutible que los terremotos y las glaciaciones causaron muchas interrupciones a Sus experimentos y devastaron muchos de Sus logros. ¿Por qué? Porque, para empezar, había diseñado incorrectamente este planeta.

175

Estoy seguro de una cuestión relativamente menor: cuando Su concepto más ambicioso, los hombres y las mujeres, empezaron a existir, hubo un cambio en la importancia del olor. A este respecto, tengo algunos rudimentos que aportar. Se trata de que en la era del hombre primitivo, hace muchísimo tiempo, el olor debió de ser uno de los activos del Creador. ¿Cómo podría no haber utilizado sus señales para ayudar al desarrollo de muchas especies? En gran medida, los humanos se sentían con frecuencia atraídos o repelidos mutuamente gracias a los mensajes que les llegaban a la nariz. Una solución muy simple y elegante. Es de suponer que sus olores revelaban el grado de valentía de cada criatura, de su perseverancia, miedo, perfidia, vergüenza, lealtad y –no lo menos importante– su determinación de reproducirse. El olor facultó al D. K. para dar pasos creativos en la evolución sin tener que supervisar todos y cada uno de los acoplamientos.

Creo que por el tiempo en que nuestro Maestro se dispuso a impugnar el progreso del D. K., Éste ya no se creía todopoderoso y perfecto. La presencia de un colega (probablemente indeseado, de entrada) tuvo que reducir el concepto de Su propia talla. Así que el D. K. empezó a buscar un método por el cual Sus Cachiporras determinasen qué hombres, mujeres y niños se habían pasado al adversario. En realidad, yo sostendría que el D. K. pudo marcar a todos nuestros clientes con un toque de olor merecido, un proceso elegido por su simplicidad y su coste relativamente escaso. Por consiguiente, a partir de la Edad Media, nuestro Maestro había arrumbado este obstáculo a sus intenciones exhortando a muchos de sus alquimistas a crear perfumes cuyas sutilezas sirvieron para enmascarar los olores pútridos con fragancias más agradables, crudas, indetectables y, por último, más atrayentes, y hasta exóticas en su pizca de fetidez por debajo del bouquet. (Es, por ejemplo, imposible investigar la promiscuidad de la vida cortesana en Francia durante el reinado de Luis XIV sin tener en cuenta aquellas fragancias reales, aquellos aromas carnales tan llenos de camuflaje. Demostraron ser un gran auxilio para nuestros clientes lo bastante ricos para costearse buenos perfumes.)

Hacia el final de la Ilustración, el panorama había cambiado una vez más. Los jabones, fabricados por nosotros, anularon las pestilencias mefíticas. En el siglo XX, la supresión creciente del olor humano fue una aportación vital para nuestro progreso. Surgieron las bañeras, los aceites limpiadores y el desarrollo de la fontanería, gracias en gran parte al apoyo que prestamos a los empresarios del ramo.

Hacia el fin del siglo XXI, la dependencia de Dios del olor personal desagradable como medio de advertir a Sus Cachiporras de que nuestros clientes se hallaban cerca se había vuelto obsoleta. Los desodorantes dominaban la época. En la actualidad, en el siglo XXI, no es frecuente encontrar a un marido o mujer que posea un sentido agudo del olor de su compañero más íntimo. (Esto es indudablemente cierto en los países más desarrollados.) La pérdida de esta facultad cognitiva no sólo ha disminuido la dominación del D. K., sino que nos ha dado un impulso.

Sin embargo, si nos remontamos hacia el final del siglo XIX, la eliminación del olor humano no era en absoluto tan completa, y el encuentro entre Alois, Adi y Der Alte se caracterizó por una intimidad curiosa pero inmediata entre el chico y el viejo. En parte, de hecho, fue aromática.

Pero no debo pasar por alto el paseo hasta la granja de Der Alte. En el camino, Alois tuvo la primera conversación auténtica con su hijo Adi.

Libro VII

Der Alte y las abejas

1

Pero antes hablaré del sueño que infiltré en Adi mientras dormía. Fue la noche de sábado que precedió al encuentro de Alois el domingo con el apicultor, e introduje el sueño por orden directa del Maestro. Añadiré que crear un sueño, en particular uno que no tenga ninguna relación con la experiencia previa del durmiente, no es tarea fácil. Si bien en ocasiones especiales podemos insertar guiones completos en el sueño del cliente, también es verdad que las obras oníricas producidas ex nihilo suponen graves quebrantos en nuestro presupuesto. ¡Exigen un desembolso desproporcionado de tiempo!

Además, cuando el cliente es joven existen riesgos. Los Cachiporras que también tienen tratos con el cliente pueden armar más trifulca si se enteran de lo que estamos tramando. En condiciones de campo de batalla no deben realizarse manipulaciones delicadas con objeto de alterar las reacciones futuras de la psique de un sujeto. Pocas personas se benefician de una pesadilla.

Mi experiencia me dice que la inserción de sueños que son tan intensos como visiones nocturnas pueden deparar muchos efectos deseados, pero el mayor éxito consiste en poder proceder poco a poco a lo largo de muchas noches con el fin de no llamar la atención de los Cachiporras. A buen seguro, a los ángeles les enfurece cualquier sueño que insertamos. Ha sido así desde el comienzo de la existencia humana. El D. K. considera primordial tener el mando sobre todos los sueños. Con ánimo de controlar a los primates a los que inspiraba para devenir humanos, insufló alucinaciones en su sueño que resultaron esenciales. Aceleraron el proceso.

Mucho más tarde, durante lo que el Maestro llama la era de Jehová (que va –perdonen estos cálculos históricos aproximados– desde 1200 a. C. hasta la llegada de Jesucristo), el D. K. dispensó gran cantidad de premios y castigos (algunas veces por medio de milagros, pero más a menudo mediante sueños). Lograba transmitir visiones tanto a profetas como a plebeyos. De este modo llevaba a sus pupilos por muchos itinerarios elegidos, con frecuencia, sospecho, sin más motivo que un capricho imperioso.

Sin embargo, nuestra aparición en la vida en desarrollo de la humanidad redujo estos poderes. Jehová ya no podía emplear sueños con tanta eficacia. Ahora, gracias al uso abundante que hacemos de este medio, los sueños rara vez parecen visiones. Más bien invaden al durmiente como relatos truncados, recortados. Las intrusiones de un lado chocaban contra los objetivos del otro.

Por consiguiente, había quedado anulado el uso imperioso que el D. K. hacía antaño de los sueños. Rara era ya la ocasión en que sus órdenes se transmitían directamente. En cambio, el moderno episodio nocturno proporciona un aviso de trastornos que se avecinan. Si es probable que un amigo de confianza cometa una traición en un futuro próximo, un sueño puede alertar de este peligro. Por otra parte, si es el durmiente quien se dispone a traicionar a un amigo íntimo, un guión imaginario puede dramatizar este acto. De este modo, el D. K. ha descubierto un método de guiar a los seres humanos. Las situaciones falsas creadas por el sueño tal vez no sean totalmente comprensibles, pero ponen a prueba la capacidad que tiene el sujeto de soportar una inquietud intensa. Incluso cuando la interpretación es incompleta, conserva una conciencia nebulosa de que posee menos valentía, lealtad, devoción, amor o menos salud de lo que se suponía. El sueño sirve ahora como una especie de sistema de protección imperfecto que advierte a un hombre o a una mujer de situaciones que no puede controlar o ni siquiera tolerar.

En la medida, sin embargo, en que podemos interferir en el impacto real, el sueño estándar se convierte en un molinete, un desparrame, un caos producido por la refriega entre los Cachiporras y nosotros.

Así pues, la tarea de crear un sueño claro para un niño exigía una atención especial. Como he señalado, el Maestro casi nunca alentaba estas operaciones con niños. Se recordará que cuando la familia Hitler se trasladó desde Passau, me ordenaron que dejase de prestar atención al pequeño Adolf. Él y su familia serían controlados por mis ayudantes en sus viajes rutinarios. Salvo en la única ocasión en que me introduje en el cerebro de Alois el tiempo suficiente para hurgar en su fascinación por la apicultura, estuve trabajando con otros clientes en aquella región de Austria. La información que facilitaron mis asistentes sobre los Hitler de Hafeld demostró ser adecuada.

Ahora había llegado una comunicación directa del Maestro: yo tenía que implantar un sueño particular en la cabeza de nuestro niño de seis años. El verbo destacado era *grabar*.

–Quiero que grabes en el cerebro de Adi una idea permanente –dijo–. Es probable que logres acceso. Llevamos tanto tiempo inactivos en ese campo que no creo que los Cachiporras se inmiscuyan.

2

El acto en sí no llevaba más que unos minutos, pero los preparativos no habían sido sencillos. *Grabar*, repito, era la consigna. Una idea fija, una vez implantada con éxito, puede hacer que un cliente se nos aproxime. Pero grabar no es una actividad propia de demonios. Hay que realizarla con toques incisivos. Mal aplicada, puede desequilibrar al destinatario.

Iré hasta el extremo de decir que en aquella ocasión me hice el sordo. Gracias a los datos transmitidos por mis ayudantes, sabía que Alois pronto haría una visita a aquel apicultor de las inmediaciones, Der Alte, también llamado *Der alte Zauberer*, el Viejo Brujo. O así le llamaban los campesinos locales.

El apelativo era exagerado. Aquel viejo era un eremita y sumamente excéntrico. Si le provocaban podía ser tan malvado como un viento invernal, pero en ocasiones especiales sabía ser tan agradable como cualquier viejo supuestamente cordial. Los campesinos de Hafeld, que le conocían desde hacía años, le conocían mejor. No obstante, era el único apicultor que había a un día de camino andando en cualquier dirección, y poseía no poca erudición sobre la apicultura.

Lo más cómodo de Der Alte era que pertenecía a nuestro bando desde hacía décadas. En efecto, era un viejo pensionista. Además, él y Adi olían parecido y no se ofenderían mutuamente. Pronto lo sugirió el propio empuje magnético del sueño. Antes de que se conocieran, yo grabaría en la mente del chico una imagen clara de Der Alte.

Por cuestión de estilo, cuando se trata de una producción onírica, siempre tiendo a evitar los virtuosismos barrocos. Los guiones modestos suelen ser más eficaces. En aquel caso, me contenté con producir una presentación lo más cercana posible de la cara y la voz de Der Alte antes de implantarla en el sueño de Adi. Como decorado utilicé una imagen de una de las dos habitaciones de la choza del viejo, e hice que el patio se viera desde la ventana. La acción del sueño no podría haber sido más directa. Cuando Der Alte les invitó a entrar, a Adi le dio una cucharada de miel. Me aseguré de que tuviera un sabor exquisito para el paladar del chico. Adi despertó con el pijama mojado

184

desde el ombligo hasta la rodilla y una sensación de felicidad completa. Se despojó de la ropa mojada, algo nada insólito en él, volvió a dormirse y recreó el sueño con pequeñas variaciones que añadió de su cosecha, en su afán de probar la miel de nuevo. En su cabeza tenía claro que pronto conocería a Der Alte, y ello le envalentonó para pedirle a su padre que le llevase a verle la mañana siguiente. Como ya he señalado, a Alois le agradó la petición.

Aún no he contado su conversación en el trayecto hasta la casa del Brujo, pero optaré por retrasarla el tiempo necesario para decir un poco más sobre el concepto del grabado que tenía el Maestro. Por ejemplo, ahora sabemos que cuando Adi conoció a Der Alte aquel domingo tuvo una sensación nueva de importancia personal, porque creyó que tenía el poder de ver el futuro. De hecho, yo equilibré los dos lados de aquella relación inminente, pues también di instrucciones a Der Alte de que le diese al chico un poco de su mejor miel, y de que lo hiciera nada más conocerle.

Digámoslo de nuevo, aquel hombre, Magnus Rudiger, conocido como *Der alte Zauberer*, no era en realidad tan viejo brujo. Sus maldiciones no eran notables ni eficaces. Cada vez que le infundían una sensación de miedo fuerzas a las que no sabía poner nombre (por lo general una sección u otra de Cachiporras), consideraba suficiente formar un círculo de sal alrededor de la mesa de la cocina donde se sentaba solo. Esto, a pesar de su nimio efecto, era más eficaz para alejarnos que los Cachiporras. Los clientes así pueden volverse un incordio cuando se hacen viejos.

Pero ningún vecino tenía prisa en atacar el amor propio de Der Alte. En realidad, su atuendo, su olor, su voz resonante y hasta retumbante y su conocimiento compendiado sobre las abejas sugerían que era un mago. De esta forma podía poner a salvo su orgullo. Por otra parte, Der Alte poco podía hacer para oponerse al uso ocasional que hacíamos de él.

185

No es de extrañar, pues, que a Adi, tras el sueño grabado, le marcase la visita. Su expectativa de que muchas veces se imaginaría de antemano a gente que aún no había conocido representaba una baza para nosotros.

Pondríamos en práctica este mecanismo con frecuencia durante los más de dos años en que Adolf Hitler fue un mensajero del ejército, que llevaba mensajes a las trincheras y después regresaba al cuartel general del regimiento. Como esta misión entrañaba un peligro real, su convicción de que adivinaba el futuro fue de gran ayuda para su valor. Sin embargo, es demasiado pronto para hablar de esto. Sus experiencias de soldado –una amalgama de lo más compleja entre nuestra magia y su desesperación y entrega– datan de hace dieciocho años. De momento dejaré el tema de los sueños insertados hasta que sea necesario volver a comentar esta práctica.

Seguiré, en cambio, la conversación que mantuvo con su padre en el trayecto para ver a *Der alte Zauberer*. Alois, por supuesto, fue el que más habló, y veía el encuentro sin gran confianza. Nunca le resultaba normal conocer a un hombre que supiese más que él sobre un tema.

3

Mientras avanzaban a paso ligero, Alois empezó a suministrar a Adi tal cantidad de nombres y pensamientos nuevos que el chico no tardó en quedarse sin aliento. No se atrevía a rezagarse un paso ni una palabra. Por su parte, Alois, poco habituado a gastar tiempo o cerebro en el pequeño Adolf, estaba también un poco sin resuello. Con los años había acumulado el suficiente reumatismo en las rodillas y humo en los pulmones para moverse, en general, más despacio. Pero descubrir que podía hablar con su hijo le estimuló las piernas. No tenía por costumbre albergar muchos sentimientos hacia sus hijos más pequeños, y en realidad la paternidad nunca le había interesado gran cosa hasta que Alois hijo y Angela trabajaron con él en la granja. Ahora notaba que de aquel pequeño le llegaba una sensación sumamente inesperada y nada ordinaria.

Adi, a su vez, estaba excitadísimo. ¡Estar en *compañía* de su padre! Apenas sabía leer, pero Alois representaba para sus ojos MEIN VATER. Hasta tal punto reconocía la inmanencia del hombre pesado que tenía al lado. Alois le despertaba el mismo tipo de temor reverencial que aparecía en la expresión de su madre cuando hablaba de *der gute Gott*.

¡Cómo quería agradar a su padre! Al principio del camino, habían observado un silencio formidable, que persistió hasta que Adi encontró las palabras.

–¿Siempre ha habido abejas? –preguntó por fin. Era una pregunta sencilla, pero casual.

–Sí. Siempre. Las abejas –se corrigió Alois– llevan largo tiempo en nuestra hermosa tierra.

–¿Muchísimo tiempo, padre?

Alois le dio una palmada de ánimo en la nuca. El deseo evidente del chico de mantener fluida la conversación sirvió para activar los recursos expositivos del padre.

–Sí, muchísimo. Quizás incluso más que nosotros. Y no ha habido un solo día en que no hayamos intentado robarles la miel. –Se rió–. Sí, ya en la Edad de Bronce tomábamos miel, y puedo afirmar que he visto dibujos antiguos en vitrinas de cristal en el viejo museo de Linz que se remontan a la Edad Media y muestran que la apicultura ya se había convertido en una actividad seria. Aunque primitiva, muy primitiva entonces.

No obstante el reumatismo, Alois caminaba realmente deprisa. La respiración de Adi le oprimía los pulmones con una mezcla singular de fervor feliz por la conversación en sí, y de desesperación ante la idea de no poder seguir caminando (medio corriendo) al paso de su padre. En su cabeza entraban a la vez multitud de palabras desconocidas. El mes de agosto anterior, cuando estaba debajo del nogal más próximo a la granja, llegó un vendaval como el restallido de un látigo y tres nogales duros como piedras le habían aporreado la cabeza con tal autoridad que ni siquiera se atrevió a llorar, como si los árboles le hubieran ordenado que guardara silencio. Ahora le zarandeó «la Edad de Bronce» y, a continuación, «la Edad Media»: quizás esto último lo hubiese oído antes. Sintió como si lo conociera. Carlomagno, quizás. Ni se le ocurrió pararse a preguntar: avanzaba lo más rápido posible, con el aire ardiendo en sus pulmones.

–No había colmenas en la Edad Media –dijo Alois–. Tenían que salir a buscar dónde había un enjambre reunido. ¿Dónde? En árboles huecos. ¿Dónde más? Una vez encontrado un árbol hueco, se apoderaban de la miel antes de que las abejas les acribillasen a picaduras. Así los hombres debieron de hacerlo entonces. Aunque no bastaba. También tenían que recoger la cera. Era una sustancia igual de importante. Con cera de abeja podían iluminar su choza. Todas las noches. ¡Velas! Pero, oh, tenían que pagarlo. Con innumerables picaduras. Entonces se presentaba el duque o el barón local. Si se enteraba de que tenían miel, debían pagarla. El señor se llevaba una buena porción. Figúrate. ¿Qué crees que te daba a cambio? Un arco, una bonita y fuerte ballesta. ¿Por qué? Porque los osos del bosque también andaban buscando miel. Imagínate lo furiosas que se pondrían las abejas cuando un oso metía la nariz en la colmena para zamparse la miel a lengüetazos. ¡Un oso, con su piel gruesa! Tenían que atacarle a los ojos. Daba lo mismo. El oso seguía buscando. Así que un hombre necesitaba una ballesta... para matar al oso. No era tan fácil acercarse a la miel si el oso llegaba antes, pero había una compensación. A veces conseguías carne de oso. Alguna que otra vez, carne de oso *y* miel.

A estas alturas, el aliento de Adi ardía. El camino atravesaba un bosquecillo y estaba al acecho por si aparecían osos. Otro miedo que añadir al tumulto en sus pulmones.

–A veces –dijo Alois–, en un día frío de esta estación del

año, un hombre encontraba un árbol a punto de caer, un árbol muerto con un gran agujero y un enjambre congregado dentro para guarecerse del frío. Bueno, un tipo emprendedor quizás se atreviese a derribar el árbol. Tendría que hacerlo con cuidado. ¡Sin menearse mucho! Tendría que hacerlo por la noche, cuando las abejas están más tranquilas, sobre todo si hace frío, y él y su hijo, y quizás su hermano, llevarían el árbol hasta cerca de la choza para extraer allí lo que quedara de miel.

–¿Y los osos? ¿Vendrían?

–Sí. La clase de hombre de la que estamos hablando tendría que estar dispuesto a matar el primer oso y a colgarlo cerca de la abejas. Eso alejaría a los demás osos. Así empezaría exactamente la cosa. Pero ¿qué pasa ahora? ¿En qué se ha convertido? ¡En una afición! Algo peligrosa, quizás, pero rentable.

–Afición –repitió el chico; otra palabra nueva.

–Pronto será un negocio –dijo Alois.

Caminaron en silencio. *Das Steckenpferd*, lo definió Alois: un caballo sobre un palo, un juguete, una afición. Pronto sería un negocio, había dicho. El chico estaba confuso. El paso rápido le estaba sofocando hasta el punto de que no pudo hacer ninguna otra pregunta.

Alois se detuvo en seco. Por fin se había percatado del apuro de su hijo.

–Vamos –le dijo–. Siéntate.

Señaló una roca y él se sentó en otra. Sólo entonces sintió el dolor en las rodillas.

–Tienes que comprender –dijo– que la apicultura no será un cuento de hadas para nosotros. La miel es dulce, pero las abejas no siempre lo son tanto. A veces son crueles entre ellas. ¿Sabes por qué?

–No –dijo Adi. Tenía, sin embargo, los ojos ardiendo–. Por favor, dime por qué, padre.

–Porque obedecen a una ley. Para ellas es algo clarísimo. Esta ley dice: «Nuestra colonia debe sobrevivir. Por tanto, que

189

nadie se atreva a holgazanear. No dentro de esta colmena.»
–Hizo una pausa–. Nadie, excepto los zánganos. Ellos tienen
que cumplir un buen propósito. Pero después todo se les acaba.
Desaparecen. Adiós.

–¿Los matan?

El chico ya conocía la respuesta.

–Por supuesto. A todos los zánganos. Una vez al año, por
esta misma época; justo después del verano se deshacen de ellos.
Sin misericordia. –Se echó a reír de nuevo–. En el hogar de las
abejas no hay buenos cristianos. Ninguna misericordia. En ninguna colmena encontrarás una sola abeja demasiado débil para
trabajar. Eso es porque eliminan a las lisiadas enseguida. Obedecen a una ley que está por encima de todo.

Pero mientras descansaban, Alois retornó al silencio. Sentía
cierto temor. Los campesinos de las inmediaciones habían ala-
bado a Der Alte, se hacían lenguas del vasto conocimiento que
poseía sobre el tema de las abejas. Pero Alois no había oído a nadie un testimonio favorable al hombre. Tenía miedo de que Der
Alte le engañase.

Era un simple atisbo de su miedo. Si el atractivo emplazamiento de la granja, más que el terreno, había sido el motivo de
que la comprase, no quería que volvieran a timarle a medias. De
hecho, había ido posponiendo la decisión de hacerse apicultor.
Agosto era un mes perdido. Hasta podría ser tarde para crear
una colonia de invierno. Tenía que comprar, y apresurarse a hacerlo. Quizás incluso tuviera que pagar un precio excesivo. Desde luego, no le hacía gracia la idea de que aquellos campesinos
se burlaran, pero esto no era su inquietud primordial. No se lo
admitía del todo a sí mismo, pero la última vez que había em-
prendido una actividad apícola, lo había hecho como si fuera un
pasatiempo, una sola colmena de paja que tenía en una localidad pequeña, a tiro de piedra de Braunau, y a la que podía ir de
noche, como un respiro de la taberna y sus colegas funcionarios,
o visitar el domingo para no tener que ver a toda la gente que

iba a la iglesia. Pero rozó el desastre. Un domingo en que él no recordaba haber cometido algún error, un gran número de abejas le picaron tan rápida y repetidamente que posteriormente llegó a la conclusión de que debía de haber estado hurgando en las dependencias de la reina. ¿Quién sabría decirlo, en una colmena de paja? ¡Tenían tan poca forma! Comprendió su ignorancia en la materia. Mientras trabajaba en la colmena de paja, le habían tendido una emboscada.

Pero lo sabía. Lo entendía. Se estaba preparando de antemano para contarle a aquel hombre, Der Alte, que en una ocasión había recibido tantas picaduras en las manos y las rodillas que el incidente había resultado incluso beneficioso para la rigidez de sus articulaciones. Sin duda, se disponía a impresionarle con su conocimiento del veneno de abeja. Le hablaría de hasta qué punto algunas enfermedades habían sido tratadas de aquella manera en el antiguo Egipto y Grecia. Le hablaría de los romanos y de los griegos, de Plinio y de Galeno. Sabían preparar ungüentos con miel y veneno de abeja. También podría citar a Carlomagno y a Iván el Terrible. Le hablaría de las articulaciones doloridas de aquellos monarcas y de que las picaduras de abejas les habían curado el dolor, o así era fama.

Pero ¿estaba realmente dispuesto a entablar una conversación semejante con Der Alte? Puestos a ello, quizás no fuese el paso correcto. ¿Y si Der Alte demostraba ser más entendido que él en la materia?

4

Como ya he mencionado, Der Alte había sido de los nuestros. He dicho que era pensionista, lo cual también es cierto. En los últimos años apenas lo habíamos utilizado y de nosotros había obtenido un escaso provecho. De vez en cuando, conferíamos una nueva penetración a alguna de sus antiguas ideas, una especie de concesión de dones practicada tanto por ángeles como demonios para reavivar la confianza menguada del cerebro del cliente. A cambio, esperábamos obediencia. Desde luego, el viejo doctor acató con prontitud la instrucción de que ofreciese una cucharada de miel exquisita a la lengua de Adi en cuanto éste y su padre cruzaron la puerta.

En adelante es posible que algunas veces aluda a Der Alte como Herr Doktor, aunque yo consideraba que esta vanidad suya era una de las más indecorosas. Él insistía en que era un docto licenciado con honores. En distintas ocasiones le oí hablar de sus años en Heidelberg, Leipzig, Göttingen, Viena, Salzburgo y Berlín, en ninguna de cuyas universidades eminentes había estudiado. La verdad era que sólo había estado en Heidelberg y Göttingen, y sólo durante una breve visita. Nuestro viejo y docto Doktor era un farsante, un polaco mitad judío, sin una educación superior constatable y que, sin embargo, en gran parte mediante su propio esfuerzo, había adquirido algunas de las habilidades verbales y el porte instruido de un acreditado doctor en filosofía. Aunque en la vejez había optado por parecer un borracho empedernido, una extraña elección, ya que era abstemio, le atraían muchas de las desidias de los viejos borrachines. Llevaba la ropa sucia. Hasta su largo gorro de lana estaba lleno de manchas de sopa (pues se limpiaba la boca con la punta del gorro), y tenía la barba blanca descolorida por la nicotina. No sólo olía a los tristes aromas que procuramos reducir en nuestra clientela, sino que, hablando en plata, era incontinente. Hasta sus muebles, y no digamos la ropa, conservaban la cruda impronta de la orina rancia.

Aun así, imponía. Aquel gorro tan largo como una media que, incluso en verano, se ponía dentro de su casa, satisfacía cierta imagen devota de sí mismo como bufón de corte. Y de hecho había una antigua capa de brillantes colores desvaídos, una policromía bufonesca. Costaba tomarle por un personaje imponente, pero lo era. Sin lugar a dudas. Tenía unos ojos extraordinarios, tan azules como los más fríos cielos septentrionales, pero llenos de luces que daban una pista de muchos de los trucos que había aprendido.

Durante cuarenta años, Alois había visto a cientos de personas cada día, y era difícil que le sorprendiese una apariencia heterodoxa. Además, había desarrollado la capacidad de captar el primer momento en cada contacto pasajero. Los viajeros no estaban preparados para el fenómeno de topar con un aduanero que poseía tal grado de autoridad, y pocos eran capaces de afrontar la inteligencia que expresaba su mirada inmediata. «¡Intenta engañarme! ¡No podrás!», era la inconfundible advertencia que se leía en sus ojos.

Ésta fue una razón primordial para que yo ordenara a Der Alte que recibiese al padre y al hijo en la puerta de entrada con una cucharada de miel, y que la introdujera sin pedir permiso en la boca del chico. Seguro que Alois no se esperaba esto. Algo tan grosero. Tan gentil. ¡Las dos cosas a la vez! A Alois no le ofreció nada más que una sonrisa de superioridad, como si la guarida empapada de pis de Der Alte, peor que un domicilio de quince gatos, fuera su reino y estuviese a gusto en él y, podría añadir yo, diabólicamente desinhibido.

Der Alte se ganó al chico al instante. Bastó con aquella sola iniciativa como remate de la inserción del sueño. En los ojos de Adi brilló una admiración tan intensa como la que había dirigido a Alois en el camino.

Se sentaron. El viejo chapuceó un poco (aunque con gran habilidad) al preparar el té. Para mayor incomodidad de Alois, fue un procedimiento distinguido. Era como si un caballero muy anciano (o incluso una dama muy mayor) estuviera demostrando a un visitante tosco la presunta elegancia de una ceremonia del té.

De todos modos, yo no aprobé a Der Alte. A pesar de todas sus dotes, nunca nos había prestado grandes servicios, al menos no tantos como yo había previsto. Durante un tiempo confié en que sería uno de mis mejores clientes. Desde luego no tenía que acabar como un eremita estrafalario y pestilente, con una inmensa reputación de apicultor en un bonito rinconcillo de Austria, un país ya lleno de rincones así. Yo había perdido prestigio ante el Maestro cuando comenté, decenios antes, que consideraba prometedor a aquel joven Magnus, mitad polaco y mitad judío. Por supuesto, en aquella época él era un sátiro con las mujeres. Por lo que a mí respectaba, ahora se había convertido en un cliente que se conformaba con bien poco.

Der Alte tomó su té a sorbitos y Alois lo tomó hirviendo, en tres tragos. Esto permitió que el anfitrión le sirviera enseguida una segunda taza (un reproche muy sutil). Sólo entonces empezaron a hablar del propósito de la visita. Alois comenzó citando a Plinio y Galeno, y después a Carlomagno y a Iván el Terrible. Habló de una forma conmovedora de las aflicciones de los dos grandes soberanos y de la abnegación de Plinio y Galeno, dos genios de la medicina que habían sabido tratar dolencias tan graves a las que otros no encontraban cura. Concedió que no era que él, personalmente, hubiera sufrido dolores inhumanos de gota o reumatismo, pero sí había recibido algunos avisos de que en el futuro podrían acontecer desventuras. Sin embargo, había aprendido mucho en una ocasión concreta en que fue víctima de un ataque sin precedentes, «sólo una vez, pero con tantas picaduras en las rodillas que posteriormente me proporcionaron un alivio notable de los dolores tempranos del reúma. Confieso que habría dado no poco por ser un científico médico, pues entonces habría podido emprender una investigación sobre este asunto. Incluso estoy bastante convencido de que probablemente habría hecho descubrimientos importantes».

–Pues sí –dijo Der Alte–, podría; muy bien podría haberlos hecho. Porque, querido señor, lo que usted entonces creyó que se podía descubrir lo había detectado nada menos que la figura del doctor Likomsky allá por 1864, hace treinta y un años, cuando usted era aún joven, y también podría mencionar a Herr doktor Terc, que puso la guinda en lo que habría podido ser su tesis. ¡Sí! Herr doktor Terc realizó serios estudios químicos sobre la naturaleza del veneno de abeja y sus posibilidades aún sin explotar para esas mismas curaciones valiosas. Si no fuese por los innumerables obstáculos que entorpecen la administración de tratamiento, hoy en día cabría considerar el reumatismo y la gota dolencias del pasado. Seguimos buscando una implantación más precisa de la picadura de la abeja en el cuerpo afectado. Se rumorea que los chinos... –Y, con una mirada enternecedora, destinada a acrecentar el placer mutuo que ya existía entre él y el chico, añadió–: Los chinos que viven en el otro lado de la tierra. ¿Sabes quiénes son? –preguntó.

Adi asintió. Había oído hablar de los chinos en la escuela de una sola aula, durante la hora en que Fräulein Werner enseñaba a la clase de geografía la ubicación concreta de la India y China en el gran continente de Asia.

–Sí, en aquel país remoto y casi mítico, estimado oficial jefe de finanzas Herr Hitler, se dice que hay chinos que emplean el poder de punción que poseen unas agujas afiladas para curar la gota, una solución excelente, a mi entender, ya que el aspecto menos atractivo de mis queridas abejas..., sí; las amamos por su miel, pero no necesariamente por su presteza en picarnos, aun cuando para ello sacrifiquen su vida.

Alois intuyó que haría bien en abandonar aquel tema. El té había dejado en sus orificios nasales un aroma penetrante que, para su sorpresa, era compatible con la orina. Huelga decir que habría preferido un buen trago de cerveza para formular con un tono más enérgico algunos de sus comentarios preparados, pero de momento Der Alte acaparaba la conversación. ¡Y vaya perorata que largó!

–Todavía no puedo empezar a llamarle amigo mío –observó–. Porque no le conozco. Salvo, por supuesto, por su gran reputación. Antecede a esta entrevista la noticia de su muy respetable cargo anterior. Tu padre –le dijo a Adi– está bien considerado por todos, pero... –Y de nuevo se dirigió a Alois–. Aun así, quiero llamarle amigo mío porque siento en mi interior el imperativo de aconsejarle, ya que, oh, debo decir, querido señor, hay muchísimas cosas que aprender sobre las abejas y la apicultura.

Suspiró con un sonido de congoja cuya resonancia era físicamente intimidatoria.

–Permítame señalar que no quisiera de ninguna manera ofender su orgullo.

Se detuvo. Cuando se trataba del orgullo de un hombre, no continuaba sin un *laissez-passer*.

–No, dígame, buen doctor, debe decirme lo que piensa –dijo Alois, con una voz normal (en la medida en que pudo dominarla), pero las aletas de la nariz estaban a punto de temblar. No sabía muy bien si se hallaba en el umbral de un sentimiento de aflicción intolerable o si iba a quitarse un auténtico peso de encima. ¿Cuál podría ser la ofensa a su orgullo?

–Recibida su gentil venia, diría que debo prevenirle sobre su sincero y honorable deseo de practicar las innumerables rarezas de la apicultura. Verá: es una vocación. –Asintió. Se volvió hacia Adi como si el chico fuera un igual más, sí, como si los tres allí sentados tuvieran una similar talla implícita–. Tú, amiguito –dijo Der Alte–. Tú, que pareces tan despierto, ¿lo eres hasta el punto de saber lo que es una vocación?

–No –dijo Adi–, pero quizás sí. Sí. Casi.

–Lo sabes. Lo sabes incluso antes de saber que lo sabes. Es el primer signo de una persona realmente inteligente, ¿no?

La voz de Der Alte vibró en el tierno pozo del estómago de Adi.

–Una vocación –dijo Der Alte– no es algo que haces porque los demás te han dicho que es lo que debes hacer. No es eso. Una vocación no te deja alternativa. Das todo lo que tienes para hacer lo que se ha vuelto importante para ti. La vocación dice: «Sí, tienes que hacerlo.»

–No quiero discutir sus sabias palabras –dijo Alois–. No, no quiero empezar una discusión, pero sin duda es posible cultivar una colmena sin construir un monasterio. Por mi parte, sólo proyecto una inversión modesta para un jubilado como yo.

–Querido señor, no es así y nunca lo será –dijo Der Alte–. Esto se lo puedo prometer a una persona fuerte como usted. Sufrimiento o dicha. No hay término medio. –Asintió con toda la profundidad de los decenios que había continuado presentándose como un doctor grande y sabio–. Herr Hitler, no puedo permitirle que emprenda semejante proyecto hasta que sea plenamente consciente de los riesgos que le esperan, las enfermedades y enemigos mortales que rodean a nuestras delicadas abejas recolectoras. Al fin y al cabo, la miel que hacen es para el mundo natural el equivalente exacto del oro. Muchísimas criaturas de la naturaleza, grandes y pequeñas, envidian la vida de estos notables insectos, que no sólo saben hacer miel sino que se pasan la vida entre esta sustancia embriagadora y dorada. En consecuencia, los odian. Los persiguen y capturan. Voy a hablarle de una especie de araña que es lisa y llanamente una malvada. *Die Krabbenspinne*, se llama. En cuanto encuentra una flor prometedora, se instala muy dentro de su pequeña caverna perfumada. Allí la araña cangrejo aguarda. Yo afirmaría que hasta se siente como en casa. Procede a activar el aroma de la flor removiendo esos benditos pliegues de la corola; pronto, el elixir sofocante de los pétalos encubre el olor hediondo de la araña. ¿Y a continuación? La araña cangrejo aguarda. Cuando la abeja exploradora, nuestra dulce obrera de ovarios subdesarrollados... (¡sólo la reina, como sabemos, está en plena posesión de ese avatar tan misterioso de la existencia hembra!), *ach*, el destino de esas otras hembras es trabajar hasta el final de su breve vida. Pues bien, observemos a la pequeña exploradora. Nuestra abeja huele la fragancia inimitable del cáliz de la flor. Entra a recolectar ávidamente el apetitoso cúmulo de néctar y polen y, en el acto, está perdida. ¡Cruel! ¡Sádicamente! La picadura, en efecto, de la araña cangrejo no

197

mata a la pobre obrera, sino que la paraliza y la deja aturdida e incapaz de salvarse, tras lo cual la araña, sin la más mínima clemencia, empieza a absorber los líquidos vitales y los frágiles componentes viscerales de su víctima. Cuando sólo queda el seco susurro de una cáscara, la araña acomete la tarea de expulsar de la flor los restos de la abeja y, hecho lo cual, se sume en el placer del sueño, sí, un destructor triunfante se duerme saciado, totalmente saciado, en la corola. Y allí anida.

Adi soñaría semanas con la abeja, la flor y más de una chinche maligna. Llegaron otros nuevos. Der Alte continuó describiendo a la abeja lobo, una avispa que atacaba a la abeja apenas se posaba en una flor. La abeja lobo siempre se lanzaba a la garganta.

–Siempre. La abeja tiene la garganta blanda. Y una vez más se queda paralizada. La avispa tiene ya un dominio absoluto. Aplasta el abdomen de su presa para desalojar todo el néctar que guarda en su interior la industriosa obrera. Este néctar exprimido sale por la boca de la abeja y va a parar a las fauces de su asesina. ¿Basta con esto? No. La feroz avispa alza entonces el vuelo con su víctima herida. La transporta paralizada y aplastada hasta un nido especialmente preparado. Allí la deposita al lado de unas seis u ocho abejas capturadas antes y que aún siguen vivas, aunque malheridas. La avispa pone un huevo en esta misma cripta, un huevo solitario que pronto se alimentará de estas abejas vivas pero inmovilizadas. Posteriormente, estas larvas bien alimentadas están listas para transformarse en abejas lobo. Si bien es evidente que los cuerpos de las víctimas sirvieron de nutrientes para su crecimiento, y fueron ingeridos miembro a miembro, ¿cómo pudieron esas abejas vivir lo suficiente para ser devoradas pedazo a pedazo, sorbo a sorbo? Y la respuesta la proporciona nuestro sistema natural, considerado bueno y sabio, que también aquí muestra la astucia del maníaco más despiadado. El veneno que contiene el aguijón de la avispa ha preservado la carne de las abejas paralizadas. Las ha mantenido vivas los días necesarios para que una futura avispa hambrienta se convierta en una abeja lobo.

»He referido estos dos casos excepcionales como vívidos ejemplos de los peligros que acechan a una colonia que espera usted proteger. Hay numerosos enemigos. Una rata que raspa con las zarpas la pared delantera de una colmena hasta que las abejas guardianas salen a ahuyentarla. Estas centinelas-soldados son heroicas, pero inútiles. Se las tragan en masa. Los sapos aguardan debajo para atrapar lo que cae. Otra variedad de araña envuelve en unos capullos a todas las abejas enredadas en su tela. Las hormigas pueden invadir la colmena. He visto colonias en que las abejas se ven obligadas a tolerar a las hormigas y hasta les entregan parte de su territorio para que esas invasoras incansables no ataquen los panales que albergan a la futura progenie. Los ratones son aún peores. En verano saquean los panales para apoderarse de la miel. En invierno se guarecen en el calor de la colmena y después utilizan un rincón u otro para construir un nido. Las centinelas más valientes atacan al intruso y en ocasiones logran expulsarlo gracias a la pura superioridad numérica. No es una empresa imposible. Matan con los aguijones al monstruo invasor. Una victoria gloriosa. Pero ¿qué hacen después con el cuerpo? Para ellas son más grandes que el leviatán. En cuanto el ratón empieza a descomponerse el aire de la colmena se vuelve irrespirable. Entonces las abejas cubren con desinfectante el cadáver putrefacto. Fíjese qué fabulosa pericia. Han logrado fabricar esta sustancia tan útil con polen y unos pocos y selectos brotes verdes. ¿Ha oído hablar de los propóleos?

–Por supuesto –dijo Alois–. También se utilizan para tapar las grietas en las paredes.

Volvió a sentirse complacido consigo mismo.

–Ya veo –dijo Der Alte– que no he conseguido desanimarle.

–Me guío por la ley de los promedios –dijo Alois–. Prefiero pensar en la posibilidad de las ganancias que en los peligros intermitentes que entraña cualquier actividad.

–¿Te asusta la abeja-avispa? –preguntó el viejo al niño.

Adi asintió, pero se apresuró a decir:

–Si mi padre va a hacer esto, yo también.

–Tiene un hijo magnífico –dijo Der Alte.

Fue la primera vez que Alois se mostró dispuesto a convenir en que quizá fuese así. Era muy grato saber que el pequeño Adolf valía para algo más que para mojar la cama. ¿Llegaría algún día a igualar a Alois hijo?

Pero pensar en Alois le recordaba siempre todo lo que aún quedaba por hacer. Se preguntó por qué Der Alte trataba de desalentarle. No tenía sentido. Visto el estado de su choza, el viejo tendría en qué gastar el dinero. ¿Por qué menospreciar el deseo de invertir de un cliente potencial?

Por primera vez sintió como si lo entendiera. Decidió que el eremita le comprendía mejor que otros. «Sabe que soy un hombre que procura conservar su orgullo intacto. No cejo ante la primera advertencia. Así que Der Alte sabe que cuanto más me desanime, tanto más terco será mi proyecto de tener una colonia. En definitiva, cobrará su dinero.»

Alois dirigió al anciano la que consideró que era su sonrisa más amplia y confiada.

–Respeto sus advertencias –dijo–, pero ahora debemos abordar la otra cara de la cuestión. ¿Hablamos de lo que usted hará por mí y de lo que yo haré por usted?

–No todavía –dijo Der Alte–. Si desea seguir siendo un hombre con una pequeña afición modesta, yo, por supuesto, me brindaré a proporcionarle los materiales necesarios. Pero veo en usted, Herr Hitler, si puedo hablarle de un modo más personal, la posibilidad de una auténtica vocación. Así que le propongo otra consideración, un mejor planteamiento. Para aprender mi oficio, hice un aprendizaje que duró tres años, pero que me dio conocimientos avanzados. Lo que le propondría es una relación más de colegas: ¿puedo expresarlo así? Estoy dispuesto a asociarme con usted durante los próximos años, por unos honorarios muy módicos, mientras trabajo en mis colonias. Podría resultar un acuerdo agradable. Aprenderá mucho y yo gozaré el placer de la compañía de un hombre inteligente. Es triste decirlo, pero en todos estos campos verdeantes que rodean nuestro Hafeld, somos los únicos individuos de excepcional inteligencia.

Alois mantuvo una sonrisa en los labios, pero sus ventanillas nasales estaban pagando su propio diezmo. «¿Trabajar unos años contigo, viejo chivo maloliente?», era la frase que no enunció. A fin de cuentas, había que hacer un trato con el viejo embaucador.

Yo, por mi parte, estaba horrorizado. No hay profesional que tenga más deseo de competencia que un demonio. Yo había sido incompetente aquí. Por más que Der Alte fuera un pensionista, yo le había desatendido demasiado tiempo. La soledad que revelaban sus últimas observaciones era como el escalofrío de una casa deshabitada. Qué intenso era el deseo del viejo de volver a ver a Adi. No hay iniciativa osada que esté exenta de giros imprevistos. Puede que una diablura calculada sea nuestro dominio, pero no debería haber semejante indulgencia con un cliente. No si podemos evitarlo. Más que corregirlas, procuramos dirigir las costumbres románticas de nuestro redil. Ningún futuro episodio entre el viejo y el chico sería del agrado del Maestro. ¡Excesivos factores indeterminables!

En este punto, Alois dijo:

–Me honra su interés personal por mí, pero debo explicarle que en mi familia todos somos brutos. Todos nosotros. Hasta nos preciamos de serlo. Así que debo trabajar solo. Es mi modo de ser. Por consiguiente, confío en que disfrutemos de una grata relación comercial.

Der Alte asintió. Él también tenía su orgullo. No repetiría su propuesta.

–Sí –dijo–, haremos unos tratos. Le reuniré un par colonias y le suministraré los utensilios y productos de los que aún no

201

disponga. –Se volvió hacia Adi–. Pronto tu padre estará muy ocupado. ¿Sabes contar hasta mil?

–Sí –dijo Adi–. Lo hacemos en el último curso, y he aprendido.

–Bien. Porque esta primavera tu padre será dueño de muchos, muchos miles de abejas. ¿Te darán miedo? ¿Estás preparado?

–Les tengo miedo –dijo Adolf–, pero también estoy preparado.

–Un chico maravilloso –dijo Der Alte, con una expresión llena de amor. Lágrimas afluyeron a los ojos de Adi. Su madre pronto tendría otro bebé, y de nuevo volvería a ser lo mismo que cuando nació Edmund. No encontraría el amor que buscaba en los ojos de Klara cuando ella le miraba. No durante una temporada.

5

Ahora debo informar al lector de una llamada inesperada del Maestro que me alejó de Alois Hitler y su familia durante cerca de ocho meses. En realidad, me llevó lejos de Austria. Puedo añadir que esta alerta llegó la misma noche, a principios de octubre de 1895, en que Alois concluyó sus negociaciones apícolas. Compró a Der Alte dos colonias de abejas instaladas en sendas cajas Langstroth,[1] junto con diversas herramientas y un número suficiente de tarros de polen y miel con que alimentar durante el invierno a las pobladoras recién adquiridas.

Nada más adquirirlas, Alois transportó las mercancías a la granja. Habría de ser un viaje emocionante para Adi, sentado en

1. Se denomina así a una colmena utilizada en muchas partes del mundo; recibe su nombre de su inventor, el reverendo L. L. Langstroth (1810-1895), el padre de la apicultura norteamericana. *(N. del T.)*

el pescante del carro con su padre, y que aquella noche no pudo dormir pensando en la mañana en que las cajas estuvieran colocadas sobre un banco, a la sombra de un roble situado a unos veinte pasos de la casa.

Si existe alguna curiosidad respecto al precio de aquellas mercancías, no dispongo de método de cálculo fiable para averiguar cuántos dólares americanos actuales serían los kronen de Alois: algunos productos cuestan cien veces más hoy que hace un siglo; otros incrementos son menores. Haré un cálculo aproximado: la pensión de Alois en 1895 puede haber sido el equivalente de sesenta o setenta mil dólares al año en la época actual, y en consecuencia puedo afirmar que los desembolsos le parecieron caros. Lo que le cobró Der Alte podría ser hoy el equivalente de mil dólares. Alois, previendo perfectamente que pagaría demasiado, estaba cansado de negociar con el viejo y se contentó con la pequeña satisfacción de obtener gratis unos pocos utensilios adicionales.

Fue entonces cuando recibí la orden de abandonar a Adi y a los demás miembros de la familia, así como a mis otros clientes en aquella región de Austria. Eran, sin embargo, lo bastante numerosos para que yo tuviera que encargar a tres de mis agentes que me reemplazaran mientras yo viajaba a San Petersburgo con mis mejores ayudantes, todos ellos ansiosos de embarcarse en un nuevo y grandioso proyecto. Asistiríamos a la coronación del zar Nicolás II, prevista para mayo de 1896 en Moscú, una cita para la que aún faltaban muchos meses.

Viaje a San Petersburgo. Por descontado, nada más llegar tuve que ponerme a estudiar el alma rusa de finales del siglo XIX, toda entera: vicios, creencias, armonías y discordancias internas. Una vez en aquel reino eslavo (que está mucho más cerca de Dios y del diablo que ningún otro país por encima del ecuador), permanecí todo el invierno en la capital antes de desplazarme a Moscú una fría mañana de abril, con tiempo suficiente para la coronación de mayo.

Los meses que pasé en San Petersburgo recibí noticias periódicas de Alois, Adi, Klara y Angela. Hubo incluso informes sobre el temperamento del perro, Lutero, y de los caballos, Ulan y Graubart. En todo caso, nada de esto me interesaba mucho, a la vista del acontecimiento ruso que se avecinaba. Obviamente, el Maestro estaba en las primeras fases de organización de una diablura grandiosa e imponente.

Ahora me disculparé, aunque haré lo posible por no repetirlo. (Al fin y al cabo, los buenos lectores no leen ficción para soportar las lamentaciones del autor.) Diré que habiendo leído durante muchos años las mejores y las peores novelas, lo cual, les recuerdo, forma parte de la buena educación de un demonio, sé que ni siquiera un lector leal guarda fidelidad a un autor que abandona su relato para emprender una expedición que manifiestamente no guarda la menor relación con él. Hasta ahora he ahorrado al lector, por consiguiente, toda referencia a otros casos, en especial al mes que pasé en Londres en mayo del 1895, para asistir al juicio de Oscar Wilde, y a que estuve en la sala del tribunal el día en que fue condenado por «sodomía y ultraje a la moral»; desde luego, participé en las deliberaciones del jurado, ya que me habían encomendado que hiciera lo posible para que le condenaran. Es probable que el Maestro quisiera fomentar un virulento sentimiento de martirio entre muchos de los amigos íntimos de Wilde, sobre todo los que eran de buena familia.

6

Aún no he descrito el desorden que planeábamos causar con motivo de la coronación del zar Nicolás II, pero preferiría extenderme un poco más sobre pequeños sucesos y las aventuras secundarias de la familia Hitler en Hafeld durante el tiempo en que estuve ausente. Sólo entonces me sentiré libre de referir nuestras actividades en San Petersburgo y Moscú. Diré que los ocho meses transcurridos desde nuestra partida, en octubre de 1895, hasta mi regreso a Austria, en junio de 1896, tuvieron una importancia personal para Adolf Hitler, y por tanto me siento obligado a contar lo que sucedió durante mi ausencia.

Sin embargo, hay una dificultad. En aquel ínterin, agentes de bajo rango, los tres a los que encargué que supervisaran mi zona de la provincia de la Alta Austria, me transmitieron informes de las diversas experiencias de Alois, Klara y los niños. Dado el alcance de nuestra misión en Rusia, me llevé conmigo, por supuesto, a mis mejores ayudantes. Así que mi conocimiento de lo que estaba ocurriendo en Hafeld tuvo que verse mermado. Los demonios inferiores, como los humanos inferiores, son insensibles al detalle trascendente.

Si bien recabo una buena noción de lo que les está ocurriendo a mis clientes, incluso cuando tengo que confiar en lo que me comunican agentes mediocres, el trabajo pierde tono. No obstante, mi relato no se resentirá gravemente. Mucho antes de partir, logré elevar la percepción de todos mis ayudantes hasta un grado razonable. Lo digo con orgullo. Tenían muy poco que ofrecer la primera vez que comparecieron ante mí. Sin embargo, no tengo un gran afán de explicar nuestro método de reclutamiento. Nos llevaría de inmediato a una cuestión más sacrosanta: ¿cómo llegan a ser demonios? ¿Está ojo avizor el Maligno para humanos superiores predispuestos a trabajar con nosotros o, como sucede más a menudo, se presentan como una prole de humanos rechazados? Como ya he indicado, sobrepasa mi conocimiento el modo en que el D. K. y el Maestro negociaron este arreglo. No puedo decir por qué ni cuándo sucedió, pero yo supondría, según mi experiencia, que el Maestro, en su intento de acceder a un plano de igualdad con el D. K., tuvo que aceptar un buen número de desechos: todas aquellas humanas posibilidades frustradas. A lo largo de los siglos, y hasta quizás de milenios, el Maestro tuvo que asignar una parte muy grande de sus recursos al Tiempo necesario para adiestrar al material averiado que recibimos. Es una dificultad similar a la de formar una orquesta sinfónica con candidatos que todavía tienen que aprender a tocar un instrumento.

No seguiré hablando aquí de estos problemas. Sólo diré que los agentes que dejé en Hafeld hicieron lo que pudieron para informar de los esfuerzos de Alois en la apicultura, pero como no poseían un sentido muy claro de sus contratiempos no siempre pudieron satisfacer mi comprensión de lo que le aconteció a él, a sus abejas, a su mujer y a sus hijos desde el final de 1895 hasta el verano siguiente.

7

A finales de octubre, si yo lo hubiera consentido, mis agentes me habrían abrumado con detalles. Sin que me sorprendiera en absoluto, Alois tenía obsesiones referentes a su nueva empresa.

No tuve tiempo de ocuparme de su caso mientras estuve en Rusia. Como no habían forzado una entrada directa en los pensamientos diurnos de Alois, cosa que, como el lector recordará, se hace muy pocas veces con hombres y mujeres que no son clientes nuestros, mis agentes tuvieron que trabajar por medio de correos rutinarios. En lo que nuestro Maestro llama «el mercado del sueño», la mayoría de los sueños humanos son razonablemente accesibles tanto a los demonios como a los Cachiporras, y de este modo se pueden conocer, en un grado superficial, sus pensamientos despiertos por el sencillo medio de atravesar el aposento nocturno.

También aprendemos mucho gracias al simple recurso de escuchar las charlas de una familia. Llegó, claro está, una abundante información superficial, más que suficiente para ser molesta, porque constituía un retrato parcial. Mis agentes captaron un Alois tan débil como agobiado, pero les faltaba sagacidad para tratar con personas que poseen fuerza pero están siendo observadas durante una época de inquietud. Es fácil comprender a gente más débil que nosotros, pero no lo es tanto captar los auténticos sentimientos de quienes son más fuertes. Se requiere respeto, justamente lo que les faltaba a mis agentes locales.

Como en su vida anterior no habían sido personas de gran talla, tendían a espigar todo lo que en Alois era de segundo orden. En consecuencia, tuve que proceder a descartar materiales muy incorrectamente sopesados. Exhortaría al lector a no olvidar que el chico que más adelante sería Adolf Hitler salió de la infancia con tal padre y madre. De manera que es obvio que haríamos bien en medir la fuerza de Klara y Alois así como, huelga decirlo, sus importantes flaquezas.

Muy bien. He aquí mi crónica depurada, aunque de segunda mano, de las tribulaciones de Alois cuando se estaba convirtiendo en un apicultor.

Su primera preocupación (que me parece cómica, pues se había pasado la vida de uniforme) es que tiene que recordarse continuamente que debe ponerse guantes de un color claro, un amplio sombrero y un velo de apicultor, siempre de una tela blanquísima. Puesto que debe evitar las chaquetas o los pantalones oscuros, como es su atuendo habitual, los primeros días tiene que ocuparse siempre de cambiarse de ropa antes de ir a las colmenas. Sabe demasiado bien que los colores intensos y sombríos irritan a las abejas. Lo sabe por experiencia. Años atrás, en aquella ocasión en que sufrió picaduras graves mientras trabajaba con la pequeña colonia que tenía por entonces en Braunau, cometió el error de invitar a una mujer atractiva a salir con él una tarde de domingo. A manera de ingrediente en su plan de seducción, pensó que demostraría no sólo su competencia con la colmena, sino también su elegancia. Por lo tanto, vestía de arriba abajo un uniforme azul oscuro. Aquel atardecer le picaron tan ferozmente que el recuerdo aún le bulle en la boca del estómago. Sus esperanzas de fornicar quedaron insatisfechas aquel domingo, pues la dama también sufrió picaduras, y nada menos que en la piel al descubierto de su opulento pecho. Sólo se perdió un idilio pasajero, pero el incidente hirió la alta opinión que tenía de sí mismo. Como vemos, sigue pagando ese precio. Vestido de blanco, experimenta ramalazos de miedo. Vivos como cohetes, se le disparan en el estómago cuando se acerca a las colmenas.

En cierta medida, sin embargo, Alois sigue siendo un buen campesino. No ha olvidado que uno debe mantenerse alerta después de cualquier pequeño desastre. De un infortunio inesperado se puede extraer a veces un beneficio imprevisto. Por ejemplo, sus interesantes tesis médicas se vieron estimuladas por el alivio de su reumatismo al día siguiente: las picaduras de abeja parecían ser buenas para las rodillas. Recordaremos que cuando se entrevistaron, Der Alte estuvo de acuerdo.

Esta confirmación pudo haber influido en la decisión de Alois de aceptar el criterio de Der Alte respecto a que las abejas italianas eran superiores a la variedad austriaca. Aun cuando Alois abrigó la sospecha de que Der Alte quizás le estuviera vendiendo una mercancía de la que quería deshacerse, el punto convincente fue que era más fácil manejar a las abejas italianas. Der Alte le aseguró que eran más mansas. Además, aquel precioso tono amarillo, no muy distinto al brillo tenue del mejor calzado de piel, las hacía más hermosas. Alois no pudo por menos de admirar los tres segmentos dorados de su cuerpo, todos ellos realzados por el más vivo reborde negro. ¡Chic! Era la palabra que se te ocurría. La abeja austriaca, en cambio, era gris y peluda. No brillaba como las doradas italianas. Más tarde, Alois sintió como si hubiera sido desleal. Debería haber elegido las «Francisco José», las ancianas.

Agravó su desasosiego que seguía preguntándose si no habría sido mejor esperar a la primavera. Ahora tenía que mantener caliente a la colonia para que no pereciera de frío.

A lo largo del invierno, en consecuencia, tuvo que medir todos los días la temperatura en el interior de la colmena. Pero no podía abrirla más que algunos segundos.

–Por mucha curiosidad que tenga –le había aleccionado Der Alte–, no se le ocurra extraer ninguno de los bastidores móviles para examinar los panales. La corriente fría que podría formarse al levantar la gran tapadera de la caja quizás bajase tanto la temperatura que sus abejas necesitarían horas para volver a calentar la colmena. Un frío así podría diezmar a la población. No corra riesgos, Herr Hitler. Por lo que me ha dicho, hasta ahora sólo ha tenido abejas en junio y julio. Eso está al alcance de cualquier turista. Pero ser el capitán de sus pequeñas huestes a través del aire helado de los meses de invierno que se avecina exige carácter, amigo mío. –Y añadió, como para enriquecer la suposición–: Mi nuevo amigo.

8

Si Alois hubiera comparecido en el banquillo actuando también de juez, habría considerado culpable al acusado. ¿Cómo la jubilación podía debilitar tanto a un hombre fuerte? Había comprado la granja obedeciendo a un impulso y ahora, para doblar semejante apuesta, había comprado dos colmenas en sendas cajas Langstroth. ¿Por qué, tan de repente, se había dedicado a la apicultura durante el invierno? ¿No habría sido también un impulso demasiado rápido? Der Alte tuvo la desfachatez de decirle, cuando Alois se iba: «Pronto verá cuánto trabajo le he ahorrado.»

Lo que Alois se ahorró en trabajo lo gastó en inquietud. Aún no había cumplido los sesenta, maldita sea, le faltaba más de un año, pero tenía una enorme sensación de cansancio ante las nuevas responsabilidades. Las dos cajas pobladas estaban ahora debajo del roble, con cartón alquitranado en la base para arroparla, más cartón encima y el conjunto sujeto con piedras. Dos cajas alojaban a dos poblaciones. Todos los días leía la temperatura de cada una y una vez a la semana las pesaba. Parte del problema era que tenía más preocupaciones que trabajo. Si las colonias parecieran débiles al llegar la primavera, juntaría las dos cajas en una y, de ser necesario, compraría más abejas, incurriría en más gastos, más cosas de Der Alte, que sin duda se olería los pantalones a fuerza de desternillarse a causa del gran y estimado alto funcionario de aduanas Herr Hitler, con sus diez dedos expuestos a picaduras por culpa de lo que no sabía sobre cuestiones apícolas avanzadas. Ya en noviembre, Alois estaba aleccionando a Angela y a Adi, e incluso a Klara, sobre la necesidad que la apicultura tenía de una higiene inmaculada en cuanto llegase el buen tiempo. Por mucho calor que hiciese, bajo ningún concepto debían dejar las colmenas abiertas. Ante todo, no debían verter miel al aire libre. Si lo hacían, tenían que recogerla de inmediato, pues atraería a las abejas, que quizás riñeran por la miel gratuita, la miel fácil, que formaba un charco en el suelo. Si el charco era profundo, podrían ahogarse en masa.

Así pues, el miedo le incitaba a instruir a su familia sobre lo que podría ocurrir o no en verano. Mucho dependía de lo que leyese por la noche sobre cómo cuidar una colmena en invierno.

Construyó una nueva caja que todavía no necesitaba, pero estaba orgulloso de la destreza que requería, aunque no fuese comparable con una caja Langstroth.

Pero esta labor alivió sus cuitas. Se le hinchaba el pecho con una vieja perogrullada: «La buena sangre alemana entiende», le dijo a su mujer, «que la buena fortuna no procede de Dios, sino del duro trabajo.» Con todo, el proverbio no era tan bueno. ¿Por qué no hablar, más bien, de sangre austriaca?

Esta pregunta pronto llegó a importunarle. ¿Una sangre concreta poseía sus propias virtudes? ¿Por qué, en realidad, en-

210

salzar la alemana? ¿Por qué no la austriaca? Tenía un emperador que afrontaba los enormes problemas (con frecuencia estúpidos) de hacer que los checos, los húngaros, los italianos, los polacos, los judíos, los serbios, amén de los gitanos, vivieran en paz bajo un solo imperio Habsburgo. Los alemanes no sabían hacer esto. Los alemanes siempre se estaban peleando. Sin Bismarck no serían nada. Principados minúsculos. El rey Luis I y el rey loco Luis II, dos bávaros chiflados. Y los prusianos eran peores. Tenían un palo metido en el culo. ¿Por qué hablar entonces de buena sangre alemana? «Porque yo sé lo que significa», se dijo a sí mismo.

Lo que significaba era decidir que sabías algo que no sabías. Aunque en cierto modo sí lo sabías. Un bonito enigma. Alois decidió que estaba pensando como un filósofo. No estaba mal para un chico que había sido un campesino. Estuvo tentado de plantear el tema en la taberna de Fischlham, pero al final no lo hizo. Eran unos imbéciles. Le remordía el tiempo que pasaba con ellos. En noviembre, hasta se sorprendió bebiendo allí por la tarde, una prueba, si la necesitaba, de que no había suficiente trabajo. Por este motivo había optado por ausentarse unos días y colgar unas redes cerca de las colmenas para ahuyentar a los pájaros en la primavera. Incluso dudó si visitar a Der Alte, pero el recuerdo de la pestilencia bastó para disuadirle.

No tardó en volver a la taberna. Al menos existía un placer en visitarla. Los imbéciles le consideraban ya un apicultor experto. Podía exponer como sabiduría propia y bien asimilada cada consejo que Der Alte le había dado, más todos los datos valiosos que había espigado de sus lecturas. Alois sería el primero en decir que la sinceridad y la modestia eran virtudes excelentes y debían practicarse en la relación con los superiores. Una mente inferior, sin embargo, siempre quería sentir que estaba escuchando a un sabio. Puesto que él era más accesible para los lugareños que Der Alte, lo sustituyó como experto local. Incluso un granjero fue a verle una tarde de domingo para pedirle consejo sobre cómo empezar. Alois le abrumó de detalles sobre el modo de alimentar a una colmena en invierno.

Esta disertación le hizo sentirse como el tipo estupendo que había sido antes de jubilarse.

–El truco está en dominar la técnica del alimentador especial –le dijo al visitante–. Porque no sólo hay que meter el alimento líquido y tapar la boca del tarro, como acabo de explicar, sino que luego hay que poner el recipiente con la espita boca abajo sobre la cresa que aguarda la nutrición. ¿Me sigue?

Alois veía que no. El visitante dominical no tardó mucho en despedirse, totalmente descorazonado; no era un rival probable, el invierno siguiente.

Mis agentes me contaban muchos de estos nimios episodios. No captaban la hondura de las nuevas inquietudes de Alois. En cuanto la visita se marchó, se sintió tan solo con su proyecto que empezó a preguntarse si alguna plaga afectaría a las colonias.

Pasó una noche leyendo sus libros, pero la desazón persistió. Tenía sueños en los que vivía en una de las cajas, como una abeja más dentro de un grupo sumido en la oscuridad más negra y profunda. ¿Cómo se guiaban las abejas en aquel mundo tan infernal, tan desprovisto de luz?

A la postre, Alois había elevado este sueño al rango de una pesadilla: ahora me interesaba más lo que me transmitían mis agentes. La colmena de Alois se multiplicaba en la oscuridad y después huía de la caja y se alejaba volando. Se perdía para siempre.

¿Perdería la colmena cuando llegase la primavera? Tanteó en la oscuridad buscando a Klara y su mano tropezó con el vientre. Ella estaba muy gorda, a pesar de que no alumbraría hasta enero. ¿Sería un bebé inmenso?

Klara se despertó con la mano marital encima y se habría acurrucado en el brazo de Alois de no ser porque él, en medio de la negrura, sintió la necesidad de hablar de un asunto preocupante. Ella se despabiló enseguida, descontenta.

212

–Espero –dijo Alois– que no hayas hablado con Herr Rostenmeier.

Ella supo al instante lo que venía después. Herr Rostenmeier era el dueño de la tienda rural en Fischlham, donde una vez por semana, los sábados, ella y Angela compraban comestibles que no producía su huerta. A Klara le gustaba Herr Rostenmeier y había empezado a hablar con él sobre la venta de la miel. Alois le había dicho que todavía no negociase nada, porque cabía la posibilidad de que hiciera un trato con Der Alte. Sin embargo, a Klara le complacía pensar que quizás comerciasen con Herr Rostenmeier, en cuyo caso ella actuaría de intermediaria y llevaría un poco de dinero a casa. Los dedos le hormigueaban cada vez que pensaba en una transacción así.

Pero Alois se había inclinado por Der Alte. Ella lo sabía.

–Pensé –dijo en la oscuridad, mientras él le daba unas palmadas en la barriga– que ese hombre no te gustaba nada; sí, me acuerdo que dijiste que tendrías que olerle.

–Estará bien consultarle –dijo Alois, cortante. Seguía envuelto en los zarcillos de la pesadilla.

–Sí, sí –dijo Klara–, pero me dijiste que no te fiabas de Der Alte, ¿verdad? –Estaba al borde del ataque de histeria. ¡Que para esto te arrancaran de un sueño tan agradable!–. Sí, ¿dices que no te fías de él y aun así prefieres tratar con Der Alte que con un hombre honrado como Herr Rostenmeier?

–Klara, te pones así porque estás apurada –le dijo él–. Quizás ya has hablado más de la cuenta con Rostenmeier. Algo que no has mencionado, ¿eh? Un compromiso. Sin consultármelo antes.

–No –dijo ella–, en absoluto. No estoy apurada. No me he comprometido.

Estuvo tentada de añadir: «Pero te diré algo, debo decirte que nunca entenderé lo que piensa una persona como tú.» No obstante, guardó silencio. Él la habría ridiculizado por aquella estupidez. Ella se habría pasado la mitad de la noche explicando aquellas pocas palabras: «Una persona como tú.»

Como era de esperar, Alois optó por acudir a Der Alte. ¿Por qué no? Era un realista, se dijo a sí mismo, y por tanto estaba acostumbrado a los malos olores. En definitiva, uno tenía que tratar de vez en cuando con el diablo. (Mis demonios se rieron por lo bajinis al contarme esto.)

Alois hizo su visita el domingo siguiente y de nuevo se llevó consigo a Adi. Esta vez el chico se fijó en el trayecto. Como sólo era un kilómetro y medio, supo que encontraría la choza recordando las bifurcaciones del camino. Le embargaba al recorrerlo una emoción intranquila. Una congoja tan grande como una barra de pan se le había aposentado en el estómago, pero por encima de aquel peso se sentía muy animado. Sabía que no le diría a su padre que proyectaba visitar a Der Alte otro día y por su cuenta.

«Sí», se decía el chico, «no me dará miedo caminar hasta allí. Pero no de noche, quizás mejor no. De noche hay en el bosque demasiados espíritus.»

La segunda entrevista entre su padre y Der Alte le pareció a Adi mejor incluso que la primera. Si bien al principio hablaron de poner la miel en el mercado y Adi apenas les entendía, una vez cerrado el trato la conversación se volvió interesante. Era porque el viejo no paraba de hablar de los misterios que había en las abejas misteriosas.

–Sí –dijo, con la voz retumbante–. Nunca me canso de contemplar a esas criaturas diminutas, con su miel inmortal y su aguijón que casi también lo es. ¡Cuántas sutilezas hay en la apicultura!

Siguió un parlamento sustancioso. Aunque Alois apenas pudo hablar, no le desagradó en exceso, porque lo utilizaría en Fischlham la noche siguiente. ¡Un regalo para los imbéciles! Adi, por su parte, escuchaba atentamente. Las palabras que no comprendía cobraban vida en su mente gracias a su sonido.

–¿Acaso prestamos suficiente atención a esta obra de la creación? –preguntó Der Alte–. Está tan llena de genio. Esos diablillos nos llegan de la divina y curiosa estética de nuestro Buen Señor: la sabiduría de la naturaleza que se expresa en esta forma tan singular.

Prosiguió su discurso. ¡Bien podía hacerlo! Referencias al ballet de Dios, a la gimnasia de Dios, a Su capacidad de suscitar asombro y un temor reverencial. Der Alte era como muchos de nuestros clientes. Les animamos a alabar a Dios. Al máximo. Siempre.

En realidad, habló tanto tiempo que Alois, una vez más, sintió repugnancia. Había transcurrido un tiempo excesivo sin ejercitar su propia voz. Además, no le gustaba la expresión en la mirada de su hijo. En sus ojos azules, tan parecidos a los de Klara, grandes y vivos. Ahora había veneración en ellos.

Alois consiguió finalmente introducir una cuña.

–¿Por qué no nos lleva a la cocina y le enseña al chico la caja de observación?

Era evidente que Der Alte habría preferido no hacerlo –como Alois había esperado–, pero Adi intervino.

–Oh, por favor, señor –exclamó–, nunca he visto por dentro la casa de las abejas. Llevan ya tanto tiempo en casa con nosotros... –intentó contar deprisa–, siete, no, creo que ocho semanas, y no he visto ninguna. ¿Tengo que esperar hasta el verano? Por favor.

–Primavera –dijo Der Alte–. Es necesario esperar hasta la primavera.

Después, en vista de la decepción que se pintó en la cara del chico, se encogió de hombros.

–De acuerdo –dijo–, pero te prevengo. Es invierno. Son meses en que las abejas están inactivas.

Lo estaban, en efecto. En la cocina, provista tan sólo de un pequeño fogón, un fregadero, una bomba de mano encima y un cubo debajo para recoger los residuos líquidos, también había

215

una mesa. En un extremo había una caja de quizás sesenta centímetros de largo por treinta de alto, con los dos lados del interior cubiertos por cortinas negras. Al descorrerlas aparecieron dos paredes de cristal, separadas por menos de diez centímetros, y un bastidor vertical en el espacio entre ellas, lleno de innumerables celdillas de cera.

Adi quedó decepcionado. Un racimo de cosas pululantes, no más grandes que píldoras oscuras en una botella, trepaban unas sobre otras, sobresaltadas por la luz, un tropel pobre, apretujado, compacto, una turbamulta de lo que aparentaban ser criaturillas blandas y casi tan feas como cucarachas. (Tenían las alas plegadas.) Adi no había sentido una desilusión así desde que vio la cara de homúnculo de Edmund aplastada contra el pecho de Klara.

Aquellas abejas bien podrían haber sido judías brincando en una olla caliente, excepto que las judías no parecían tan nerviosas. ¡Qué manera de vivir más espantosa! Les faltaba el sol, pensó el chico. Estaban arracimadas unas contra otras. Suspiró para no echarse a llorar.

–En este momento –dijo Der Alte– son las más pobres de los pobres, tan sólo animalillos rebozados en un limo que ellos mismos producen. Pero su vida abarcará las extremidades de la existencia. Ahora no hacen nada, pero en verano las verás bailando en el aire, tan maravillosas como gotas de rocío en la temprana luz matutina. Tan intrépidas. Cómo se lucirán cuando entren en los pétalos dorados de los capullos que las están aguardando.

–Escucha, escucha –dijo Alois. A pesar de los aspectos deprimentes, Der Alte tenía estilo. El apestoso tenía al menos eso.

Y Adi estaba pensando: «Estas abejas te pican y te matan.» Tiritó en la cocina del viejo ante el hecho incomprensible de la muerte. Pero en mitad del escalofrío, se sintió tan cercano a Der Alte como a su padre, porque podía escuchar día y noche las palabras portentosas que enunciaban.

—Ven a visitarme —logró susurrarle el viejo antes de que Alois diera la señal de partir.

10

No sé qué poderosa influencia pudo haber ejercido en Adi este último mensaje, pero diré que fue el momento en que más lamenté verme obligado a confiar en mis agentes de Hafeld. No mucho después (¡en Nochebuena, nada menos!), cuando toda la casa dormía, Adi se levantó de la cama, se envolvió en su ropa más caliente y salió a sentarse al pie del roble donde habían sido colocadas las dos cajas Langstroth. Permaneció allí un largo rato, cada vez más frío según pasaba el tiempo. Pero se quedó, y tras haberse situado entre las dos colmenas, no cesaba de abrazar la pared trasera de ambas. Rezaba para que las abejas continuaran viviendo.

Esto me despertó un notable interés. Más de una vez interrogué a mis agentes sobre los pensamientos de Adi que consiguieran espigar, y algo de ello parecía valioso. Aquella noche, Adi había oído a su padre quejarse de que habían rasgado la pantalla que protegía la entrada de la colmena. La entrada era angosta, pero así y todo un ratón podría haberse colado. Alois decidió enseguida que era algo improbable —el agujero no era lo bastante grande—, pero Adi no se quedó convencido. Como su padre había reparado la pantalla aquella tarde, Adi ya no sabía en cuál de las cajas podría haber irrumpido el roedor. Ergo, metió la mano en ambas.

Siendo Nochebuena, el chico se sentía henchido del espíritu conmemorativo de su madre. «En una noche como ésta, hace mil ochocientos noventa y cinco años», dijo Klara, «nació el Hijo de Dios y fue el ser humano más bueno que jamás pisó la tierra. El más encantador, el más dulce. Él te amará si Le amas.»

Adi estaba seguro. Era una noche en que te sentías libre de respirar el aire de la noche, por frío que estuviera. Porque el hijo de Dios estaba presente. ¿Otorgaría a Adi el poder de matar al ratón con la sola fuerza de sus pensamientos?

¿Matar al ratón con la fuerza de sus pensamientos? Yo conocía las limitaciones de mis agentes. No habrían podido concebir tal idea. Provenía de Adi. La idea era suya. Sólo suya. De haber estado presente, yo habría subido la apuesta. Habría podido inducir al chico a que creyese que podía salvar determinadas vidas ejerciendo el poder especial que poseía de destruir otras. Es una de las suposiciones más útiles que podemos implantar en clientes, pero requiere una serie de sueños grabados.

Como no estaba allí, hice lo posible por no cavilar sobre la oportunidad perdida. En San Petersburgo tenía ocupación de sobra. Junto con mis ayudantes, encaraba una considerable oposición a mis actividades. Nunca había encontrado un grupo de Cachiporras tan resueltos como aquella banda rusa. Ni tan brutal. A lo largo de los últimos siglos, los ángeles rusos habían desarrollado una poderosa capacidad de combatir a los muchos demonios que habíamos instalado en iglesias y monasterios ortodoxos rusos. Por lo tanto, aquellos Cachiporras –tan rudos como los más malvados monjes rusos– estaban imbuidos de un celo acusado. En aquellos meses se aprestaban a defender con uñas y dientes la coronación del futuro zar, Nicolás II.

Cuando el Maestro me consultó, cosa que hacía de cuando en cuando, tuve el atrevimiento de decirle que no creía que hubiese muchas posibilidades de perturbar el acontecimiento. Se nos oponían excesivos escollos. Sin embargo, no sería difícil crear un magno desorden pocos días después de la ceremonia.

Había osado expresar lo que pensaba, pero ahora bien: el Maestro no aprecia que sus subordinados más próximos carezcan de opinión. «Dejadme que reflexione sobre los conceptos que algunos de vosotros proporcionan. Para mí son claramente más útiles que el silencio. No consentiré que el temor de equivocaros os deje mentalmente ociosos.»

Punto en boca. Es fácil ver que los asuntos rusos me preocupaban más, al menos temporalmente, que los pequeños sucesos de Hafeld.

De todos modos, me interesaran o no, Klara dio a luz a otro hijo el 21 de enero. El nacimiento no suscitó en Alois una gran alegría. El tan esperado hombre fuerte del futuro aún no había llegado. Una niña ocupaba el lecho materno. Ahora retumbaría para nada el jaleo de alimentar al bebé de noche y de sus gritos de día. Había contado con un vendaval de hijo que endulzase su vejez, sí, que representara una mejora sobre los tres chicos de los que, por ahora, no podía presumir: el revoltoso, el niño de mamá y el mocoso llorica. Por ende, Alois no tenía ganas de festejar el nuevo nacimiento, pero lo hizo, noche tras noche, bastantes seguidas, en la taberna de Fischlham, hasta que la cerveza adquirió un olor tan agrio como la vomitona de un rorro. Había ahora seis habitantes en casa. Serían siete al final de la primavera, cuando Alois hijo regresara de Spital. El alboroto de voces en el bar se estaba volviendo comparable al ruido de la chiquillería en casa.

Mis agentes no sacaron nada de las visitas de Alois a la taberna. Si unos hombres beben en un lugar concurrido, surge la solidaridad entre ellos. Planean impulsados por céfiros etílicos, se instaura un desafío fraternal contra las incursiones de ángeles y demonios, una seguridad de que en ese momento están a la altura de las fuerzas exteriores.

No son buenas condiciones para nuestro trabajo, pero se presentan ocasiones cuando los parroquianos vuelven trastabillando a casa. Entonces es nuestro turno. A veces, indignados por las horas perdidas, los derribamos al suelo. Se lo suelen tomar como una ofensa, es su lamento más característico. «Alguien me ha empujado», gritan a menudo. Nadie les cree, pero ellos saben que es cierto. La cólera les había fustigado entre los omoplatos, aquella furia no era en absoluto de ellos.

11

Al regresar, puede que Alois diera algunos bandazos, pero también se sentía demasiado animado para entrar en casa. Se sentó junto al colmenar y sacó un tubo de caucho que llevaba guardado en el bolsillo. A continuación colocó un cabo contra la pared de una de las cajas y pudo así escuchar el repiqueteo de los moradores en su pequeña ciudad. Era un murmullo bonito, casi una canción, punteada con oleadas de satisfacción. ¿Por qué no iban a estar satisfechas las abejas? Al llegar la mañana, cientos, miles de abejas se agolparían en un enjambre listo para succionar del cedazo que tapaba el tarro de boca ancha y atracarse de agua-miel. Así pues, en aquella hora oscura y gratamente ebria, pensamientos aislados desfilaron por Alois como caballos en fila, un pensamiento a la vez. Intentó contar el número de abejas que habría en la colmena. Por borracho que estuviera, aún era capaz de un cálculo inteligente. Veinte mil, pongamos. Tenía que ser la respuesta correcta. A su pesar, sabiendo que no debía molestar a la abejera, dio un golpe brusco en un lado. Porque así, a través del tubo, oiría el cambio de sonido. ¿Estaban dando la alarma? El murmullo había subido de tono. Como las cuerdas de un violín loco. Después, de nuevo silencio. Suavidad. Como gatos que retraen las zarpas. Que ronronean durmiendo.

Se despabiló durante un largo rato para entrar en la casa y quitarse la camisa y los pantalones. Después se acostó. Pero seguía oyendo el coro. Unos sonidos extraños. Su respiración superó un pequeño titubeo y Alois se sumió en el sueño. Tuvo un pensamiento final tan espléndido como un hermoso caballo en un desfile: era que, desde luego, le gustaban mucho más los himnos de las abejas que los maullidos de un bebé.

Sus sueños, sin embargo, no fueron tan buenos. Había entrado en un interior amplio y cavernoso donde, sin que le asombrara, se encontró en medio de sus abejas. Estaban defecando, lo mismo que él, como una más, sufriendo igual que sus semejantes, que se consumían en las contracciones de una grave dolencia intestinal, todas defecando en los pasillos estrechos de la caja Langstroth: qué sucia escena.

Intentó despertarse. Porque aquello era un sueño. Las abejas saludables no ensuciaban su hábitat (salvo quizás los zánganos peores y más holgazanes); no, él las había escuchado en una colmena y producían un sonido honorable. Aguardarían a que el clima se caldeara para salir.

Pero una vez despierto, tuvo una dolorosa conciencia de todos los excrementos que se habían acumulado en sus colonias en todos aquellos meses. ¿Cómo podían retenerlos las cabronas?

Al día siguiente hizo calor, fue la primera mañana calurosa de un deshielo de febrero, y cuando Alois salió de la casa, vio a sus huestes por doquier, a cientos, a miles, incontables. Soltaban sus cagarrutas por todas partes, a una distancia de quince y, después, de hasta más de treinta metros. Todo alrededor olía como a plátanos maduros, y la nieve era un campo blanco salpicado de innumerables manchas amarillas, en un amplio círculo en torno al asiento de colmena. ¡Ranúnculos en la nieve! Colgados de un tendedero, los pañales de Paula estaban manchados. Qué inmenso diluvio de defecación se había producido. Alois se alejó. Sí, hasta se encontraban puntos amarillos a cien pasos de las colmenas.

Klara se puso tan furiosa como se atrevió a ponerse.

–No me dijiste que tuviera cuidado –le dijo a su marido.

–Qué lástima –dijo él– que tengas que hacer otra vez la colada. Pero ¿por qué disculparse? Al fin y al cabo, es un acto que nos ha asignado ese Buen Dios que tú estás tan segura de que es tuyo.

Ella se marchó. Media hora después, bullendo el agua en

dos ollas enormes, Klara descolgó los pañales y los puso a hervir de nuevo.

Alois no tenía intención de decirle que lo lamentaba. Más bien se alegraba por las abejas. Qué placer mostraban revoloteando. Como era sábado, Adi estaba en los prados cercanos y Alois, en un impulso, decidió llamarle. Que oiga algo interesante.

—Todo el mundo caga —le dijo al chico—. Todos los seres vivos cagan. Es como tiene que ser. Lo que debes recordar es que si no aprendes a deshacerte de la mierda, la mierda te caerá encima. ¿Entendido? Tienes que mantenerte limpio, ¿me oyes? Mira esas abejas. Son maravillosas. Se aguantan todo el invierno. Por nada del mundo manchan la colmena. Nosotros podemos imitarlas. Somos buena gente. Tenemos inmaculado el lugar donde vivimos.

—Pero, padre —dijo Adi—, ¿y Edmund?

—¿Qué le pasa a Edmund?

—Todavía se lo hace en el pantalón.

—Eso no es cosa nuestra, sino de tu madre.

El mismo día, más tarde, Adi recordó la vez que Alois hijo le untó la nariz con un poco de excremento, y bastaba recordarlo para que le entraran ganas de llorar. Todavía se sentía muy humillado y, a la vez, contentísimo. Tampoco pudo reprimir su entusiasmo por el vuelo de limpieza. Aquellas abejas habían estado bailando en el viento. Era porque estaban repletas de caca y se habían liberado. No podía contener la risa. Todo aquello había enfurecido a su madre.

Recordó lo que Angela le había dicho una mañana.

—Tu madre tiene un dicho —dijo—. «*Kinder, Küche, Kirche.*»[1]

Él asintió. Ya lo había oído. Bostezó en la cara de su hermana.

—Oh, crees que ya lo sabes todo —dijo Angela—, pero no. También hay una palabra secreta.

1. En alemán: «Niños, cocina, iglesia.» *(N. del T.)*

222

—¿Quién te la ha dicho? ¿Mi madre?

—No puedo decírtelo. Es secreta.

—¿Quién te la ha dicho?

Ella vio que él estaba a punto de pillar una rabieta.

—Vale, te la digo —dijo—. Sí, me la dijo tu madre, tu querida madre, que me quiere aunque no sea su hija.

—Dímela o grito y me oirá.

—Así eres tú. Así de ruin eres. —Le agarró de la oreja—. Recuerda que me dijo en secreto que el verdadero dicho es: *«Kinder, Küche, Kirche, und...»* —empezó a reírse— *«und Kacke!»*[1]

Él también se echó a reír. Oh, aquellas abejas, peores que bebés. Imaginó el disparate de ver a cada abeja con un pañal puesto, un pañal diminuto. Se estaba riendo tanto que tuvo ganas de orinar, y esto le hizo pensar en Der Alte, que muy a menudo aparecía en sus pensamientos, sobre todo cuando tenía que orinar.

Entonces comprendió que le gustaría visitar al viejo, sí, le apetecía muchísimo.

Al día siguiente, domingo, hizo calor otra vez y él estaba de nuevo al aire libre. Después de que Klara se fuera a la iglesia y mientras Alois dormitaba, Adi empezó a corretear por el prado, como para ahogar el impulso de visitar a Der Alte, pero mentalmente seguía viendo cada bifurcación en el camino del bosque, y sabía que encontraría la choza. El deseo de hacer aquel viaje era tan imperioso como si le arrastraran con una cuerda.

Fue. Y Der Alte, preparado para la visita (gracias al mismo mensaje, naturalmente, que Adi había recibido), se presentó de nuevo en la puerta, pero aún no tenía en la mano la cucharada de miel; no, para eso Adi tuvo que sentarse en sus rodillas.

—Sí, qué buen chico eres —dijo Der Alte—. Puedo quererte

1. En alemán: «¡Y caca!» *(N. del T.)*

como a un nieto, y nunca tendrás miedo de mí. Sí, qué chico tan guapo y tan fuerte eres.

Descansó una mano en el muslo de Adi, pero sólo fue un roce muy suave mientras el chico degustaba la miel.

No tuvo miedo o, si acaso, quizás un poco. En la escuela leían cuentos de hadas y a veces había ogros en el bosque y malos espíritus que transformaban a los niños en cerdos o cabras. Sin embargo, no parecía tan peligroso sentarse en las piernas de Der Alte. Era mejor que en las rodillas de su padre. Nunca sabía cuándo su padre le soplaría en la cara el humo de la pipa.

Y en realidad se quedó donde estaba un rato largo después de haber terminado la cucharada de miel, y se sintió a gusto con la mano del viejo posada en su rodilla.

Con todo, empezó a sentirse menos cómodo cuando hubo transcurrido casi una hora. ¿Se preguntaría su padre dónde estaba? Se removió y entonces Der Alte dijo unas palabras que suscitaron la misma sensación de sorpresa que cuando al pasar una página de un libro te encuentras delante un bonito dibujo.

—No se lo digas a nadie —dijo Der Alte—, pero estoy intentando hacer muy feliz a una abeja. La he escogido para que viva a mi lado. Te lo contaré. La tengo en la cocina.

—¿Intenta hablar?

—Produce sonidos. ¡Desde luego! —Der Alte sonrió—. Pero no, querido chico, no intento animarla a que hable nuestro lenguaje. Eso es pedir mucho. Sólo procuro hacerla feliz. Que no es tan fácil. Porque ahora que la he elegido, tiene que vivir sola en una cajita de princesa que utilizo, aunque no es una reina.

—Mi padre dice que las abejas sólo viven para las otras abejas. Se... —se esforzó en recordar el verbo— entregan a la comunidad.

—Tu padre está en lo cierto. Sí. Las abejas viven en una colmena. No quieren vivir solas.

—¿Aunque les den de comer continuamente cosas ricas?

—Eres el chico más inteligente que conozco. Tienes mucho

entendimiento. Quise ver qué sucedía si elegía una abeja, la guardaba abrigada y muy bien alimentada y pensaba en ella a todas horas con el mejor sentimiento que hay en mi corazón. Así que me preocupo de hablarle cuando voy al otro cuarto. Y voy veinte veces al día. Ella no comprende lo que le digo. Pero quiero que sepa que pienso en ella. A veces incluso la saco de la caja.

–¿Y no se va volando?

–Oh, no, yo evito esa posibilidad. –Tocó con ternura la cabeza del chico–. Cuando la saco de la cajita, da saltos alrededor, se pone muy contenta, pero sabe que no debe intentar volar.

–¿No tiene alas?

Hubo una pausa.

–Ya no tiene alas.

Adi lo sabía. No hacía falta preguntar. Sus sentimientos más gratos trataban de prevalecer sobre los aciagos. Pidió que le enseñara a la abeja.

Era pequeña y retozona, y dio brincos de emoción cuando Der Alte abrió la caja. De hecho, saltó a la yema del dedo del viejo, que él previamente había untado de miel.

–No sé si ocurrirán muchas más cosas –dijo Der Alte–. Es un propósito difícil, y veo pocas posibilidades de éxito. Pero sería maravilloso despertar los sentimientos de esta pequeña criatura. ¿Puedo elevarla a un nivel que sus hermanas no alcanzan? Le tengo cariño. Está tan sola. Añora el enjambre. Es la viva imagen de la soledad. Pero trato de aportarle la dulzura del alivio. Que llega cuando el compañerismo sustituye a una soledad terrible. Sí –asintió con la cabeza.

–Oh –dijo Adi–, espero que lo consiga. Es muy triste estar solo. A veces yo también me siento solo. Pero temo por esta abeja. ¿Morirá?

–Tarde o temprano lo hará. Morirá. Pero me gustaría ver si puedo hacerla feliz un rato.

–Sí –dijo Adi–, comprendo. Usted la ama.

–Quizás –dijo Der Alte. Suspiró–. La próxima vez que vengas, veremos si he progresado.

¿Estaba Der Alte entrando en la senilidad? ¡No! La estrafalaria búsqueda del «bienestar» de una abeja aislada, una estupidez obvia –sobre todo después de haber perdido las alas–, al Maestro no le parecía inútil. Los experimentos más descabellados revelan muchas cosas. Los bichos raros son una fuente de información.

Al menos hubo un resultado patente. Nuestra alada encarnación de la soledad murió antes de que Adi volviera. Lo cual también viene al pelo: en la visita siguiente del chico, Der Alte y Adi derramaron lágrimas y se sintieron más próximos que nunca. Faltaría más. Der Alte había decorado una caja de cerillas para que sirviera de ataúd a la abeja, y el viejo y el niño la depositaron en un hoyo pequeño y lo cubrieron con una cucharada de tierra.

12

A principios de marzo, hubo una semana en Hafeld en que el sol lució todos los días. En las colmenas resurgió el movimiento, y salieron a explorar las más resistentes de las abejas de invierno. Era probable que la reina estuviera poniendo huevos fecundados por la provisión de semen bien almacenado de los acoplamientos consumados en el aire el verano anterior. Una de las colmenas empezó a pesar más cada día. Alois se preocupó. La otra debería hacer lo mismo.

Decidió abrir la tapa de las dos cajas Langstroth y mirar dentro. De este modo descubrió exactamente lo que se había temido. Aunque las dos colonias habían ocupado el mismo emplazamiento durante el invierno, sólo una estaba prosperando y no se podía considerar sana a la otra. Mientras que en la plataforma inferior de la caja buena yacían unas pocas abejas muertas, un montículo de carcasas minúsculas tapizaba el suelo de la otra.

Justo antes del lapso caluroso, Alois había oído, por medio del tubo de caucho, muchos zumbidos de agitación en la segunda colonia. Se inquietó. Destapada la caja, numerosos panales aparecieron vacíos. ¿Habría muerto la reina? Realmente no sabía dónde localizarla: al fin y al cabo, sólo era un poquito más grande que las obreras, y más pequeña que los zánganos.

Se habría desalentado, pero su perspicacia también se había visto confirmada. No se había preocupado en vano. Era como si una enfermedad terrible hubiera arrasado la colmena.

Resolvió, por tanto, que había que gasear a las supervivientes de la colonia enferma. Había que proteger a la sana. A punto estuvo incluso de solicitar la ayuda de Der Alte, pero al final se abstuvo. Sus cuitas del invierno entero habían generado una clase especial de fortaleza.

Eligió un sábado. Adi y Angela, al volver de la escuela, fueron sus ayudantes y el proceso fue sencillo. Cogió una bolita de azufre, parte de los materiales que había comprado cinco meses antes, la prendió y dejó que humeara en el suelo en la colmena mala. Obstruyeron la entrada, volvieron a colocar la tapa y el gas actuó rápidamente. Angela empezó a llorar por la muerte de las pobres abejas y su padre le ordenó que entrara en casa. Pero Adi se quedó mirando, sentado al lado de Alois en el banco contiguo, con los ojos atentos a la lección del padre.

—Tu hermana mayor es tonta —dijo—. ¡Llevarse ese disgusto! En la naturaleza no hay piedad para los débiles.

—A mí no me impresiona —dijo Adi.

—Bien —dijo Alois—. Ahora vamos a vaciar esta caja y a limpiar los panales.

Adi se puso a pensar en la abeja solitaria de Der Alte, muerta ya, y las lágrimas afluyeron a sus ojos.

Pero, por supuesto, no era comparable. Pestañeó para reprimir el llanto. Der Alte había amado a su abejita, pero las enfermas de aquella colmena la ensuciaban cuando comían y dormían. No había comparación.

Aquella noche, atendiendo a una sugerencia del Maestro, preparé la instilación de un sueñecito lo bastante simple para que lo implantara el mejor de mis agentes locales en Hafeld. Era un sueño repetitivo en que el padre le pedía a Adi que contase todas y cada una de las abejas muertas. Para cerciorarse de que el cómputo era exacto, le dijo a Adi que las colocase en filas de cien cadáveres cada una: un sueño tedioso para ser verdadero. De todas formas, Adi se enorgulleció del gran número que logró contar. Formó cuarenta hileras de cien abejas, todas depositadas sobre un inmaculado paño blanco. Hasta entonces no se había percatado de que sabía contar hasta cuatro mil. Nadie en su clase llegaba a tanto. Su única pesadumbre fue que no había terminado el sueño. Había más montones de abejas que contar.

Aquí advertiré al lector de que no saque excesivas conclusiones del gaseo ni del recuento de víctimas. No hay que entenderlos como la causa única de todo lo que sucedió después. Pues la grabación de un sueño, por habilidosa que sea, sólo deja un puntito en la psique, una huella que anticipa una secuencia de desarrollos futuros que pueden acontecer o no en decenios venideros. La mayoría de los sueños implantados no se diferencian de esos cimientos abandonados que se ven en las afueras de ciudades del Tercer Mundo. Los dejan desmoronarse por falta de fondos, y allí se quedan como excavaciones en un campo escuálido.

Sería un craso error, por ende, presuponer que aquel sueño determinó todo lo que seguiría. Les aseguro que yo sería el primero en aplaudir si las cosas fueran tan sencillas.

13

La colmena buena era otro cantar. Medraba. El peso de la colonia crecía cada semana y los panales empezaban a llenarse.

Alois había aprendido en sus libros que las obreras sólo tapaban con cera las celdas diminutas cuando la proporción de agua en la miel se había reducido a menos del veinte por ciento. Para eliminar el agua superficial, las abejas tenían que abanicar con sus alas durante horas al día. A Alois le embriagaba otra vez la entrega de aquellas criaturas recién nacidas a unas tareas que no tenían fin. Para colmar su estado de ánimo, la primera miel ya estaba hecha y las obreras tapaban las celdas: ¡justo lo que tenían que hacer!

Vestido con su ropa blanca y el gran velo cuadrado y también blanco encima de la cabeza, y protegido por guantes, Alois empezó a sentir que adquiría un poco de auténtica técnica. A fin de cuentas, no era tan fácil sacar los panales para examinarlos y reponerlos en su sitio. Por descontado, no quería cometer la torpeza de aplastar a la reina. De hecho, el aplomo que le insuflaron estos logros le indujo a visitar a Der Alte el tiempo necesario para comprarle una reina nueva que sustituyera a la que había muerto gaseada en la otra caja Langstroth.

Der Alte incluso le dio una lección sobre cómo identificar a una abeja activa. No era muy difícil cuando estaba poniendo sus huevos en celdas vacías, porque entonces la seguía una comitiva que empollaba cada huevo puesto hasta liberar sus propios enzimas sobre la larva. «Fortalecedores mágicos», dijo Der Alte.

Alois tuvo que someterse a la lección pero volvió no con una, sino con dos reinas (las dos fecundadas el año anterior). Una establecería una colonia en la caja que había sido fumigada, y la otra podría instalarla en la caja que Alois había construido el pasado otoño. Algunos de los panales de crías nuevas, junto con otros de miel nueva, serían transferidos a las dos cajas vacías. De este modo, las tres estarían parcialmente llenas y habría espacio para que cada colonia construyese celdas de cera para sus nuevas larvas, así como otras celdas para almacenar la miel nueva. Si bien Alois había perdido una colonia gaseada, pronto podría considerarse dueño de tres, todas florecientes:

¿sería posible? Claro que había tenido que hacer un notable dispendio con la esperanza de obtener aquel éxito.

Con todo, sentía un optimismo cauteloso. Había llegado abril. Brotaban las flores, estaban en flor los nogales, los robles, los ciruelos, las hayas y los cerezos, los arces y los manzanos. Habría infinidad de flores en el prado.

Le gustaba sentarse junto a sus colmenas con Adi a su lado, el chico con su velo y meticulosamente protegido por el atuendo que le había confeccionado Klara. Padre e hijo se recreaban ahora en montar guardia a la entrada de cada colmena, donde se apostaban las abejas centinelas. Antes de permitirle el acceso, olfateaban a fondo a cada exploradora que volvía cargada de miel y polen. Algunas veces, Adi armaba bulla porque la guardiana ahuyentaba a una recién llegada. «Mira, padre», decía. «Ésa no huele bien.»

Sin embargo, a pesar de todas aquellas riquezas en ciernes, Alois seguía alimentando con miel a las colonias. «Es para que hagan más miel todavía», le dijo al chico. En cada una de las tres colmenas había cinco bandejas llenas de panales. Y tres reinas trabajaban en tres cajas separadas para depositar sus huevos en celdas, mientras las exploradoras realizaban misiones volantes de la mañana a la noche. Cada una volvía con su cargamento cada pocos minutos y se marchaba volando. Alois había leído que se necesitaban cuarenta mil incursiones semejantes para acumular algo menos de un kilo de miel.

En ocasiones miraba a las veteranas que habían sobrevivido al invierno en la caja sana. Ahora eran reliquias maltrechas, con las alas raídas. Gastado por el uso excesivo, el pelo había desaparecido de sus cuerpos. Estaban expirando. Todas las mañanas, un equipo de obreras recién nacidas recogía los cuerpos que hubiesen caído en el suelo de la caja y los expulsaba de la entrada custodiada por las centinelas y después de la rampa. Alois apenas lamentaba su pérdida. Una estirpe joven ocupaba su lugar. Era como si por fin hubiese conseguido poner en marcha una empresa apícola. Las abejas nuevas no serían de Der Alte, sino suyas. No se paró a considerar que sus tres reinas habían sido fertilizadas el año anterior y por ende, en este sentido, eran hijas de Der Alte.

14

Una espléndida mañana de mayo, en que sendos enjambres de las tres colonias revoloteaban, Alois empezó a discernir una pauta en el vuelo de una abeja. La exploradora –o lo que fuese– dibujaba continuos ochos en el aire.

«Está haciendo señales a las demás», se dijo Alois. «Intenta enseñarles algo.»

Sabía que su observación era correcta, porque un gran número de abejas se había reunido con la primera, y todas volaron hacia el lindero del prado. En el otro lado de la cuesta, como Alois había descubierto en su paseo, de la noche a la mañana habían brotado flores silvestres. La abeja a la que había observado era en efecto una exploradora.

Entonces resurgió un anhelo antiguo. Si había algo que Alois siempre había querido de la vida (incluso más que una nueva mujer) era descubrir un concepto nuevo. Soñaba con descubrir algo tan sorprendente y valioso que su nombre fuera rememorado a través del tiempo.

El deseo aún moraba en él. Le infundió una felicidad notable pensar que acababa de descubrir un concepto nuevo. ¡Y no utilizando nada más que los ojos! Había visto lo que llamaría la señal de una abeja. Juraría que allí arriba había una abeja que trataba de incitar a las demás a que volasen a un sitio donde las flores rebosaban de néctar. En ninguno de los libros que había leído se hacía la menor mención de aquel pequeño baile, de aquella señalización aérea. Temió doblemente comunicárselo a Der Alte: de entrada porque, que él supiera, quizás ya existiese un concepto establecido entre los apicultores entendidos; y si, por el contrario, resultaba ser una noción flamante, ¿no sabría Der Alte mejor que él dónde publicar la observación?

Sin embargo, aún tenía que aprender cómo localizar a la reina y resolvió, pese a todo, visitar al viejo. El hombre era mañoso. Había que reconocerlo. Der Alte abrió una colmena, inspeccionó las rejillas, encontró a la reina, introdujo la mano desnuda y con el pulgar y el índice la agarró de las alas con mucho cuidado y delicadeza.

–Dentro de pocos años –dijo–, usted también usará este método de captura, pero por ahora le enseñaré otro más seguro.

Por supuesto, se puso a disertar sobre todos los modos y maneras de averiguar dónde podría estar la criatura, si poniendo huevos, si fertilizándolos uno detrás de otro en sus celdas nuevas, o incluso, descansando en su corte.

–Una vez localizada, es fácil capturar a la dama –dijo Der Alte.

–Según tengo entendido, es algo sumamente necesario para cuando quiera recoger la miel –dijo Alois.

–Exactamente –dijo Der Alte–. Es un momento en que uno mueve muchos bastidores y raspa la cera que cubre las celdillas de miel. Un movimiento torpe puede aplastarla. –Para disgusto de Alois, el viejo le hizo un gesto de aviso con el dedo–. O sea que no buscamos la miel primero, no, sino que localizamos a la reina como buenos chicos y después utilizamos este artilugio. –Sacó un tubo de cristal con un cúpula cóncava en un extremo–. Esto es lo que se le pone encima –dijo–, y luego cuelas debajo una pequeña jaula –levantó un minúsculo recipiente plano, de cinco centímetros de largo– y metes dentro a la reina, ¡plaf! Ya está a salvo. Se quedará en la jaula hasta después de retirar la miel.

Podemos estar seguros de que Alois practicó la captura de la reina. De hecho, pasó toda una tarde apresando y soltando a cada una de las tres beldades: las buscaba, colocaba con sumo cuidado sobre una u otra el tubo con forma de cúpula y la enviaba de un soplo directamente a la pequeña jaula.

232

Al realizar una y otra vez esta tarea, llegó a la conclusión de que lo que aquella mañana había captado en el baile de una abeja difícilmente sería un secreto para alguien tan experto como Der Alte: de nuevo tendría que renunciar a un hermoso sueño; no le recordarían como a un descubridor.

15

El final del tiempo caluroso también menguó el optimismo de Alois. Llegó una racha fría, cruel para las expectativas que había despertado una precoz primavera. Alois se hizo a la idea de que aquel frío extemporáneo le privaría de todos sus progresos.

Recordó un viejo axioma. Johann Nepomuk solía decir: «La primavera es la estación más traicionera.»

Así que hubo días en que estuvo cerca del agotamiento, a fuerza de tanto ir y venir quitando cartón alquitranado de encima de cada colmena para volverlo a poner si la luz se atenuaba al mediodía en el cielo. Poco después, tenía que retirar el cartón a toda prisa porque el sol había vuelto a salir y el día era de nuevo caluroso.

Pilló un resfriado durante una racha de frío casi glacial. Lo cual le produjo una inquietud concomitante. ¿Era imposible que alguna de sus reinas se resfriara también? ¿Por simpatía con el cacique? Se reprendió él mismo. ¡Qué insensatez!

Entonces dio en pensar que la reaparición de sus temores quizás no fuese tan tonta. ¿Y si fuera un reflejo de lo que sentía sobre el estado de su auténtica salud? ¿Se acercaba su fin? Era el peor pensamiento posible. Su imaginación abordó un asunto que nunca se había permitido plantear. A lo largo de los años, hasta donde recordaba, no había sentido la amenaza de la muerte. Un fin insulso de una buena vida, quizás, pero nada relacionado con el infierno.

Ahora, sin embargo, las malditas preguntas se sucedían una tras otra. ¿Y si la muerte no era como había supuesto? Había estado convencido de que una excelente razón práctica justificaba la existencia de la religión. No podía ser más simple: había que mantener a raya a los débiles y a los rebeldes. Pero un hombre orgulloso (como él) podía hacer lo que se le antojara.

Sentía ahora otra clase de pánico. Su corazón dio un brinco al pensarlo, un brinco aterrador, como si le hubieran aporreado el pecho. ¿La culpa era real?

Pobre Alois. Estaba indefenso. Ningún Cachiporra se molestaría en protegerle. Yo podría gozar el placer comprobado de aparecerme a él en un sueño. Podría suplantar a un ángel de la guarda. Ni siquiera tenía que estar presente. Sería facilísimo que lo llevaran a cabo mis tres mejores agentes.

Pero ¿con qué objeto? ¿Valdría Alois el mantenimiento?

El hecho escueto, que hacemos bien en no pasar por alto, es que las personas de la edad de Alois rara vez valen la pena. Su utilidad es limitada. Su naturaleza demasiado rígida cuesta moldearla, y flexibilidad es lo que buscamos en prometedores clientes nuevos. Lo ideal es reorientar sus aspiraciones con las nuestras.

En las raras ocasiones en que elegimos a un hombre o una mujer de más de cincuenta años, buscamos en su estructura psíquica un contorno que nos sirva para un propósito específico. Un ejemplo son las irritaciones repetitivas. Una anciana obtusa que no para de preguntar a todo el mundo si quieren comer algo cuando sabe que no quieren desquicia a una buena familia. La desasosiega la tentación cada vez más apremiante de asfixiar a la anciana con la almohada más próxima.

Alois, sin embargo, era un producto humano de lo más común. No había mucha necesidad de reclutarle. Bastaba un seguimiento rutinario. Que mis agentes sobrevolaran sus sueños.

16

A principios de mayo volvió el calor y cesaron muchas tribulaciones de Alois. En parte había recuperado el buen ánimo limpiando y engrasando los utensilios que le había comprado en otoño a Der Alte, y realizó esta tarea de un modo muy similar a como un buen soldado desmonta su fusil para engrasarlo y después vuelve a montarlo.

Mis agentes de Hafeld, como no había mucho de que informar, llenaban sus últimos comunicados con listas de herramientas, y lo hacían con tanta frecuencia que me tenían harto sus enumeraciones de comederos de polen, jaulas de incubar, ahumadores de abejas, un rociador de agua, una caja de acoplamiento (fuera lo que fuese) y hasta un removedor de miel hecho por el propio Alois con madera de haya. Y también había un incrustador de rueda dentada para preparar la base de los bastidores insertables: un montón de chismes que no me interesaban nada.

Klara, en cambio, sabía cómo sacarle más partido a la primavera en Hafeld. No siempre estaba contando cuántos nidos había llenos de pupas nuevas, ni se preocupaba por la temperatura en el interior de las colmenas. Ahora que una segunda ola de sol y aire ondulante había mejorado el clima, se dispuso a aflojar algunos de los nudos que aquel invierno le habían anquilosado los miembros. «Dios también está descansando», se dijo, mientras aspiraba una bocanada de aire por la ventana abierta de la cocina, y luego, obedeciendo a un impulso, a pesar de que había mucho que hacer en la casa, cogió a Paula, que tenía cuatro meses, y salió con ella al prado. Reinaba el más encantador de los silencios, una ausencia absoluta de sonidos, un silencio que absorbía hasta la más ligera caricia del aire. Era como si oyese el balanceo de la hierba alta en el campo, y casi las reverencias de las flores. Era como si la suma de aquellas sensaciones tiernas apoyara el silencio de las colinas. «Escucha esta quietud», le dijo a Paula. «Escucha, angelito, y oirás el susurro de las flores.» Fue como si los pétalos más próximos hubieran oído lo que había dicho, porque en efecto empezaron a inclinarse hacia ella, las margaritas más alegres que había visto en su vida.

Se arrodilló en la hierba, con la niña en brazos, y les habló. «Todas sois preciosas», dijo, y sí, no era una ilusión, las flores se movían para ella. «Sí, Paula», dijo, «a estas flores les gustamos tú y yo porque las queremos, ¿verdad, pequeñuelas?» Estaba convencida de que la habían oído y de que hicieron otra delicada reverencia. «Sí, son señoritas», le dijo a Paula, y no pudo por menos de reírse al pensar –¿no era una pura locura?– que las margaritas no sólo le eran queridas, sino que la querían a ella. «Oh, qué tontísima soy», dijo en voz alta. Pero no podía evitarlo. Seguía creyendo que aquellos pétalos blancos le estaban escuchando. El aire balsámico era como amor, sí, exactamente como el amor que sentía por el bebé de cuatro meses en sus brazos. Klara estaba recuperando su cuerpo, o al menos tenía esta sensación. El viejo cuerpo abultado, herido, magullado y estúpido de todos aquellos meses de invierno después de que Paula hubiera nacido, ahora le parecía ablandado por el comienzo de una recuperación auténtica. Se dijo que era primavera y que la propia naturaleza se había puesto festiva. ¿Podía ser de otro modo? En cada bocanada había una gran fragancia. Dios estaba cerca y estaba en el aire, el buen Dios esplendoroso. Pero el aire estaba en paz. ¿Estaría Dios descansando en sus laureles? Se lo merecía. Lo merecía con creces. Quiso rezarle pero no supo cómo, puesto que en aquel momento no quería pedir nada, sólo alabarle por su gran bondad, lo cual era mejor hacerlo en la iglesia. Allí los demás harían lo mismo que ella y se entendería como un acto humilde, no vanidoso, mientras que en el prado estaba sola con Paula y las flores, y rebosante de felicidad. En efecto, pensaba en todos los niños y niñas de su infancia y en aquellas ocasiones insólitas en que retozaban y jugaban igual que aquellas dulces abejas locas que revoloteaban alrededor de la casa, eufóricas por estar al sol después de haber vivido todo el invierno en una mazmorra, locas de júbilo ahora que podían dar volatines aéreos, libres por un rato de todas sus obligaciones y tareas. En realidad, como Paula, eran nuevas bajo el sol.

Y Klara pensó en los años venideros en que Paula jugaría, y esta idea la llenó de amor por el pequeño Edmund, que era tan amable con el bebé, el único de los niños que lo era. Angela no le hacía demasiado caso (aunque era una chica cumplidora), y Adi era un problema: una vez le había visto pellizcar a Paula en un carrillo lo bastante fuerte para hacerla llorar. Klara le había dado un azote, una palmada seca en las posaderas, pero en adelante se lo pensaría antes de pegarle de aquel modo, porque ¿quién lo diría? Él le había mirado fijamente: el príncipe de príncipes, una mirada tan intensa que ella tuvo que emplear toda la fuerza en sus ojos para que él la bajara.

Era un día demasiado hermoso para pensar en aquel momento aciago –tan penoso había sido–; no, prefería dar gracias a Dios por haberle dado un bebé tan dulce, una hija que ella sabía que llegaría a ser su querida y preciosa amiga íntima. Y hasta se lo dijo en voz alta a Paula: «Que los ángeles me oigan», le susurró a su niña antes de volverse hacia la casa y sus quehaceres.

Libro VIII

La coronación de Nicolás II

1

Si ahora quiero interrumpir mi relato con mi traslado a Rusia, le recuerdo al lector que yo también soy un protagonista. Puesto que seguiré siendo el guía de Adolf Hitler durante decenios, su evolución futura dependerá en gran medida de la mía propia, y puedo asegurar que los ocho meses que viví en Rusia, desde finales de 1895 hasta principios del verano de 1896, representaron un elemento primordial en mi desarrollo como un alto demonio. Posteriormente fui mucho más capaz de prever el desenlace de grandes acontecimientos, un instinto que sólo los demonios más altos desarrollan. Huelga añadir que el Hitler de la década de 1930 había desarrollado similares talentos. Lo que aprendí sobre los grandes duques rusos durante mi estancia de ocho meses resultó aplicable a mi conocimiento subsiguiente de los magnates alemanes. Aunque estos caballeros suelen ser más poderosos en la práctica que las figuras reales, manifiestan un narcisismo idéntico, y las dotes desarrolladas de Adolf supieron, cuando fue necesario, halagar su vanidad.

También aprendí a manipular la voluntad del pueblo. Hablo de la voluntad ciega del pueblo. Cuando se le incita convenientemente, la gente se apresura a ingresar en las filas de los locos. No hace falta discutir si esto fue de utilidad para Adolf.

Aprendí mucho asimismo sobre la fuerza de Dios y su debilidad creciente. En 1942 hubo que tomar la decisión de si activar o no las cámaras de gas en los campos de concentración: una iniciativa sobrecogedora, incluso para Himmler y las SS, pero Adolf estaba preparado. Dios no tenía medios para castigarle. Y Adolf lo vio.

Si hay lectores que aún digan: «Preferiría seguir lo que sucede en Hafeld», tengo una respuesta. «Están en su derecho», les digo. Pasen a la página 291. La historia de Adolf Hitler se reanuda allí.

2

La belleza del día de primavera en que Klara se sintió tan feliz con Paula en brazos coincidió (incluso en la hora) con la coronación de Nicolás II. El mismo calor estival temprano impregnaba el aire moscovita. Aun después de mi regreso a Hafeld en junio, el buen tiempo persistió en gran parte de Europa, y aquellos largos días soleados fueron compatibles con mis recuerdos de la coronación y los días posteriores.

Como he dicho, fui el único que sugirió al Maestro que era improbable que tuviera éxito cualquier ataque directo que organizáramos en la ceremonia regia. Por supuesto, podíamos provocar muchos episodios. En ningún lugar de Europa disponíamos de tantos agentes y clientes como en Rusia. Algunos eran de alto rango. Poseíamos más de un gran duque y duquesa entre las varias ramas de la familia real. Infestábamos la Ojrana. Sin duda teníamos más agentes secretos en aquella policía secreta que los Cachiporras. También teníamos ministros del gobierno que nos eran tan leales como perros babeando por su pienso. Estábamos bien implantados entre las familias reales de toda Europa, por no mencionar la nobleza y los generales. Nuevos ricos se nos ofrecían como putas callejeras. Los magnates se contaban entre nuestros clientes más protegidos y valiosos. Asimismo teníamos nuestra cuota de anarquistas, nihilistas y terroristas. Por consiguiente, a la hora de recurrir a estos actores, sabíamos que, si aceptábamos el coste, provocaríamos un trastorno grave el día de la coronación.

Sin embargo, yo me oponía a estas operaciones. Aquel día, los Cachiporras estarían esperando nuestro ataque y nuestras pérdidas podrían ser cuantiosas. Por eso propuse que lo pospusiéramos hasta la feria campesina, cuya celebración estaba prevista cuatro días más tarde. Cuando el Maestro aceptó mi propuesta, una pesadumbre nubló mi contento. ¿Y si me equivocaba? ¿Había empezado a asimilar las proporciones monumentales de Rusia? Nunca había sentido tan directamente la presencia del D. K. Era evidente: ¡Dios quería que la coronación fuese un éxito! Esto pesaba sobre mi juicio con todo el peso de un hecho escueto: era una piedra demasiado pesada, y por ello persistía una gran parte de mi temor. ¿Cómo explicar el enorme compromiso de Dios con aquella ceremonia?

En años anteriores, el Señor había invertido en una serie de causas y de pueblos rusos. Había prestado atención a monárquicos y a republicanos, a los aristócratas más establecidos y a revolucionarios dispuestos a morir por el honor de derrocar a aquellos caciques. A este respecto, no se olvidaba del Papa ni del Vaticano (¡ni nosotros tampoco!). Prestaba oído a los llamamientos de libertad y a las demandas de autocracia. Como el Maestro observó una vez: «No es difícil oír las elucubraciones de su mente: "Puedo cometer errores", dice, "pero presto atención a quien gana. Es la mejor manera de descubrir lo que funciona."»

–¿Por qué, después de todo –continuó el Maestro–, otorgó la libertad a hombres y mujeres? Es evidente que el Dummkopf quiso hacerse una idea de lo que había creado realmente.

Bien podía el Maestro gozar su ironía, pero ¿y si Dios había decidido que Sus mejores perspectivas residían ahora en la necesidad de un zar que disfrutara de una estrecha alianza con la

Iglesia ortodoxa rusa? ¿Alentaba Él de este modo una ceremonia colosal para fortalecer a la corona y a la cruz? Guiado por Dios, el joven zar nuevo podría incluso obtener cierto influjo sobre las vastas, aunque embrionarias, energías del pueblo ruso.

De ser cierta, era una decisión asombrosa. Depender de Rusia, tan infestada de corrupción. ¡Tan hirviente de injusticias! Era lo que buscábamos. La injusticia era la levadura para inspirar odio, envidia y desafecto. Pues raro era el hombre o la mujer que no poseyera un intenso sentido de la injusticia que se les infligía todos los días. Era nuestra raíz principal con los adultos. Era un furor en todos los niños. Nuestro trabajo se derrumbaría si los humanos llegasen a meditar tan hondamente sobre las injusticias que otros pudieran estar sufriendo.

Por lo tanto, llegué a la conclusión de que la respuesta quizás se hallara en el joven que pronto sería coronado. ¿Había en él algo angélico? Hice una pregunta al Maestro: ¿podía yo dedicarme a saber de Nicolás todo lo posible? «Haz lo que puedas», me contestó. No supe muy bien si me estaban ascendiendo o repudiando.

Como supe enseguida, no sería sencillo acercarme a Nicky: así le llamaban todos los miembros de su familia numerosa. Nicky tenía una hermosa madre danesa, la emperatriz María, viuda del zar recientemente fallecido, el zar Alejandro III, y cuatro tíos que eran grandes duques, así como hermanos, hermanas, primos y familiares políticos. Hasta donde pude averiguar, aquellos parientes le tenían todos cariño sorprendente.

Pero, como digo, no podía acercarme. Nunca había visto a un ser humano tan bien custodiado por escuadrones de ángeles. Por lo general, dispongo de sentidos agudos que me facultan para captar el peso espiritual de un hombre. Desde el extremo de una habitación espaciosa, percibo fallos de carácter en el borde de un orificio nasal o las anfractuosidades de una oreja. Pero no trato de emplear esos finos sentidos en cada ocasión. La existencia satánica sería enervante si estuviéramos obligados a actuar a nuestro máximo nivel. Recurrimos a esas facultades sólo cuando necesitamos conocer mucho, y con urgencia, de un hombre o una mujer.

Sin embargo, no estaba en mi mano acercarme a Nicky: demasiados Cachiporras. Una vez más, tuve que servirme de materiales que nuestros diablos rusos habían obtenido de criados reales que trabajaban en los palacios de San Petersburgo o en las iglesias y oficinas del Kremlin. Nos proporcionaron copias de numerosas cartas y diarios. Daba la impresión de que todos los miembros de las familias reales europeas escribieran cartas a padres, hijos, tías, tíos, primos y amigos íntimos. El zarevich, que pronto se convertiría en Nicolás II, había hecho desde la adolescencia anotaciones cotidianas en su librito repujado. Para la hora de su coronación se sentía tan cercano a Alix (la futura zarina Alejandra) que ella no se separaba de su lado. Literalmente. Ella no sólo tenía acceso a su diario, sino que a veces insertaba en sus páginas sus propios apuntes.

Yo estaba fascinado. Aquellos dos jóvenes estaban emparentados con las más importantes monarquías europeas. Alix quizás sólo fuera una princesa de Hesse, pero su madre, Alice, había sido una de las tres hermanas de la reina Victoria. Cuando Alice murió, Alix sólo tenía siete años, pero la reina Victoria la invitó a visitar Inglaterra en muchas ocasiones.

Estaba también Guillermo II, que aún habría de convertirse en el muy vilipendiado káiser Guillermo de la Primera Guerra Mundial. Daba la casualidad de que era el hijo de la hermana mayor de la reina Victoria. O sea que era primo de Alix. El príncipe inglés que llegaría a ser el rey Jorge V de Inglaterra era primo de Nicky. En su momento, el hijo mayor del rey Jorge, se convertiría en Eduardo VIII, hasta que abdicó del trono para casarse con Wallis Simpson. Rodeada por nuestros demonios, la pareja viviría durante décadas como duque y duquesa de Windsor. (El D. K. ni siquiera se molestó en asignarles un ángel.)

Si enumero todos estos lazos de familia, es sólo para realzar lo reales que eran las raíces de Nicky y Alix. Puedo añadir que todos aquellos parientes augustos parecían convenir en que estaban muy enamorados, un amor raro y auténtico.

El Maestro albergaba sus dudas. A mí me comentó: «El Dummkopf Se presenta como el todopoderoso avatar del amor. Él es el amor y los que Le aman están llenos de amor, y el amor mismo resolverá todos los problemas humanos. Con esta pomada tóxica, no sólo embauca a tres cuartas partes de la humanidad, sino que Se engaña a Sí mismo. Nadie cree en el amor tanto como el Dummkopf.»

¿Esto explicaría el gran número de Cachiporras aquí? ¿Se había refugiado Dios en la hipótesis medieval de que la monarquía constituía el mejor soporte de la sociedad? ¿De verdad suponía que si un rey joven y guapo y una reina joven y atractiva seguían majestuosamente enamorados y estaban plenamente entregados a la creencia en la bondad Divina, entonces Él, Dios, caramba, avalaría un audaz experimento? ¿Saldría mejor que algunos de Sus otros designios? Las monarquías anteriores habían estado notablemente desprovistas de amor entre sus titulares.

Me sentí aliviado. Ahora tenía una premisa. El D. K. ya no estaba en plena posesión de Sus facultades. ¿Sería esto verdad o era falso?

3

En todo caso, ¿cómo considerar senil al Señor? Cuando alguna vez me encuentro cerca del mar, es difícil creer que esté sufriendo una pérdida de Sus capacidades. En realidad, pueden despertarme una inquietud similar un campo hermoso, un peñasco rocoso, una puesta de sol incomparable o la réplica de los cielos cuando el trueno sigue al relámpago. Hasta podemos citar el deslumbramiento de la hierba cuando hay rocío en el suelo.

Por supuesto, Él habría podido moldear todo esto hace eones, cuando Se hallaba en el apogeo de Sus poderes creativos. En tal caso, ¿cavilaba ahora sobre la posibilidad de que estuviera perdiendo Su fuerza, lo cual podría ser el motivo de que la humanidad hubiera sido Su última creación lograda? ¿Nos inundaban ahora los titubeos de una divinidad antigua? Aquel Nicky y su Alix parecían tan ingenuos, tan incapaces de algún vasto proyecto... Aunque no había podido aproximarme a su presencia material, sin duda había absorbido el tono de su amor, su piedad, su inocencia. Había leído centenares de comunicaciones entre ellos. Si opto por mostrar algunas de estas misivas es para para dar una idea de lo jóvenes que eran.

En junio de 1894, cuando hacía sólo dos meses que se habían prometido, Nicky escribió a Alix en inglés, una lengua que compartían:

> **Te amo tan profunda y tan intensamente que no puedo mostrarlo: ¡es un sentimiento tan sagrado que no quiero expresarlo en palabras que parecen pobres y mansas y vanas! Pero ahora intentaré romper mi costumbre de ocultar mis sentimientos, porque en algunas ocasiones me parece incorrecto y egoísta. Mi querida prímula, ¡¡¡¡¡te amo, cariño!!!!!**

Debo decir que me tomé la molestia de contar los signos de admiración. En definitiva, ¿no es un rasgo de afinidad entre nosotros? El lector observador quizás haya advertido que a veces me gustan esos énfasis al final de un paréntesis. (¡La interrupción de la atención debería fingir vitalidad, como mínimo!)

Cuatro meses después, el padre de Nicky está gravemente enfermo. Alix, siempre proclive a consignar sus sentimientos en el diario de Nicky, escribe:

Dímelo todo, dushka, puedes confiar plenamente en mí, considérame un pedazo de ti mismo. Que tus alegrías y tristezas sean las mías, para que podamos estar siempre cada vez más juntos. Mi dulce único, cuánto te quiero, tesoro querido, mi absolutamente único.

¡Sólo tuya, tu muy totalmente pequeña spitzbube,[1] *gatito mío!*

Diario de Nicky, 20 de octubre, Livadia
¡Dios mío, Dios mío, qué día! El Señor ha llamado a Su seno a nuestro adorado, queridísimo papá.

La cabeza me da vueltas, no puedo creerlo... Parece inconcebible, una realidad terrible.

¡Ha sido la muerte de un santo! ¡Señor, ayúdanos en estos días horribles!

Más adelante supe que Nicky estaba rememorando la hora de su infancia en que un nihilista había conseguido colocar una pequeña bomba en el vagón de tren donde viajaba la familia real, pero resultó que el artefacto explotó hacia arriba y voló el techo. En consecuencia, nadie sufrió heridas. Después, sin embargo, el techo empezó a venirse abajo. Alejandro III, un hombre gigantesco, utilizó la fuerza santa y pagana de sus brazos para sostener la estructura que se derrumbaba el tiempo necesario para que su familia fuera rescatada. Sólo un santo poseía semejante fuerza, declaró la emperatriz María, una mujer menuda y hermosa.

Nicky, que era bajo como su madre, también veneraba el pecho poderoso de Alejandro. Durante la adolescencia, por tanto, había practicado el culturismo. También destacó como jinete y en la caza: una cuestión de honor para él. Lucía barba y un fino bigote castaño, pero nunca pudo parecer tan fornido como un Romanov.

1. En alemán, «pícaro, pilluelo». *(N. del T.)*

248

21 de octubre, Livadia

Después del almuerzo rezamos por los difuntos y también a las 9 de la noche. ¡La expresión en la cara de papá era maravillosa, sonreía como si estuviera a punto de reírse!

22 de octubre

Anoche tuvimos que bajar el cuerpo de papá, ya que por desgracia había empezado a descomponerse enseguida.

En efecto, pronto tuvieron que cubrir al emperador con un paño imperial. Sus manos y su cara se estaban poniendo negras.

La boda con Alix se celebró pocos días después del funeral: no era conveniente que el nuevo zar fuese un hombre soltero. Aunque la ceremonia tuvo lugar un año entero antes de mi llegada a Rusia, nuestros demonios in situ me ofrecieron crónicas tan detalladas como para infundirme la seguridad de que yo había asistido de pie al acontecimiento en el Palacio de Invierno, junto con diez mil miembros de la pequeña nobleza. No nos dieron sillas. Los rusos parecen creer que los oficios devotos reclaman una penitencia corporal. Los poderosos tuvieron que permanecer de pie las tres horas que duró la liturgia. En todo ese tiempo hubo música coral, triste a su manera pero majestuosa, debido a la duración del evento. Era como si tuvieran que oírse una y otra vez los más profundos gemidos de Jesucristo antes de que la novia pudiese ser proclamada emperatriz. Todos se apresuraron a ensalzar su dignidad, su belleza y la forma en que inclinaba la cabeza cada vez que saludaba a alguien. Nuestros demonios, que no son nada generosos en estas materias, comentaron que el balanceo de su cabeza recordaba el de una paloma.

4

Durante una estancia en Tsarskoe Selo, Nicky escribió en su diario:

Un lugar tan querido para los dos; por primera vez desde nuestra boda, hemos podido estar solos y vivir en verdadera intimidad.

Alix añadió:

Nunca creí que existiera una felicidad tan absoluta en este mundo, un sentimiento de unidad semejante entre dos mortales. Te amo: estas dos palabras contienen toda mi vida.

Al día siguiente Alix escribió:

Por fin unidos, atados de por vida, y cuando la vida termine, volveremos a reunirnos en el otro mundo para allí seguir juntos por toda la eternidad.

Me intrigó su confianza en que compartían el mismo pasaporte a la vida eterna. Rara vez había yo encontrado unos recién casados que estuviesen tan enamorados. Pero Nicky tenía veintiséis años y no era novato en aquellas lides. Puesto que Alix había sido virgen, yo me sentía inclinado a pensar que en sus apuntes le preocupaba excesivamente demostrar lo enamorada que estaba. Además, yo no podía estar seguro respecto a los sentimientos de Nicky. Cada vez que atravesaba un hermoso bosque, se diría a sí mismo que aquel paraje precioso era su país. Había sido elegido por Dios. ¿No vería el amor como una ascensión vertiginosa en la que el único modo de conservar el equilibrio era seguir ascendiendo?

Aun así, subsistía la deplorable incógnita. Sin duda era imaginable que en Su deseo de alimentar a aquel matrimonio, Dios les estuviese enriqueciendo con éxtasis físicos. ¿Cómo saberlo? Yo sólo tenía el lenguaje de sus cartas y la conjetura razonable de que si Dios iba a escoger a un zar, le apoyaría con sabiduría y fortaleza: contra, por supuesto, las no pequeñas mañas del Maestro.

5

Por otra parte, también cabía preguntarse si Dios habría preparado muy bien a aquel joven para ser zar. Es seguro que la corte no lo había hecho. Como todo el mundo daba por sentado que Alejandro III reinaría durante, como poco, otra generación, a Nicky apenas le prepararon para la vida pública.

17 de enero de 1895, San Petersburgo
Un día agotador. Estaba nerviosísimo por la obligación de ir a pronunciar un discurso en Nikolayevsky Hall ante los representantes de la nobleza y los comités municipales.

Se había encerrado con los grandes duques antes de pronunciar el discurso. Le aseguraron que debía seguir las huellas de su padre. «¡Nicky, tienes que ser *absoluto!*» Su abuelo, Alejandro II, había sido asesinado. Su padre había rozado la muerte en aquel tren. Había que proclamar una lealtad absoluta.

Del discurso de Nicky:

Tengo conocimiento de que en algunos zemstvos *se han levantado voces del pueblo arrastradas por sueños insensatos de participación en los asuntos del gobierno.*

251

Que todo el mundo sepa que defenderé los principios de la autocracia con tanta firmeza e inflexibilidad como mi difunto e inolvidable padre.

A pesar de estas promesas de mando implacable, los deberes oficiales le oprimían. Se lamentaba sin cesar de que no pasaba suficiente tiempo a solas con Alix.

Cuando llegó a su fin el primer invierno de su matrimonio, ella empezó, sin embargo, a manifestar *síntomas*. Contábamos con ello. Los síntomas eran nuestra especialidad. Nunca era fácil enrolar a las mujeres victorianas, pero siempre podíamos introducir un escalofrío en su defensa encorsetada de la virtud personal. Bastaba con teñir sus sueños con algún que otro pensamiento maloliente. Los síntomas pronto aparecían.

9 de abril de 1895, San Petersburgo
Por desgracia, el dolor de cabeza de la querida Alix ha durado todo el día. No ha ido a la iglesia ni ha almorzado.

10 de abril, San Petersburgo
La querida Alix ha sufrido un dolor inaguantable en las sienes y, siguiendo mi consejo, no se ha levantado de la cama.

¡Una jaqueca en curso! Cuando son lo bastante intensos para calificarlos de migraña, esos dolores expresan un claro deseo de cometer un asesinato. No creo que Alix albergara tales sentimientos hacia su marido, pero otro cantar sería en el caso de su suegra. La emperatriz María había adorado a su inmenso marido por los mejores motivos, y uno de ellos era que había sido emperatriz. Se desarrollaban animosidades.

En junio, no obstante, Alix se vio liberada de las peores jaquecas. También estaba embarazada. Sospecho que su suegra, en consecuencia, no pudo ejercer tanta presión sobre sus sienes. En una anotación del 10 de junio en el diario de Nicky, Alix escribió:

Mi dulce y bueno querido Hombrecito, Joyita te ama tan profunda e intensamente..., qué felicidad intensa..., la nuestra..., muy nuestra...; qué felicidad puede haber más grande; sólo que Joyita debe procurar ser lo más buena y amable posible para que otra personita no sufra. Un beso grande.

Estamos en junio, pero el bebé no nacerá hasta noviembre. ¿Está Alix sugiriendo que el enanito y la joya no tengan contacto de cintura para abajo hasta que llegue el bebé?

Mi comprensión no avanzaba. Ninguno de nosotros estaba dispuesto a reconocerlo (y menos aún admitirlo ante el Maestro), pero la existencia de un amor auténtico enturbiaba la claridad de nuestro análisis. Captábamos todos los aspectos del amor falso y éramos demoníacos convirtiendo las susceptibilidades del amor en los imperativos de la lujuria. Por supuesto, hay ocasiones especiales en que Dios decide que la lujuria es beneficiosa para alguno de Sus elegidos, sí, pero también existe la del propio Dios, y el tema puede resultar ambiguo.

Es una disputa curiosa. Los ángeles tienen poderosas golosinas que ofrecer, pero yo, por mi parte, diría que poseemos más capacidad de improvisación que los Cachiporras. De otro lado, carecemos de una cualidad que no quiero confesar, aunque debo hacerlo, porque si no lo que ofrezco no tiene sentido. Es que lo conocemos todo del amor, salvo el amor mismo. Me desagrada confesarlo. Pero es cierto. No recuerdo nada de mi existencia humana, ni siquiera si fui siempre, por el contrario, un espíritu. Pero puedo decir esto: no he conocido el amor. Puedo disertar sobre sus propiedades y tendencias, sus dilemas, sus disipaciones; enumerar casi todas las razones a favor de su existencia o su desaparición; sé inspirar celos, dudas, hasta períodos de aversión hacia los seres queridos, puedo decirlo todo sobre el amor excepto que no sé distinguir entre el auténtico y sus sucedáneos artísticos.

Piensen, por tanto, en mi confusión respecto a Alix. Entendía que Nicky necesitase amor como otros necesitaban bebida. ¿Pero Alix? ¿Sería que su histeria amorosa era la mejor manera de creer que sentía cumbres de pasión, placer y entrega?

A la vista, sin embargo, de una singular frase en su carta, «*Joyita debe procurar ser lo más buena y amable posible para que otra personita no sufra*», llegué a una conclusión. En realidad, estaba declarando una tregua temporal del sexo. Gracias a muchos informes, yo había observado que algunas mujeres embarazadas gozaban del acto en el octavo y hasta noveno mes de gestación. Claro que aquel caso podría ser distinto. Alix se preparaba para alumbrar al zar siguiente y no osaba perturbar el desarrollo de aquella cabeza regia, pero ¡aun así!: ¿no había sexo previsto hasta noviembre? ¡Alix escribía esto en junio! Me incliné por la hipótesis de que Alix había realizado ingentes esfuerzos para elevarse hasta las cimas de pasión que consideraba necesarias para que se consumara el primer requisito esencial del matrimonio, pero que ahora que el futuro heredero estaba en camino, quería disfrutar de un descanso. Sí, no debemos hacerlo «para que otra personita no sufra».

6

Alix estaba más que embarazada. Tenía una barriga enorme. Los Romanov estaban preocupadísimos aguardando el nacimiento de aquel varón saltarín que pronto sería el zarevich de Nicolás II.

Es signo, sin embargo, de buena educación que no expresaran su desilusión cuando vino al mundo una robusta *niña* de cuatro kilos y medio.

A Nicky no le importó demasiado: ¡Alix, al menos, estaba sana y salva!

3 de noviembre de 1895, Tsarskoe Selo
Un día que recordaré siempre. A las 9 en punto de la noche nació el bebé y todos exhalamos un suspiro de alivio. ¡Con una oración llamamos «Olga» a la hija del Todopoderoso!

Dos días después, a Nicky le fascinan algunos aspectos inesperados de la nutrición infantil.

5 de noviembre de 1895, Tsarskoe Selo
El primer intento de amamantarla concluyó con Alix dando de mamar al hijo de la nodriza mientras ésta daba el pecho a Olga. ¡Muy divertido!

6 de noviembre de 1895
Gracias a Dios todo va bien, pero el bebé no quiere mamar y hemos tenido que llamar otra vez al ama de cría.

No me sorprendió. Algunos de nosotros podemos percibir los sentimientos de un feto durante los meses últimos. En el último trimestre, expresan sus sentimientos uterinos por medio de los sueños de su madre. Por tanto, sabíamos que casi todos los bebés, al salir a la luz del paritorio, sienten afecto o antipatía hacia el conserje benévolo (o el guardián hosco) que hasta hace poco ha representado las paredes del útero. Es el motivo exacto por el que las mujeres se sienten desoladas cuando el bebé rechaza su leche.

Con todo, la nodriza y la joven emperatriz hicieron lo posible para evitar reconocer este hecho. Y lo mismo hacía Nicky. Supongo que tendería a decirse a sí mismo que la pequeña gran Olga poseía el terco instinto de oler y catar los pezones de una fuerte mujer rusa. Y yo, con mis reservas de cinismo, pienso que las dos mujeres, tan profundamente diferentes, gozaban de buena gana de aquella abierta (y aun así subrepticia) conexión carnal.

En todo caso, menos de medio año después, Alix sin duda había reanudado las relaciones con Nicky.

> *29 de marzo de 1896, San Petersburgo*
> *... dulce precioso Nicky mío, no hay palabras para expresar el amor profundo que te tengo: más y más, día tras día, cada vez más profundo y verdadero. Dulce amorcito, ¿lo crees, sientes el latido potente y tan rápido, y sólo por ti, mi marido?*

Nicky había reaccionado tan bien cuando nació la princesa en lugar de un heredero que Alix, para su dulce sorpresa, sintió un «latido potente» en el momento en que él la penetró, un suceso novedoso o yo, al menos, supongo que lo era. Además, las resoluciones sexuales cambian. Olga, por ejemplo, ha llegado a aceptar la realidad. Ahora mama del pecho de su madre incluso cuando Alix toma el café matinal con el emperador.

Nuestra atención más estrecha, sin embargo, se centraba en la coronación de Nicolás II. Puedo añadir con seguridad que difícilmente habría habido un demonio presente que no experimentase su parte de júbilo y temor. No hay ningún momento en que la presencia de una muchedumbre nos parezca más demoníaca que cuando se celebra una ceremonia grandiosa en un magno acontecimiento.

7

Los festejos de la coronación se celebrarían en Moscú el 14 de mayo, y en todas partes se veían dos letras grandes: la *N* de Nicky y la *A* de Alix. Hubo que erigir incontables tarimas para los espectadores, así como fachadas falsas para ocultar los edificios más feos del itinerario. La ciudad estaba inundada de visitantes de muchos países. Los que vivían en la ruta del desfile alquilaban su vivienda a espectadores. El alquiler de una ventana a la calle desde el amanecer hasta el ocaso podía costar 200 rublos. Los carruajes acompañados de cocheros costaban 1.200 rublos al mes. De nada servía alegar que sólo lo querías para una semana, ¡o que por ese precio podías comprar diez buenos caballos! Incluso obtener una vista limitada en un espacio estrecho sobre una tarima de construcción endeble costaba 10 o 15 rublos: pobres obesos. Por un balcón pedían 500.

Tampoco en los hoteles había muchas habitaciones disponibles. El gobierno se había reservado pisos enteros para príncipes extranjeros, representantes diplomáticos, nobles, artistas renombrados, nababs, magnates y plutócratas. Los franceses, determinados por razones de Estado a dejar su impronta sobre el acontecimiento, se gastaron 200.000 rublos, una manera de proclamarse los grandes y buenos aliados del zar. Puesto que antaño este papel había correspondido a los alemanes, sus diplomáticos replicaron alquilando un palacio en los bosques, a las afueras de Moscú, que sólo costaba 7.000 rublos, una joya modesta, pero los alemanes no tenían un baile, sino tan sólo una velada musical. Quizás hubiesen hecho apuestas sobre el mal tiempo. De ser así, perdieron. Cielos magníficos presidieron la procesión inaugural del 9 de mayo.

El desfile tenía que ser comparable a los más espléndidos eventos reales del pasado. Nicky y Alix recorrerían el camino hasta la puerta Spassky del Kremlin desde su residencia provisional en el parque Petrovsky, a unos diez kilómetros de distancia. Como no era un secreto que el acontecimiento pretendía igualar la entrada majestuosa de Luis XVI en Reims en 1654, la caravana buscaba mostrar al mundo los extraordinarios recursos del imperio ruso. Primero desfilaron los cosacos, con túnicas escarlatas, charreteras plateadas, pantalones azules y botas negras; después, príncipes de regiones impronunciables de Asia, luciendo atavíos nunca vistos en Europa, pero que eran los represen-

257

tantes de remotas tierras bárbaras conquistadas por los rusos a lo largo de varios siglos.

Les seguían el gran maestro de las ceremonias de la coronación, doce chambelanes, veinticinco gentilhombres de cámara, mariscales de la corte y miembros del consejo imperial, precediendo a los regimientos del ejército real.

Pronto en esta comitiva aparecía Nicky, nacido, como susurraban demasiadas personas, el 6 de mayo. Miles de rusos se transmitían esta información, pues era la fecha de la festividad ortodoxa del Santo Job, el paciente, una de las fechas más siniestras del calendario. Nadie querría repetir los sufrimientos de Job.

Nicky lo sabía perfectamente. Las primeras semanas de los esponsales, había creído su deber advertir a Alix, quien contestó que el suyo consistía en estar a su lado. Unidos los dos vencerían el aciago presagio. Era una prueba a la que Dios les sometía. Así lo entendía ella. Dios quería que se amaran tanto que no tuvieran que sufrir como Job, siempre que estuvieran dispuestos a amar a Dios aún más que el propio Job.

Supe todo esto el día en que los dos entraron en el Kremlin. Por fin había conseguido penetrar en la mente de Nicky, y nunca en mi experiencia vi tantos ángeles alrededor de un ser humano. Pero aquel día, mientras desfilaba, montado sobre su pálida yegua inglesa, a lo largo de todo el recorrido desde el parque Petrovsky hasta la puerta Spassky del Kremlin, pude aproximarme a sus pensamientos. Era, desde luego, una entrada angosta, pero al menos el acceso no estaba totalmente obstruido. ¡Hosannas al Maestro! Diez años atrás, cuando el zarevich era un cadete de dieciocho años, había tenido una serie de encuentros concupiscentes con uno de nuestros demonios. Se le había presentado en forma de una prostituta gitana. Como el asunto había sucedido años antes de que los Cachiporras empezaran a dedicarle ingentes esfuerzos para protegerle, el Maestro había conseguido hallar un ingreso indefenso aunque estrecho a la mente de Nicky.

258

Ahora, elegido para utilizar aquel pasaje tan arduamente conquistado, seguí a la comitiva por la calle Tverskaya hasta el Kremlin y capté algunos de los pensamientos que pasaron por la regia cabeza.

Hubo sorpresas. En el trayecto, su memoria se remontó a la época en que había sido un joven coronel de la Guardia Real, y se confesó a sí mismo –sólo por un momento– que su vida actual quizás fuese más feliz si aún ostentara aquel rango. El entusiasmo de las tropas, su rugido de alegría al verle despertaron su nostalgia.

Los recuerdos de Nicky se volvieron libidinosos. El demonio que implantaron en su joven experiencia era una puta que aún le solicitaba. Cada vítor de las tropas le excitaba las ingles. La yegua inglesa, tan elegante, tan pálida, debió de percibir su agitación, porque empezó a cambiar los pasos. ¡Qué cabriolas hacía!

Sin embargo, no más de un minuto después, el buen ánimo compartido por el corcel y la montura se hundió en la melancolía. Nacido el día del Santo Job, el paciente. ¿Qué habría pretendido Dios?

Pero con la misma rapidez recobró el buen talante. Me esforcé en seguirle. Los pensamientos de Nicky se embarullaron, se llenaron de estrépito y ecos, y ni siquiera un humor sombrío habría podido durar mucho tiempo en aquel desfile. Colgaban adornos en las fachadas de los edificios de la calle Tverskaya. Aquella mañana, Moscú poseía el esplendor de una vieja dama que nunca había estado tan hermosa, y la gloria de la luz indujo a Nicky a pensar en sus mejores días de caza, cuando Alejandro III había juzgado oportuno felicitarle por sus proezas. Nicky se había sonrojado al recibir de su padre un cumplido tan insólito, y procedió de inmediato a atribuir el mérito a sus perros. A lo cual el zar Alejandro III había respondido: «A un hombre se le mide por sus perros.»

Sí, que el Todopoderoso le viera como el más fiel de Sus

perros. Nicky conocía a los animales, los conocía bien. Casi siempre, al beber la sangre de un ciervo recién abatido, aún vivo en el bosque el eco del último disparo, se sentía cerca de Dios. El ciervo, de una forma tan inmaculada, acababa de perder la vida. ¿Por qué? ¿A manos de quién? Para Nicky la respuesta era simple pero profunda. La muerte de aquel bello animal estrecharía el entendimiento entre Dios y el hombre. Pues era Dios quien había concedido a los humanos el derecho de arrebatar la vida a aquellas criaturas exquisitas. Nicky recordó ahora una blasfemia que una vez le había ardido en la garganta. Se le ocurrió mientras bebía la primera taza de sangre de ciervo. Había pensado: «Esta sangre debe de ser como la de Cristo. Si no, ¿cómo se explica este sabor tan puro?» Recordar una blasfemia semejante le produjo una punzada de dolor. También le hizo pensar en las obligaciones venideras. Aunque se sintiera cercano a Dios, aunque se sintiera próximo a los hermosos animales, ahora había a su alrededor ministros ansiosos de verle, ávidos de utilizarle. Su lealtad, sin embargo, dependía en gran medida del engrandecimiento de su cargo. Llevaban el engaño en la punta de los dedos. Y el interés personal en la piel.

Sabría controlarlos. O eso se dijo él. Le protegía la trinidad de valores que guiaron a su padre: honor, tradición, servicio. Pero mantenerse fiel a los tres principios exigiría una fortaleza inquebrantable. El honor podía incurrir en deshonor, la tradición tornarse rigidez y el servicio consumirte. No era un hombre capaz de afrontar infinidad de intrigas. Vigilar a ministros así era como caerse por el hueco de una escalera. Matar a un animal, por el contrario, conocer la compasión por un animal..., ¡era tuétano para el alma!

En aquel momento, la yegua se encabritó. ¿Tuvo acaso una visión de la sangre del ciervo? Un grito de miedo se elevó de entre el público. La yegua se alzaba sobre las patas traseras. Pero entonces la multitud aplaudió. De las decenas de miles de personas que presenciaron aquel instante desde las calles, las ventanas, los balcones, los tejados de la calle Tverskaya, surgió un gran aplauso. Nicky, con mucho garbo, se mantuvo en su silla y calmó al caballo. El sonido del júbilo popular recorrió toda la distancia hasta la puerta Spassky. Otros miles de espectadores aún lejos en el itinerario del desfile no vieron este episodio y no sabían la causa de la aclamación, pero también ellos empezaron a aplaudir. Nicky estaba exultante.

No por mucho tiempo: aún le esperaba su deber futuro. Estaba condenado a trabajar con sus ministros y ellos nunca le respetarían. Estaban acostumbrados a la fuerza del padre. De nuevo le invadió la desazón.

Cinco días después recibiría la corona y estaría abrumado de obligaciones. Las opiniones de sus ministros prevalecerían sobre las suyas. Sabían más que él. Nicky ni siquiera había organizado aquella procesión. Lo habían hecho ellos. Le habían dicho que su prolongada entrada en el Kremlin sería su triunfante presentación en el mundo. Por eso tenía que ser un desfile tan largo. Era crucial que le viesen encabezar los muchos kilómetros de comitiva. Pero para mantener vivas las expectativas del público, a su madre y a Alix sólo se las veía al final, en sus carruajes dorados. Los ministros insistieron en que aquel arreglo era el modo más drástico de demostrar la magnitud del poder ruso.

Alix, sin embargo, había querido estar más cerca de él. Nicky intentó explicarle las intenciones de sus ministros. Ella guardó silencio. Una cosa era que Nicky se sintiera como un perro delante de Dios y otra muy distinta experimentar este mismo sentimiento delante de su mujer. Nada hay peor para un animal valiente que el ojo de su amo le diga que es sólo una criatura tímida y posiblemente innoble.

8

Antes de la coronación del 14 de mayo, Nicky y Alix habían tenido que asistir, después de la procesión inaugural del 9 de mayo, a recepciones protocolarias destinadas a dar la bienvenida a muchos altos funcionarios nacionales y extranjeros. La capacidad de mantenerse afables sin mover los pies, sin denotar tensión, fue considerada un grado de competencia real. Como Nicky se quejó posteriormente a Alix y a su madre (con una sonrisa), tenía las mejillas doloridas de tanto haberlas besado plenipotenciarios con bigotes rígidos.

El 13 de mayo transportaron ornamentos sagrados a la sala del trono en el Kremlin y una nube de inquietudes le ensombreció el ánimo. Para entonces las ceremonias le resultaban ya familiares, pero sentía como si el infierno estuviera acechando. No quería que nada saliese mal. Veía el 14 de mayo como una liberación. Al término de aquel día, ya no sería el zar en funciones, sino el zar consagrado. Por fin se habría acabado..., si nada salía mal.

Sospecho que sabía que algo se avecinaba. Pero no intuía cuándo podría presentarse. Cada día desde el 10 al 13 le parecía más peligroso que el siguiente.

En realidad, no era el único agorero. Habida cuenta de la firme convicción rusa de que nada bueno puede durar mucho tiempo, muchos estaban convencidos de que el buen tiempo se disiparía para la mañana de la coronación. Pero el 14 de mayo, un temprano sol matutino bañaba Moscú. Hubo que postergar los vaticinios aciagos. Las multitudes de mujeres que se habían apresurado a predecir diluvios seguían persuadidas de que algo iba a torcerse. Dado que Alix se había convertido a la religión ortodoxa rusa inmediatamente después del fallecimiento de Alejandro II, aquellas mujeres decían ahora: «Ella nos llega detrás de un féretro.» No obstante, en vista de la belleza de aquel día excepcional, surgió enseguida el sentimiento opuesto. Muchas decían ahora: «Nos acercamos al fin del siglo. Quizás el nuevo, el siglo XX, será distinto. Que tengamos milagros de belleza y consuelo.»

9

No puedo decir gran cosa sobre la coronación en sí. El Maestro no me incluyó entre los demonios que trabajarían durante el acontecimiento. No protesté. La vía más fiable para alcanzar su favor era aceptar sin comentarios la posición que te habían asignado. Además, incluso me dijo, como si yo quizás estuviera en camino de convertirme en uno de sus íntimos:

–En el gran retablo de las cosas, la coronación no pasará de ser un suceso secundario. No te perderás nada.

En consecuencia, no estuve presente en ninguna de las catedrales, la de la Asunción, la del Arcángel y la de la Anunciación, pero me contaron una y otra vez el escándalo tácito en el primero de estos templos.

Poco después de que el zar y la zarina hubiesen ascendido a sus respectivos tronos, la cadena de la Orden de San Andrés se rompió cuando el zar inclinaba la cabeza para recibirla. Teniendo en cuenta el número de Cachiporras que asistían a esta ceremonia, ¿era posible que fuera obra nuestra? ¿O fue una dádiva del azar?

No son tediosas las precisiones sobre estos asuntos: en definitiva, hay un laberinto de relaciones entre el Maestro y el Dummkopf. Podría enumerar una lista interminable de transacciones, brutalidades, juegos y engaños por ambas partes. Así que hay mucho que contemplar en los ceremoniales rusos, fortalecidos como lo están con sus reliquias, sus iconos y tales instrumentos de ascensión monárquica como la cadena, la cruz, la corona, el cetro y el orbe. Y luego está el propio trono, resonante de bendiciones y de maldiciones, el mismo trono donde en 1613 se sentó el zar Miguel Fiódorovich. Por descontado, algunos fieles creen que la ceremonia misma emite un indispensable poder divino que penetra en los poros, la piel y el corazón del zar. Pero yo sugeriría que esta magia no emanaba totalmente del Dummkopf. El Maestro se preciaba de trocar sus mercancías en dones de Dios.

Por consiguiente, no nos dejaba completamente indiferentes la intensidad con la que Nicky creía en el Señor Todopoderoso. El Maestro se ocuparía de volvernos favorables tales sentimientos. Así que yo también sabía que muchos de nosotros estaríamos presentes cuando la procesión se pusiera en marcha desde el palacio a las diez y media, con cada paso sepultado en los redobles de mil campanarios, algunos tan ligeros como un susurro de hojas y otros tan pesados como los gemidos que brotan del corazón del metal duro. Los clérigos salieron de la catedral de la Asunción para recibir a los monarcas y ofrecerles la sagrada cruz para que la besaran. Invocaron a la Trinidad; tres veces repitieron oraciones, tres veces abrazaron iconos santos. A continuación, Nicky y Alix subieron los peldaños del estrado, en el centro de la catedral. Conocíamos bien esto. Lo presenciamos cuando Miguel Fiódorovich, el primer zar de la dinastía Romanov, ascendió a aquel mismo trono, y por lo tanto no me demoraré en contar cómo colocaron las vestiduras imperiales ni en repetir la alocución del arzobispo de San Petersburgo cuando instó a Nicolás II a hacer una confesión pública. Y Nicky la hizo, en efecto, pero en una voz tan baja y con tal brevedad que nadie pudo oírla. Tras lo cual, el zar leyó la plegaria del día y el arzobispo dijo: «La bendición del Espíritu Santo sea contigo. Amén.»

Diré que siempre estamos preparados para sentir que se acerca el Espíritu Santo. (En numerosas ocasiones, Su bendición se infiltra en nuestro espíritu.) De hecho, fue en aquel momento cuando se rompió la cadena de la Orden de San Andrés. Por supuesto, los sacerdotes hicieron caso omiso de este suceso asombroso. Tienen por norma no dar a entender nunca que algún elemento de un oficio sagrado se ha torcido. Así pues, sin una pausa, el arzobispo hizo la señal de la cruz, puso las manos sobre la cabeza del zar y rezó dos oraciones; acto seguido, Nicolás II pudo tomar la corona, ponérsela en la cabeza y sostener el cetro con la mano derecha y el orbe con la izquierda. Después asentó sus reales posaderas una vez más en el asiento del trono del zar Miguel Fiódorovich. Sintiera o no alguna resonancia residual de tan antiguo contacto, se levantó unos segundos después, entregó las vestiduras a sus ayudantes y llamó a Alix, que se arrodilló ante él sobre un almohadón carmesí con una cenefa de encaje dorado. Sonaron de nuevo ciento un cañonazos.

El ritual continuó. El oficio ortodoxo en tales ocasiones nunca es breve. Muchos de los que al comienzo habían sentido una iluminación interior sucumbieron al cansancio de sus miembros. El aburrimiento contaminó la liturgia divina. Debo preguntarme si esto no formará parte del genio ruso del culto. Pues la duración del oficio cautivó a muchos feligreses que al principio no mostraban un auténtico interés. Ergo, no es preciso enumerar cada paso que dieron el zar y la zarina en cuanto descendieron del estrado. Tres pasos medidos aquí, otros tres allá, invocación de la Trinidad una y otra vez. En realidad, el Maestro siempre habló bien de la Trinidad, como si supiera algo que otros ignoraban. He visto al padrino de una boda que, desconocido para todos menos para la novia, ha tenido un conocimiento carnal de ella, y hay una sutileza en la situación de este individuo que no me parece distinta del matiz de apreciación que nuestro Maestro muestra siempre hacia el Espíritu Santo. Es el punto donde siempre ataca. Puesto que el Espíritu Santo encarna el amor del Padre por el Hijo, y el del Hijo por el Padre, es el punto de ataque que ha elegido el Maestro para debilitar esta integridad quintaesencial.

Creo, por ende, que fue el Maestro quien rompió la cadena de la Orden de San Andrés.

10

El zar y su séquito se trasladaron de la catedral de la Asunción a la del Arcángel, donde, con unas pocas variaciones, se celebró el mismo oficio antes de que se desplazaran a la catedral de la Anunciación.

Me dijeron que el zar y la zarina necesitaban descansar, pero asistieron a una comida protocolaria en el Palacio de las Facetas. Él escribiría en su diario: «Todo lo que ocurrió en la catedral de la Asunción, aunque parezca un sueño, no lo olvidaré en mi vida.» A lo cual añadió: «Nos acostamos temprano.» Yo no sabría decir si se debió a la fatiga o a un renacimiento de la lujuria, gracias a la sensación grata y feliz de que aquello estaba hecho y no tendrían que volver a hacerlo. Desde luego, me habría gustado estar en su habitación. Como mínimo, habría averiguado en qué medida la santidad corrupta –empleo con precisión las dos palabras, santidad corrupta– de aquellos santos arzobispos influyó en los raptos de Nicky y Alix. ¿Habrían aquellas ceremonias interminables suscitado alguna dulce burbuja de concupiscencia? Sufrí todas las cuitas de la exclusión.

Si al lector le extraña que yo siempre esté ansioso de saber más, permítame disipar la presunción ordinaria de que Dios y el diablo poseen todo el conocimiento que necesitan. Yo sugeriría que el enfoque más fácil para captar mis poderes es suponer que estoy aproximadamente tan dotado con respecto a un alumno de talento como él, a su vez, es más culto que un zoquete de una escuela pobremente financiada. Sin embargo, como apenas conozco las respuestas a todas las preguntas que atormentan a la humanidad, a mí también me amedrentan las cosas que ignoro.

Aquella noche, ocupado con mis preparativos para la feria campesina que iba a celebrarse al cabo de cuatro días, tampoco asistí al banquete en el Palacio de las Facetas. Fue el acontecimiento de la temporada para Moscú y Rusia, una de esas reuniones sociales que pueden ofrecer un gran progreso para tu futuro si te han invitado: una orgía de presentes logros, por tanto, para el más rico de los nuevos ricos.

Naturalmente, también hubo muchas expectativas frustradas entre muchas de aquellas almas ambiciosas. No siempre les contentó el sitio en que les sentaron. El examen de los lugares atribuidos a otros representó una indicación demasiado elocuente de la posición que ocupaban en el mundo. ¿Se la habrían rebajado? En realidad, sólo las personas más encumbradas estaban en la misma habitación que el zar y la zarina. Estaba allí la crema del cuerpo diplomático, así como el Santo Sínodo y el gran mariscal, el gran maestro de ceremonias, los ministros más importantes y algunos invitados riquísimos. A los demás los colocaron en la sala de San Vladimiro.

Desairar el sentimiento de la fatuidad es, no obstante, el último castigo que un monarca infligiría a invitados cresos, famosos y poderosos; percatarse de ello tampoco requiere una gran sagacidad. Así que Nicolás, acompañado de Alejandra, se cuidó de visitar cada una de las mesas de los dos comedores, seguido por la emperatriz viuda Marie, la reina y el príncipe de Nápoles, la duquesa de Edimburgo y el gran duque Alexéi: todos ellos recorrieron las mesas de la sala de San Vladimiro, y en cada una fueron recibidos con ese tipo de ovación que brota de las gargantas resecas de personas que se han precipitado a pensar que por más penalidades que hayan sufrido para conseguir una invitación, sus esfuerzos han sido absurdos. Les iban a ningunear. Qué alivio y qué aplauso, pues, al ver que se acercaban el zar y la zarina.

No describiré el banquete. No me causaría placer hablar de la vajilla de oro, los platos franceses, las categorías de caviar, los vinos (franceses y de Crimea), el vodka, el champán. Los festines lograban casi siempre generar los mismos ácidos gástricos, pero aquí servían personalmente a los comensales tres camareros de chaquetilla roja con galón dorado. Los menús estaban ilustrados, la orquesta imperial tocó durante el ágape y el palacio centelleaba.

En aquella época no se animaba a los periodistas a hablar mal de los grandes y poderosos. De modo que declararon que la posteridad nunca olvidaría semejante evento. El Palacio de las Facetas, al fin y al cabo, era conocido por la singularidad de sus celebraciones. Sólo los sucesos más importantes de la historia de Rusia merecían que se abriesen puertas tan antiguas. Iván el Terrible y Pedro el Grande habían celebrado allí sus banquetes de coronación. Uno de los reporteros norteamericanos, obviamente fascinado por el festejo, concluyó su crónica diciendo:

> *Así terminó el día más grande de nuestra vida, el que recordaremos años. Todos sentimos que habíamos presenciado la visión más majestuosa que cabía imaginarse y que éramos unos mortales afortunados, porque todo había sido bellísimo.*

Otro cronista, compatriota del anterior, declaró que ya no sólo creía en el inmenso potencial ruso para la grandeza, sino también en la legitimidad de Nicolás. Rusia era más próspera y pacífica de lo que había sido en años.

> *... Nicolás II comienza su reinado con los mejores votos del mundo entero. Monarquías, imperios y repúblicas se unieron para desearle por igual* bon voyage *en su viaje memorable. De Alemania, de Francia, de la reina venerable que más tiempo ha reinado en la historia del trono inglés, de nuestro propio presidente y de muchos otros gobernantes de naciones grandes y pequeñas, recibió mensajes con los más efusivos saludos y, por encima de todo, el gran corazón del pueblo llano, en un impulso unánime, sintió que en la cara bondadosa y risueña de aquel zar juvenil residía la promesa de un reinado beneficioso y justo.*

11

Se entendía por qué los ministros de Nicky consideraban imperativo que la coronación superase todas las grandes celebraciones europeas del pasado. Encaraban problemas colosales. Rusia era inmensamente rica, pero también extremadamente pobre. Para que el país llegase a ser un poder económico comparable a Gran Bretaña o Estados Unidos, era primordial la rápida conclusión del ferrocarril transiberiano, comenzado años antes. Siempre necesitada de ingentes entradas de fondos extranjeros para completar el trabajo en la ruta, Rusia se había visto obligada, cinco años antes de la coronación, a exportar a Occidente la mayor parte de sus cereales. El ministro de Finanzas de Alejandro III había declarado que no había otra alternativa. Los cereales eran la única materia prima de que Rusia disponía en grandes cantidades. De modo que hubo que exportar la mayoría de la cosecha. Ello ocasionó la hambruna de 1891. Murieron millones de campesinos.

Ahora cientos de miles de sus parientes habían ido a Moscú y se habían congregado en diversas estaciones ferroviarias de la capital. Muchos dormían en el suelo. Esto suscitó un comentario del Maestro:

–Por supuesto que estos campesinos quieren quedarse en estaciones de tren. Hace cinco años vieron cómo unos trenes de mercancías se llevaban sus cereales. Ahora esperan en la terminal para ver si vuelven.

Los campesinos nos interesaban, desde luego. Sin su lealtad, ¿cómo podría Nicolás II ejercer su mando? No podía contar con las ciudades. El proletariado, campesinos recientes a su vez, ahora padecía sus enfermedades: cólera, tifus, sífilis, tuberculosis. Las viviendas estaban críticamente superpobladas. El alcoholismo era un inmenso problema social, y la prostitución otro.

La venta de cereales en 1891, sin embargo, cumplió su propósito económico. La inversión en la industria pesada se triplicó en los diez años siguientes. Para equilibrar semejante crecimiento, las cloacas de Moscú, ya saturadas, inundaban en verano las calles de las barriadas, mientras que en invierno los obreros se morían de frío.

Los que se quedaban en sus pueblos seguían viviendo en cabañas de leños con el interior ennegrecido por el humo. En las paredes había reproducciones baratas de iconos, pero cualquier visitante que entrara en la choza de un campesino se sentía obligado a hacerles una reverencia. Sólo después saludaban al amo de la casa, que, como dueño que era, dormía en el mejor sitio: encima del horno, todavía caliente por las ascuas del fuego que había calentado la cena. El resto de la familia dormía en el suelo. Desvestirse era algo insólito, pero si el frío no era excesivo, los hombres se quitaban las botas antes de tumbarse. Tenían un proverbio: «El hedor de tus pies espantará las moscas.»

No obstante, yo respetaba a los campesinos que veía en las estaciones de ferrocarril moscovitas. Aunque prematuramente envejecidos y con pocos dientes sanos, eran fuertes como animales de tiro. En realidad, aquellos hombres y mujeres rara vez se movían: tenían la paciencia del ganado. Pero mi estudio me dio un indicio de por qué el Dummkopf dedicaba tanta atención a Rusia. Aquellos hombres pobres, feos, grandes, fuertes y mudos, con sus mujeres vulgares, fornidas, a menudo deformes, puede que fueran ruines, obtusos, ignorantes, pasmados, hasta estupefactos, pero todo esto quizás no representara más que una cera protectora sobre un tarro de excelente jalea. Por debajo de su letargo, yo intuía una capacidad de ser fuertes, sabios, generosos, ecuánimes, leales, sí, incluso comprensivos, o eso era, al menos, lo que Tolstói y Dostoievski habían pregonado a sus lectores. Que el futuro genio hubiera de encontrarse en el campesinado ruso era una seria preocupación para nosotros. Nuestro objetivo, en definitiva, era seguir reduciendo las posibilidades humanas. Aguardábamos el momento en que pudiéramos arrebatarle las riendas al Dummkopf.

Mi día se aproximaba. Una concentración inmensa, prevista para el 18 de mayo en el campo Jodinskoe, honraría a todos los campesinos que se hallaban en la ciudad. Se congregarían todos los que habían viajado cientos de kilómetros en tren, en carros y hasta algunos a pie, con objeto de estar en Moscú cuando el zarevich se convirtiera en el zar.

El acto en el campo se había organizado para demostrar el amor de Nicky por su pueblo. Celebraría los valores populares. Distraería al pueblo. Habría artistas de circo, cantantes y bailarines, y se repartirían regalos del zar y la zarina en numerosos puestos y quioscos. Las grandes extensiones abiertas del Jodinskoe estaban preparadas para acoger a medio millón de personas. También regalarían cuatrocientas mil jarras de hierro, pintadas de rojo y oro, con las iniciales de Nicky, así como pañuelos de seda para las mujeres, cerca de cuarenta mil litros de cerveza y paquetes gratuitos de comida que contenían pan ruso, nueces, salchichas, galletas y mermelada, acompañados de un librito sobre la coronación con las iniciales del zar y la zarina.

Para afrontar a la muchedumbre, Nicky, Alejandra y los miembros de la corte llegarían al mediodía y tomarían asiento solemnemente en un pabellón real recién erigido en un extremo del campo. Tendría cabida para mil notables. Cerca habría otro pabellón con asientos para otras mil personas que quisieran pagar por el privilegio.

Entre unos cuantos funcionarios, sin embargo, cundió el temor de que no hubiese policías suficientes. Sólo había tres oficiales encargados de supervisar a una compañía de ciento cincuenta cosacos desplazados para actuar como refuerzos. ¿Ciento cincuenta cosacos para controlar a medio millón de rusos? Quien los comandaba pidió más guardias pero le dijeron que había escasez de policías. Muchas otras zonas de la ciudad tenían que ser protegidas contra manifestaciones de revolucionarios o alborotadores. Además, el gobierno ya había gastado grandes sumas para mantener la seguridad del zar durante la semana ceremonial. No quedaba dinero disponible para este capítulo. La mano del Maestro en todo esto me pareció evidente.

Nos disponíamos a aprovechar la circunstancia. Trece años antes, después de la coronación de Alejandro III, el campo Jodinskoe también había servido de sede para la feria campesina. Aunque hubo algunos infortunados episodios y treinta campesinos perdieron la vida, la pérdida se consideró aceptable. Uno no debía considerarse responsable de cada percance en una concentración tan grande.

De hecho, fue Nicky quien decidió celebrar la feria en el mismo sitio. Quería inaugurar una tradición nueva. «Por lo que ustedes me dicen», dijo a sus ministros, «necesitamos más tradiciones.»

Un problema que no se examinó, con todo, fue el del campo. En 1891 se había celebrado en él una gran exposición. Se levantaron construcciones temporales, pero no hubo fondos para rellenar posteriormente las excavaciones. El vasto terreno estaba ahora sembrado de bancales de arena, pequeños barrancos, pozos sin tapar y cimientos abandonados. Habían abierto senderos amplios para sortear estos obstáculos, y se dio por sentado que la gente se movería con prudencia. Al fin y al cabo, había espacio expedito para medio millón de visitantes.

En verdad, hubo inquietudes más apremiantes que el campo Jodinskoe. Había que alojar a las multitudes que acudirían a Moscú. Los campesinos que tuvieran parientes trabajando en fábricas podrían hospedarse en sus casas. No les resultarían poco familiares los olores a grasa de los chaquetones de piel de borrego, las capas empapadas de sudor, los caftanes y los abrigos de lana negros. Y, naturalmente, estaban las estaciones ferroviarias. Por descontado, sirvieron de alojamiento. Lo que no se previó, sin embargo, fue el gran número de campesinos que decidieron llegar al campo la noche anterior. Al anochecer ya había multitudes acampadas. Había bebida, canciones y hogueras. Tocaban balalaikas. El rumor se había difundido por toda la ciudad. Repartirían regalos temprano. Nosotros divulgamos este rumor. Sí, los mejores se repartirían antes. Por consiguiente, miles de campesinos avanzaron y empezaron a empujar contra las barreras de madera que protegían las chozas, los quioscos y los mostradores que albergaban los obsequios. Otros empujaban desde detrás. Entonces, con horas de adelanto sobre la primera luz de la mañana, empezó a llegar el populacho obrero de Moscú. Las barriadas afluían al centro. Hasta allí había llegado la noticia.

La noche del 17, tuvo lugar una función de gala en el teatro Bolshoi. Muchas damas lucían sus diamantes, tantas que el brillo de las joyas –como comentó un buen hombre– competía con el de las candilejas. Pero la mayor parte de la pequeña nobleza hablaba del campo Jodinskoe. Decían que al final de la mañana un millón de almas emprendería la marcha hacia el lugar. ¡Un millón! «Sí», fue el comentario en el Bolshoi, «nunca hasta ahora tanta gente ordinaria había querido presentar sus respetos al zar.»

Esto se dijo en la gala. En el campo reinaba una agitación muy peligrosa. Algunos campesinos empezaron a mover los postes que sostenían las barreras. «Los regalos buenos ya se han acabado», les habían ordenado decir a nuestros agentes. «Ya no quedan jarras. Ya no queda cerveza.» «No», aseguró un desmentido, «la cerveza no se ha acabado, pero queda poca.» Las barreras empezaban a escorarse. Caída la primera, los quioscos fueron invadidos al instante. Pero mientras unos buscaban los regalos, les derribó el gentío que empujaba por detrás. Miles de personas se aplastaban contra los millares que tenían delante. Bastaba con que un hombre cayera para que otro le pisotease. Un tercero se estrellaba, un cuarto quedaba aturdido. Más cuerpos presionaban. Las mujeres gritaban. Los niños lloraban. Masas de hombres, mujeres y niños eran conducidos en desorden hacia el más grande de los bancales de arena, en cuyo fondo se revolvían febrilmente, buscando un asidero en un cuerpo ajeno para salir de aquel hoyo en el que otros seguían cayendo. Comenzaron las asfixias. Yo nunca había oído una aflicción semejante. Miles de gargantas rugían de cólera. Muchas otras aullaban de terror. Unos hombres y mujeres más menudos se elevaban en el aire como un surtidor. Unos niños gemían bajo el peso de botas que les pisaban. El fragor era sobrenatural. ¿Quién contaría cuántos cientos de tacones oprimían ahora centenares de torsos? O narices, ojos, dientes. Pocos escaparon. ¡Algunos! Levantaron a unos niños y los pasaron hacia atrás, por encima de cabezas. Los adultos que lograban alcanzar el lindero de la multitud se desplomaban como peces en los bajíos, sin poder respirar ni moverse, y después respirando, o con dificultad. Otros bramaban nombres de familiares. Ya había caras petrificadas de dolor.

Pero aquello terminó a la manera en que amaina una tormenta. Los que habían irrumpido en las casetas y pisoteado los quioscos se vieron forzados a seguir avanzando por la presión que ejercían los de atrás, hasta llegar finalmente a un extremo del campo. Otros se escabulleron por los costados. Algunos de los que empujaban, al oír gritos delante, retrocedieron y frenaron el embate. Al calmarse el frenesí, la gente se dispersó en todas direcciones. Los muertos yacían en los bancales y en los espacios llanos.

En aquellas horas tempranas del día, mientras algunos caídos seguían temblando, el desorden se extendió a las calles de Moscú. Decenas de miles de moscovitas que tenían pensado asistir a la apertura oficial, horas más tarde, habían optado por salir pronto de casa para evitar las aglomeraciones. Al acercarse andando, les salieron al encuentro carros ensangrentados y escoltados por hombres y mujeres que lloraban afligidos. Había algunos histéricos. Se reían un momento y al siguiente gemían. Sin saber si considerarse afortunados por haber salido ilesos, debían de pensar también que corrían el peligro de perder el alma.

Muchos, por tanto, experimentaban una impía propensión a reírse. ¿Cómo evitarlo, cuando la parte más minúscula de ellos había despreciado secretamente durante años a los parientes fallecidos?

Las caras vociferantes que llegaban del campo desconcertaron a los que aún se encaminaban hacia el campo Jodinskoe. Cada carro transportaba cadáveres vestidos con ropa de fiesta campesina en diversos grados de destrozo. Sobre el campo aún yacían muchos muertos con la nariz aplastada, la cara ensangrentada, los miembros rotos, la mandíbula desencajada y el cuerpo retorcido y casi desnudo. En las carretas, muchos habían sido cubiertos con jirones y andrajos ajenos, arrancados de un cadáver para proteger el pudor póstumo de otro.

Más tarde se conocieron los cálculos sobre el número de vidas que se habían perdido. Al principio, a Nicky le dijeron que habían muerto trescientas personas, pero el ministro que se lo notificó era bien conocido por reducir en un noventa por ciento las malas noticias. Más tarde, al zar le dijeron que el número de víctimas era mil trescientas. La cifra definitiva fue de tres mil. Nicky apenas pudo hacerse una idea de este cómputo. El primer impulso tras la llegada de funcionarios policiales superiores fue retirar los cuerpos del campo antes de que el zar llegase. Habría tiempo después para contarlos.

Entretanto, la mañana alcanzaba su pleno esplendor. Era el décimo día de buen tiempo seguido. Las cúpulas bulbosas de las cuarenta veces cuarenta iglesias de Moscú resplandecían al sol. Las cúpulas, recubiertas de pan de oro, brillaban como si fueran hijas del sol, y sus campanas festejaban el acontecimiento con una variedad de repiques, de tañidos fuertes o delicados. Pero para quienes se alejaban del campo, el sonido de los llantos persistía en sus oídos, una algarabía de gimoteos, alaridos, berridos, lloriqueos, sollozos y lamentaciones en funesta disonancia con las campanas.

Yo, sin embargo, excitado por la magnitud de nuestro triunfo, sentía como si viese las flaquezas de la mitad de la gente que pasaba. Muchísimos sufrían dolor de corazón, dolor de alma, dolor de estómago, y caminaban con cieno adherido al espíritu, extraviados en el torbellino de un sueño. Mientras tanto, el sol reflejaba el oro de las cúpulas de bulbo en lo alto de cada iglesia. Durante la mitad del año anterior, a pesar del gran riesgo de resbalar en las empinadas rampas de los tejados de iglesia escarchados de hielo invernal, unos operarios habían aplicado una nueva capa de pan de oro a las bóvedas doradas.

13

Al mediodía, antes de que llegaran el zar y la zarina, ya habían despejado del campo Jodinskoe casi todos los desechos. Quedaban aún jirones de ropa en la arena y en los pozos, pero los cadáveres habían desaparecido. Llevaron a varias compañías de soldados para retirar los últimos cuerpos hasta más allá de los quioscos alejados. Allí permanecerían, en filas ordenadas, hasta que los carros pudieran transportarlos a un cementerio o hasta que unos parientes reconociesen sus restos con gritos y exclamaciones. Por supuesto, a Nicky y a Alix, cuando llegaron, les sentaron lo bastante lejos para que no oyesen estos ruidos. Los acallaron las voces de un coro de mil jóvenes de ambos sexos situado delante del pabellón real. Las gradas de espectadores estaban llenas de extranjeros distinguidos y de moscovitas con sus mejores uniformes, las damas con su atavío más elegante de tarde. Regía el principio social de que nunca hay que darse por enterado de algo desagradable en un acto mundano. He asistido a fiestas en las que un invitado, que suele ser uno de los nuestros, se ha tirado un pedo. El asco que experimentan los que se encuentran cerca perdura en el aire un momento. A veces más tiempo. Nadie dice nada. Para la crónica oficial, no ha sucedido nada. Esta capacidad de no hacer caso de lo repulsivo ha sido siempre la fuerza inveterada de las clases dominantes.

Ahora, al escuchar a aquel coro talentoso de mil voces celestiales que ofrecían una selección vocal, ¿quién se apresuraría a admitir los horrores que se habían producido unas pocas horas antes? No, los rusos peripuestos en los pabellones, movidos por el deseo de imitar los mejores modales de las clases altas británicas, se comportaban como espectadores privilegiados que disfrutan de un día señalado en el hipódromo. Las damas y caballeros en las gradas habrían parecido casi perfectos, salvo por un contratiempo. Un viento increíblemente fuerte se levantó de improviso y esparció nubes de polvo por la explanada de la ceremonia. Aquel torbellino nocivo no tardó en alcanzar los pabellones instalados en el lindero del Jodinskoe. No debería haber habido un viento semejante en un día tan glorioso. Todo estaba en calma. Pero había llegado la ráfaga. Apenas supe si estaba presenciando la furia del Dummkopf o la cólera de los muertos.

El zar y la zarina llegaron en la estela de aquel viento. Todo cambió. Fue como si al vendaval hubiera de disiparlo una nueva salva de aplausos tan sonoros que a duras penas se oía a la banda, aquella inmensa orquesta nacional de metales que tocaban el himno con una exaltación estentórea. El campo Jodinskoe era ya visible a medias en el polvo fresco levantado por los carruajes de los rezagados que llegaban después del tumulto matutino. Enseguida Nicky y Alejandra saludaron al gentío que afluía y, poco después, dejaron el pabellón para subir a su coche y recorrer los centenares de metros hasta el palacio Petrovsky, donde el zar recibiría a unos grupos selectos de ciudadanos escogidos. En la vislumbre que tuve de él aparecía sumamente pálido, y me pregunté si sabría lo que había ocurrido. Sospecho que la información con que contaba era aún muy deficiente, pero en todo caso no se anularon los actos previstos. A menos de cuatrocientos metros de Jodinskoe, Nicky y Alix recibieron a las nuevas delegaciones en las verjas del palacio Petrovsky. En total eran catorce grupos que portaban regalos. Primero entregaron a los monarcas una ofrenda especial de la catedral de Cristo Salvador: una gran fuente para pan y sal ceremoniales. Ocho hombres habían empleado nueve meses en tallar aquella fuente de cristal. Nicky comprimió las nalgas para que en su expresión se pintase una pequeña gratitud y a continuación agradeció a los ocho obreros las espléndidas virtudes de su obra. Después desfiló un regimiento de caballería, los Georgiyevskys. A una delegación de campesinas siguieron distinguidos artistas del teatro imperial de Moscú. Tras ellos, rindió su homenaje una delegación de los cocheros moscovitas. Incluso hubo un obsequio de los Creyentes de Moscú, que ofreció una bandeja de plata en la que unos diamantes incrustados formaban las iniciales de Nicky. Enseguida les reemplazó un ejército de constructores que habían decorado la ciudad con luces y fachadas falsas para la procesión del 9 de mayo. Luego desfilaron representantes de los proveedores, la sociedad de caza y el club hípico moscovita, e incluso (por sus siglos de servicio desde la época de Pedro el Grande) algunos dirigentes de la muy arraigada colonia alemana. Acto seguido, Nicky y Alix entraron en el palacio y presidieron el banquete de los agasajados representantes del pueblo llano. Intercalando sus palabras entre los vítores de los comensales, Nicolás II dirigió la palabra a los ancianos plebeyos: «La emperatriz y yo os agradecemos efusivamente vuestra expresión de amor y entrega. No dudamos de que vuestros convecinos comparten estos sentimientos. Mi corazón se interesa por vuestro bienestar.»

Consulté por casualidad la hora. Para mí esto es sólo una forma de hablar. No necesito un reloj. No hay demonio que no tenga una clara noción de la hora, el minuto y hasta el segundo. Por tanto, puedo afirmar que cuando el zar estaba pronunciando su discurso, en la morgue se produjo un suceso simultáneo: un demonio informó de la hora exacta. Sucedió que dos cadáveres que yacían tendidos en mesas del depósito emergieron de su estado comatoso. Hasta gritaron al unísono. ¡Desde extremos

278

opuestos de la habitación! Habían parecido muertos, pero ahora estaban claramente vivos.

Menciono estas resurrecciones para hacer hincapié en la coincidencia de los dos sucesos. Incluso llegué a enterarme de que Alix sufría su propio apogeo premonitorio en un momento que sin duda fue muy próximo del otro. Había sonreído y hecho una reverencia, todavía con aquel mohín de paloma, a todos los invitados que se le acercaron. Sin embargo, estaba aterrada. La embargaba el pensamiento de que su muerte se avecinaba, así como la de Nicky. ¡En qué peligro se hallaba su marido! Hasta se consintió a sí misma sentir una franca ira contra el pueblo ruso. Se preguntó por qué era tan propenso a amotinarse. Llegó al extremo de decirle a su marido: «Hay poca cortesía entre nuestros mujiks.» Nicky no supo si sentirse ofendido o complacido por el hecho de que ella hablara de *nuestros* mujiks. (Conocí estos pensamientos de segunda mano, a través de un demonio especial ruso que mantenía contactos con una de las damas de honor de Alix.)

A unos ochocientos metros del palacio Petrovsky, unos soldados extendían en el suelo a las últimas víctimas, y en aquellos confines distantes del campo Jodinskoe otros cientos de campesinos y moscovitas buscaban a familiares perdidos. Entretanto, Nicky recorría las mesas para saludar a los aldeanos que comían *borscht* de Poltava, ternera con verduras frescas, pescado blanco frío, pollo asado, pato, pepinos frescos y en vinagre, postre, fruta, vinos.

Delante de las gradas, malabaristas y bailarines gitanos actuaban para los nobles. Se vendían helados. Y detrás de las casuchas seguían tendiendo hileras de cadáveres mientras parientes compungidos miraban la cara destrozada de los que habían fallecido unas horas antes, pero que quizás, a pesar de toda la desfiguración, conservaran un rasgo reconocible. Algunos decepcionados incluso depositaron una moneda de cobre en el pecho frío de un desconocido. En algunos lugares se hacinaban montones de cuerpos, cincuenta aquí, treinta allí, brazos y piernas en ángulos ultrajantes, las ropas sucias. Unos médicos se arrodillaban en el polvo para comprobar si alguien se movía. De repente, un muerto dejó de ser considerado tal. Se incorporó.

Su mujer, que había estado llorando a su lado, empezó a golpearse el pecho. «¡Dios está aquí!», gritó. «¡Dios está aquí! ¡Dios te ha salvado!» Pero otra familia, a escasos quince metros de distancia, sumida en un falso duelo por el fallecimiento de un longevo patriarca, ahora estaba chillando. Pues el viejo tirano había abierto los ojos. «¡El diablo te ha devuelto, monstruo!», gritó su anciana esposa.

14

No fui un protagonista de los disturbios recién descritos. El Maestro había sido tajante: yo no tenía la suficiente familiaridad con Moscú para dirigir a los demonios locales. En cambio, debía continuar mi vigilancia sobre Nicky. Tuve que reconocer que no me consideraban lo bastante despiadado para encabezar la revuelta. Esto hirió mi vanidad. Me sentía capaz de cualquier tarea, alta o baja, pero debería haber sabido que mi cometido de estudiar las cartas y los diarios de los Romanov seguiría siendo mi función básica. Este conocimiento, sin embargo, reveló su utilidad en años venideros. Los Romanov no perecieron aquel día en un estercolero sangriento de huesos rotos, pero sin duda sufrirían expolios posteriores.

Un resultado inmediato fue la eficacia reducida de los Cachiporras. Había ahora fisuras en el círculo de protección que formaban alrededor de Nicky. Pude, por ejemplo, acercarme hasta una distancia razonable del zar cuando él y Alix aparecieron al mediodía para sentarse en las gradas de espectadores. Gracias al pasaje hacia sus pensamientos que el Maestro había conseguido mantener abierto, detecté que Nicky no sólo estaba anormalmente pálido al aproximarse al pabellón, sino que su palidez procedía de una pasión desatada. Sentí su intensidad. Algunos se ponían colorados de ira. Él estaba pálido de furor contenido. Al igual que Alix, su desagrado primario se dirigía a los campesinos. ¿Cómo podían haber sido tan ingratos, tan autodestructivos? Pero tenía el deber –pesado como cadenas sobre su corazón– de perdonarles. ¿Cómo experimentar tan noble sentimiento cuando ardía de cólera? En su furia había muchísimos aspectos. En efecto, estaba igualmente enfurecido por la ineptitud de la policía. Y no tardó en enfurecerse consigo mismo. No había prestado atención a las disposiciones de seguridad. Gran parte de aquello podría haberse evitado. ¿Era cierto eso? ¿Había sido algo inevitable? ¿Estaba su destino maldito? No lo sabía. No podía saberlo. Aquella noche escribió en su diario:

Hasta ahora, gracias a Dios, todo había salido perfecto, pero hoy se ha cometido un gran pecado. La multitud que pernoctaba en el prado de Jodynka echó abajo la barrera y se produjo una terrible avalancha, durante la cual, horrible es decirlo, fueron pisoteadas 1.300 personas.

Seguí estudiando la frase: «se ha cometido un gran pecado». ¿Se refería a los alborotadores o a él mismo? Porque la tarde del 18 de mayo, el conde Witte, que era el estadista en particular al que Nicky más escuchaba, impartió la consigna: «Por respeto a los muertos, habría que cancelar de inmediato todos los festejos.» A continuación, Witte añadía: «Muy especialmente el baile del embajador francés.» Iba a celebrarse aquella misma noche, y lo habían planeado como la velada más grandiosa de la coronación.

Rápidamente surgió la discrepancia con el conde Witte. El tío de Nicky, el gobernador general de Moscú, el gran duque Serguéi Alexándrovich, casado con la hermana mayor de Alix, Ella, había asumido, entre otros cargos, el puesto de director de

281

la feria campesina. Serguéi Alexándrovich despachó un mensajero con la respuesta a Witte: «El zar considera Jodynka un gran desastre, pero le informaría de que no es tan grande como para ensombrecer la fiesta de la coronación.»

Los grandes duques mayores, hermanos de este gobernador, se mostraron de acuerdo. Sin embargo, sus sentimientos repugnaban a los primos de Nicky, la generación más joven de grandes duques. De hecho, el amigo más querido de Nicky –su primo carnal Sandro, que estaba casado con Xenia, hermana de Nicky– declaró que la actitud de sus tíos, los Romanov más viejos, sólo podía calificarse de «monstruosa». Y los hermanos de Sandro, los hijos del gran duque Miguel, suscribían esta opinión con vehemencia. Bajo ninguna circunstancia debía Nicky asistir al baile francés de aquella noche. ¡Qué abominable injuria para los muertos! ¿Dónde estaba el honor ruso? El zar, a cuatro días de la coronación, estaba de acuerdo con Sandro, pero justo entonces entró en la habitación el tío Alexéi, el gran duque que era el hermano de más edad que quedaba de su difunto padre.

–Nicky –dijo el tío Alexéi–, sin duda eres consciente de que tus primos, esos Mijailovich, y muy en particular Sandro, no son gente a las que puedas permitirte escuchar. Son jóvenes e inexpertos. Son radicales. Son tontos. Son peores que tontos. Te digo algo que ellos nunca reconocerán, pero se están aliando con fuerzas nefastas. Quieren deponer a Serguéi Alexándrovich para que lo sustituya uno de los suyos como gobernador general de Moscú. Piensa en lo que les harán a Serguéi y a Ella. A tu esposa la dejará consternada que su bella hermana Ella tenga que sufrir esta vergüenza.

Yo estaba lo suficientemente cerca para oír estas opiniones. Tampoco esta vez estaban los Cachiporras. Un contingente de almas recién fenecidas debían de necesitar socorro, y quizás el Dummkopf había enviado a sus ángeles a la morgue. Fuera como fuese, por una vez no era nada difícil aproximarse a Nicky.

Por eso oí al hermano de Sandro, Nikolái Alexándrovich. En cuanto se marchó el tío Alexéi, Nikolái intervino:

–Nicky, te lo ruego, no vayas esta noche al baile de los franceses. Presta atención a lo que te digo. Nos guste o no, seguimos viviendo a la sombra de Versalles. Luis XVI y María Antonieta bailaban toda la noche porque eran ingenuos. No presentían la tormenta inminente. Nosotros sí. ¡La sentimos!

»Nicky, busca en tu corazón. Lo que ha ocurrido ha ocurrido. La sangre de esos hombres, mujeres y niños manchará para siempre tu reinado. Es injusto, porque tú eres bueno, eres amable. Sé que si pudieras resucitarías a los muertos. Pero no puedes. Por tanto, Nicky, tienes que mostrar tu compasión a sus familias. Tu lealtad hacia ellas. Tu respeto. ¿Cómo vas a tolerar que los enemigos de este régimen puedan decir que nuestro joven emperador estuvo bailando toda la noche mientras sus súbditos masacrados aún estaban insepultos?

Su elocuencia triunfó. Nicky supo que no quería asistir al baile. Pero su primo no consiguió mantener el alto nivel de su argumento. Pronto sucumbió a la cólera.

–¿Por qué, preguntaría yo, Serguéi Alexándrovich no previó la gran necesidad de policía? –continuó–. Cualquier idiota se lo habría dicho.

No tardó en sugerir que se habían perpetrado canalladas. ¿Habría prestado oído a los rumores sembrados por nosotros? En Moscú se habían divulgado. Circuló que el gobernador general había desviado fondos de la coronación para pagar las deudas de juego del zar. No era cierto. Serguéi Alexándrovich no era culpable. El responsable resultó ser su ayudante. (Este individuo no sólo tenía deudas de juego, sino con nosotros: con uno de nuestros agentes rusos. En realidad, fue este ayudante de Serguéi el que esparció el rumor de que el gobernador general era un corrupto.)

Pobre Nicky. Si alguna debilidad tenía, era la de no retener en su cabeza dos ideas opuestas el tiempo suficiente para decidir cuál de las dos era más sustanciosa. Justo cuando estaba prestando su real atención al alegato de su primo Nikolái, dos de sus tíos volvieron a entrar en la habitación. Empezaron a explicar, y en los términos más ásperos, que sería un insulto internacional que Nicky no asistiera al baile. La embajada francesa había hecho preparativos onerosos. La ausencia del zar y la zarina afectaría a las relaciones entre los dos países.

–Nicky, dependemos de la alianza francesa. Sólo por eso debes asistir. Los franceses se precian de medirse por la cordura que muestran en las crisis. Detestan el sentimentalismo. Se enorgullecen de su *froideur*. Si no asistes, te verán como una figura femenina, influida por la compasión, precisamente cuando necesitamos una diplomacia sólida. Los accidentes no deben afectar a la política exterior.

Nicky fue al baile. Su pareja en el primero de la noche fue la condesa Montebello, que era la esposa del embajador francés, y Alix bailó con el conde. Nicky escribió en su diario esta observación:

El baile de Montebello fue espléndido, pero el calor era insoportable. Nos fuimos a las dos, después de la cena.

Entretanto, el gobernador general sonreía. Disfrutaba del baile. La máxima favorita del gran duque Serguéi Alexándrovich era: «Da igual lo espantoso que haya sido el día. Hay que poseer la entereza y el ingenio de gozar plenamente una velada cuando hay música alegre y bebidas que entonan. Es también nuestro deber.»

Sandro y sus hermanos conocían desde antaño las convicciones de Serguéi. Por eso su presencia aquella noche les resultaba doblemente intolerable. Se empeñaron en marcharse en cuanto se abriese el baile. El tío Alexéi dijo en voz alta:

–Ahí van los cuatro seguidores imperiales de Robespierre.

Yo estaba satisfecho. El Maestro estaría contento. Yo estaba seguro de que también le divertiría saber que había conseguido infiltrarme aquella noche en la cámara real. Sí, llegué al dormitorio. Jamás había visto tanto descontrol entre los Cachiporras.

Durante unos minutos (antes de que ellos volvieran y yo corriera a esfumarme) pude infiltrarme un poquito más en el pensamiento de Nicky e informar de que se sentía condenado. Condenado y maldecido. Tuve la certeza. Tardaría dos decenios en confirmarse lo que averigüé esa noche, pero esa noche lo supe. Nicky estaba realmente horrorizado. Le dijo a Alix que quizás su deber fuese retirarse a un monasterio donde orar por las víctimas. No era una manera de hablar a una esposa en una noche tan llena de malos agüeros. Tal vez hasta explique la carta que Alix aún escribiría a su amiga alemana, la condesa Rantzau.

Noto insinceros a todos los que rodean a mi marido. Y ninguno cumple su deber con Rusia. Le sirven por su carrera y su provecho personal y me preocupo y lloro días enteros al ver que es muy joven e inexperto, y que se aprovechan de ello.

Cuánto más habría llorado si hubiera sabido lo que decían de ella las mujeres moscovitas.

Antes de la coronación había cometido un error crítico. Había confesado a su dama de honor más próxima que adoraba a Nicky.

—Le quiero muchísimo. Le pongo nombres secretos.

—¿Qué nombres secretos? —preguntó la dama.

—Oh, no puedo decírtelos. Soy muy secretos. Le llamo muchas cosas dulces, normalmente en inglés. Para mí es un idioma efusivo. Muy hospitalario.

Confesó. Poco a poco. Por fin, la cosa salió a relucir: su secreto. El gran secreto que la dama de honor juró que nunca revelaría a nadie. Y no lo hizo: durante uno o dos días. Después se lo dijo a su amiga más íntima, que a su vez juró que era una tumba absoluta y para siempre.

Al final, la amiga más íntima no se sintió libre de revelar el secreto demasiado deprisa. Esperó algunas noches antes de contárselo a una amiga y a otra. Ellas también hicieron un voto de silencio, pero no aguardaron tanto para violarlo. La sociedad de Moscú pronto empezó a burlarse a hurtadillas del amor tan declarado que la zarina profesaba al inglés. Quienquiera que tuviese la reputación de saber lo que no sabían otros estaba al corriente de las palabras secretas que empleaban entre sí Alix y Nicky. «Amorcito, chicuelo, mi dulce, mi alma, mi hombrecito, cariñito, mi gatito.»

En cuanto acabaron de reírse de Alix, una de las damas se sintió obligada a recordar a las otras:

—Ella nos llega detrás de un féretro. Transmite infortunio.

En realidad, al gobernador general de Moscú le llamaban ahora «el príncipe de Jodynka».

15

La semana siguiente hubo ocho días de fiestas, bailes, recepciones, visitas de Estado y veladas musicales. El 19 de mayo hubo un banquete en la sala Alejandro del Kremlin, y el 21 ofreció un baile el gobernador general de la ciudad. La fiesta congregó a toda la nobleza moscovita en la sala de Columnas, y el príncipe Trubetskoi actuó de anfitrión. Asistieron cuatro mil invitados. El día 22, Nicky y Alix hicieron una visita oficial al monasterio Troisky-Serguéievsky, y la mañana del 23 Nicky donó una primera entrega de veinte mil rublos para un hospicio destinado a los huérfanos de Jodynka. Aquella noche hubo una cena con el embajador inglés en un baile palaciego en la sala San Andrés del Kremlin. Tres mil cien invitados. Los alemanes, discretos, sólo ofrecieron la noche siguiente una velada musical en su embajada, a la que siguió una cena, la noche del 25, para todos los embajadores. Para terminar, los soberanos volvieron el día 26 al campo Jodinskoe para presenciar un desfile militar. Para entonces ya habían cegado los pozos. Fue otra jornada brillante, y seis caballos blancos tiraron del carruaje de Nicky. Treinta y ocho mil quinientos cincuenta y cinco reclutas desfilaron al mando de dos mil oficiales. Asistieron al desfile sesenta y siete generales.

Yo esperaba por esas fechas la orden de partir. No sabía si me adaptaría a Hafeld después de aquellos días excepcionales en Moscú, pero el Maestro se apresuró a decirme: «Respeta Hafeld. Es importante.» No había motivo para creerle ni para no creerle: su verdadera opinión, a fin de cuentas, estaba escondida en su porte impenetrable, pero puedo decir que a mi regreso a Austria me sentí mejor que en varios años. La del campo Jondinskoe había sido la operación más grande en la que había participado desde hacía mucho tiempo. O eso me pareció.

Es triste que a pocos demonios se les permita conservar recuerdos, pero el Maestro impone el mismo principio que las agencias de inteligencia. En ellas se supone que nadie debe saber nada de un proyecto hasta que deba saberlo. Nosotros, por nuestra parte, no debemos recordar nada que no vayamos a utilizar en un nuevo proyecto.

Puesto que creo que he sido un demonio durante siglos y que me han ascendido y degradado, cabría preguntarse por qué, con semejante historial, aun así aprendí mucho en mi estancia en Rusia. Es porque una complejidad recién adquirida se desvanece en cuanto una empresa llega a su fin. De modo que desarrollamos muchas nuevas cualidades mentales, pero pronto las perdemos. Lo curioso en este caso es que el Maestro me permitió conservar intactas aquellas experiencias recientes. Jondinskoe permaneció en mi memoria y mi moral se mantuvo casi excelente. Al regresar con la familia Hitler volví a creer, en vista del éxito cosechado en Rusia, que el Maestro tenía grandes planes para aquel cliente, el joven Adolf Hitler.

Lleno de una ligereza de espíritu totalmente distinta a la pesadez que se requiere para ser leal cuando no queda más remedio, me sentí elevado al regresar a Hafeld. Pronto dejé de pensar en Nicky y Alix. ¿Qué falta hacía? Si en el futuro me enviaban otra vez a Rusia, se reconstruirían los recuerdos necesarios.

De hecho, es interesante que yo tuviera estos pensamientos, pues, en realidad, me enviaron de nuevo en 1908 y mi estancia en Rusia, con intermitencias, duraría ocho años, hasta el asesinato de Rasputín, el incomparable Rasputín, qué extraordinario cliente. Trabajó en estrecha colaboración conmigo, pero insistió en continuar también al servicio de un astuto y encumbrado Cachiporra. ¡Qué guerra libramos a causa de Rasputín y los excepcionales entresijos de su alma!

Puede que algún día describa aquellos sucesos trascendentales, pero no en este libro. Concluidas todas las largas interrupciones, ahora quiero referir lo que fue de Alois, Klara y Adolf durante los nueve meses siguientes. Esto pondrá fin a esta empresa literaria. De momento, pues, volvemos a la granja.

Desde aquí veo el sendero que lleva a la casa de Der Alte.

Libro IX

Alois hijo

1

Un extraño asunto me aguardaba a mi regreso a Hafeld. Tenía que convencer a Der Alte de que quemara una de sus colmenas. Había sufrido picaduras tan graves de sus abejas que le encontré en la cama, con la cara cruelmente hinchada. Tenía varias picaduras cerca de los ojos.

Habida cuenta de la pericia de Der Alte, no acertaba a explicarse cómo había sucedido un incidente tan penoso mientras examinaba una de sus mejores colmenas. Cuando intentaba sustituir a la reina –que estaba mostrando los primeros signos inequívocos de fatiga terminal–, su séquito le había atacado. Der Alte logró sofocar la rebelión con el puro que por casualidad estaba fumando en aquel momento, pero hacía años que no presenciaba una revuelta parecida de sus criaturas. Despertó mi paranoia (que siempre está al acecho, pues es preferible a una escasa facultad de previsión). Tuve que conjeturar que los instigadores del ataque habían sido los Cachiporras, y en consecuencia había que destruir la colmena.

Al recibir mi orden –que le transmití en su sueño–, Der Alte no la cumplió de inmediato. Transcurrieron unos días. De nuevo le infiltré el pensamiento en el sueño, pero esta vez hice el suficiente hincapié para que no pudiera considerarlo onírico, sino un imperativo, lo que dejó consternado a nuestro anciano.

291

«Hazlo», le repetí mientras dormía, «te será beneficioso. Mañana es domingo. Eso aumentará el buen efecto. Los domingos reportan un valor doble. Pero no emplees una bomba de azufre. Podrían sobrevivir muchas abejas. Mejor empapa de queroseno la colmena. Luego le prendes fuego, con caja y todo.»

Él gruñó en sueños.

–No puedo –dijo–. La Langstroth me costó mucho dinero.

–Quémala.

Der Alte cumplió mis órdenes. Tuvo que hacerlo. A su edad sabía lo profundamente que estábamos infiltrados en él. No quería vivir con los terrores que podíamos infundirle, miedos tan reales para su cuerpo como una úlcera. La muerte estaba presente en sus pensamientos, tan próxima a veces como una fiera enjaulada en la habitación contigua. Todo esto, sin embargo, a mí me dejaba indiferente. Cuesta no sentir desprecio por los clientes viejos. Son tan sumisos... Por supuesto, obedeció. Facilitó las cosas que en gran medida siguiera enfurecido por el ataque de las abejas. Su sentido de lo existente se vio trastornado. Las viejas costumbres admiten algunas conmociones.

La mañana del domingo depositó la colmena en el suelo y la roció. Se sintió mejor contemplando la agitación que hervía entre las llamas. Yo estaba en lo cierto. *Sí* había sido beneficioso para él. Pero Der Alte sudaba como un caballo. Al fin y al cabo, le apenaba la incineración, porque violaba sus instintos profesionales. Esperaba llorar por todas las pobres inocentes que morían abrasadas junto con las culpables pero, para su sorpresa, una insólita dulzura retornó a sus ingles. Era el primer almíbar de este tipo que su cuerpo había conocido durante años. Como en otros tantos viejos, su lujuria había estado limitada a su cabeza. Hacía largo tiempo que la reacción a un pensamiento libidinoso había sido más memorable que una punzada en la ingle.

Mencionaré que Adi estuvo presente en la quema. Él también había recibido un mensaje en sueños que acató sin esfuerzo. Se escabulló de Klara y Angela cuando ellas se preparaban para ir a la iglesia. Su deserción tampoco inquietó sobremanera a Klara. No era plato de su gusto llevar a Adolf a la iglesia. Si no estaba revolviendo en su asiento, empezaba un torneo con su hermanastra para ver quién conseguía pellizcar al otro. A hurtadillas.

Sí, estar a solas con Angela la mañana del domingo permitió a Klara sentirse un poco más cercana a su hijastra. A decir verdad, también le complacía no haber llevado a Edmund ni estar obligada a sostener a Paula contra el pecho durante todo el oficio, confiando en todo momento en que el bebé no quisiera mamar. Alois había dicho esa mañana que se quedaría con los dos pequeños. Klara apenas dio crédito a tanta generosidad. ¿Se estaba ablandando Alois? ¿Sería posible? Ciertamente, era una cuestión que quizás yo tuviera que explorar. Pero antes hablaré de la emoción de Adi durante la quema de las abejas. Los dedos de los pies le hormigueaban, el corazón se le agitaba en la caja torácica, no sabía si gritar o partirse de risa. Los ardores de la vida en Rusia me habían dejado, sin embargo, una pizca indolente. Aún no estaba ansioso de redescubrir las complejidades de aquel niño de seis años. Como he dicho, mi moral estaba en excelente estado, pero no quería ponerla a prueba tan pronto. En realidad, al reanudar tareas modestas en aquella región de Austria, no me importó que fuera una existencia más sencilla. Hafeld incluso quizás se dispusiera a ofrecer sus propias revelaciones, y entretanto me autorizaba a dedicarme a ocupaciones más nimias y livianas. Pude, por ejemplo, presenciar algunos cambios en el ánimo de Alois. Esto bastó para interesarme.

Por ejemplo, Klara se había equivocado. Alois no se estaba ablandando; no exactamente. A ella le había dicho que le vendría bien pasar un rato con los pequeños de vez en cuando, pero en cuanto Klara se fue, depositó a Paula en su cuna con ruedas y le dijo a Edmund que se quedara en el cuarto y se asegurase de que el bebé no se despertaba. Sabía que Adolf se habría ido por su cuenta y que Alois hijo estaría con Ulan en el otro lado de la colina. Lo cierto era que quería estar solo. Quería meditar sobre el percance de Der Alte. El incidente le había reconfortado. Una expectativa atroz se había disipado. Siempre había pensado que sería él el ferozmente agredido por las abejas.

A lo largo de mayo, a medida que mejoraba el clima, Alois había abrigado el temor recurrente de perder sus colonias. Veía una imagen vívida de él, en lo alto de un árbol, un árbol altísimo, intentando convencer a un enjambre enloquecido de que volviera a su colmena. Lo triste era que, tras haberse alimentado bien durante todo el invierno, se sentía tan relleno como un hombre que ha comprimido ciento trece kilos en un saco de noventa.

No era muy sorprendente, pues, que aquel domingo se dispusiera a destensar la cara, dejar que las tripas le hicieran ruido y el esfínter liberase flatulencias. Había habido demasiadas semanas durante el invierno, y hasta en los comienzos de la primavera, en que se había llegado a convencer de que iba a fracasar en una actividad seria que aniquilaría una parte importante de su amor propio. Aunque este desenlace hubiese parecido improbable antaño, porque su vanidad lo prohibía, esta misma vanidad enérgica (que había edificado desde la juventud pedazo a pedazo, episodio tras episodio venturoso) parecía estar desvaneciéndose. ¿Dónde estaba su antigua confianza? Aquel domingo, como cualquier otro, no había ido a la iglesia. Por supuesto que no, si podía evitarlo. Pero ya no sabía si podía continuar así. Aquel domingo concreto hasta había pensado en acompañar a Klara.

Era un pensamiento odioso. ¡Escuchar tonterías sentado en un banco! Hacer esto anularía el concepto que tenía de sí mismo como un hombre que no temblaba como otros. Pero poseer abejas le había metido el miedo en el cuerpo. ¿Se habría aflojado el año anterior la piedra angular de su orgullo? No conocía a nadie que se hubiese burlado más que él de los malos augurios. No era un mérito ordinario en alguien que había nacido campesino.

Pero una semana antes las manos le habían temblado al leer en el periódico un artículo sobre la muerte de un apicultor. El hombre no se había recuperado de una insurrección en una colmena.

Con el fin de aplacar estos temores, Alois hizo una visita a Der Alte. Fue cuando el viejo aún seguía en la cama, más débil que nunca. De hecho, rompió a llorar mientras contaba el percance. A Alois le produjo la sensación de virtud torcida que tiene un hermano más joven al ver llorar al mayor.

Después, durante unos días, decreció su miedo. No sabía por qué, pero el infortunio de Der Alte se lo había aliviado. Ahora resurgía. No se sentía bien desde que Alois hijo había regresado. Se dijo a sí mismo que no podía ser tan insensato de temer a sus abejas porque no se encontraba a gusto con su hijo. ¡No obstante, bien podía ser así! Los seres humanos tenían cantidad de subterfugios. Lo había aprendido en las aduanas. Recordaba a una mujer que envolvía sus regalos en los pliegues de su ropa interior negra. Una mujer bonita. Cuando Alois la descubrió, tuvo la ordinariez de sonreír y decir:

—Eres muy listo. Los demás aduaneros tenían miedo de tocar mis prendas íntimas.

—Eso es porque casi todos mis colegas van a la iglesia —le dijo él—. Esta mañana no has tenido suerte.

Ella se rió. Él estuvo tentado de dejarla pasar. De perdonarle el pago de la multa a cambio de meterle a él de matute entre sus muslos. Pero no se lo consintió a sí mismo. No incumplía normas tan serias.

En todo caso, este recuerdo le indujo a cavilar sobre la naturaleza del subterfugio. En los tiempos en que todavía disfrutaba de un paseo a caballo, solía haber una u otra montura que le privaba de su seguridad; algo en su forma de andar, como si, si ella quisiera, descubrieses que debajo tenías cinco patas en lugar de cuatro. No tenías puñetera idea de cómo controlar a un animal así.

Sí, lo mismo pasaba con Alois hijo.

Por otra parte, quizás estuviese emitiendo un juicio demasiado severo sobre su hijo mayor. Klara repetía que Alois no parecía el mismo chico que el que se había ido a trabajar para Johann Poelzl. Los padres de ella debían de haberle mejorado el carácter. Ahora tenía buenos modales. No daba la impresión de juzgarte a todas horas. Klara dijo que antes de marcharse era como un amigo afectuoso cuando lo tienes delante, pero que dice algo feo de ti en cuanto le das la espalda. No tenía pruebas, pero juraría que Alois hijo había sido así. Algo en él había mejorado. Quizás. Todavía pasaba muchísimo tiempo montando a Ulan. Pero, como Klara anunció a Alois, estaba dispuesta a tolerar esto. Más valía andar cabalgando por la cuesta que ponerse a coquetear con su propia hermana.

–¿Qué has sabido tú en tu vida de estas cosas? –preguntó Alois padre.

–Nada –dijo Klara–. Pero vi algunas cuando era joven. En ciertas familias. No es algo de lo que se hable.

En su voz no era evidente que ella y Alois tuviesen algo más amplio y más privado de que hablar. Sólo se sonrojó un poco al decirlo.

Esta capacidad de encerrar entre cuatro paredes los hechos más desagradables sobre uno mismo siempre suscitará mi admiración renuente. No sé si la construcción interna de esos muros iguala en dificultad, pongamos, a escalar los Alpes, pero en todo caso el mérito es del Dummkopf. Él estableció la prohibición del incesto –no, desde luego, nosotros– y después se impuso la tarea secundaria de proteger a los humanos, si llegaban a hacerlo, de recordar lo que habían hecho.

Desde entonces perdemos algunas ventajas. La mayoría de los seres humanos son incapaces de afrontar verdades desagradables. Sólo poseen la capacidad que les ha dado Dios de ocultárselas a sí mismos. Por tanto pude observar cómo Klara, sin reconocerlo, estaba preocupadísima por Alois hijo y Angela, y que no se le ocurriera ni por un momento pararse a pensar en si su marido era su padre en vez de su tío.

2

Yo también había reflexionado sobre los cambios en Alois hijo. En apariencia había mejorado. Si los modales eran una guía, se había convertido en una imitación razonable y fidedigna de un joven agradable.

Los demonios que yo había dejado tuvieron el placer de comunicarme que habían hecho una copia de una breve carta que Johann Poelzl había enviado con Alois hijo. Daba una opinión confirmada y muy decente del muchacho.

Difícilmente podía yo creer en la veracidad de la carta. De entrada, no era la original, sino una copia hecha por el agente. Esto anulaba uno de mis talentos: obtengo no pocos conocimientos con sólo echar un vistazo a la letra de alguien. Se me revelan muchos recovecos escondidos del alma. Las falsedades destacan como el acné.

Como ya he señalado, los demonios que dejé en Hafeld no eran mañosos. Por tanto, se conformaron con examinar la carta de Johann (depositada en el costurero de Klara) y hacer una copia. De haber poseído más técnica, habrían confeccionado un facsímil y conservado el original.

Privado de la caligrafía, tuve que contentarme con las palabras.

Estimada hija:

Doy esta carta al chico. Te la dará él. Tu madre dice que es un buen muchacho. Llorará echándole en falta. Es lo que ella dice.

Díselo a tu estimado marido. Alois hijo es bueno. Trabaja con ahínco. Muy bueno.

Tu padre,

Johann Poelzl

Yo podría haber solicitado que uno de nuestros agentes nocturnos repasara en uno de sus trayectos los pensamientos de Johann, pero decidí esperar. Era un viejo testarudo que rechazaría cualquier irrupción en su mente, y yo averiguaría en Hafeld lo que necesitaba saber sobre Alois hijo. Los demonios menores destinados allí, para mi sorpresa, habían mejorado algo. Incluso sin mi vigilancia, estaban aprendiendo el oficio. Uno de ellos pronto estaría preparado para recibir clases de grabación de sueños.

Sin embargo, no me molestaré en describirlo con detalle. En la actualidad, ha transcurrido más de un siglo y los demonios antiguos brindan incluso menos placer a la memoria que las canciones mediocres. A diferencia de un hombre o una mujer, cuya presencia está estrechamente relacionada con su cuerpo y ofrece así multitud de datos, los demonios sólo manifestamos una personalidad destacada cuando es necesario habitar en un cuerpo humano durante toda la duración de un proyecto. Entonces sí tenemos una presencia casi imposible de distinguir de la persona que habitamos. Yo diría que no guarda más relación con nosotros que un cambio de ropa.

Nuestra vida es más feliz en el país del sueño. Allí –si estamos dispuestos a sufragar el gasto– podemos encarnar a quien queramos. Algunas improvisaciones son brillantes. De hecho, si los sueños dictaran una parte tan grande como quisiéramos de la historia humana, el Dummkopf pronto sería el criado del Maestro.

Pero estábamos muy lejos de ese punto. Al menos lo estábamos en 1896. Dios era aún el señor de nuestro universo inmediato. Los humanos, los animales y las plantas seguían siendo creación Suya. La naturaleza, imperfecta como era y, en ocasiones, cataclísmica (debido, debo repetirlo, a imperfecciones del diseño divino), seguía estando bajo su dominio, que distaba mucho de ser intachable. Sólo nos pertenecía gran parte de la noche.

Muy consciente de esto, el Maestro censuraba el autobombo. Nos comunicó que los demonios no debían felicitarse de los terrores que provocaban con las pesadillas. «Los sueños son evanescentes», nos dijo. «El control de los sucesos corresponde al día.»

¿Control de los sucesos? El Maestro mantenía sin duda su interés por los Hitler de Hafeld, pero cuando traté de comprender por qué, las grandes esperanzas que él declaraba depositar en el joven Adolf Hitler me hicieron preguntarme cuál sería el auténtico objetivo del Maestro. Nuestro Adi especial de seis años podría no ser más que una de los cientos o miles de perspectivas que él supervisaba sin que existiera más que una remota posibilidad de que llegaran a ser importantes para nuestras intenciones serias. Por ende, toda conjetura sobre si mi tarea era de una magnitud considerable estaba destinada a fluctuar más de una vez en las estaciones venideras.

3

No he descrito, ni me propongo citar, las otras actividades y empresas numerosas, y las pequeñas exploraciones que los demonios a mis órdenes estaban llevando a cabo en las localidades de la provincia de la Alta Austria (que abarca Linz y el Waldviertel). De momento carecen de interés.

La historia, sin embargo, ha subrayado la perspicacia de las proyecciones en el futuro del Maestro, y si me remonto en mi comprensión al verano de 1896, lo hago con la fuerza que infunde saber que tu trabajo ha sido trascendente: muchos detalles que ahora rememoro merecieron nuestra atención.

Puedo afirmar, por consiguiente, que Alois hijo daba muestras de un notable talento para seducir a cualquiera de su entorno inmediato. Por un tiempo, hasta logró aligerar la pesada sospecha que emanaba de la persona de Alois padre, que, cuando estaba de mal humor, lo descargaba sobre los demás como un muro de mal tiempo inminente, un efecto turbador que había utilizado a menudo en la aduana para encarar a un turista dudoso. No obstante, la seducción del chico era tan grande –una bonita mezcla de juventud, salud, un toque de ingenio y una buena voluntad evidente– que su padre sólo pudo mantener unos días aquel frente psíquico macizo. Además, Alois hijo denotaba interés por las abejas. Tenía muchas buenas preguntas que formular.

Alois padre no tardó en sentir una singular felicidad: rara vez le gustaban sus hijos. Ahora sí. Al menos uno de ellos. Incluso empezó a impartir a Alois parte de sus mejores disertaciones sobre apicultura, y poco después le repitió todas sus enseñanzas anteriores a Klara, Angela y Adi, amén de sus monólogos en las tabernas de Linz, a los que ahora sumó los más nuevos de Fischlham, donde desempeñaba el papel de experto titular de Hafeld. El chico asimilaba tan rápidamente que Alois tuvo que recurrir a conocimientos más avanzados, como los que había adquirido leyendo publicaciones apícolas. Llegó, por último, a exponer como propios algunos de los descubrimientos más agudos de Der Alte, como por ejemplo la cuasihumanidad de las abejas o la delicadeza y alta inspiración que gobernaba su vida. El chico asimilaba y era diestro a la hora de trabajar con las colmenas. El padre empezó a soñar con un futuro en que él y su hijo agregaban una colonia tras otra. Aquello podría convertirse en un verdadero negocio.

Un día se sintió tan orgulloso de Alois que le llevó a visitar a Der Alte. Había dudado antes de tomar la iniciativa: desde luego, no quería que nadie le sustituyera como experto local ante su hijo. Por otra parte, se preciaba de su relación con Der

Alte, un hombre tan sabio pero que le trataba como a un igual: esto también podría impresionar al chico.

Lo cierto era que ya no le incomodaba la superioridad del apicultor. Le había fortalecido el momento en que Der Alte lloró en sus brazos. Además volvía a necesitar consejo práctico. Sus colmenas estaban llenas de miel. Había estudiado sus manuales sobre la técnica de recogerla, pero no se sentía preparado. En los viejos tiempos, en Passau y Linz, había hecho chapuzas al respecto. La miel recogida estaba infestada de pequeños terrones de cera, y –a pesar de su velo y sus guantes– había recibido muchas picaduras atroces en los huecos que la tela dejaba en el cuello y las muñecas.

Ahora el asunto exigía un esfuerzo notable. Difícilmente vendería la parte mejor de su cosecha si el producto no estaba libre de desechos. ¡Bastaba una mosca muerta para estropear una venta si el cliente la veía primero!

Y allí estaba de nuevo solicitando consejo del viejo verde. Pero ahora se sentía más tolerante. A Alois le asombró lo poco que aquella vez le ofendía el olor de la choza. Puede que Der Alte supiese más de abejas, pero él, Alois, sabía abstenerse de llorar por el simple hecho de que algo saliese mal.

Así pues, llevó consigo a Alois hijo y Der Alte les recibió cordialmente. Se alegró de no estar solo. La convalecencia se había alargado y a veces era tan dolorosa como una luz intensa en los ojos. Su orgullo había decaído bajo el peso de todas las carencias de su vida. Los eremitas no se someten a menudo a un autoanálisis intenso. Poco importa si son ermitaños protegidos por los Cachiporras, si están a nuestro servicio o, muy de vez en cuando, si no están afiliados –aunque este último caso es una hazaña, teniendo en cuenta la soledad que sufren–, pero en cualquier caso solemos hacerles una limpieza de su estado de ánimo al menos una vez al año. Aquella última semana tuve que dedicar tiempo a Der Alte. Estaba muy alicaído al haberse percatado de que no podía considerarse un dirigente social en absoluto, lo cual había sido la más ardiente ambición de su vida. No tenía compañero, herederos ni dinero. Y su memoria no cesaba de recordarle a hombres y mujeres que le habían herido sin que él les pagase con la misma moneda. Por debajo de todo esto subyacía la fuerte desilusión de que no había alcanzado ninguno de los poderes y distinciones a los que le hacía acreedor su inteligencia. Y, como es tan frecuente en las depresiones que siguen a un accidente inesperado, veía su congoja como un juicio sobre él mismo.

Por tanto, insistí en estar presente durante la visita de Alois porque quería mejorar el ánimo de Der Alte. Del mismo modo que tornamos sombríos los pensamientos de un hombre al que queremos deprimir un poco, también poseemos la facultad de rescatar a alguien de un humor negro durante una o dos horas, e incluso –puestos a ello– proporcionarle un momento de alegría. No queremos que expiren en vano. (Mucho mejor para nosotros si mueren jóvenes y furiosos.) Casi todos nuestros clientes dejan de existir –¡no queda el alma!– o los reencarna el Dummkopf, al que no le gusta ceder a ninguna de sus criaturas, grandes o pequeñas, juiciosas o insensatas, lo cual puede que sea una razón de que el mundo esté cada vez más plagado de mediocridad.

La situación, por supuesto, nunca es simple, porque también nosotros tenemos que procurar sacar el máximo partido de clientes consumidos.

Así pues, quería mejorar el ánimo de Der Alte. En efecto, pude aliviarle de sus pensamientos más infaustos cuando le visitaron Alois padre e hijo. Hasta le conecté otra vez con la idea de que era un hombre atractivo. La vanidad es siempre el sentimiento humano más a nuestro alcance. Der Alte, por tanto, sintió una poderosa atracción por Alois hijo. Era la primera vez en muchos años que había sentido el deseo de hacer el amor con un adolescente.

Tras las presentaciones y la pregunta de rigor sobre su salud, empezaron a hablar del método.

302

–¡La recolección de miel! ¡Por supuesto! Le hablaré de eso. En plena forma, intensamente consciente de la presencia del chico, Der Alte se sintió más que dispuesto a embarcarse en una exposición de los aspectos peor conocidos del proceso.

–Sí –dijo mi amigo rejuvenecido–, la recogida de la miel es todo un arte. Me alegro de que hayas venido hoy porque, la verdad, por competente que se haya hecho tu padre, hombre brillante como es, en este breve período que lleva afincado en Hafeld, hasta el mejor apicultor tiene que aprender lo que en la práctica es una profesión nueva cuando, tras el largo invierno y una primavera clemente y calurosa que colma nuestras esperanzas, las larvas están ya a punto de emerger en los panales. Por decirlo así, es el momento culminante de nuestro oficio. Las colmenas rebosan. Las abejas viejas han salido a volar y las jóvenes tienen encomendados los innumerables quehaceres domésticos, como por ejemplo llenar de miel los panales de cera vacíos y taparlos con una fina y delgada capa de cera. Asignan esta labor a abejas especializadas. Joven Alois, es igual que un milagro. Son obreras jóvenes que a veces sólo tienen diez días de vida, pero ya podemos considerarlas artesanas. La capa de cera que cubre cada panal diminuto no tiene más grosor que un buen papel resistente.

Alois se abstuvo de decir: «Ya lo sé», y guiñó un ojo a su hijo. Le había dicho que escuchara a Der Alte. «Cuando se trata de abejas, puede hablar párrafos enteros. A veces páginas completas. Tú sólo tienes que asentir. Yo ya sé las nueve décimas partes de lo que vaya a decir, pero esto es como pescar. Ten paciencia y pescarás lo que quieras.»

–De modo que sí –continuó Der Alte–, la recogida de miel, si no se hace correctamente y en el momento adecuado, puede ser una brusca interrupción del trabajo de las abejas. La primera pregunta que hay que hacerse, por tanto, es cuál será la mejor hora de retirar la miel de las colmenas. –Levantó una mano como para controlar su propia exposición–. La última hora de la mañana –dijo–. Sin duda es la mejor hora. Las colmenas es-

303

tán calientes pero aún no demasiado. Las obreras están somnolientas. Hasta me atrevería a decir que las pequeñas criaturas quizás estén echando una siesta a esa hora. Al fin y al cabo —se rió—, son abejas *italianas*.

Alois sonrió, por cortesía. Lo mismo hizo Alois hijo.

—Pues entonces demos el gran paso —dijo Der Alte—. Para ello tendré que prestarte la caja de una colmena vacía.

—¿Es porque tendremos que trasladar a las abejas que están en la cámara de miel? —preguntó Alois hijo.

—Exactamente —dijo Der Alte—. Tu sentido de la previsión es excelente. Veo que tu imaginación se concentra intensamente en las singularidades de la situación.

—Sí —dijo Alois padre—, es un chico despierto, pero si puedo aventurar mi opinión, la única manera de separar de la miel a las abejas de la cámara es una tabla de separación.

—Por supuesto —dijo Der Alte—, y entonces lo primero de todo...

—Es localizar a la reina —dijo el padre—. Me lo enseñó usted. —Se dirigió al hijo—: Sí, las abejas enloquecen de pánico si no saben dónde está su reina. Para trasladarlas de una caja a otra también tienes que trasladarla a ella.

—Exactamente —dijo Der Alte—. He enseñado a tu padre cómo localizarla. Así que tenemos que introducir una jaula... —Sacó del bolsillo una cajita del tamaño de una baraja de naipes—. Con esto hay que utilizar un tubo de cristal.

—Sí, me lo ha enseñado mi padre. Hasta me dejó soplar en el tubo para meter a una reina en la jaula.

—Es un bonito procedimiento —dijo Der Alte—. Pero al cabo de un año, más o menos, cuando seas tan hábil como espero, prescindirás de la jaula. Podrás coger a la reina con los dedos.

—Sí, pero no intentes hacerlo deprisa —dijo Alois padre, e hizo un gesto de espantar frenéticamente a abejas invisibles, como recordando a Der Alte que este método osado podría ocasionar un desastre.

–Ayer mismo –dijo Der Alte–, trasladé a tres reinas a tres colmenas distintas. Con los dedos. Podría haber usado el tubo de cristal. Indiscutiblemente, como sugiere tu padre, es un método más cauteloso. Pero soy como un acróbata que ha sufrido una caída grave. No hay más remedio que levantarse y subir otra vez a esa *verdammten*[1] cuerda floja.

En realidad, Der Alte había vuelto a recurrir al tubo de cristal para hacer los traslados, pero como cliente avezado que era, sabía mentir con un aplomo absoluto sobre cualquier tema. Su deseo de suscitar la admiración de Alois hijo era todo el ímpetu que necesitaba. Primero, sin embargo, había que neutralizar al padre.

–Tu padre –le dijo al hijo– ha ido, como de costumbre, al meollo del asunto. Una vez desplazada la reina, las abejas utilizarán la tabla de separación para pasar de la cámara de la miel a la de incubación, porque allí se habrá trasladado a la reina. Todas forcejean en su prisa por llegar a la salida y reunirse con su soberana.

Sonrió a Alois hijo.

–Ah, volver a ser joven y perseguir a una jovencita. En los viejos tiempos nada me detenía. ¿Hay algo que podría detenerte a ti?

–Sí, mi padre –dijo el chico. Los tres se rieron.

–Tienes que escucharle –dijo Der Alte.

–Estoy dispuesto a hacerlo –dijo el joven. Sonrió cálidamente a Der Alte, como ofreciéndole un instante concreto en que sentirse gratamente conectados. Pero antes de que la atmósfera entre ellos pudiese cobrar esa hondura, Alois hijo decidió añadir–: Creo que me ha confundido. ¿Todas estas abejas son hembras?

–Sí –dijo Der Alte–, en el sentido técnico, si hablamos de su sexo son hembras, pero, por supuesto, no son reinas y por eso

1. «Maldita», en alemán. *(N. del T.)*

no tienen desarrollados los órganos reproductores. En consecuencia actúan como machos. Algunas se hacen guardianas. Defienden todas las entradas de la colmena. Otras son guerreras. Casi todas son leales, resueltas, trabajadoras. En este caso, sí, también son como mujeres. Viven por el bien de la colmena. Pero parecen hombres a la hora de adorar a su reina.

–Es maravilloso oír todo esto –dijo Alois padre–, pero todavía estoy esperando a sacar la miel de la colmena.

–Entonces le daré la clave –dijo Der Alte.

–Sincronización –dijo Alois padre–. Ya nos lo ha dicho.

–Sí, es la regla general. Pero ¿cuál es el secreto de la sincronización? Esperar hasta que oigas un sonido de felicidad inconfundible que se eleva de la colmena. ¡Mismamente! Cuando el panal está lleno y las abejas saben que han hecho una buena miel, caramba, se disponen de nuevo a actuar como hembras. Se cantan unas a otras. Hay que saber reconocer este sonido. Cantan de alegría. La mañana siguiente a la del coro de satisfacción que has oído, hay que empujar a todas estas abejas para que pasen por la tabla a la cámara adonde has trasladado a la reina. Entonces, naturalmente, la miel quedará lista y expedita para nuestra invasión, si puedo expresarlo así. Pero vamos afuera. Una de mis colmenas está cantando ahora esa canción.

Les acompañé a escucharla. No sé si hubiese empleado esa palabra para el tarareo que penetró en mis oídos. El volumen del sonido era inconfundible. Era como el embelesado e intenso sonido de una dinamo en una planta eléctrica, ese zumbido exaltador y al mismo tiempo tremendo que entra en los oídos humanos cada vez que una forma de energía se transforma en otra. Es lo que está ocurriendo. A un dominio se le conduce hacia otro. Es el sonido común a muchos motores. «Cuánto hemos hecho», podrían estar murmurando.

La última orden que impartió Der Alte fue introducir la cámara de miel en una caja sellada en cuanto estuvo vacía de abejas.

–Luego hay que llevarla a un interior para extraerla. En una habitación precintada. Todo lo que se diga es poco en este aspecto –le dijo directamente a Alois hijo–. Como puede que aún no sepas, estas divinas criaturas tienen dos naturalezas: una lealtad absoluta a su reina y una avidez total para la miel. Se atracan de ella dondequiera que la encuentren, en todas y cada una de las colmenas. Así que no se debe atraer a las abejas que quizás estén volando fuera. Por este motivo nunca debe extraerse la miel al aire libre. Repito: hay que hacerlo en una habitación herméticamente cerrada.

4

Recibidas las instrucciones, a Klara le costó cierto trabajo cerrar todas las ventanas y los alféizares de la cocina con todos los trapos de que disponía. Se había puesto para la ocasión una blusa y un delantal blancos, al igual que Angela. Alois padre incluso renunció a fumarse el puro. En efecto, para la familia fue un acontecimiento. Pero Der Alte le había avisado:

–El humo de puro pacifica a nuestras abejas. Pero si se trata de su miel, cuidado. No se puede permitir que su aroma se perciba en el sabor.

Lutero, por supuesto, fue expulsado de la habitación. También Adi, Edmund y Paula, aunque ello representara para Klara una serie de viajes al dormitorio de los niños, para retirar cada vez las telas apiladas contra las puertas y sustituirlas a su regreso. Alois se quejó de que se estaba excediendo en protegerlo todo: no creía que se hubiera colado una abeja en la casa.

Por lo demás, la operación salió bien. A medida que extraían bastidores de la caja, Alois padre actuaba con el orgullo de un cirujano. Peló las tapas de cera de las celdas de miel con un utensilio destinado a levantar la fina capa de cera que tapiaba cada celda del bastidor. Como había dos mil celdas en cada uno de los diez bastidores de la caja Langstroth, y una celda no tenía

307

un diámetro más ancho que la uña de un niño, era muy difícil pelarlas una por una. Podría haber sido trabajo de una semana. Alois aplicó el cuchillo separador a extensiones enteras, pelando tiras de cera de dos centímetros y medio de ancho y de entre nueve y diez centímetros de largo. A su modo de ver era como una piel que él, el cirujano, tenía que retirar, sí, pero había que ser muy meticuloso para decapar la cera sin dañar las celdas que había debajo. La tarea empezaba a resultarle placentera. Decidió que habría sido un buen cirujano. Con el rabillo del ojo observaba si Alois hijo admiraba también su pericia operatoria.

La suposición de que poseía un talento para intervenciones quirúrgicas empezó a caldearle las entrañas. Una mujer le había dicho una vez que un cirujano conocido de ella fue uno de los dos mejores amantes que había tenido en su vida. Alois era el otro. Cómo le había halagado el comentario. Por supuesto. No tenía miedo de la carne, como tampoco la temía un cirujano: ¡hermanos bajo la piel!

Al cabo de un rato, muy complacido consigo mismo, entregó el decapador a Alois hijo, que destrozó una muestra de cera y la siguiente, pero que fue mejorando poco a poco. No tardó en adquirir la destreza de su padre. El hecho suscitó en Alois orgullo y un poco de decepción. Para empeorarlo, el chico dijo:

–Esto es tan divertido como raspar el glaseado de un bizcocho.

–Ten cuidado con las celdas –dijo el padre–. No las estropees con esa bocaza.

A Adi ya le habían permitido entrar en la habitación a observar, y su hermano mayor le tendió el decapador como diciendo: «¿Quieres un poco?»

Klara le regañó al instante.

–¿Por qué ofreces un bocado de cera a tu hermano pequeño? Podría atragantarse.

–No, no –dijo Alois–, se la ofrezco en serio. La cera tiene miel pegada. –Asintió–. No pensaba que Adi fuera tan tonto de tragarse la cera.

Klara le fulminó con la mirada y él empezó a masticarla y después extrajo el residuo de la boca y asintió. Klara no tuvo más remedio que apartar la mirada.

La tarea enseguida se volvió más complicada: tenían que pelar otra capa de cera del reverso de la bandeja, pues los bastidores habían sido colocados verticalmente con el fin de que se pudieran construir celdas en ambos lados de la superficie de cristal. Pero limpiar la segunda superficie llevaba más tiempo. De la parte delantera goteaba miel, y aún más de la trasera. Klara se apresuró a asumir el mando. Pronto se hizo evidente que tenía los dedos más diestros de todos.

El trabajo duró unas horas. Una vez decapada cada bandeja, había que encajarla en la ranura del extractor, cuya manivela giraba Angela. Seguía al pie de la letra las instrucciones de su padre.

–Sí, sí, muévela despacio al principio, sí, como lo estás haciendo ahora. ¡Mira dentro! La miel ya empieza a salir de los panales. Sigue despacio, sí. No la gires más rápido. Todavía no. Despacio, Angela, despacio.

(Era como si hablase a los caballos mientras conducía un carro.)

Fue laborioso. Cuanto más despacio movía Angela la manivela, más tiempo tardaba la fuerza centrífuga en verter la miel sobre los lados metálicos del cubo del extractor, por cuyas paredes resbalaba hasta un embudo. Pero si aceleraba, junto con la miel caía una cantidad excesiva de cera.

Alois hijo tuvo que relevar enseguida a su hermana. Reinaba el silencio en la cocina mientras escuchaban el rumor de la miel resbalando por las paredes del cubo.

A través de una llave de paso en el fondo, la miel se depositaba después en un cuenco. Klara tenía preparados un cedazo grueso y otro fino. Pero les contuvo a todos. Les dijo que era absolutamente necesario que ella y Angela filtraran el producto una hora más a través de la estopilla. Además estaba decidida a conservar también la cera. Servía para fabricar velas de excelente calidad. Se lo había dicho Herr Rostenmeier en la tienda de Fischlham. Alois bufó. Dijo que eso podría habérselo dicho él mismo.

Adi era el más impaciente. Quería miel, quería atiborrarse. Pero ni siquiera su madre se lo consentiría.

–Ten paciencia –dijo ella–. La miel tiene que asentarse.

–Está ahí –gritó él–. Quiere que la probemos.

–No –dijo ella–, está llena de burbujas.

–Me da igual.

–Espera. Las burbujas hacen la miel desagradable.

–No –dijo Adi–. Sé que no.

–No lo sabes –dijo ella–. El aire es molesto para la miel, del mismo modo que lo sería el gas en tu estómago.

Ignoraba si esto sería cierto, pero no le importaba. Parecía verdad. Además, a Adi le haría bien esperar. La paciencia fortalecería su carácter.

En los ojos del niño asomaron las lágrimas. Como era de esperar. Lloraba en el acto siempre que le denegaban algo.

–Piensa en esta miel –le dijo su madre–. En todo lo que ha sufrido. En todos los cambios. Vivía en un lugar tranquilamente y las abejas eran sus amigas. Ahora se han ido y mira todo lo que ha pasado. La hemos sacudido y raspado. Luego le hemos dado vueltas. Ahora la miel no sabe dónde está. Déjala que se pose. Esperaremos. Mañana hacemos la fiesta.

5

No hubo fiesta al día siguiente. Espuma y trozos de cera recubrían la superficie de la miel. Klara la expurgó con cuidado, pero insistió en postergar el festín.

Para empezar, Klara quería seguir batiendo la miel todos los días. Estaba convencida de que era necesario. Cada vez que volvía a la cocina, la removía durante diez minutos o más y después presionaba a Angela o a Alois hijo para que, a pesar de sus protestas, lo hicieran en su lugar.

Les dijo que todos tenían que trabajar para impedir que la miel se endureciese. Recordaba esto de su infancia. Pensó que de vez en cuando una esposa veía más lejos que su marido. ¿Por qué no? Dios da dones distintos a cada uno.

Por último declaró que la miel estaba lista y celebraron la fiesta. Alois padre pensó en invitar a Der Alte, pero Klara se opuso rápidamente a esta idea. «Es una fiesta familiar», dijo.

De modo que todos cogieron una cuchara y formaron un corro, con la excepción de Paula, a la que Klara tenía en brazos y alimentó con el índice. Los otros lamieron la cuchara. Un instante después, querían más. Klara había hecho un bizcocho y ofreció rebanadas untadas en el tesoro, pero Alois padre e hijo, Angela y Adi se limitaron a seguir chupando la cuchara, un lametón tras otro.

Fue como si estuvieran borrachos. Todos ellos. Cada uno a su manera, pero sin duda todos se lo estaban pasando en grande. Para Alois era algo tan especial y singularísimo como un coñac francés, que había probado tres veces en su vida. Sí, aquella miel era mágica. Le traía recuerdos de Fanni, recuerdos magníficos que no se había permitido rememorar en años. Aquello había sido un ardor auténtico. ¡Qué perra! ¡Qué perra! Qué lástima. Fanni había pagado un alto precio. Muriendo tan joven. ¿Acaso no podía decirse que ella le había amado demasiado? Pensar en aquella sobreabundancia de amor y de emoción, y en sus traiciones tan exitosas a Anna Glassl combinaba bien con el sabor de la miel, sí, era como si estuviese ebrio.

Y Klara, embargada de ideas sobre el abanico de dones de Dios, volvió a pensar en el mozo que le había gustado en Spital cuando ella era muy joven, un año o dos antes de que Alois fuera a visitar la granja, el tío que se convertiría en el hombre de su vida. Pero el otro chico había sido un encanto. Una vez se tomaron de la mano, aunque ella nunca le besó, eso no. Sin embargo, aquella miel debía de haberle llegado al corazón porque comprendió –qué hermoso recuerdo– que había sido feliz cuando unió su mano con la áspera garra del granjero, más feliz de lo que nunca había sido con Alois. Así era la vida. Había que andar con ojo. No se podía tomar miel todos los días. Tuvo la precaución de posar la cuchara y comer bizcocho.

Alois hijo pensaba en Der Alte. Estaba en la forma como le había mirado el viejo. Con los ojos tan húmedos. El viejo parecía a punto de abrir la boca, mojarse los labios y hacer lo que los chicos más jóvenes de Spital ya le habían hecho. Una o dos veces. Y después más veces. La miel le estaba diciendo la verdad. Le había gustado. Había intentado hacerlo con una chica, pero ella se había negado.

Ahora se acordaba de los chicos mayores que querían que él les hiciera lo mismo. Uno hasta le había retorcido el brazo. Cuando él gritó que no, que no lo haría, el grandullón le había golpeado en el estómago. Había tenido la astucia de vomitar. Esto desanimó al agresor. Ahora quizás pudiera disfrutar algo con Der Alte. Le prepararía para la chica que tenía pensada. La llevaría a cabalgar con Ulan. A pelo.

Angela estaba ensoñada. La miel le hacía sentirse mejor que nunca. Una sensación. Tan fuerte. Sentía como si hubiera otra persona dentro de ella, alguien nuevo, un contacto agradable. ¿Estaba bien gozar algo tanto?

Si se plantea la pregunta de cómo es posible que un demonio como yo penetre en los pensamientos de esta familia cuando mi único cliente verdadero es Adolf, responderé que es obra de la miel. Entre nuestros poderes figura el de impregnar muchas sustancias con un rastro de nuestra presencia. Con esto basta. Si respetamos esta facultad, podemos penetrar, durante un lapso breve, en los pensamientos de un hombre, una mujer o un niño. Este delicado vínculo, manejado con finura, puede incluso ser verdad; sospecho que por eso Klara estuvo removiendo la miel varios días. Era como si quisiera intervenir como una guardiana más contra nuestras asechanzas.

No dediqué tiempo a Edmund y Paula. Antes de que la fiesta terminara, el niño se empapuzaría y ensuciaría los pantalones, y el bebé tendría un conato de cólico. Pero esto fue más tarde. Al principio siguieron sonriendo con una alegría tan inocente que todos los demás se rieron de ellos.

Adi era el más interesante. Como yo había previsto, se puso frenético. El dulce le había hecho un efecto parecido al que los *schnapps* le hacían a Alois hijo cuando tenía el estómago vacío. Así que Adi se empeñó en dar besos pegajosos a Klara y Angela, encantado de que gritaran y del pánico con que se limpiaban los besos de la boca. Sobre todo Klara. Restregarse la boca era en ella un reflejo, pero cuando vio un asidero en la risa de Adi, como si la aversión en la cara de Klara le hubiera sorprendido tanto como para que brotara una lágrima en sus ojos, ella agarró al niño y le besó con toda la intensidad muscular de una madre que cumple con su deber, y Adi, sin saber si aquello era una recompensa o una nueva represión, se acercó a escondidas a Angela con un pequeño pegote de miel en el dedo índice.

Angela aulló cuando se le enredó en el pelo y en su tono había odio. Adi la había arrancado de las sensaciones que retozaban en su interior. Pero cuando ella estaba recobrando el resuello para regañarle, Adi brincaba ya hacia Alois hijo, que le detuvo con una mirada.

Quedaba Edmund. Adi le pringó tanta miel en la cabeza que el niño de dos años desprendió más caca en los pantalones, con lo cual Adi se acercó a Klara, señaló a Edmund y dijo:

–Mamá, yo no hacía esas cochinadas cuando tenía dos años. Este Edmund está siempre sucio.

De este modo brindó a Angela una rápida ocasión de vengarse. Como lo había presenciado todo le dijo a Klara lo que había pasado, y fue tan precisa en su descripción que Klara empezó a reñir a Adi con palabras que nunca hasta entonces había empleado con él.

–Esto es una vergüenza. ¿Lo entiendes? Es pecado ser cruel con los que son más pequeños que tú. ¿Cómo puedes ser tan malo? Dios te castigará. Nos castigará a todos.

Lo dijo compungida. No quería estropear aquella magnífica fiesta familiar, pero debía hacerlo por el bien de los demás, por Angela y por el pobre Edmund, otra vez sucio.

–¿Cómo puedes gastarle esa jugarreta? –le dijo a Adi–. Con todo lo que él te quiere.

Esta vez sí quiso hacer llorar a Adi. Pero se le saltaron las lágrimas a ella. Él –quizás a causa de la miel– se sentía tan ufano como jamás se había sentido en sus seis años y medio. Le indignaron aquellas regañinas. Lanzó una mirada feroz a Angela. Susurró para sus adentros: «Nunca la perdonaré. ¡Lo juro! ¡La veré en el infierno!» Y, a pesar de todo, se sentía orgulloso. Había hecho llorar a su madre. «Que llore, por una vez. Yo no. Ya es hora de que aprenda.»

6

Ahora debo describir el acto carnal de Alois hijo con Der Alte. No sin cierto desagrado. Que quede claro: no hago juicios morales sobre estos asuntos. Se supone que los demonios se interesan por todas las formas de abrazo corporal, fervoroso, despreocupado, perverso o, como dicen los norteamericanos, *misionero:* «Me puse encima y embestí.» Por descontado, nos interesan mucho más los actos sexuales que no entran dentro de lo establecido. Las prácticas rutinarias son enemigas de nuestros propósitos. Las primeras relaciones sexuales, sin embargo, rara vez pueden obviarse. Los llamamos *primas*. Hay más carne en el asador. Pocas «primas» se producen sin que lo presencie algún representante del Maestro o del D. K. Follar –por emplear una palabra tan útil, cuasicosmopolita y onomatopéyica, tan cercana a las carnes, las afrentas corporales y las grasas de la ocasión–, es un acto de auténtico interés para ambas partes. Muchas cosas pueden suceder, y rápidamente. Ya se pueden enumerar los viejos hábitos, cuya presencia en la psique se ha vuelto tan pesada como sacos terreros emplazados para reforzar las trincheras.

Poco tiene de extraño, pues, que no formulemos juicios morales y estemos atentos a cálculos recientes. Este acoplamiento en particular, ¿debilitará o fortalecerá nuestra posición?

Aquella vez, sin embargo, me repelió lo ocurrido. Der Alte, tras unas pocas cortesías habituales y tópicos sociales destinados a ocultar su desmedido placer (y alarma instantánea) al ver a Alois hijo en su puerta –¿y si todo resultaba un desastre?–, no tardó en comprender (habida cuenta de sus decenios de experiencia en estas cuestiones) que el chico llegaba en busca del obsequio concreto que Der Alte había soñado con ofrecerle desde que se conocieron. «Me alegra tanto que hayas venido», repitió varias veces en los primeros minutos, a lo que Alois finalmente respondió: «Sí, aquí estoy.»

El palenque estaba a unos quince metros de distancia, pero Der Alte oía a Ulan columpiar la cola. Sin desperdiciar ni un segundo más en la conversación, se acercó a Alois, se arrodilló ante él y le puso la mano en la entrepierna. Ante lo cual –muñeco de resorte en feroz salto–, Alois se puso de pie, se desabrochó el pantalón e introdujo de inmediato el feliz órgano henchido de sangre en la boca de Der Alte, en aquellos labios ávidos y largo tiempo inactivos.

Los momentos siguientes fueron los que me repelieron. Aunque prescinda de juicios morales, no estoy desprovisto de buen gusto, y Der Alte se rebajó. Hablando en plata, llenó de babas al chico y barbotó roncamente cuando Alois le vertió en la garganta una erupción completa. Como un bebé, Der Alte también se hizo pis encima. Tuvo, a su vez, su descarga: la mejor micción que había realizado desde hacía meses. Después se precipitó sobre Alois y lo inundó de besos y diversas ternezas verbales que no reproduciré aquí. «Sabes a gloria, tienes buen corazón» es quizás el ejemplo más mencionable y, por supuesto, el más absurdo, porque no hacía falta que Alois fuera un cliente para que yo percibiese que su corazón estaba frío. Su primera preocupación era ser fiel a sí mismo. Igual que a todos los jovencitos como él, le asqueaba aquel compañero de otrora y se marchó lo más pronto que pudo.

Le llevó unos minutos. No tenía ganas de que le enredaran casi una hora con carantoñas que parecían telarañas posadas en su piel. Por otra parte, su carácter pragmático le instó a quedarse el tiempo necesario para que Der Alte no tomara su marcha como un insulto. Ello podría afectar a visitas ulteriores. ¿Quién sabía? Si en los días siguientes no conseguía convencer a una campesina determinada que tenía en mente, entonces volvería donde aquel vejete. Alois hijo estaba hecho de la misma pasta que nuestros mejores clientes: a los catorce años ya entendía el sexo de una manera ideal para nosotros. No tardaría en adquirir la pericia en muchas formas de dominación gracias a sus dones priápicos. Apreciamos esto. Muchísimos clientes nuestros poseen una dotación anodina. Nunca sabemos cuándo llegará una erección, brazo en alto. Lo cual nos crea problemas, aunque también sabemos manipular una impotencia parcial o absoluta para convertirla en un instrumento eficaz por sí mismo. Por ejemplo, Adolf sufriría esta invalidez a lo largo de la adolescencia, la guerra y su temprana madurez política.

Alois hijo era su antítesis. Heredero de la sangre paterna, su interés natural eran las mujeres, salvo lo que él consideraba la trampa que les era inherente. Las chicas, como las mujeres, estaban muy apegadas a la responsabilidad familiar. Los chicos, por el contrario, no planteaban problemas: servían para deshacerse de las opresiones de la ingle. Y era muy agradable disponer de un joven o, aún mejor, de un adulto.

Sí, Alois habría sido un cliente perfecto. Habríamos acrecentado sus talentos. Nos habría servido de muchas maneras. Sin embargo, yo tenía instrucciones de dejarle tranquilo. El Maestro tenía la mirada puesta en Adolf. Lo comprendí. Es perjudicial trabajar con dos clientes de una misma familia, lo cual es especialmente cierto si además tienen un carácter distinto. Un demonio que intentase atender a los dos no sabría qué hacer ante sus necesidades en conflicto. Pero dos demonios diferentes supervisando a dos clientes en un mismo hogar puede ser peor. Podría surgir la envidia.

En suma, me mantuve alejado de Alois hijo. Enseguida consiguió seducir a Greta Marie Schmidt, una robusta granjera a la que llevaba a cabalgar con Ulan. Pronto tuvo acceso al mismo manojo de llaves a las partes pudendas de Greta que el que Alois padre había tenido a las de Fanni cuando aún era virgen. Por emplear otro de mis vulgarismos norteamericanos (confieso mi indecoroso placer en proferirlos), Alois conocía a Greta Marie desde «el ano al apetito». No quería arrebatarle la virginidad: era la trampa que ella le tendía. Además, en realidad ella no le gustaba. Se pasaba un poco de ordinaria. Así que volvió con Der Alte. A pesar del apogeo de olores en la choza, algunos de los encuentros desbordaron de novedad libidinosa. Una vez asentadas las cosas, Der Alte ofrecía lánguidos deslizamientos e inspirados caracoleos de la lengua, todo por el bien de Alois, el amante del placer, pero, por supuesto, consumado el acto, el chico apenas se atrevía a mirarle. Le inspiraban tanta repugnancia como a mí todos aquellos sollozos y gorgoteos. La triste verdad era que la puerta trasera excitaba de un modo prodigioso a la lengua de Der Alte. Las nalgas de Alois empezaban a parecer el pórtico de un templo pródigo en riquezas. Alois aguardaba hasta que el placer llegaba al punto de explosión y entonces se volvía y lo vaciaba todo en el gaznate del viejo. Después se quedaba inmóvil como una estatua, doblemente asqueado por el conocimiento de que su padre Alois sentía un incurable respeto reverencial por Der Alte. «Qué bien habla», había dicho de él.

Pero Der Alte se desvivía por servirle a él, el hijo. ¿Cómo iba entonces el hijo a respetar al padre? ¿Y todo aquel interminable y horrible nerviosismo a causa de las abejas? Siempre pidiendo consejo a Der Alte. Después de que la familia había celebrado su festín de miel, he aquí que a su padre le inquietaba ya cuándo extraer el resto del producto de las otras dos colmenas.

El desenlace rozó el desastre. No me sorprendió nada. Alois hijo se las apañó para dejar al sol una de aquellas valiosas colmenas. Sin ningún motivo. La aversión a su padre eran tan profunda que apenas se dio cuenta.

7

El padre se acercó a la colmena, tocó la caja, percibió el calor de la madera, pero también advirtió que las abejas aún no revoloteaban muy agitadas. Había llegado a tiempo y llevó la colmena de nuevo a la sombra.

–*¿En qué estabas pensando, idiota?* –le gritó a Alois hijo.

Para el chico fue como si la voz de su padre le hubiera vuelto del revés como a un guante. Acompañó al grito un ruido sordo, pesado como un golpe. Los adolescentes pueden perder toda noción de sí mismos cuando un castigo impensado les agrede de repente. Esto se debe a que no sólo se dan muchas ínfulas y adoptan muchas poses y estúpidos alardes de temperamento, sino, aún peor, porque no poseen una verdadera edad. En aquel instante, Alois hijo dejó de ser un chico de catorce años. Hasta entonces se veía como un «catorce», un concepto claro, de contornos escuetos. Pero, como otros muchos adolescentes, efectuaba cálculos de un muchacho de veintiuno, mientras que otras aristas de su personalidad eran tan propensas a delatarse como un niño de ocho años pillado en una travesura. Por ejemplo, dejar al sol una colmena. En aquel momento, sintió que se le saltaban las lágrimas.

318

Suplicó a su padre. Para su vergüenza, suplicó.

—Me has dado tanta buena información —dijo—. Tan nueva y estimulante, querido y respetado padre. —Se dio una palmada en la frente—. Confieso que quizás haya sido excesiva para mi cabeza ignorante. He cometido un error. Ahora lo sé. Pero creo que debía dejar la colmena al sol, sí, durante unos minutos, no más, lo reconozco, para que se calentaran los panales. Hizo tanto frío anoche. Para ser primavera, ¡qué frío! Espero que no haya sido un error terrible.

Oía el sonido de su voz, perdiendo cada asidero que pudiera darle una apariencia de virilidad. ¡Tan estridente!

—Tienes que perdonarme, padre. Mi error es indignante. No hay disculpa que baste.

Sabía que no bastaba. Un macizo frente frío había caído sobre Alois padre, oscuro como las profundidades de la suspicacia.

—Piensa en esto, Alois —dijo el padre, suavemente—. Nuestras abejas, todas las abejas, hacen su trabajo obedeciendo las normas. —Dirigió al chico una mirada que le hizo desviar la suya—. No tienen paciencia con las perezosas ni las débiles. O las tan egoístas que no recuerdan sus deberes.

Agarró a Alois por la barbilla. Clavó los ojos en los de su hijo. Le pellizcó la barbilla, con un pulgar y un índice tan rígidos como las pinzas de unos alicates. Pero el dolor repuso al chico. Der Alte le tenía más respeto a él, Alois hijo, que a aquel hombre, su padre, que le estaba pellizcando el mentón. Este pensamiento apareció en sus ojos y se le quedó grabado en la expresión. Cuando concluyó, Alois padre tuvo que reconocer que el altercado había representado un gran desgaste. El hijo hasta había osado sostenerle la mirada.

Si bien esto hería su conciencia de padre, no era sino un anticipo. Llegó el turno de Klara. Había recibido una carta de su madre que destruía toda la confianza incierta que Klara otorgó antes a la carta de su padre. En cuanto leyó la palabras de la madre, se preguntó cómo podía haber pensado, siquiera por un instante, que Alois había cambiado.

Por supuesto, escribir una carta era un calvario para Johanna. Klara lo sabía. Desde los nueve años, ella era la que contestaba a las pocas cartas que llegaban a la casa de Spital. Pero ahora, como para hacer hincapié en la importancia de aquel especial acto epistolar, Johanna redactó toda una página llena de paradas y sacudidas sumamente penosas. Primero insistía en enumerar las virtudes de Alois. Era tan despierto, era listísimo, eso se lo podía asegurar ella a todo el mundo. Y era un chico de buen ver, eso también lo decía. Alois incluso le despertaba antiguos recuerdos de su padre, tu marido, el tío Alois, cuando tu tío era tan joven, tan atractivo, un buen mozo, tan responsable. En aquellos años.

«Klara, te digo», escribía ahora, «me tiene preocupada. ¿Qué te hemos enviado? Alois es un salvaje. Un salvaje, Klara, y te lo devolvemos. No hay más remedio, sí. Ahora Johann tiene que contratar a otro jornalero. El nuevo es un borrachín. Le pagamos un sueldo a un borracho. Eso hemos perdido mandando de vuelta a Alois, pero, Klara, este zángano es mejor que él. Ya no tenemos tanto miedo.»

Klara fue a su costurero y sacó la carta que había escrito Johann Poelzl. Alois se la había dado el día de su llegada. Registró el estante más alto de un aparador en busca de una antigua carta de su padre, una que ella se había tomado la molestia de envolver en una cinta. Enviaba su bendición por el nacimiento de Edmund. En cuanto miró la carta, supo que la hoja de papel que le había entregado Alois se parecía mucho a la letra de su padre Johann, pero no era la misma.

Klara no le dijo nada a Alois padre. No hasta bastante después de la cena. Una vez acostados, él había empezado a quejarse del chico.

—No consigo que haga algo de provecho —dijo Alois—. Le hablo y no reacciona como me gustaría. Sale a caballo. No quiero preocuparme, pero lo hago. Puede meterse en un lío. Se ve con chicas al otro lado de la colina. En parte quizás sea culpa mía por mi decisión de no plantar patatas esta primavera. Ahora no hay un trabajo serio para él.

Fue entonces cuando ella le habló de la carta de su madre. Él asintió. Se limitó a asentir.

—¿Qué vas a decir? —preguntó ella.

—Lo pensaré —dijo él—. Debo tomarme mi tiempo. El siguiente paso podría ser importante.

Ella estaba furiosa. No pudo dormir. Era como si hubiera una chinche correteando por la ropa de cama. Si Alois no iba a reprender a su hijo, tendría que hacerlo ella. Pero no se sentía con ánimos. Era hijo de Alois, al fin y al cabo.

La noche siguiente, no mucho después de la cena, Alois hijo empezó a comportarse como si supiera que había llegado otra carta. Es la mejor explicación que se me ocurre de por qué le cascó un huevo en la cabeza a Adi.

La razón era sencilla. Su chica, Greta Marie, le había mostrado más aún aquella tarde lo que era en el fondo: una vaca insulsa. Así que le hormigueaba la necesidad de un nuevo intento. De algo nuevo. Tras las ganas que había tenido de darle una tunda a Greta, Alois se aproximó a Angela. Su hermana cloqueaba otra vez con las gallinas, recogía los huevos que ponía cada una como si fueran lingotes de oro: huevos feos, sucios, manchados de gallinero. Así que le cogió uno del cesto. Sólo para oírle gritar. Pero cuando Angela gritó, él se dispuso a romperle el huevo en la cabeza. Sólo que no pudo. Era su única hermana, ¿tenía alguna otra? Repuso el huevo en el cesto. Sin embargo, fue una acción muy costosa. Pero allí estaba Adi, agazapado al alcance de la mano, la pequeña hiena fétida. Nada más regresar de su galope con Ulan, había visto a Adi tumbado en el suelo del granero, dando alaridos, en otra de sus rabietas.

Alois lo levantó del suelo y le obligó a ponerse de pie.

—Cállate —le dijo.

—Intenta callarme —dijo Adi.

Alois sabía que el crío iría llorando junto a su madre. Siempre lo hacía. Adi tenía madre, mientras que él no la tenía. Por consiguiente, tuvo que transigir con el mocoso. Era una tregua.

Sin embargo, al final de la tarde, Angela estaba hablando a las gallinas como si fueran bebés, y Adi miraba a Alois con desdén. Se sentía seguro en su lado de la tregua. «Intenta callarme.»

Alois cogió un huevo del cesto de Angela, lo aplastó contra la cabeza de Adi y se ocupó de restregarle la yema y las esquirlas de la cáscara.

Adolf aulló. Fue como si hubiera previsto aquella especie de agarrada. De inmediato él mismo se puso a estrujarse el pelo pringado el tiempo que hizo falta para bañarse la palma de la mano con parte de la yema salpicada. Que se limpió en la camisa. Como no le dejó una mancha lo bastante grande, Adolf sacó otro huevo del cesto de Angela –¡qué grito lanzó ella!– y se lo cascó encima de la cabeza, la cara y la camisa, y a renglón seguido empezó a dar alaridos tan fuertes como si Alois le hubiera dado patadas en la espinilla. Después salió disparado del establo en busca de su madre. Se oyeron grandes voces, tan estridentes como una catástrofe.

Klara llegó corriendo, arrastrando a Adolf de la mano, y empezó su diatriba antes de llegar junto a ellos. Intentaba hablarle de la carta a Alois, pero lo escupió todo en un orden inconexo. Le dijo que sus mentiras eran peores que la suciedad que dejaban los cerdos en una pocilga.

–Ellos tienen disculpa. Son cerdos. Tú no tienes ninguna. Eres un animal. Eres un cerdo. Eres pura mugre.

Ni ella daba crédito a sus propias palabras. Tan fuertes eran. Para su sorpresa, Alois empezó a sollozar. En todo aquel asunto, hasta entonces él no había tenido una idea real de hasta qué punto quería amar a Klara y de cuán profundamente ella le detestaba. Sí, secretamente él había pensado que en realidad ella le apreciaba, sí, más que a Alois padre. Se sintió sucio. Para su ego era como la pérdida de un ser querido. No lo soportaba. Los sollozos cesaron tan de repente como habían brotado. Él los con-

tuvo. Dejó de llorar al momento, asintió formalmente y se alejó. No sabía adónde le llevaría el mundo ni cuándo, pero comprendió que no podía quedarse en Hafeld. No podía. No por
mucho tiempo. Tenía que despedirse de todos y de todo allí, en
especial de su caballo. ¿O debería robarlo?

Esta última idea le quedaba grande. Pero se contentó con
saber que, en aras de su dignidad futura, no se marcharía hasta
que estuviera listo para devolver el golpe. La ocasión llegaría de
un modo u otro. Llegaría pronto.

8

Todos guardaron silencio durante la cena, incluso Paula, a
la que Klara sostenía contra el pecho. Alois padre estaba visiblemente preocupado. Había recibido algunas picaduras más que
la una, dos y, de cuando en cuando, tres que se había resignado
a soportar la mayoría de los días: eran simplemente gajes del oficio. Aquella noche no sólo tenía poco que decir, sino que apenas se percató de que los demás estaban callados.

Aguardaba la hora de acostarse. Últimamente Klara había
empezado a tratarle las picaduras y él lo agradecía. Era muy
diestra. Era delicada. Extraía los aguijones sin torpeza. Él no tenía que sufrir los pedacitos de púa que se le quedaban dentro de
la piel durante la noche. Si se hacía mal la cosa, notaba que se
habían dejado una aguja dentro. Una herida diminuta pero real,
preparada para hincharse. A veces incluso parecía algo personal,
como si siguiera doliendo por pura maldad. Pero Klara sabía
aproximarse a la piel donde asomaba la punta y extraerla mediante una suave presión.

Cuando se acostaron, Alois esperaba que le mitigara los dolores. Pero aquella noche tuvo que aguardar. Primero ella le describió el desbarajuste que había armado Alois, lo del huevo y la
cáscara. Él no quiso escucharlo.

–*Ach* –dijo–, cría mala sangre que siempre tomes partido por Adi.

–¿Qué dices? Dime algo bueno que podamos esperar de Alois.

–No –dijo él–, tienes que escucharme. Tenemos que buscar un equilibrio. Hay que intentarlo. Un buen equilibrio entre los dos y todo se calmará. Ahí está el secreto.

Un silencio. Le siguió otro más profundo.

–Lo intentaré –dijo ella por fin.

Su instinto la empujaba a reducir aquel espacio entre ellos. De lo contrario, la diferencia aumentaría. Pero ¿debía creer que su marido estaba en lo cierto? El joven Alois se comportaba como Fanni. Sólo que diez veces peor de lo que Fanni había intentado. Sí, ¿sería posible? ¿Habría dejado ella una maldición?

Ciertamente tuvieron que sobrellevar malos presagios durante no pocas noches. Alois hijo siguió dando muestras de sus habilidades durante los últimos días de junio, y haciendo el trabajo justo para ganarse el derecho a cabalgar con Ulan. El chico cumplía bien sus tareas, mantenía las colmenas limpias, sabía cuándo y dónde trasladar las bandejas. Incluso sabía localizar a la reina y la metía en la jaula sin utilizar el tubo de cristal. Lo hacía con los dedos, como Der Alte.

Ahora, en la mesa de la cena, los silencios de Alois hijo pesaban sobre todos. Ningún miembro de la familia le contrarió aquellos días, ni siquiera su padre, aunque estaba claro que éste, a su pesar, se sentía comprensivo con el chico. Comprendía muy bien un lado del Alois hijo. Montando a Ulan, debía de sentirse tan ufano como un oficial en una de las mejores calles de Viena. Pero Alois también sabía lo que se estaba incubando debajo. Si, de momento, el caballo era prioritario, no tardarían en serlo las chicas. El padre lo sabía tan bien como si fuera su esperma el que se removía en su propio interior. ¡Aquellas revelaciones! Nada era mejor que el momento en que una mujer te abría las piernas. ¡La primera vez! Si tenías buen ojo para las pequeñas diferencias, sabías el doble de ella que lo que podías averiguar en su cara. Alois padre lo atestiguaba. ¡El órgano femenino! Quienquiera que hubiese diseñado aquella forma sin duda había hecho un trabajillo pícaro. (Era lo más cerca que Alois había estado nunca de admirar la obra del Creador.) Un despliegue tan maravilloso de carnes y jugos –semejante panoplia carnal en miniatura–, aquel muestrario de pasadizos, cavernas y labios. Alois, desde luego, no era un filósofo, y no habría sabido hablar del devenir (el estado de existencia en que el ser de repente se siente a la intemperie), pero de todas formas le habría dado una propina a Heidegger. ¡El devenir es, sí, exactamente, cuando una mujer se abre de piernas! Alois se sentía un poeta. ¿Cómo no? Eran pensamientos poéticos.

Dejémoslo así: si Alois hubiera podido hablar con su hijo, habría tenido un montón de cosas que decirle. Pero nunca se atrevería a hablarle de estas cuestiones. Habiendo sido un guardián de la frontera, es decir, un policía, ni siquiera podía confiar en sus hijos. Un buen policía tenía que manejar la confianza como si fuera una peligrosa botella de ácido. Revelar tus pensamientos más íntimos a otras personas era como pedirles que traicionaran tu confianza.

Con todo, si hubiera podido hablar con el joven Alois, se habría apresurado a informarle de que no había nada mejor que ser un mozo interesado por las chicas –puestos a ello, él, su padre, podría contarle los mejores episodios–, «pero, muchacho, debo prevenirte de lo siguiente: las jovencitas pueden ser peligrosas. A menudo son angelicales, a lo mejor unas cuantas, pero no es con ellas con quien tienes que vértelas. Son los padres de esos ángeles, o los hermanos. Incluso puede ser un tío. Un día estuve a punto de recibir una paliza del tío de una chica. Yo estaba ya crecido, pero él era más grande. Tuve que disuadirle hablando. Lo mismo que harás tú. Seguro que sabrás escabullirte por medio de palabras, joven Alois, pero es una facultad que sólo surte efecto en una población de buen tamaño o, mejor que en ningún sitio, en una ciudad. Aquí, en Hafeld y Fischlham, no será tan fácil; la gente de campo puede ser peliaguda».

Habría tenido cantidad de cosas que decirle a su hijo. Ojalá hubieran podido confiar el uno en el otro. Esto le entristecía. Debo decir, sin embargo, que sin duda cabría considerarlo culpa suya. ¿Había algo que le importase más que mantener su autoridad?

Por tanto, no tendría la generosidad de ofrecer los consejos básicos. Pero de haber podido hacerlo, le habría dicho a su hijo: «Disfruta de todas las mujeres que puedas, pero sé consciente del precio. Sobre todo en el campo. Escúchame, hijo», le habría dicho, «los campesinos no saben qué hacer con su cabeza. Tienen fuertes las espaldas, pero su vida... año tras año es la misma. Están hartos de aburrirse. Entonces empiezan a pensar en los desmanes que han cometido con ellos. Óyeme lo que te digo, hijo: ¡mucho ojo! No pongas en un aprieto a una chica. Llegado el momento, no estés tan seguro de que sabrás negar que eres el que la ha dejado preñada. A veces eso no funciona.»

Alois estaba en la cama, empapado de sudor. El drama de su hijo, expuesto ante él, cobraba visos de tragedia. Le habría dicho al joven Alois: «No subestimes al padre de la chica a la que hayas poseído en el pajar. Nunca insultes a un labriego que no tiene gran cosa en que pensar. Diez años más tarde, descubrirá dónde vives, se presentará en tu puerta y te volará los sesos con una escopeta. He oído más de un historia parecida.»

Puesto que los demonios saben hasta qué punto los seres humanos se ocultan a sí mismos toda visión clara de sus propios motivos, enseguida comprendí que detrás de todo aquel magnífico repertorio de consejos al joven Alois, al padre le preocupaba su propia seguridad: sí, Alois padre sentía que quizás fueran sus preciadas nalgas las que corrían peligro.

Una noche, hace más de un mes, mientras tomaba una cerveza en la taberna de Fischlham, había habido hablillas que al principio menospreció por ociosas, cierta cháchara sobre un su jeto que vivía al otro lado de la taberna, a unos cuantos kilómetros de Hafeld. Dos granjeros que estaban en la tasca conocían al hombre, que por lo visto había hablado de Alois. Sí, más de una vez, le aseguraron: «Te conoce, y lo dejó bien claro. No le gustas.» Se habían reído.

–Os aseguro –dijo Alois con toda su majestad local– que si alguna vez conocí a ese individuo lo he olvidado. Su nombre no me dice nada.

Así era, en efecto, hasta que recordó el nombre en mitad de una noche insomne de junio. Cuando se levantó para mirar por la ventana del dormitorio, ante sus ojos apareció un panorama de campos plateados por la luz de la luna, y pensó en lo felices que debía de hacerles estar en barbecho y no tener que satisfacer a patatas jóvenes que escarbaban en busca de las riquezas de la tierra. Sin embargo, Alois cometió entonces el error de mirar a la luna llena y, bruscamente, le vino a la memoria la cara del hombre que había declarado su inquina contra Alois Hitler.

¡Dios santo! El tipo había sido un contrabandista, sí, le había pillado en Linz un día. Sí, ahora se acordaba. El muy lerdo había intentado pasar a Alemania una ampolla de opio. Alois recordaba claramente su expresión de odio cuando le atraparon. Su mirada asesina había sido tan ofensiva que Alois estuvo tentado de golpearle, pero lo consideraba un acto totalmente impropio de él. Faltaría más: no había sentado la mano a nadie en todos los años en que trabajó de aduanero.

¿Era la luna llena un espejo de la memoria? Lo tenía delante, y con suma claridad. Al tipo no le puso la mano encima, no, pero se había burlado. «¿Estás enfadado conmigo?», le dijo. «Enfádate contigo. Eres un idiota. Una mísera probeta de opio enterrada en un jamón. Te habría pillado incluso el día en que estrené este uniforme, a mis dieciocho años. Tan idiota eres.»

Si rememoraba el incidente tal como había ocurrido, ¿no podría ser que el contrabandista no le miró con odio hasta que Alois empezó a burlarse de él? Los contrabandistas no te odian porque les hayas descubierto –forma parte del juego–, pero no hagas burla de ellos. Cuántas veces se lo había dicho a jóvenes funcionarios: «Tómale un poco el pelo a un mal sujeto y nunca te lo perdonará.»

Alois sufrió una noche de terror: al hombre al que había insultado le condenaron a un año de cárcel. ¡Y ahora estaba en libertad! Alois se levantó de una cama desprovista de un reposo decente y se dijo que no habría para él una puñetera posibilidad de dormir a pierna suelta hasta que se agenciara un perro nuevo, un animal realmente fiero. Lutero ya sólo servía para dar una serenata de aullidos a la luna una noche en que no pasaba nada. Necesitaba un perro al acecho de un gañán que atravesara furtivamente los campos hacia la casa, con odio en el corazón.

9

Resultó que vendían el perro adecuado. Un granjero conocido de Alois vendía un pastor alemán.

–Es el mejor de la camada, y por eso lo he cuidado todos estos meses y lo he alimentado, a este gran tragón. ¿Podrás trabajar más horas? Porque come todo el tiempo. Por eso te lo vendo casi regalado. Quizás te haga tan desdichado como a mí. Entonces yo me reiré y tú llorarás.

Buena charla cervecera. Alois decidió comprar el animal.

Sabía que era un buen ejemplar. En materia de perros siempre había sido un entendido. Miraba de hito en hito a los ojos de un mestizo fiero, pero como experimentaba un instante de amor por aquel bastardo pobre y feo, el animal solía reaccionar bien. Alois sabía hablar a los perros. Si uno le gruñía, él decía: «Oh, vamos, ¿cómo puedes hablarme de ese modo? Me gustas, me acerco como un amigo.» Y hasta sabía aproximar la mano a las fauces caninas como una prueba de amistad. Nunca había cometido un error. También detectaba a un perro tan fiero, un

328

caso entre cien, que mordía de verdad, y extendía el índice y el meñique de la mano más próxima, los dos dedos separados y apuntando a los ojos del perro como cuernos puntiagudos, y el animal quizás siguiera gruñendo, pero no atacaba.

Así que estaba encantado con aquel cachorro enorme de seis meses que atendía por el nombre principesco de Federico. Era fiero. Más aún, era un perro de un solo amo. Que los niños lo entendieran enseguida. Que Klara protestase. Que Alois hijo se ocupara de sus asuntos. Alois sería el único que daría de comer a Federico. Y le cambiaría el nombre. Por lo que había oído, el rey Federico el Grande había tenido un amante, no una querida. Así que quizás no fuera tan grande. Además, era alemán. Al diablo los honores al monarca. Le llamaría Espartano. Un nombre de guerrero. Cualquier ex contrabandista que tuviera pensado entrar en la granja en mitad de la noche no osaría hacerlo ahora, no con los dos perros dentro. Era posible deshacerse de Lutero con un pedazo de carne y un paño mojado en cloroformo, pero Espartano atacaría al intruso.

Cómo disfrutó Alois el regreso por las colinas. Soltó al perro pronto, le lanzó palos para que fuera a buscarlos, le enseñó a detenerse y a sentarse al oír una orden, aunque Espartano aprendía tan deprisa que ya debía de haber sido adiestrado un poco. Empero, no había duda de que era un buen ejemplar. Alois estaba tan contento que hasta estuvo a punto de luchar con él. De hecho, se contuvo sólo porque era demasiado pronto. Qué maravilla. Decidió que un flechazo entre un perro y un hombre no distaba mucho de ser algo perfecto.

Espartano no paró de gestear con aquella lengua omnisciente y resoplante que le colgaba por los costados de las fauces hasta que divisaron la granja. Pero entonces fue como si Alois cayera en la cuenta, y de golpe, de que un problema aguardaba al lado mismo de la casa.

Por supuesto. Era Lutero. Alois casi se dio una palmada en la frente por haber concebido aquella certeza tan ciega que no se había parado a pensar si los dos perros se llevarían bien desde el primer momento.

No fue así. Estaban aterrados. Se tuvieron un miedo cerval el uno al otro, y los dos estaban muertos de vergüenza por su propio temor. Se mordisquearon su propio pelaje, se rascaron pulgas recién descubiertas y fuera del alcance de sus dientes, ladraron a las abejas y luego a las mariposas, corrieron en círculos que no se interferían, marcaron territorios con la orina.

Lutero, aunque ya viejo, era mucho más grande que Espartano, pero estaba cometiendo el craso error de corretear de tal manera que el cachorro supo cuáles eran sus puntos flacos.

Más tarde trascendió que se habían peleado dos horas después de verse por primera vez. La familia salió en tromba al patio a presenciar cómo se revolcaban por el suelo, con incisivos tan terroríficos como los de un tiburón y sangre en la cara y en los flancos.

Alois, el que más lejos estaba, fue el último en llegar. Fue también el primero y el único que intervino en la refriega. No temió a ninguno de los dos contrincantes. Tan furioso estaba. ¿Cómo se atrevían a pelearse? Una hora antes le había ordenado a Lutero que dejara de ladrar y se sentase. Aquello era desobediencia flagrante.

A voz en cuello, les gritó que parasen. Al mismo tiempo, les separó con las manos desnudas. El sonido de su voz fue suficiente. Se tendieron en el suelo, medio aturdidos, jadeantes, a dos metros el uno del otro, con tajos abiertos en el hocico y piel ensangrentada en el cuello. Espartano acezaba como si el aire que necesitaba estuviese más allá de su lengua. Lutero estaba dolorido por dentro. La suma de sus años había estallado. Miraba a Alois con tanto dolor y una expresión tan elocuente que su amo casi pudo leer lo que decía: «Me he preocupado por ti y la seguridad de tu casa todos estos años y ahora me gritas como si yo no significara algo más que este intruso que acabas de traer.» Alois estuvo a punto de acariciarle con ternura, pero el gesto habría echado a perder sus planes de convertir a Espartano en un perro perfecto.

Cuando cicatrizaron las heridas, Lutero sólo comía después de que Espartano se hubiera saciado. Este régimen continuó incluso cuando Klara optó por ponerles cuencos separados a una cierta distancia entre ellos. Pero Espartano engullía también el segundo cuenco. Casi daba lo mismo. Lutero había perdido el apetito.

Alois decidió cuál sería el siguiente paso. En efecto, tendría que deshacerse de Lutero. El pobre animal probablemente estaba ya dispuesto a lamer la mano del primer ladrón que llegara tan campante en mitad de la noche.

10

Era la segunda vez que Adi había oído gritar a su padre: la primera vez, a Alois hijo, por dejar al sol aquella colmena, y ahora para separar a los perros.

Qué autoridad había transmitido la voz del padre. ¡Qué dominio de la situación! Su padre había saltado en medio de dos fieras enzarzadas en un combate feroz, con sangre volando de hilos de saliva, pero había conseguido separarlas. ¡Qué intrepidez! Adi estaba ahora enamorado de su padre. Ahora, cuando se internaba en los bosques solo –cosa que no era una nimiedad–, se forzaba a procurar no tener miedo del silencio de aquellos árboles inmensos que musitaban en la quietud mayor del bosque. Tiritando, Adi ejercitaba allí el poder de su voz. Gritaba a los árboles hasta que le dolía la garganta.

Yo estaba encantado con él. Empezaba a ver por qué el Maestro mostraba aquel interés especial. Si, después de las más grandes tentativas de vociferar, se movían unas hojas por efecto de una brisa pasajera, Adi decidía de inmediato que el poder que emanaba de su voz había inspirado al viento. ¡Y en un día tan plácido!

331

Un día estuvo al borde de encontrarse con su padre, pero yo les desvié. No quería que se topasen. No aquel día. El padre podría haberse mofado del niño por la insensatez de gritar a los árboles, y el niño podría haber seguido a su padre y, en consecuencia, habría presenciado la ejecución de Lutero. Vigilé para evitarlo. Al Maestro no le habría gustado que el choque resultase nocivo. Queríamos ser nosotros, no los sucesos, los que moldeaban a nuestros clientes.

Aquella tarde supuso una caminata para Alois padre y otra aún más larga para Lutero. Tenía una de las patas traseras infectada por la pelea. Cojeaba, y al cabo de unos centenares de metros empezó a renquear.

Creo que Lutero presintió lo que le esperaba. Aunque es indudable que el Maestro posee la capacidad de controlar los pensamientos que circulan entre los humanos y los animales, no nos alienta a ejercitar nuestros instintos en esa dirección. O, al menos, no a los demonios con los que trabajo. En realidad, a menudo siento una curiosidad dolorosa por todo lo que no sé sobre los departamentos, extensiones, servicios especiales, zonas, frentes, prominencias, recintos, órbitas, esferas, rondas y enclaves ocultos que el Maestro dirige. Sobre todo esto último: los enclaves ocultos. Para ser un demonio, no sé más del siniestro que lo que me han ordenado utilizar como efecto en mi trabajo. En realidad, las maldiciones y hechizos que la leyenda nos atribuye a todos los demonios nos las suministran como utensilios, y sólo cuando son necesarios.

Por tanto, para mí no era lo habitual seguir los pensamientos emitidos y captados que se transmitían Alois y Lutero. De todos modos, no me costó entender que Lutero conocía que el fin estaba cerca y que Alois, de buen o de mal grado, estaba absorto cavilando la manera de acabar con el perro.

De entrada, decidió no matarlo de un tiro. Poseía una escopeta y una pistola. La primera sería una chapuza, y la segunda le desagradaba. Sería deshonrar a Lutero. Sí. Las pistolas estaban reservadas para los malhechores. Ya fuese a sangre fría o en defensa propia, una bala de pistola era una muerte no sólo impersonal, sino tremenda.

Permítanme observar que no me sorprendía tanto leer tan fácilmente los pensamientos de Alois. Estaba familiarizado desde tiempo atrás con su actividad mental y a menudo seguía sus pensamientos conscientes con tanta agilidad como se unen los puntos en un rompecabezas infantil. No pertenecía a mi jurisdicción, pero le conocía mejor que a muchos clientes.

Creo que quizás yo haya desarrollado o me hayan sido concedidas algunas destrezas excepcionales para este servicio específico. Aunque Adi fuera mi cliente principal, a mi regreso de Rusia me habían otorgado poderes secundarios que me facultaban, como mínimo, para penetrar en la cabeza del padre y de la madre con esa especie de claridad que poseemos para los humanos a nuestro cargo.

De hecho, en aquella ocasión los pensamientos de Alois eran interesantes. Había resuelto que la única forma de eliminar a su viejo compañero Lutero era una cuchillada directa en el corazón. El veneno no servía: era peor que una pistola o una escopeta, totalmente traicionero, y podría causar horas de dolor. Alois ignoraba (y tampoco le importaba) si los humanos poseían alma, pero no albergaba dudas respecto a los perros. La tenían, y había que ser leal con el alma de un perro. No se le quitaba la vida con el retumbo de una bala –¡qué conmoción para el alma!–; no, tendría que ser el afilado golpe de un cuchillo, fiero y limpio como el mismo corazón del perro en el momento en que le cortaban el hilo de unión con la existencia.

Alois siguió rumiando estas meditaciones a medida que se abría paso en el bosque y reducía una y otra vez el paso para esperar al viejo animal renqueante, y enseguida llegaron a un punto en que Lutero se sentó, se negó a moverse y miró largo tiempo a los ojos de Alois. Yo juraría que si hubiera poseído el don del habla habría dicho: «Sé que vas a matarme y eso explica por qué te he tenido miedo durante toda mi vida. Sigo teniéndolo ahora, pero no daré un paso más. ¿No ves que estoy perdiendo la dignidad que me queda cuando insistes en que nos adentremos más y más en el bosque? Ya no controlo mis tripas y no quiero seguir arrastrando las patas mientras las va cubriendo esta mugre, y entonces me siento y tendrás que levantarme y llevarme en brazos si quieres ir más lejos.»

Alois se sonó la nariz. Veía que el perro no se movería. Pero aún no habían llegado al lugar que había elegido para el sacrificio. Mentalmente había elegido un pequeño barranco a poco menos de un kilómetro de allí, en el fondo de cuya línea divisoria dejaría el cadáver tapado con barro y hojas, y por último colocaría sobre el cuerpo una gran rama hueca. Si era necesario, la sujetaría con piedras.

Tal había sido el plan de Alois. Lo había pensado con todo detalle. Le había gustado la lógica de aquel entierro –muchísimo mejor a que te asfixiaran unos terrones, ¡su perro no era una patata!–, pero ahora vio que Lutero no se movería. Y él, Alois, por desgracia, ya no tenía fuerzas para transportarle cuesta arriba y abajo los ochocientos metros que faltaban. Por consiguiente, tendría que ser allí. Después volvería a la granja, cogería un pico y una pala y cavaría una tumba en aquel bosquecillo que era, de hecho, un paraje verde y decoroso, rodeado de una medialuna de árboles y algunos matojos; sí, podría ser allí. Pobre Lutero.

Entonces Alois tumbó de espaldas al perro sentado, le hizo caricias, le miró a los ojos, que habían enfermado en los últimos minutos de un modo tan directo y visible como la expresión de cualquier criatura provecta cuyo hígado se precipita hacia la tumba antes que ella, una vieja cara triste, desde luego, y Alois desabrochó la solapa de la funda que contenía su cuchillo de monte, insertó la punta de la hoja en el centro del arco de la caja torácica canina y lo empujó hasta la empuñadura. La cara del perro se convulsionó, el sonido de la expiración de Lutero fue doloroso para el oído de Alois. Fue, en efecto, mucho más humano de lo que había previsto.

Después la cara de Lutero pasó por numerosas expresiones. Por fin se le fijó la que habría de perdurar en su cara durante las primeras horas que siguieron a la muerte, antes de que el cuerpo empezara a descomponerse. Lutero de nuevo parecía un perro joven y había recobrado cierto amor propio indefinible, como si siempre hubiera sido más hermoso de lo que nadie hubiese advertido nunca, y hubiera podido ser un gran guerrero si se lo hubiesen pedido siendo joven; sí: pareció un guerrero cuando sus facciones compusieron aquella expresión de orgullo casi definitivo.

Alois pensó que había sido una muerte mejor de lo que había esperado. Le complacía su sagacidad, había elegido bien, pero en cualquier caso le asombraron los cambios que había presenciado en los últimos momentos de Lutero, y se sintió vacío.

Alois viviría seis años y medio más, pero aquella tarde en el bosque atravesó un cruce en el camino que llevaba a la muerte. Así que después se preguntaría muchas veces si era un hombre peor o mejor por su compromiso de dar muerte a Lutero personalmente y tomarse luego el trabajo meticuloso de enterrarlo.

11

Durante un paseo que Lutero y él habían dado por el bosque, el perro se tendió a descansar y murió apaciblemente. Es lo que Alois contó a su familia. Klara fue la única que sospechó que quizás hubiera ocurrido algo más: la misma noche, tal vez seis horas después del fallecimiento del animal, Alois le hizo el amor con un vigor notable. Era algo más de lo que ella había disfrutado desde hacía una temporada.

Alois había sufrido una serie de picaduras de insectos en su segunda expedición al bosque, armado de pico y pala, para cavarle una tumba a Lutero. Por consiguiente, llevó algún tiempo aliviar las picaduras con ungüento y extraer las púas. Cuando ella terminó sus cuidados, los dos estuvieron listos para hacer el amor. Aunque Klara no tenía base para una comparación, de buena gana pensaba que no podía haber otro hombre de la edad de Alois, a sólo un año de cumplir sesenta, que fuera tan vigoroso, aquel tío Alois, su hombre, un buen hombre.

Pasaron algunas noches agradables. Alois experimentaba lo que sólo podía llamarse una transformación. Amaba a Klara. Es algo que puede suceder en un matrimonio. Con frecuencia es necesario. Se debe a que la mayoría de maridos y mujeres gasta gran parte del tiempo juntos en intercambios excrementicios. En realidad, muchas veces es la razón por la que se casaron. Como lo expone el Maestro, necesitaban poder ejercer alguna que otra pequeña crueldad en cualquier momento sobre una persona de confianza que estuviese a mano.

Pero hasta el peor matrimonio contenía una especie de magia. Las feroces represiones que uno habría querido lanzarle al mundo (pero no se atrevía) ahora podía soltárselas al cónyuge en forma de juicios críticos. ¡Todo aquel excremento espiritual! En el matrimonio sirve como mercancía de cambio, un ejercicio que los practicantes mediocres consideran mucho más necesario que intentar retenerla dentro para nada.

Ergo, la coyunda es una institución viable: sobre todo para gente horrible. Por supuesto, también sirve para hombres y mujeres que podemos considerar *normales*, o ligeramente por encima de la media. Como Klara y Alois. Y se producen extraños avances hacia el amor. Pocas de estas mutaciones son permanentes, pero mientras duran ofrecen ventilación a lo que había sido un vínculo sin aire.

Así que siempre estamos atentos a signos de aliento fresco en las exudaciones de los casados. Utilizamos estos cambios para apuntalar por un tiempo las peores uniones: si ello favorece nuestros propósitos.

No en esta ocasión. El cambio de actitud era cosa de ellos y me pilló desprevenido. Embriagado por la luna llena y el aire de junio que llegaba de los campos por la noche, Alois yacía al lado de Klara en un estado de confianza: sabía que los dedos femeninos no cometerían un error doloroso mientras se ocupaban de extraer los aguijones. Había muchísimos más aquellos días, debido a la exuberante primavera tardía, pero ella era diestra, era resuelta, y él se sentía tranquilo a su lado. Durante aquel ratito, Klara era una presencia que él nunca había conocido: la de una madre prodigándole atención.

El ritual se celebraba noche tras noche. Incluso alguna vez Alois se volvió tan negligente que trabajaba sin ponerse el velo. No pretendía que le picasen; en definitiva, había adquirido la capacidad de cometer menos errores. Aun así, justo es decir que sufrió unos pocos ataques innecesarios, aunque sirvieron para adiestrar los dedos de Klara en ejecutar movimientos delicados sobre la frente, las mejillas, los pulpejos de las manos.

A veces sentía como si le crujieran los sesos. Concebía ideas que no creía posible que salieran de su cerebro. Llegó a preguntarse si el dolor de aquellas picaduras no sería un modo de expiar sus pecados. Sólo era una hipótesis –pues de otro modo no estaba dispuesto a admitir que creía en el pecado–, pero ¿podían ser aquellas heriditas una manera de rendir cuentas de las malas acciones que un hombre había cometido?

¡Vaya una idea! Hasta la noche en que se le ocurrió, había gozado de un sueño decente. Se debía a la seguridad de que Espartano, el de pecho potente, estaba allí abajo, ocupando una caseta nueva que le habían construido el día en que murió Lutero. La caseta, aunque necesaria, no había sido pan comido. Espartano no sólo era un perro guardián con derecho a su propia noción de un refugio, sobre todo en un nuevo hábitat, sino que la artesanía de Alois había establecido una compenetración entre el perro y el amo.

Sin embargo, las ideas nuevas pueden contener muchas paradojas. Alois se revolvía en el malestar pensando que la culpa pudiera ser real. Confería una dignidad excesiva a todos los enclenques que se apiñaban en las iglesias. Viajaban con una piedra en el estómago y otra aún mayor dentro del culo. Pero él ya no sabía si seguir despreciándolos. Porque había cometido incesto. Aunque había hecho el amor con sus tres hermanastras, aquello no era incesto, no, a menos que el padre de ellas fuera el padre de él. Pero ¿acaso no sabía él que Johann Nepomuk era su padre? Por supuesto, siempre lo había sabido, aunque hubiese optado por no saberlo. Había sido uno de esos pensamientos que relegaba a la trastienda de su cerebro. Ahora ocupaba el proscenio. Peor aún. Si Klara no era la hija de Johann Poelzl, entonces tenía que ser hija de él *(«Sie ist hier!»)*. Era un hecho tan agudo como el cuchillo que había entrado en Lutero. Dios Todopoderoso, ¿y si existía un Dios que conociese esta clase de cosas?

No obstante, tenía en común con casi todos los humanos la fuerza mental de ahuyentar estos pensamientos. No estaba dispuesto a renunciar a los placeres deliciosos que le procuraban cada noche las agujas extraídas de su piel.

En noches así de junio, sus dolores resonaban en su fuero interno. No intentaba desviar estos calvarios modestos mediante la búsqueda de pensamientos felices. Por el contrario, allí estaba, listo para aceptar el mensaje procedente de aquel misterioso territorio del dolor. Para Alois era una especie de música, saturada de sensaciones nuevas para el corazón y la cabeza, bañada en su propia claridad aunque hablase bruscamente, y hasta con cierta crueldad, a su cuerpo. No cerraba los oídos a la voz estentórea de cada dolor, tan rico de registros como un grupo coral. En verdad, exhibía la santidad de un pecador.

12

Muy poco se entiende de estas cuestiones. La santidad está presente en cada persona, incluso en las de peor ralea. Si bien yo no definiría así a Alois, sin embargo él estaba buscando atrapar un mordisco de beatitud a bajo coste. No sabía que ofrecer la piel propia a las rapsodias de la pequeña tortura no era sino otro medio de evitar el miedo al castigo divino. Con todo, puesto que había estado cerquísima de un pleno reconocimiento del incesto, el incremento de sentimientos santos pronto habría de alterarse. Por la mañana volvió a pensar como un policía. Cuando un agente de la ley detecta un vicio en sí mismo, ya sabe que tiene que empezar a buscarlo en otros. No tardó en empezar a preocuparse por Alois hijo y Angela. ¿Ocurriría algo impropio en aquel feudo? No le gustaba el tono del conflicto que se fraguaba entre el chico y la chica a propósito de quién podía o debía montar a Ulan.

Para sorpresa del padre, Alois hijo no intentaba ostentar una posesión absoluta del caballo. Al contrario, se brindaba a enseñar a Angela a montar. Un indicio peligroso. En la taberna, Alois padre ya había espigado algunos rumores sobre una chica llamada Greta Marie Schmidt: nada que constituyera un insulto a su hijo ni a él personalmente, pero Alois había estado enseñando a Greta a montar a pelo.

Ahora le tocaba el turno a Angela. Ella se negaba. Alois se obcecaba.

–Tienes miedo de montar a Ulan –decía.

–No tengo miedo.

–Sí tienes. Reconócelo.

–No. Es muy sencillo –dijo ella–. No quiero montarlo. ¿Para qué? Si aprendo, y soy buena, ¿qué pasa entonces? El caballo seguirá siendo tuyo. Tendré que mendigarte que me lo prestes.

–Te dejaré montarlo todas las veces que quieras. Todo el día, si quieres.

–No. Me volverás loca. Te conozco.

–Eso es una excusa. Lo que temes está claro. Lo que temes es caerte.

–No es verdad.

–Sí, es eso.

Por último, ella dijo:

–Para ti la perra gorda. Me da miedo. ¿Por qué no? Ese caballo me tirará y me romperé el cuello. –Estaba a punto de echarse a llorar de puro enfado–. Estás tan segurísimo de ti. Cabalgas por donde quieres, pero sé lo que pasará. Me subiré al caballo y empezará a galopar. Moriré con el cuello roto.

–No. Tienes un cuello tan terco como tú.

–Oh, sí, eres muy gracioso. Pero si me muero, ¿qué te importa a ti? Tienes chicas en todas partes. He oído hablar de ellas. Siempre las estás besando y ellas te besan a ti. Pero yo esta semana cumplo trece años y nunca me ha besado nadie. Así que no quiero morirme antes de saber cómo es.

Ahora se echó a llorar.

Alois padre entreoyó esta conversación. Al acercarse al establo tuvo tiempo de presenciar la reacción de Alois hijo. El chico no podía contener la risa.

En aquel momento, Alois se dijo que quizás fuese mejor que el chico se pasara el día recorriendo las colinas; sí, sería mejor para todos si se entendía con alguna campesina en vez de andar tonteando con Angela.

Alois padre empezó a preguntarse si habrían estado alguna vez juntos. ¿No era probable que le hubieran visto acercarse al establo? De ser así, aquella conversación, ¿habría sido para que él la oyera? ¿Serían capaces de semejante subterfugio? ¿Por qué no? Su madre lo había sido. Por supuesto.

Los siguientes días, trató de observar a Angela más de cerca. Pero se había pasado demasiados años haciendo que la gente se sintiera incómoda ante su mirada penetrante. No era de extrañar, pues, que a Angela le incomodase la atención de su padre. Empezó a preguntarse por qué se interesaba en ella. En la escuela había oído historias parecidas. Una chica incluso había hecho cosas con su padre. O eso se murmuraba. Aj, asqueroso, pensó Angela, qué cochinada.

Ahora, cada vez que Alois padre andaba cerca, ella se escabullía encogiendo las caderas hacia el abdomen para como asegurarse de que no hubiera un roce.

A Alois le fastidiaba. Ella era muy taimada en guardar las distancias. Él, desde luego, no aprobaba la sofisticación en chicas tan jóvenes como Angela. El modo en que retraía las caderas. ¿Dónde habría aprendido a hacerlo?

Klara no se inquietaba tanto por ella. El que más le preocupaba era Alois hijo. Como no podían enviarle de vuelta a la granja Poelzl, tendrían que hacer algo con él. Al fin y al cabo, ella sólo había aprendido una lección de la vida. Era que las situaciones permanentes a menudo eran incómodas. Una mala solución de un problema en ocasiones resultaba mejor, por consiguiente, que ninguna solución. Lo había aprendido de su madre y su padre. Si los niños Poelzl morían uno tras otro, sus padres habían conseguido amar a los pocos que sobrevivían.

Aunque Alois no le gustara, por mucho que se esforzase, y no veía una solución a la vista, tenía que optar por alguna. Su marido no volvería a plantar patatas el verano siguiente. Era evidente. Y cultivar remolachas podía ser igual de infructuoso. Las abejas, en cambio, habían sido aceptables. Quizás pudieran hacer algo en este sentido.

Klara se centró en este arreglo. Una solución imperfecta —por repetir su máxima— era mejor que ninguna. La ociosidad significaba que el chico andaría cabalgando por las colinas y metiéndose en líos.

Propuso, por tanto, a Alois que quizás debieran construir una casa de abejas donde instalar diez o quince colmenas. Un negocio de verdad. Les mantendría ocupados. Y añadió que sería bueno para Alois. Su padre podía tomarle como socio. Hasta podría embolsarse parte de los beneficios.

—¿Que sea mi socio? Si ni siquiera te fías de él. Me lo has dicho mil veces.

—Lo he dicho, sí —tuvo que convenir ella—, pero entiendo a tu hijo.

—¿Sí? Yo diría que haces muchos comentarios. Y son contradictorios.

—Le comprendo —dijo ella—. Es ambicioso. Y no sabe qué hacer con su vida. Pero yo lo veo. Quiere ganar dinero. Lo admitiré: de momento, es un poco salvaje.

—Siempre lo será —dijo él.

—Quizás —reconoció ella—. Pero los chicos cambian. Si no hacemos nada...

—Tengo que pensarlo.

La idea le atraía. Hitler e Hijo, Productos Apícolas. Si el llorón de Adolf y el mocoso de Edmund crecían alguna vez, podrían ser Hitler e Hijos.

Eso sería más adelante. Pero Klara tenía razón. Había que hacer algo para centrar la ambición del chico. En aquel momento, consideraba el trabajo innoble.

Alois recurrió a sus libros. Las dos tardes siguientes, desenterró de varios volúmenes parte de la historia, cultura y antiguas tradiciones de la apicultura con el fin de preparar una pequeña conferencia para la familia. El destinatario, por supuesto, sería Alois hijo, pero no sería tan elemental como los discursos que pronunciaba en las tabernas de Linz o de Fischlham, sino mejor, digna de Der Alte.

Hablaría del conflicto interminable que enfrentó a las abejas con los osos en la Edad Media. Pensó que esto sería un buen comienzo. Dar a la familia una visión de cómo, tan sólo un siglo atrás, los apicultores trepaban a altos árboles para llegar a colmenas que los osos no alcanzaban. Después insertaría un poco de cultura. «Esto era una práctica común en el norte de

España y el sur de Francia», le diría a Alois. «Hay que saber qué árboles elegir. Te los digo. Había alisos y fresnos, hayas y abedules y, desde luego, olmos venerables y también arces, robles y sauces. Los limeros», se oyó declarando, «los limeros han sido siempre, hasta la fecha, grandes favoritos de las abejas, así como nuestros. Esa miel retiene las más finas huellas aromáticas de la corteza de lima. Sí», dijo, dirigiéndose mentalmente a su hijo, «el amor de la abeja al limero se remonta al final mismo del período neolítico, hace casi cinco mil años. Y sin duda las abejas sabían ya en aquel tiempo construir panales. Al norte de aquí, en Alemania, encontraron hace poco un panal fósil que puede que fuera más grande que cualquier hombre que haya pisado la tierra. Increíble. Un panal de dos metros cuarenta de largo. Sí, eso encontraron.»

Planeaba dar caudales de nueva información en la comida del domingo al mediodía. Hablar de los griegos y los romanos. Dado que en esas comidas casi nunca hablaba, como para regañar a Klara por pasar la mañana en la iglesia, la vastedad de sus profundos silencios solía presidir la mesa, pero ahora intuía que una exposición completa impresionaría a Alois, y una relación de los países concernidos podría despertar su respeto. Contaría historias de los bassari en Senegal, los mbuti del bosque Ituri y los cazadores de miel del sur de Sudán.

Sin embargo, a la hora de explayar tanta erudición en la mesa, decidió desistir de la conferencia no mucho después de haberla comenzado. Quizás había comprimido en su cabeza unos conocimientos excesivos. Klara aprobaba con un gesto de la cabeza, aunque Alois no sabía si lo que aprobaba eran sus palabras o el pastel de manzana que ella había hecho, y Angela asentía con una expresión que evocaba sufrimientos escolares. Los tres niños más pequeños estaban medio dormidos y Alois hijo, que había mostrado un poco de interés, empezaba a mustiarse.

Alois padre tuvo que contener el genio. La lección había fracasado. Simplemente, no poseía la elocuencia de Der Alte.

–Tú –le dijo por fin a Alois hijo, de un modo tan directo como si le clavara un dedo en las costillas–. Tú y yo... vamos a dar un paseo.

Qué gran error haber disertado sobre el tema durante el almuerzo. Era evidente. Cuando el chico comía, no le gustaba pensar. ¿No sería que era igual que su padre?

Alois no se lo llevó lejos de la casa, sino que lo sentó en un banco cerca de las colmenas y le habló del dinero que podrían ganar trabajando juntos.

–Incluso es posible que participe Der Alte. Lo ha insinuado. Estaría feliz de trabajar con nosotros. Lo cual me induce a creer que nos llevaríamos la parte mayor del trato. Dentro de pocos años serías un joven próspero, sí, muy próspero. Y déjame decirte que un muchacho guapo como tú podría hacer un matrimonio ventajoso si ellas vieran que también vivirán bien. Al cabo de tres años de trabajar con ahínco, habrás amasado una pingüe suma. Sobre todo porque tienes un olfato agudo para saber a qué atenerte. Créeme, podrás elegir entre muy buenos partidos.

El sol calentaba mucho y el chico estaba alicaído. Aquella mañana Greta Marie no había estado disponible: ella también había ido a la iglesia con sus padres y él, entonces, había visitado a Der Alte, que esta vez estuvo tan glotón que Alois se sintió privado de fuerzas. El mal olor del viejo persistía en sus fosas nasales. ¡Qué alegría trabajar todos los días de los tres años siguientes con aquel par de viejos! Der Alte prodigaría signos secretos que el padre podría sorprender, y estaba garantizado que Alois padre encontraría algún motivo para refunfuñar cada día.

Aquellas palabras dulces destilaban engaño. ¿Trabajar para su padre? ¿Ser un esclavo tres años? Demasiadas cosas buenas le estaban esperando. En cuanto estuviese listo, se marcharía de casa y se iría a Viena. Cuanto más brusco mejor. No le había perdonado a Klara su trato grosero de la semana anterior. No, nunca la perdonaría.

–Sí –dijo Alois–, es el primer paso para abrirse camino en la vida.

–Muy cierto. Hablas con el conocimiento de tus cualidades. Te diré que les tengo un gran respeto.

Ya había llegado al obstáculo que les separaba como una valla. La víspera, por primera vez, había saltado con Ulan. Habían saltado un seto que podría haberles derribado. Pero lo sabía. Tenía que dar el salto. Y lo hizo. Aquello no era lo mismo y en cierto modo lo era. Tendría que volver a hacerlo: esta vez se trataba de hablar claro.

–Tienes toda la razón en lo que dices, padre, pero... –Dudó el tiempo justo para repetir–: Lo que dices es verdad para una persona como tú, que no eres exactamente igual que yo. Yo tengo otras cualidades. Al menos, eso creo.

Alois asintió profundamente para no mostrar su enojo.

–Quizás quieras revelarme cuáles son.

–Me parece que tengo un don para tratar con la gente. –Su padre asintió de nuevo–. Cuando pienso en lo que haré dentro de unos años, veo que me ganaré la vida de esa forma. Tratando con la gente.

Al llegar a este punto, optó por mirar a su padre a los ojos. No era una gesta pequeña, pero le sostuvo la mirada.

–¿Quieres decir que la agricultura no te atrae? –dijo el padre.

–Debo decir la verdad. No.

–Pero no llegarías al extremo de decir que nuestro pequeño colmenar no te interesa.

–Me gusta el sabor de la miel. Eso es cierto. Pero creo que me gusta más hablar con la gente que escuchar a tus abejas.

Alois echó mano entonces de su mejor reserva de sabiduría.

–Hijo, estoy dispuesto a revelarte un secreto que te ahorrará algunos años. Quizás más. No se puede cautivar a la gente mucho tiempo. Sobre todo si no tienes nada más que ofrecer. La gente tiene que respetarte. Si no, se reirá contigo, sí, cantará

345

contigo, oh, sí, y después, pobre chico, se reirá a tus espaldas. El trabajo duro es la única base para una relación sólida y continua entre dos personas serias. Un hombre que intenta abrirse camino con su labia no es más que un estafador.

–Respeto el trabajo duro –dijo Alois hijo–, pero no el que te exige ser granjero. Un hombre que trabaja la tierra toda su vida se vuelve, en mi opinión, tan mudo como ella. Eso no es para mí.

–Creo que no has entendido lo que he dicho. No te estoy proponiendo que utilicemos la tierra, sino el aire. Pienso en las pequeñas criaturas que vuelan por el aire. Y en Der Alte. Déjame que hable con él. Veo la manera de que nos sea muy rentable.

–Padre, con todo respeto, no estoy de acuerdo. Lo has dicho tú mismo. Sabe más de esta materia que nosotros.

De nuevo le acompañaba la iluminación que le había producido saltar el seto con Ulan. Un sentimiento de exultación directo. Era como si su sangre no sólo se empeñara en que hablase, sino que se dispusiera a insultar a su padre. Lo cual sería como saltar a caballo una valla mucho más alta.

–Tienes que aceptarlo –dijo–. No estamos a la altura de Der Alte. Nos robaría a mansalva.

–¿Qué estás diciendo? ¿Me desprecias como apicultor?

–Bueno, siempre te están picando.

–Son cosas que pasan. Gajes de este oficio.

–Sí, y los que lo saben dicen: «Oh, hoy he tenido un pequeño accidente», pero tú no. Tú siempre estás lleno de picaduras. Siempre.

Aquí Alois perdió los estribos, aquel genio tan valioso pero peligroso que siempre se estaba ordenando contener. Ya no tenía remedio. Se había salido de madre.

–Chico –le dijo a su hijo–, no estás preparado para salir al mundo. No tienes estudios. No tienes dinero. ¿Y crees que conseguirás dinero hablando? Es un disparate. Lo único que sabes hacer es que tus aldeanas te meneen las tetas y se te abran de

346

piernas. ¿Por qué? Quizás creen que tendrán suerte y pescarán a un marido tan vago como ellas. Quizás lo consigan y tendré que ver a nietos tan feos como tus novias, y tú tendrás que trabajar en la granja de tu padre.

Se había pasado de la raya. Lo sabía. El miedo que había estado generando campaba por sus respetos igual que su mal genio. Había sido un error craso decir lo que pensaba.

Alois hijo se enfureció. Decir que serían feos los hijos que pudiera tener... Era indignante.

–Sí –le dijo a su padre–, te he visto como granjero. Tus conocimientos están anticuados. Hasta Johann Poelzl, con lo estúpido que es, vale para la agricultura. Tú no.

–Entonces, ¿soy un imbécil? No eres tú el más indicado para decirlo, habiéndote suspendido en la escuela. Y encima mentiste al respecto. ¡Qué imbecilidad! Me he guardado demasiado tiempo esa noticia vil y desastrosa. Sólo llego a una conclusión. La única razón de que nos mintieras y trataras de falsificar una carta es que eres un idiota.

–Sí –dijo Alois hijo–, y tú eres distinto. Tienes hijos preciosos. ¿Sabes por qué? –El chico respiraba tan deprisa que iba subiendo el tono de voz. Casi canturreó las palabras siguientes–: Sí, encuentras tus mujeres, te las follas y te olvidas de ellas. Y mi madre se muere.

El reflejo del padre fue más rápido que su pensamiento. Golpeó con el puño en el costado de la cabeza de su hijo con tanta fuerza que lo tiró al suelo.

13

Si el joven Alois hubiera sido un cliente, le habría ordenado que no se levantara. Le habría endosado a su padre una culpa que el chico habría podido explotar durante un año. Pero como yo no tenía jurisdicción en el caso, el chico corrió hacia el padre, le agarró de las piernas y, a su vez, le derribó. Golpe por golpe.

Sabiendo que su vida estaba en una encrucijada, cometió el error de ayudar a su padre a levantarse. Tuvo que hacerlo. Sintió un terror inconmensurable en el momento después de tumbarle, porque vio allí a su padre postrado y con aspecto de viejo. Así pues, el hijo le levantó.

Que te derribaran ya era desagradable, pero ¿que te ayudase a ponerte en pie un jovenzuelo con un grano abierto en la cara y un incipiente y ridículo bigotito castaño? Como sólo le habían brotado unos pocos pelos lacios, el bigote en sí era un insulto. Empezó a golpear al chico hasta que éste cayó de rodillas, y le siguió aporreando incluso cuando estuvo tendido en el suelo.

Klara ya había salido de la casa. Suplicó a su marido que se detuviera. Lloró. Menos mal que lo hizo. Alois hijo ya no se movía. Estaba inconsciente en el suelo y Klara seguía gritando.

Creyó que estaba aullando a los muertos.

–¡Oh, Dios –logró exclamar–, no puedo creer que hayas permitido esto!

Vi un hueco extraño. No estaba su ángel de la guarda; no había ni un Cachiporra cerca. Los ángeles a menudo huyen de personas que gritan demasiado fuerte; saben lo cerca que están los humanos de nosotros en esos momentos, y se ven en inferioridad numérica. Porque los demonios acuden velozmente a atender esas protestas. Por si hubiera poco alboroto, Adi dio rienda suelta a la más penetrante serie de chillidos.

Y Klara estaba vulnerable. Vi mi oportunidad. Toqué sus pensamientos, alcancé su corazón. Creía que el chico estaba muerto y que su padre pasaría en la cárcel el resto de sus días. Era culpa de ella, todo culpa suya. Le había dicho al marido que se aproximara al chico, aun cuando sabía que sería inútil. Como la suma de su experiencia le enseñaba que la mayoría de las oraciones a Dios no obtenían respuesta, ahora nos rezó directamente a nosotros, invocó al diablo, le imploró. ¡Sólo los piadosos creen que el Maligno tiene estos poderes!

–¡Salva la vida del chico –suplicó–, y estaré en deuda contigo! Así que era nuestra en lo sucesivo. No como cliente. Simplemente nos había cedido su alma. Por desgracia, estos cambios nunca son completos e inmediatos. Pero al menos ahora teníamos cierta influencia sobre ella.

Klara fue un verdadero triunfo. En cuanto Alois hijo empezó a moverse, ella se convenció de que había recibido nuestra respuesta directa. Sintió toda la pesadumbre de haber formulado un juramento innegociable. A diferencia de tantos otros con los que traficamos, Klara era la responsabilidad por excelencia. Sentía, por lo tanto, el corazón mutilado y estaba consternada por la pena que debía de haberle causado a Dios. ¡Qué gran monja habría sido!

Nuestra ganancia más importante fue Adi. Había visto a su padre derribar a golpes al joven Alois. Había oído a su padre proferir un gemido notable por la profundidad de su aflicción. Después, cuando el chico empezó a moverse, Adi vio a su padre entrar trastabillando en el bosque, con arcadas de estómago y el pastel de manzana de Klara saliéndole por las narices. En consecuencia, como no podía respirar, Alois tenía que evacuar del esófago una bala de cañón. El almuerzo del mediodía le subía y bajaba en el gaznate. Pero una vez en el bosque, en cuanto cesaron las arcadas, comprendió que no podía volver a la casa. Necesitaba un trago. Era domingo, pero encontraría algo en Fischlham.

Ya hemos gastado tiempo de sobra en Alois. Mi atención se centraba en Adi. El niño lo había evacuado todo: orina, heces, comida. Le tenía desquiciado el miedo de que su padre regresara y le tumbase a golpes en el suelo. Yo no podía desaprovechar una ocasión tan directa de ejercitar algunas mañas. Grabaría aquella zurra en la memoria de Adi. Una y otra vez, envié a su mente las mismas imágenes, hasta que –dada su certeza de que cuando volviera su padre todo estaría perdido también para él– logré imprimirle una visión clara de sí mismo tendido a las puertas de la muerte a causa de la paliza que le había propinado su padre. No sólo le dolían los miembros, sino la cabeza. Era como si acabara de levantarse del suelo donde le habían tumbado.

Años después, en el apogeo de su poder, Adolf Hitler seguiría creyendo que había recibido una paliza casi mortal. Muchas noches de la Segunda Guerra Mundial, en el cuartel general de Prusia oriental para el frente ruso, contaría el episodio a sus secretarios sentados a la mesa después de la cena. Hablaba con elocuencia.

–Por supuesto, merecía una tunda –decía–. Le causaba verdaderos problemas a mi padre. Recuerdo que mi madre estaba deshecha. Me quería tanto, mi querida madre.

De sí mismo recordaba que había sido tan valiente como Alois hijo; sí, se había enfrentado a su padre.

–Creo que por eso tuvo que pegarme. Debí de merecerlo. Le dije cosas terribles, palabras tan espantosas que no puedo repetirlas. Es probable que me tuviera merecida aquella paliza. Mi padre era un hombre excelente, fuerte, honesto, un austriaco que era un alemán auténtico. Aun así, no sé si un padre debe golpear a su hijo hasta dejarlo al borde de la muerte... Estuvo en un tris de matarme.

Sí, contaba tales historias de su infancia que a sus oyentes se les saltaban las lágrimas y se les entristecía el corazón. No surgió de repente, aquel lecho de roca inmaculado de una mentira que yo grabé en los pliegues del cerebro donde la memoria está en estrecho contacto con la falsedad. Mi arte consiste en suplantar un recuerdo auténtico por otro falso, y cuyas exactitudes vengan a eliminar un antiguo tatuaje con el fin de sustituirlo por otro.

Además, aquella falacia me permitiría desarrollar la futura incapacidad de Adi para decir la verdad. Para cuando inició su carrera política, estaba en posesión de una madeja de mentiras tan complejas que satisfacían hasta la necesidad más nimia. Sabía sortear la verdad por un pelo o subvertirla totalmente.

Trabajar a un cliente como es debido es, como digo, un proceso lento, y llevó muchos años convertir aquel particular entramado de su psique en un tinglado completo de mendacidades múltiples. El adulto habría estado dispuesto a morir con la certeza de que estaba diciendo la verdad cuando contó que su padre había estado a punto de matarle a golpes. De vez en cuando, todavía me tomo la molestia de reforzar el soporte de esta mentira absoluta. Valía la pena. El Maestro, en efecto, muchas veces destacó mi labor en esta materia:

—Este método es la mejor manera de usurpar los servicios de un gran dirigente político —nos dijo—. No tienen que distinguir entre la verdad y determinadas mentiras. Nos son de una utilidad notable cuando ni siquiera saben que están mintiendo, porque la mentira es vital para sus necesidades.

14

Aunque la taberna de Fischlham no servía bebidas los domingos, había una casa en las afueras de la ciudad donde se podía tomar una jarra de cerveza en la despensa.

Alois nunca había visitado aquel oasis. Estaba enteramente por debajo de lo que un respetable funcionario de la corona retirado pudiera considerar una razonable actividad de asueto, pero fue una de las pocas veces en su vida en que —y hubo de repetírselo él mismo— tenía que tomar un trago. Con las punzadas que le daba la rodilla a causa de la primera caída, con dolor de cabeza por los efectos explosivos de su cólera y el corazón afligido, renqueó a campo traviesa y para el crepúsculo había bebido cerca de cuatro litros de cerveza.

Nadie tuvo que ayudarle a volver a casa. Hubo ofertas, pero las rechazó todas: era aún lo bastante temprano para que el cielo del atardecer conservase alguna luz. Con pleno sentido de la dignidad, coronó el primer repecho a la salida de Fischlham y casi estaba en la cima del segundo cuando se tumbó a dormir en un pasto. Despertó un par de horas más tarde, con la cabeza a menos de quince centímetros de la boñiga monumental de una vaca, tan grande como un sombrero bombín.

Tenía el pelo limpio. No se había revolcado en ella. Si hubiera creído en la Providencia habría dado las gracias, pero más le valió no hacerlo, porque a la hora que era –más de las diez de la noche–, moderadamente descansado por el sueño repentino, coronó la segunda cuesta y vio las ascuas de un incendio a menos de cinco metros de la fachada de su casa.

Sin duda salvó la casa que no hubiese habido viento aquella noche, pero sólo quedaban las cenizas de sus tres cajas Langstroth, no había rastro de abejas, excepto el de las pobres decenas de miles que el fuego había reducido a un volumen microscópico. Una alarmante sensación de melancolía se desprendía de las paredes de la casa.

Klara salió a su encuentro. Si había estado llorando, ahora estaba ya tan seca como las cáscaras de las colonias. Un olor emanaba de los últimos posos de miel, tan ásperos como un catarro de garganta.

Alois lo sabía. A una parte del corazón de su mujer tuvo que amargarle para siempre el hecho de que aquella noche, la más infausta de todas, él hubiera encontrado una forma de beber tanta cerveza que apestaba a dos metros de distancia.

Con pelos y señales, ella le contó lo que había sucedido. El chico se había marchado a caballo y no volvió hasta después de anocher. Todos estaban dormidos, o fingían estarlo; ella reconoció que le tenían miedo. Debió de haber recogido su ropa, hecho con ella un hatillo que ató a la silla de Ulan y volvió a marcharse.

Media hora después, sin embargo, cuando todos se creían a salvo, Espartano empezó a ladrar. Aullaba con tal ferocidad que

Klara estuvo a punto de levantarse para ver qué pasaba. Pero entonces él dejó de hacer ruido, sólo gimió un poco: como un cachorro. Y el caballo relinchó cuando Alois hijo se alejaba. Un minuto después prendieron las llamas. Ella supo casi al instante lo que estaba ocurriendo. Adi, tan ligero como un ciervo que huye, iba y venía corriendo de la casa a las colmenas.

–¡Les ha prendido fuego! ¡Con queroseno! –gritó Adi–. Lo sé. Es parecido a la otra vez.

Y se reía tanto como lloraba, sin saber muy bien si aquello era una calamidad terrible u otro acto glorioso de incineración.

Klara y Angela habían hecho lo que habían podido, que fue arrojar cubos de agua sobre los muros de la casa más cercanos a las llamas. Hacer algo más habría requerido la presencia de un hombre.

Incluso habían oído los últimos rumores de los cascos de Ulan cuando se iba trotando. El chico no había vuelto. ¿Se había dejado acaso alguna puerta abierta para hacerlo? Klara pensaba que no. Antes de partir, había envenenado a Espartano. El perro estaba muerto cuando llegó Alois.

Libro X

Honrar y temer

Llegó una carta en agosto. Después no volvieron a saber nada de Alois hijo. Con motivo de un viaje a Linz, Alois padre supo que Ulan había sido vendido a un chalán por la mitad de su precio, que quizás fuese suficiente para que el chico viviera en Viena hasta encontrar trabajo.

Muchos atardeceres, Alois recorría el camino que había seguido su hijo la noche en que enfiló hacia la carretera que llevaba a Linz. Alois llegaba hasta un viejo tocón que era entonces su asiento predilecto en el bosque, y allí escuchaba a los pájaros.

En reposo sobre los restos de lo que antaño había sido un roble señorial, lamentaba la pérdida de las abejas y soñaba que la noche de aquel domingo había llegado a tiempo de perseguir por el bosque al chico y al caballo. Esta fantasía acompañó un largo verano de duelo por todo lo que podía enumerar como perdido, y luego se afligía aún más por todo aquello que no podía enumerar.

Así transcurrió el verano. Contrató a un peón que le ayudara a segar los pastos. Empacaba el heno y lo vendía en Fischlham. Como ya no poseía colmenas de que preocuparse, no temía los enjambres, no tenía que hacer cálculos sobre la cantidad de alimento que había que dar a las colonias después de la temporada, ni más exámenes de la salud de las colmenas, ni estima-

357

ciones de cuántas abejas viejas habían muerto pero aún no había sido sustituidas por recién nacidas, ni tenía que inquietarse por la idea de una invasión de ratones, ni necesitaba pensar si convendría poner tela metálica de nuevo para ahuyentar a los pájaros, pesar las cajas o sopesar si las exploradoras habrían recolectado polen suficiente para que tuvieran proteína durante el invierno. No había reina que localizar. No había siquiera una caja Langstroth que volver a pintar. Estaba acabado.

Sentado junto al tocón, llegó una tarde al final del verano en que los sabores más cáusticos del duelo finalmente atravesaron un respiradero de su mente y se dijo a sí mismo: «Me alivia no tener que preocuparme más. Amaba a mis abejas, pero perderlas no fue culpa mía.»

En aquel momento yo no tenía que prestar atención a la familia Hitler. Seguirían en Hafeld hasta que se fueran. Apenas me incumbía. Uno de los instintos que tengo desarrollados es el de conocer cuándo los humanos que someto a estudio empiezan a cambiar a cierta velocidad, al contrario que cuando están prácticamente quietos.

La verdad es que así medimos el Tiempo. Excepto en las ocasiones en que el Maestro nos encomienda palestras donde la historia puede moldearse, vivimos reflexivamente. Nosotros también necesitamos períodos de barbecho. Para mí, el apacible verano de la familia Hitler pasó como un sueño. Atendí un poco a otros clientes.

Alois, entretanto, estaba estancado en una larga y opaca meditación. Le causaba una inquietud moderada el valor de la granja. Si la vendiera, ¿igualaría el precio a lo que había pagado? ¿O un comprador potencial detectaría una incipiente desidia? Esto ocupaba el centro de su atención. Decidió que nada era más sutil que el comienzo de la dejadez. Aunque se sentía más relajado que desde hacía muchos años, le corroía el hecho de haber confiado a las mujeres el gran número de quehaceres de la granja: por descontado, los que no exigían la fuerza de un hombre. No hacía nada con el huerto. Pensó en comprar otro perro; en vez de hacerlo, examinó la pintura de la caseta del pobre Espartano difunto y resolvió que aún no la despintaría el calor del verano.

No parecía que necesitasen otro perro. Desaparecido el joven Alois, no había que albergar temores de que un padre iracundo merodease por el vecindario. No era probable que se presentara en la puerta un pariente de Greta Marie Schmidt: bien podía agradecer que aquella jovencita no estuviese embarazada, porque de haberlo estado él ya lo habría sabido. Y el contrabandista que vivía al otro lado de Fischlham apenas se le pasaba por las mientes. Por alguna razón, el fantasma de aquel malhechor también parecía lejano.

La verdadera preocupación de Alois era habituarse a la ociosidad. Hubo un tiempo en que le habría disgustado incluso pasar unos pocos minutos sin hacer nada. Ahora se conformaba con el paso de una nube o, a decir verdad, con la voluta de humo de un habano.

Una paz semejante podía resultar cara. Una granja sin labrar —por más cuidados que estuvieran la casa, el establo y el patio— nunca ofrecía una estampa atractiva. No para un posible comprador. Una parte de Alois continuaba corriendo cuesta arriba en sueños. Era como si sus campos sin cultivar se lo reprocharan.

Los hechos económicos (que calculaba una y otra vez en pedazos de papel distintos, con cabos de lápiz diferentes) eran que él y Klara, por muy meticulosos que fueran con sus gastos, tarde o temprano se verían obligados a gastar más dinero que el de su pensión.

Así que podría llegar un momento en que debería decidir que era demasiado oneroso ir a su taberna miserable de Fischlham. Aquello era el colmo de la indignidad. Tenía que reconocer algo. Añoraba Linz. Allí, por lo menos, podías beber con gente inteligente. Toda su reflexión desembocaba en que tendrían que vender la granja. Sabía que llevaría su tiempo. En aquella época, cuanto menos trabajo hacías, más tardaba en hacerse todo. Además, muy a pesar de su voluntad, empezaba a remorderle la conciencia por Alois hijo. ¡Qué emoción más ingobernable! ¿Le correspondía a él como padre perdonar a su hijo? ¿Y si a Alois hijo también le devoraba el remordimiento? No soportaba la idea de aquel chico solo en una pobre habitación, sentado en un catre mísero, con los ojos llenos de lágrimas.

Era como si tuviese un antebrazo amputado cuyas terminaciones nerviosas continuaran vivas. Alois empezó a pensar otra vez en Hitler e Hijos, Productos Apícolas. Como tuvo que infundir una convicción real a esta idea, el sueño, obstinadamente, se tornó más dulce que antes.

Incluso lo sacó a colación con Klara. Aunque ella se había sentido a una buena y considerable distancia de su marido durante todo el verano, aunque no le perdonaba haber estado borracho como una cuba aquella noche terrible, su sentido del deber, no obstante, aún prevalecía.

–Si quieres que vuelva, si de verdad quieres que vuelva, yo no me opondré.

Fue lo que ella dijo. Fue lo que se sintió forzada a decirle. Hasta experimentó un poco de vergüenza, porque su rápida esperanza fue que no encontraran al chico.

Sin embargo, este drama no acontecería. Pocos días después llegó de Viena una carta sin remitente, una carta infame. «Mataste a mi madre.» La frase se repetía varias veces. Luego la carta declaraba que el hijo se haría famoso y que el padre se retorcería en su tumba.

Alois no daba crédito a lo que leía. El resto era peor. «Eras un granjero pésimo, y el motivo es evidente. Como he llegado a saber, eres medio judío. No es de extrañar que no puedas ser granjero.» Y había tantas faltas de ortografía en la carta que, avergonzado de la ignorancia de su hijo, Alois tuvo que reescribirla entera antes de enseñársela a Klara. Mientras escribía, la mano le temblaba mucho, pero el original, con chapones y errores de sintaxis, era abominable. Y pensar que el chico siempre se había expresado bien.

De todos modos, había que mostrarle a Klara aquellas palabras atroces. Alois hijo sólo podía haber sacado aquellas ideas inmundas hablando con Johann Poelzl. ¡Aquel santurrón hipócrita!

Pero Klara mantuvo la conversación alejada de Poelzl. Se limitó a decir:

—A mí no me importaba tanto. Pensaba que por eso no ibas a la iglesia.

Él estaba indignado.

—¿No te molestaba creer que tu marido era medio judío?

—¿Por qué iba a molestarme? Alois, tú siempre has dicho que un hombre que odia a los judíos es un ignorante. Así que ya lo sabía. No está bien odiar a los judíos. Es una señal de ignorancia.

—Pero eso no me convierte en judío.

Tuvo un dolor de cabeza súbito y fortísimo. Retornaron viejos recuerdos de las primeras burlas en la escuela. Cuando tenía seis años. Por supuesto. Había sido la comidilla de Strones y Spital.

—¿Nunca te molestó creer que yo era medio judío? —repitió.

—No. Estaba muy preocupada por nuestros hijos. Quería que viviesen. —No pudo evitar que se le humedeciesen los ojos; no con aquellos recuerdos en la raíz de los conductos lacrimales—. Así que me alegraba pensar que eras judío en parte. Pensé que quizás pudieras darle un poco de sangre fresca a nuestro Adolf y a nuestros Edmund y Paula.

—Pero no soy judío en absoluto —dijo él—. Tenemos que aclarar esto. El viejo Johann Nepomuk me dijo una vez quién soy yo. Soy su hijo. Sí, soy tu tío carnal.

—¿Te lo dijo él? ¿Dijo esas palabras?

Ella conocía de sobra a su abuelo Johann Nepomuk para

saber que nunca diría semejantes palabras. No de aquel modo, no tan directamente.

–Me lo dio a entender –dijo Alois–. Afirmó que sabía quién era mi padre. Y entonces dijo: «Aquel hombre no era judío.» No tuvo que decir más. Estaba claro. Sólo había una forma de que él lo supiera. Así que era eso. La siguiente vez que un chico me llamó judío, le aticé un puñetazo en la cara y le rompí la nariz. Al pobre se le quedó una jeta fea.

Alois empezó a reírse al rememorarlo. Después se rió aún más, como proclamando que no le pesaba mucho.

–¿Y todos aquellos años creíste lo contrario?

Ella asintió. No sabía muy bien si sentir alivio o desilusión. Siempre había sentido que le asaltaba la emoción al pensar que estaba casada con un hombre que tenía aquella sangre. Los judíos prohibían hacer cosas en la cama. Eso había oído ella. Quizás Alois y ella incluso habrían hecho aquellas cosas que estaban prohibidas: ¿no era así? Y los judíos tenían fama de ser inteligentes. También lo había oído decir. Ahora estaba realmente confundida.

Alois, al pensar en Johann Poelzl, habría podido hervir al pajarraco para hacer una sopa.

2

Tal vez el lector recuerde que cuando me presenté como el narrador de esta novela, lo hice como un hombre de las SS. De hecho era uno de ellos. En aquel período, a finales de la década de 1930, yo estaba corpóreamente instalado en un oficial particular de las SS llamado Dieter. A un alto precio para mí, vivía y operaba dentro de él. Diré que no asumimos una posesión completa a menos que el objetivo lo requiera. En efecto, el coste personal es directo. Tenemos que abandonar la estimulación de vivir en más de una simple conciencia. Por consiguiente, el poder demoníaco se reduce. Tienes que convertirte en un simulacro de un ser humano.

Así pues, encarnado en Dieter, en 1938 hice pesquisas en Graz sobre el abuelo de Hitler. Sin embargo, la información de que el verdadero padre de Alois era Johann Nepomuk me vino directamente del Maestro, lo que significaba, por supuesto, que yo no estaba en condiciones de revelar mi fuente. En la Sección Especial IV-2a estábamos obligados, como en cualquier otra organización de inteligencia, a ser creíbles al menos entre nosotros, y por tanto la única forma de explicarle a Himmler el origen de mi información había sido inventarme la historia. Aunque sabía que Hitler no era judío, no habría podido convencer a Heinrich Himmler de este hecho sin revelar mi fuente. En suma, para hacerlo creíble necesitaba utilizar un medio de reunir información con el que Heini estuviera familiarizado: los testimonios humanos.

Por supuesto, no era tan sencillo. En 1938, más que conocer la verdad con certeza intuía que una vez la había conocido: lo cual es un modo de decir que el Maestro debió de llegar a la conclusión, mucho tiempo atrás, de que tenía que suprimir los recuerdos de sus demonios si quería mantener el orden en su porción del mundo. No obstante, yo aseguraría que los recuerdos que no se nos permite conservar siguen ahí, por mudos que estén, para servirnos de guía.

Menciono este asunto porque se ha planteado de una forma tan súbita la cuestión de si por las venas de Alois circulaba sangre judía.

Estaba furioso. Su cólera contra Johann Poelzl pronto remitiría hasta transformarse en nada menos que una aversión vitalicia –su corazón reviviría el día en que aquel Poelzl muriese–, pero resurgió su ira contra Alois hijo.

En realidad, su conversación con Klara había desatado tal tormenta interior que no podía quedarse en la cama. Por primera vez en todos los años en que habían yacido, cercanos o no, el uno al lado del otro, tuvo que levantarse aquella noche, vestirse, pasear por el cuarto, intentar dormir primero en el sofá y después en el suelo y, naturalmente, consiguió que los dos se desvelaran.

Klara sabía que tendría que pagarlo. «No digas nada», se dijo a sí misma. «No vuelvas a sacar ese tema.»

Aunque no puedo hablar con la autoridad de esos demonios que son doctores en medicina, diré que es posible que el cáncer que acabaría con la vida de Klara en 1908 diera un paso adelante aquella noche desdichada.

Le habían ocurrido demasiadas cosas a la vez. Había perdido la fe en una idea largo tiempo acariciada. Gracias a su certeza de que todos los hijos que había tenido con Alois eran judíos en una cuarta parte, creía que los tres últimos habían nacido con más posibilidades de sobrevivir. Si alguna idea tenía sobre los judíos (y no podía decir realmente que hubiese conocido a uno de pura cepa), era que tuvieran los defectos que tuvieran, y había oído las historias más atroces de amigos y parientes, y hasta de tenderos, la verdad era asimismo evidente: sabían sobrevivir. Tenía mérito ser tan detestados y aun así seguir entre los vivos. ¡Incluso había algunos ricos! En consecuencia, a Klara siempre le había impresionado, en su absoluta intimidad —¿con quién podía hablar de esto?—, que tenía tres hijos vivos, salvados en buena medida por su sangre judía.

Atribuía a su estirpe familiar que Gustav, Ida y Otto hubiesen muerto tan prematuramente. Pero Adolf se había salvado, y después Edmund y Paula, por cuya salud rezaba todas las noches.

En su confianza había ahora un boquete. Si los tres hijos supervivientes seguían viviendo, no sería gracias a un conservante que corriese por sus venas. No tendrían esa ventaja.

Un gran motivo para no dormir. Lo que aún era peor: estaba avergonzada de su cobardía. ¿Cómo podía haber aceptado la idea de que había que pedirle que volviera a Alois hijo? Escuchando desde la cama los golpes que daba el padre con el cuerpo contra el suelo donde estaba tendido, pronto fue presa de su propia ira. Era una vergüenza. No daba crédito a lo que ella misma se decía. Si fuera posible, sí: mataría al chico. Sólo que sabía que no podría hacerlo. No lo haría nunca. Pero el esfuerzo por rechazar un furor semejante palpitaba en su corazón, es decir, en su pecho, con tanta fuerza y aversión que es posible, sí, que aquella noche se hubiera iniciado el cáncer de mama que aún habría de abrasarle el pecho con dolores infernales. Como no es fácil obtener la respuesta, prefiero volver a Alois tratando de dormir en el suelo.

La inmensa ira que le embargaba aquella noche era que se había traicionado. Esto le envenenaba toda la alegría que también está implícita en la rabia, una idea que rarísima vez se tiene en cuenta. La cólera, en definitiva, ofrece la misma sensación nutritiva de superioridad moral de que disponen en las ocasiones más ordinarias los más hipócritas practicantes religiosos. El meollo de este placer consiste en enfadarse siempre con los demás, no con uno mismo. Pero en este caso a Alois le enfurecían sus propias acciones.

Si Alois se había maleado, la culpa exclusiva era de su padre. Visto a esta luz, era uno de los peores mortales, un padre débil. Se había pasado la vida obedeciendo órdenes y después imponiendo su cumplimiento en las aduanas; había venerado a Francisco José, un rey grande, bueno, aguerrido, que encarnaba el trabajo duro y la disciplina. La custodia que había ejercido sobre sí mismo se había convertido en una especie de homenaje a Francisco José. Sin embargo, no había inculcado en Alois hijo nada de aquel sentimiento de respeto. ¿Era porque se sentía culpable con respecto a la madre del chico? Sí, había maltratado a Fanni, la había tratado tan mal que no podía ser severo con su progenie. Había sido una falta de disciplina por su parte.

Tuvieron que transcurrir todas las horas de oscuridad nocturna para que su cólera amainara. Hasta la primera luz de la mañana –una luz tenue que brotó envuelta en sudarios de lluvia al alba– no pudo una parte de su cerebro hablar con la otra y dictar unas cuantas órdenes sobre la conducta que debería observar con Adi en el futuro. No cometería el mismo error en que había incurrido con Alois.

3

Ahora, cada vez que quería que Adi acudiese a su lado, Alois silbaba. Era un buen silbato penetrante, tan agudo que hacía daño al oído. Tampoco reducía el volumen cuando el chico se encontraba a su alcance. En la taberna, a Alois le encantaba decir ahora:

–Si estás educando a un hijo, no prescindas del látigo. Lo sé por experiencia.

Más de una vez, Alois le dijo a Adi:

–El tiempo y el sacrificio no sirvieron para nada con tu hermano mayor. Contigo, Adi, no malgastaré mi tiempo.

Adi estaba paralizado por el miedo. Tuve que preguntarme si los efectos definitivos de esto servirían a nuestro propósito. Desde luego, sabemos utilizar como instrumento la humillación propia y la ajena cuando trabajamos con maníaco-depresivos. Si queremos empujar a un cliente a que perpetre un acto de violencia, una serie de humillaciones induce al sujeto a oscilar muy rápidamente entre los polos de su depresión y su manía. No tarda mucho en producirse un brote.

Yo no veía motivo para algo tan drástico aquí a una edad tan temprana. Sin embargo, el Maestro no me urgía a que contuviese a Alois y el padre estaba empapando de desdicha el espíritu del niño. Adi estaba recibiendo todo ese poso de angustia que lleva a la aparición de una incurable melancolía.

Hay medios establecidos de sembrar suicidios. Por tanto, yo no sabía qué objetivo último tenía pensado el Maestro. El niño era lo bastante delicado para que aquello saliera mal. Qué desastre, y por tan poca cosa.

Pero el Maestro nos sorprendía a menudo con iniciativas parecidas. Muchas veces corría albures audaces con la vida de nuestros clientes. Había ocasiones en que, si planeaba un futuro ambicioso para un joven cliente, alentaba la dominación parental y, a veces, la incitaba. Creo que lo consideraba otro tipo de inoculación contra futuras crisis emocionales.

Naturalmente, estos experimentos también podían propiciar una inestabilidad futura. En cuanto implantamos una humillación profunda en un cliente orgulloso, también realizamos la tarea de transformar esta herida en una fuerza posterior. Lo cual puede resultar tan difícil como convertir a un cobarde en un héroe. Pero cuando lo conseguimos, cuando el abismo psíquico de un suicida potencial se transmuta en promontorios del ego, una inmensa apuesta ha tenido éxito. El infeliz humillado antaño ha adquirido el poder de humillar a otros. Es un poder diabólico y su adquisición no es fácil. No obstante, no quisiera exagerar. Adi, en aquel momento, distaba mucho de estar totalmente sometido. Mostró cierto talento en abogar por su causa ante Klara.

—Madre —le dijo—, mi padre me mira ahora como si yo siempre fuera culpable.

Ella lo había advertido. También para sus oídos el silbato era una aguja.

—Adi, nunca debes decir que tu padre se equivoca —le dijo.

—Pero ¿si está equivocado?

—No lo hace adrede. Quizás comete un error.

—¿Y si está muy equivocado?

—No lo estará siempre.

Klara asintió. No sabía si creía lo que dijo después, pero lo dijo.

—Es un buen hombre. Un buen padre tarde o temprano siempre se da cuenta de que sigue una dirección errónea. —Asin-

367

tió de nuevo, como para obligarse a creer estas palabras–. Hay un momento en que el padre reconoce que puede haberse equivocado –dijo. Tocó con la mano la cara del niño como para enfriar la fiebre en sus mejillas–. Sí –dijo–, oye sus propias palabras y comprende que son incorrectas. Entonces cambia.

–¿Sí?

–Sin duda alguna. El padre cambia. –Hablaba como si ya hubiera sucedido en el pasado–. Cambia –repitió por tercera vez–, y ahora lo que dice es correcto. Va en la buena dirección. Porque está dispuesto a cambiar. ¿Sabes por qué?

–No.

–Porque te dijiste que nunca le causarías confusión. No lo harías porque es tu padre.

Agarró a Adi de la cintura y le miró a los ojos.

Klara había sido la primera de la familia en advertir (y seguía siendo la única) que a Adi se le podía hablar como si tuviera diez o doce años.

–Sí –le dijo ahora–, es mejor que no haya confusión en casa. Por tanto nunca debes acusar a tu padre. Él podría sentirse *weiblich*. Y sentirse débil es muy malo para él. No se puede esperar que admita que tiene una debilidad.

En este punto empezó a hablar de *die Ehrfurcht*. Honrar y temer. La madre de Klara había empleado la palabra al hablar de Johann Poelzl. A Klara casi había llegado a decirle que era un granjero que trabajaba de firme pero que tenía mala suerte –¿quién de la familia no sabía esto?– y sin embargo siempre había tratado a su mujer con *Ehrfurcht*, como si fuera un hombre importante y triunfador.

–Es lo que mi madre me enseñó a mí y ahora te lo digo a ti. La palabra del padre es la ley de la familia.

Lo dijo con tal solemnidad que el chico sintió como si le inyectaran una fuerza sagrada. Sí, algún día tendría una familia y todos sus miembros le honrarían y le temerían. En aquel momento, sus ganas de orinar se volvieron apremiantes. (Este fenómeno le afligió en aquellos años siempre que se disponía a concebir ideas grandes y felices sobre él mismo.) En mitad de la perorata de su madre, estuvo a punto de sufrir un accidente, pero lo evitó: tenía que hacerlo si quería creer que en el futuro recibiría su cuota de *Ehrfurcht*.

–Sí –le dijo ella a su hijo–, la palabra del padre tiene que ser la ley. Justa o injusta, no puedes discutirla. Tienes que obedecerle. Por el bien de la familia. Justo o injusto, el padre siempre tiene razón. De lo contrario, todo es confusión.

A continuación se refirió a Alois hijo.

–Él no tenía *Ehrfurcht* –dijo–. Prométeme que nunca dirán esto de ti. Porque ahora eres el hermano mayor. Eres importante. Aquel chico que era tu hermano es como si estuviera muerto.

Adi tenía el cuerpo mojado. Era como si una luz sacra hubiese iluminado también su transpiración, tan absoluta era la importancia de sentir aquello. Entré en su pensamiento el tiempo necesario para decirle: «Tu madre tiene razón. Tú eres ahora el hermano mayor. Los más pequeños te honrarán y respetarán.»

Sí, Adi lo comprendió y por la noche le trabajé la mente hasta que este concepto se convirtió en una certeza igual a una de esas avenidas bien pavimentadas del pensamiento que siempre están preparadas para un tráfico mental pesado. Muchas noches yo habría de decirle una y otra vez que Alois hijo estaba separado de la familia para siempre.

Alois padre no me fue de poca ayuda. En diciembre ya había redactado un nuevo testamento. Estipulaba que, después de su muerte, el hijo llamado Alois sólo recibiría de la herencia el mínimo prescrito por la ley. «Cuanto menos mejor», añadía. Como el acto de redactar un testamento resucitaba su sentido, largo tiempo desarrollado, de un procedimiento oficial correcto, agregó: «Lo cual se declara con pleno reconocimiento de la seriedad de dicho acto para un padre. En mis tiempos de oficial jefe de aduanas de la corona, garantizo que me familiaricé con la responsabilidad siempre inherente a decisiones tan graves.»

Con lo cual, tras haber terminado la reescritura de su testamento, silbó para que acudiese Adi y le leyera pasajes en voz alta.

4

Su decisión de hacer un nuevo testamento la tomó después de haber sabido que podría vender la granja. El comprador se lo había enviado Herr Rostenmeier, que incluso había ofrecido buenos consejos a Klara.

–Querida Frau Hitler –le dijo–, sólo hay una razón por la que su granja encontrará un comprador: por su buen aspecto. ¿No fue ése el motivo exacto de que su marido la comprara?

–No diré que eso no deba ser verdad –dijo Klara. (Para ella, esta observación equivalía a coquetear con Herr Rostenmeier.)

–Sí –dijo él–, está bien que lo reconozca. Creo que podrán vender la granja a personas con menos experiencia agrícola que ustedes, pero... –levantó un dedo– más acaudaladas, ¿no? Tienen que tener paciencia. No tardará en aparecer una de esas personas pudientes. Y cuando aparezca, hágame el favor de enviármela. Yo seré su amigo. Yo sabré contestar a todas las preguntas que haga.

Apareció el rico buscador de casa, le gustó el aspecto de la granja y la tierra, sabía aún menos que Alois de los escollos de la agricultura y la venta se celebró. Aunque el precio no constituía una ganancia real, tampoco sufrió Alois la pérdida que había temido. Lo irreversible de la transacción le convenció además de que cualquier sueño de vivir sus últimos días en una granja debían arrinconarse junto con toda esperanza de que el hijo primogénito le proporcionase todavía algún motivo de orgullo. No, ahora le correspondía a Adi. Ni por asomo era tan ágil ni tan fuerte como Alois, ni tampoco tan bien parecido, pero sí tan despierto, quizás, y obediente. Obediente sí era. Llamarle con el silbato se había vuelto un placer. La reacción era rápida.

Sin embargo, Alois guardaba en su corazón el equivalente de una fotografía. Aún había noches en que se sentaba en el banco de roble y cavilaba sobre la caja Langstroth que había construido para él. Daba una palmadita en el asiento como para recordar el sonido del cachete que solía dar a la caja de madera en los viejos tiempos, sí, una bonita y contundente bofetada para alborotar a las avispas.

Desde entonces había llovido mucho. La Historia (para quienes han vivido tanto tiempo como yo) rara vez se recuerda como algo fascinante. Es un auténtico vivero de mentiras. Es la única razón por la que yo recomendaría la vida de un demonio a posibles aspirantes. Sabemos muchísimo sobre cómo ocurre, cómo ocurre realmente. ¿Quién querría perder semejantes riquezas? Con todo, no es inconcebible que esto sea exactamente lo que yo he hecho al revelar mi relación con el Maestro. Quizás la perversidad de nuestra naturaleza diabólica guarde alguna relación con esa curiosa naturaleza humana que se abre camino hacia la existencia entre los obstáculos de la orina y excrementos, pero más tarde sueña todas las noches con una vida noble.

Libro XI

El abad y el herrero

1

En el verano de 1897, tras la venta de la propiedad de Hafeld, la familia se trasladó al Gasthof Leingartner, en Lambach, donde viviría hasta el final de año. Habiendo dejado atrás las responsabilidades de la granja, Alois comenzó su jubilación auténtica, que deparó unos cambios pequeños pero sorprendentes. Por ejemplo, no le interesaban las cocineras y las criadas del Gasthof. Peor aún, ellas no mostraban el menor interés por él. Ni a él le importaba.

Incluso yo diría que estaba temporalmente satisfecho. En la medida en que podía afectar a nuestros designios con respecto a Adi, yo vigilaba de cerca las modestas actividades de Alois. Para mi sorpresa, adoptó un interés de propietario por el sabor medieval de Lambach y disfrutaba recorriendo sus calles. La ciudad tenía una población de no más de mil setecientas personas, pero podía jactarse de un monasterio benedictino fundado en el siglo XI, y de una iglesia, Paura, que había sido construida con forma de triángulo y tres torres, tres puertas y tres altares. Debo decir que Paura produjo un efecto extrañísimo en los pensamientos de Alois.

Había empezado a preguntarse si, cientos de años antes, no habría vivido allí una vida anterior. ¿Percibía un oscuro atisbo de una existencia previa? No descartó la idea. Sin duda explicaría sus cualidades viriles más osadas. *Der Ritter Alois von Lambach!*

Si se me pregunta una vez más cómo puedo conocer esta reacción cuando Alois, al fin y al cabo, no es mi cliente, reiteraré que en determinadas ocasiones podemos entrar en los pensamientos de humanos que tienen una estrecha relación con alguna persona a nuestro cargo. Tuve acceso, por lo tanto, a las divagaciones de Alois sobre la reencarnación, y había llegado a creerla posible. Decidió que mucha gente no creía que dejaría de existir.

Debo decir que para Alois tal idea era estimulante. La reencarnación era muy imaginable y, en consecuencia, él, Alois, debía de haber sido un caballero sumamente licencioso. Esta posibilidad le puso de un humor excelente. Lo que necesitaba, precisamente, eran ideas nuevas. Te mantenían a salvo de las arenas movedizas de la vejez, decidió ahora.

2

El imperativo que se había impuesto de tener pensamientos inéditos tal vez explique la acogida que dio al deseo de Adi de formar parte del coro infantil del monasterio benedictino. Klara apenas pudo creer que su marido dijese que sí. En realidad, poco había faltado para que advirtiera al niño de que no se lo preguntase, pero después se preguntó ella misma: ¿y si Dios quería que Adi cantara en aquel coro? Ella no pensaba inmiscuirse en lo que quizás fuese un designio del Señor.

Así que el joven Adi, con humildad espiritual, abordó a Alois y logró decirle que los monjes le habían dicho que tenía una buena voz. Con el permiso paterno para quedarse después de las clases podría ensayar.

Si alguien hubiera preguntado a Alois por qué se avino a permitir que un hijo suyo estudiase con monjes y curas, habría tenido preparada la respuesta. «He hecho averiguaciones concienzudas», habría dicho, «y esos benedictinos dirigen la mejor escuela de Lambach. Como deseo que Adi prospere en la vida, he decidido enviarle allí, con independencia de todas las demás objeciones que conservo.»

Adi se encariñó con la escuela. Pronto los monjes le tuvieron por uno de sus mejores alumnos, y él lo sabía. Por su parte, Alois estaba encantado con sus notas. El chico no sólo cursaba las doce asignaturas exigidas sino que obtenía la calificación más alta en cada curso, lo cual era más que suficiente para que el padre se mostrara benévolo.

—Permíteme que te diga —dijo— que cuando era joven yo también me vi adornado con una buena voz. Fue un don de mi madre. Una vez fue solista en la parroquia de Doellersheim.

—Oh, sí, padre —dijo Adi—. Me acuerdo de lo bien que cantaste cuando llegamos a Hafeld desde Linz.

—Sí —dijo Alois—, las viejas tonadas vuelven. ¿Te acuerdas de aquella que disgustaba a tu madre?

—Sí —dijo Adi—. Decía todo el tiempo: «*Ach*, no es para niños.»

Se rieron. El recuerdo impulsó a Alois a cantar lo mismos versos:

> Fue el mejor que en la vida he tenido,
> en los malos tragos y los buenos pasos,
> el tambor nos llamaba a la batalla,
> él a mi derecha al borde de la raya.
>
> Una bala nos pasó silbando,
> ¿a quién venía apuntando?
> La vida a él le ha quitado
> y ahí yace ensangrentado.

Alois se rió y Adi le imitó. Se acordaban. Aquí era donde Klara había exclamado: «No, no es para niños.»

La voz de Alois se tornó más resonante aún.

Amigo, dije, no puedo aliviar tu cuita,
pero en la vida eterna tenemos una cita,
Mein guter Kamerad, mein guter Kamerad.

Alois declaró a continuación, con la voz enronquecida de cantar:

–Sí, te daré permiso. Te lo doy porque ya creo en tus futuras posibilidades. Hay que premiarte por la brillantez que has mostrado en tu nueva escuela.

Para sus adentros, Alois pensaba: «Por supuesto, no le alentaré a que se interne demasiado en ese camino. Más le valdrá no acabar como un cura inmundo.»

Adi, sin embargo, se preguntaba si algún día sería monje o, aún mejor, abad. Le encantaban los hábitos blancos, y su imagen del cielo titiló en la luz que entraba por los rosetones. Le emocionaba hasta las lágrimas oír el «Grosser Gott Wir Loben Dich»:

Santo Dios, alabamos tu nombre,
infinito es tu vasto dominio,
sempiterno es tu reino...
Llena los cielos de tu resplandor,
santo, santo, santo Señor.

Mientras cantaba yo le estaba animando a que creyera que podría alcanzar la jefatura de todos aquellos monjes y ostentar la autoridad en una mano y el misterio en la otra. De hecho, tenía un modelo. El abad de aquel monasterio era el hombre más imponente que Adi había conocido nunca. Era alto, de pelo gris plateado y expresión sublime. Para Adi era tan guapo como un rey.

Un día, solo en la habitación del Gasthof que compartía con Angela, descolgó de su percha el vestido más oscuro de su hermana y se lo puso encima como una especie de túnica. Después se subió a un taburete. Sabía que tenía que hablar en voz baja para que no le oyeran en el pasillo, pero estaba embelesado por el sermón que había entreoído en misa, así como por la oración al arcángel San Miguel, que repetía todos los días. Absorbía aquellos sonidos y gozaba del momento en que estaría solo en el bosque, hablando a los árboles.

Primero se sintió compelido a pronunciar el sermón que había precedido al rezo.

–Estas llamas del infierno –dijo– lamerán cada poro de tu cuerpo. Derretirán tus huesos y tus pulmones. Tu garganta desprenderá un olor fétido. El hedor de tu cuerpo será horripilante. Es el fuego que no se apaga nunca.

Se tambaleó en el taburete. La fuerza de las palabras le habían producido vértigo. Tuvo que dar una bocanada antes de repetir la oración.

–Gloriosa majestad, te suplicamos que nos libres de la tiranía de los espíritus infernales, de sus trampas, sus mentiras y su maldad furibunda... Oh, príncipe de la hueste celestial, arroja a Satanás y a todos los espíritus malignos que vagan por el mundo persiguiendo la perdición de las almas, amén.

Estaba muy emocionado. Hice lo posible para que creyera que estaba recibiendo una señal de lo alto. Pero entonces, para estropearlo todo –¿habría otras fuerzas presentes?–, tuvo la primera erección real de su joven vida. Pero a la vez se sintió como una mujer. Debió de ser el olor del vestido de Angela. De modo que se despojó de él, saltó del taburete y hasta dio unas patadas al vestido antes de recogerlo, lo olió de nuevo y sufrió una turbación abominable. Se seguía sintiendo una mujer.

Fue en aquel momento cuando supo que tenía que hacer lo que hacían otros alumnos. Tenía que imitarles. Debía empezar a fumar. Había respirado la humareda de la pipa de Alois desde que era un bebé, pero ahora tenía que volver a sentirse viril, exclusivamente. Ya no más de aquel mitad y mitad.

3

En la entrada del monasterio había una gran esvástica esculpida en la piedra de la puerta arqueada. Era el escudo de armas de un abad anterior llamado Von Hagen, que había sido abad superior en 1850, y Von Hagen debió de haber disfrutado de la proximidad con su propio nombre: una cruz gamada que se denominó *Hakenkreuz*.

Me apresuro a decir que no hay que ver grandes cosas en esto. La esvástica de Von Hagen estaba tallada con delicadeza y no brindaba una sugerencia llamativa de las falanges que habrían de desfilar bajo aquel símbolo. No obstante, allí estaba: una cruz gamada.

El día de su noveno cumpleaños, Adi estaba solo y fumando un cigarrillo en el arco de entrada. Pero no estuvo solo mucho tiempo. El más malo de los curas que le daban clase, un prelado conocido por su paso cauteloso, sorprendió a Adolf en flagrante delito. El clérigo confiscó inmediatamente el cigarro (unas hebras de tabaco de pipa de Alois enrolladas en papel de periódico) y lo pisoteó en el suelo. Lo hizo con el frenesí de quien aplasta cucarachas.

Adi tuvo ganas de llorar.

—Es posible —oyó que le decían— que el demonio haya entrado en ti. Si es así, morirás muy desdichado.

Y esbozó una sonrisa malvada. Invocaba los poderes de anatema que había adquirido en el curso de los años.

En cuanto Adi fue capaz de hablar dijo:

—Oh, padre, sé que he obrado mal. Siempre lo he detestado. No volveré a probar el tabaco.

Sin embargo, en aquel momento tuvo que bajar corriendo a la hierba que había al otro lado de los escalones de piedra de la entrada, donde vomitó en el acto. La imprecación del cura le había transmitido un alma tan árida que no podía respirar. La larga nariz del hombre parecía tan malévola como sus labios, tan delgados como el filo de un cuchillo. En todo este tiempo, mientras sufría toda una serie de sentimientos atroces, Adi estaba ya calculando cómo obtener el perdón del abad. Sabía que le mandarían a aquel augusto despacho en cuanto dejase de vomitar.

Ante el abad, rompió a llorar otra vez. Tuvo la inspiración de decir que no quería que aquel acto abominable interfiriese en su anhelo de ser sacerdote. Declaró lo mucho que quería arrepentirse. Cuando terminó, el abad le dijo:

–Bueno, aún puede ser que algún día seas un buen clérigo.

En la sincera voz de Adi resonó la plena inspiración de una mentira rotunda. El sabor de un anatema había sido bastante. Estaba ya desengañado para siempre del deseo de ordenarse sacerdote. Sólo mantuvo intacta su admiración por el abad.

El día había sido provechoso para mis esfuerzos. Habida cuenta de los numerosos clientes a los que yo supervisaba en aquella región de Austria, no puedo afirmar que haya estado siempre en el lugar adecuado en el momento preciso, pero aquella vez lo estuve. El clérigo de alma ruin –¡no es de extrañar!– resultó ser uno de mis mejores clientes de Lambach y, por supuesto, había sido avisado de que diese un rápido paseo hasta la puerta con arco donde estaba estampada la cruz gamada de piedra de Von Hagen.

4

Diré que Adi conservó la veneración que profesaba al abad, pero sólo como un eco de aquel temprano enamoramiento. El odio al cura de nariz larga no disminuyó, y por tanto el recuerdo del momento en que Alois le dio permiso para cantar en el coro casi se había borrado. En cualquier caso, el recuerdo pronto habría perdido todo su calor, pues era ya un hecho patente que su padre prefería a Edmund. Una vez que Adi le propinó un fuerte empujón, Edmund se atrevió a devolvérselo.

–No me toques –dijo–. Soy tan bueno como tú.

Este comentario mereció que Edmund recibiese un golpe tan fuerte que le hizo llorar con sus potentes pulmones de cuatro años.

Cuando Klara bajó, Adi dijo:

–Mi hermano Alois me pegaba siempre. Y nadie movió nunca un dedo.

La cabeza de Alois se cernió sobre la de Adi.

–Tenías a tu madre para protegerte de Alois –dijo–. Me acuerdo. Ella siempre se ponía de tu parte. Incluso cuando no tenías razón. Eso enfadaba muchísimo a tu hermano, ¡y quizás no presté suficiente atención!

Por consiguiente, Alois optó por dar una azotaina a Adi. Aunque asestados sin fuerza, los azotes escocieron el trasero del niño. Adi aún vivía temeroso de la ira con que el padre había maltratado a Alois hijo cuando éste se encontraba en el suelo.

Las pendencias entre Adi y Edmund resonaban en la fonda, y Klara estaba lógicamente avergonzada. El posadero y su mujer, sin embargo, estaban contentos con el alquiler que les pagaban los Hitler y se esforzaban en tratar a Klara con el máximo respeto, y hasta procuraban fomentarle la ilusión de que era una fina mujer de clase media. Klara no les creía. Era más sagaz. A Alois le dijo que la familia necesitaba un lugar más espacioso y menos caro.

También había decidido que Angela era demasiado mayor para seguir compartiendo habitación con Adi. De hecho, Angela se había quejado de que un vestido suyo tenía encima manchas polvorientas de zapatos: tenía que ser obra de su hermano. Klara prefirió no acusarle. Él lo negaría. El auténtico problema persistía; tenían que mudarse. Alois no se oponía. Las peleas de Adi con Angela le estaban afectando los nervios. Una vez le había dicho a Klara:

–No quieres que le zurre la badana, pero me está desquiciando.

–Cuando dos niños se pelean puede ser culpa de los dos –dijo Klara.

–Bueno, a ella no voy a ponerla encima de mis rodillas.

Realmente alterada, Klara dijo:

–Por supuesto que no.

–En todo caso, es el niño. Te digo que pone a prueba mi paciencia.

Klara decidió entonces contar lo del día en que pillaron a Adi fumando. Con la esperanza de que Alois se compadeciese, dijo:

–Adi necesita cariño. Lo necesita muchísimo. Después de que el abad le perdonara, me dijo: «No sabía que un hombre tan mayor pudiera ser tan bueno.» Alois, necesita nuestro cariño.

Él movió la cabeza.

–No –dijo–, tú eres ya su esclava. Creo que empezar a fumar le habrá sentado bien. En su momento quizás le guste el tabaco y se convierta en un hombre de verdad.

Al decir esto comenzó a reírse hasta que le entró la tos.

Klara pensó: «Sí, un tipo duro, apático.»

Cabría decir que Klara empezaba a tener algunos pensamientos íntimos. Durante años, había creído que quizás a una buena esposa no le convenía tener opiniones personales. Sin embargo, ya había empezado a albergar un proyecto secreto. Había llegado a la conclusión de que estaría bien comprar una casa bonita, pero sabía que Alois no estaba dispuesto a hacerlo. Por el contrario, ella tendría que secundar la decisión del marido de trasladarse al piso superior deshabitado de un molino de grano. Sería mucho más barato que la fonda y dispondrían de mucho espacio. Además, Angela tendría una habitación propia. Que comenzase a gozar de algunos privilegios que Klara nunca había tenido. Más adelante, cuando tuviesen una casa propia, en aquella ciudad o en otra, podría esperar que Angela aún llegara a casarse con un joven excelente. Y, por el momento, merecía sin duda tener su propio cuarto. Era una hijastra estupenda.

Klara, por tanto, accedió al deseo de Alois de mudarse al molino. Habilitarlo sería un trabajo interminable, pero Angela había terminado las clases y podía participar en las tareas. A principios del invierno de 1898, alquilaron un piso en la planta superior del molino. Su propietario, un tal Herr Zoebel, tenía cuatro mulas para mantener activa la rueda de moler. Para completar aquel estruendo, en la parte trasera había una herrería donde trabajaba un hombretón llamado Preisinger. Vivir en el piso de arriba representaría una guerra contra el polvo, pero Klara no estaba descontenta. Angela siempre se ofrecía a ser su criada, o una abnegada hermana pequeña, o una amiga fervorosa. De este modo Klara disfrutaba de algún tiempo a solas con Paula.

5

Desde que Paula era un bebé, ni un solo día había transcurrido sin que Klara le susurrase: «Serás preciosa.»

Pero cuando aún no había cumplido dos años Paula parecía un poco retrasada.

Alois no lo advirtió. Adoraba columpiar a la pequeña en la rodilla. Soñaba con el momento en que aquella niña sería la muchacha más bonita de la ciudad. Su boda sería un verdadero acontecimiento.

Pero cierto día, después de una visita al médico local, Klara volvió con la noticia de que su hija se desarrollaba demasiado despacio.

El dictamen del médico no la había sorprendido. Klara, desde luego, había estado preocupada. A los dos años, Paula no sabía utilizar una cuchara sin que se le cayera casi todo el contenido, mientras que Edmund había aprendido, no mucho después de haber cumplido un año, a realizar el trayecto desde el tazón de sopa hasta la boca. A los dos años sabía vestirse y hasta empezaba a lavarse. Paula no. Yacía en la cuna con su amiga del alma, una muñeca de trapo, apretada contra el pecho.

Mucho antes de cumplir dos años, Edmund sabía decir brazos, piernas, dedos de las manos y de los pies. Paula se reía, pero no conocía ninguna de estas palabras. Al examinarla el médico, le pidieron que se mantuviese en equilibrio sobre un solo pie, pero no lo consiguió. Miró sin comprender al médico cuando él le preguntó:

–¿Qué haces cuando estás cansada?

Klara intentó ayudarla diciendo: «Dormir», pero el médico se enfadó.

–Por favor, señora Hitler, no la ayude –dijo.

–Sí –le dijo Klara a Alois–, incluso dice que es una niña retrasada.

–No sabe lo que dice.

–Alois, podría ser verdad.

Klara empezó a llorar.

Alois sucumbió a una depresión. Sus antiguas dotes de observación, tan hábiles para detectar a un contrabandista en una garita de aduanas, las dedicaba ahora a examinar la sonrisa de Paula. Le parecía que la niña tenía los ojos demasiado vacíos.

Un humor aciago se apoderó de la familia. Cuando Alois salía de paseo, Adi procuraba fastidiar a Edmund. Para Klara esto era intolerable. Le daba una bofetada a Adi y luego se sentía desleal. Lo cierto era que Edmund se había convertido en la luminaria de la familia. Superados la nariz mocosa y los pantalones sucios, se había vuelto un niño encantador de cuatro años, tan prometedor como un príncipe –a juicio de Klara–, y el cambio se había producido desde que abandonaron Hafeld. Edmund tenía la sonrisa más dulce y la cara más graciosa del mundo. Klara no podía evitar reírse de las expresiones tan de niño bueno que ponía, tan formales, tan cómicas y a veces tan indignantes. Era a la vez un buen niño y un bribonzuelo. Pero Adi reaccionaba de mala manera. Había adquirido la costumbre de estirar una pierna justo lo suficiente para ponerle una zancadilla a su hermano pequeño cada vez que Edmund pasaba corriendo. Pero en vez de quejarse, Edmund se levantaba y seguía correteando por el suelo del ático.

A Klara le habría disgustado aún más si hubiera conocido el deseo secreto de Adolf. Consistía en pegar a Edmund lo más fuerte posible y que no le castigaran por el acto. Alois, Klara y Angela siempre estaban hablando de qué azules eran los ojos de Edmund. Pero Adolf decidió que los suyos eran de un azul más noble. Además, la cara de Edmund parecía totalmente aplastada. Cuánto le habría gustado aplastar aquella cara un poco más cada vez que sus padres decían que su hermanito era «mono».

A Edmund siempre le alababan por la preocupación que mostraba por Paula, aun cuando Adi había sido el primero en advertir que la niña no era muy despierta. Podría habérselo dicho a sus padres, pero no, su madre y Angela estaban impresionadas por cuánto quería Edmund a su hermana pequeña.

Klara incluso se alegraba de que Preisinger, el grande y sudoroso herrero, estuviese abajo en su taller martilleando, porque a Adi le gustaba Preisinger y pasaba con él largos ratos. Era mejor que tratar de vigilarle cuando se sentaba fuera de la cocina a la espera de que Edmund pasara corriendo para estirar la pierna y ponerle otra zancadilla.

6

Por aquella época tuve que viajar de Austria a Suiza, y el mes siguiente lo pasé en Ginebra supervisando la transformación de un pequeño delincuente en un asesino apasionado.

Dada la diversidad de los clientes a los que estaba atendiendo en los alrededores de Linz, más de una vez tuve que volver a Austria para tomar nota de su estado, por lo cual seguí de cerca los sucesos en el molino de grano de Lambach, pero no hablaré de estos asuntos hasta después de haber hablado un poco de mi misión en Ginebra. A los lectores que a estas alturas recelan de estas expediciones, les prometo que esta vez no relegaré al pequeño Adolf más que uno o dos capítulos interesantes.

Además, en unas cuantas páginas del texto se citará a Mark Twain, aunque nunca fue mi cliente, ¡jamás me habría atrevido a intentarlo! En verdad, de haber existido la posibilidad, el Maestro, admirador de grandes escritores, probablemente habría procurado explorar él mismo una iniciativa de seducción semejante.

Lo cierto es que Twain, un hombre muy complejo, no fue considerado material conveniente. Sí lo eran, sin embargo, algunas de sus amistades, de modo que yo conocía sus actividades lo bastante para respetar el fervor con que escribió sobre el asesinato de la emperatriz Isabel en Ginebra, el 10 de septiembre de 1898. Casada en 1854 con Francisco José, durante largo tiempo se la había considerado la reina más bella y cultivada de Europa. Su poeta favorito, por ejemplo, era Heinrich Heine. Realzaba el prestigio exótico de la soberana el hecho de que, tras el doble suicidio en 1889 de su querido hijo, el príncipe heredero Rodolfo, y su joven amante, la baronesa Vetsera, la emperatriz sólo vestía de negro. Aquella tragedia, conocida en toda Europa como «Mayerling», fue un suceso en el que desempeñé un papel nada pequeño. De hecho, es posible que por eso me eligieran para guiar por Ginebra a Luigi Lucheni después de que fuera avistado como un supuesto asesino.

–Es un trabajo espantoso –dijo el Maestro–, pero a nuestra medida. Un pequeño malhechor de lo más trastornado. Se cree un filósofo serio y profesa la sincera convicción de que sólo los más extraordinarios hechos individuales ejercerán en el público una influencia duradera. ¡Así que a por él!

Trabajé con Luigi Lucheni. Ensanché las vacilaciones gaseosas de su psique y luego comprimí vapores tan inflamables hasta concentrarlos tanto como un soplete. Los asesinos precisan muchas magnificaciones rápidas del ego para estar preparados en el trance homicida.

No fallé. Lucheni, un joven empobrecido, se hizo anarquista después de haberse ido a vivir con los suizos. En Ginebra encontró a revolucionarios que le aceptaron, a lo sumo, con recelos. Sus compatriotas italianos le llamaban *il stupido* (lo que duplicaba la compresión diaria de sus cóleras). Me fue de utilidad que le ridiculizaran las personas de quienes él esperaba aplauso.

—Convéncelas por medio de tus acciones —le aconsejaba yo—. Estás aquí entre nosotros para arrebatar la vida a alguien que ocupa un lugar muy alto entre las clases opresoras.

—¿Quién es esa persona? —preguntó.

—Lo sabrás cuando te la indiquen.

¡Pobre emperatriz Isabel! Era tan orgullosa y tan poética que cuando estaba de vacaciones sólo permitía que la escoltaran unos pocos guardaespaldas. Incluso entonces tenían que mantenerse a diez pasos de su persona. Daba igual que forzosamente se le acercaran desconocidos. Siempre era un turista que pedía un autógrafo. Así pues, estaba paseando sola por la orilla del Ródano cuando Lucheni se le acercó, sacó una lima afilada y se la clavó en el corazón.

Fue apresado de inmediato, registraron su domicilio y examinaron su diario. El mundo entero supo enseguida que había escrito: «Cómo me gustaría matar a alguien..., pero tiene que ser alguien importante para que lo publique la prensa.»

Podría haber elegido a Felipe, duque de Orleans, que estaba de visita en Ginebra, pero fue la hermosa Sisí: la emperatriz Isabel. Yo sabía que Sisí causaría más revuelo. Del mismo modo que yo había arrastrado de la narizota al cura anatematizador hasta el arco donde Adi estaba fumando, dirigí a Lucheni hacia la emperatriz Isabel.

Si al lector le desazona que me presente como un observador sereno, un cronista ecuánime, y que no obstante sea también capaz de instigar los actos más sórdidos sin el menor remordimiento, que no se sorprenda. Los demonios necesitan dos naturalezas. En parte, somos civilizados. Lo que la mayoría de las veces puede parecer menos patente es que nuestro objetivo último es destruir la civilización como primer paso para soslayar a Dios, y una empresa así exige una disposición a *hacer lo que haga falta:* una excelente expresión que oí hace años a un cliente menor que trabajaba en un equipo de filmación.

En todo caso, el efecto inmediato del homicidio fue excepcional. Sin embargo, dejaré que lo cuente el propio Mark Twain.

7

El autor se encontraba entonces en Kaltenleutgeben, una pequeña ciudad austriaca situada a unos sesenta y cinco kilómetros de Viena. Una inversión fallida en una nueva linotipia le había arruinado.

En consecuencia, dejó su casa en Hartford, Connecticut, y viajó por Europa dando conferencias populares por honorarios lo bastante abultados para saldar muchas de sus deudas. Cuando se produjo el asesinato de Isabel, Twain estaba descansando en Kaltenleutgeben y al día siguiente escribió a un amigo: «Se hablará y pintarán y relatarán este asesinato dentro de mil años.»

No puedo expresar el júbilo que sentí al leer estas palabras. Un maestro de la prosa confirmaba mi opinión de la importancia del magnicidio. De hecho, Twain estaba tan afectado que pronto compuso un artículo donde fluye su lenguaje incomparable. Si bien, por una infinidad de razones tan laberínticas que escapan a su catálogo, optó por no publicarlo, yo, sin embargo, entré en posesión de estas páginas por medio de un criado suyo.

*Cuanto más se piensa en el asesinato, más imponente y tre-
mendo se vuelve... Hay que remontarse unos dos mil años para
hallar un suceso que pueda equiparársele... «¡La emperatriz ha
sido asesinada!» Cuando estas palabras asombrosas llegaron a
mis oídos en aquel pueblo austriaco el pasado sábado, tres horas después del desastre, supe que era ya una noticia obsoleta en
Londres, París, Berlín, Nueva York, San Francisco, Japón, China, Melbourne, Ciudad del Cabo, Bombay, Madrás y Calcu-
ta, y que todo el planeta maldecía al unísono al perpetrador del
crimen.*

*... ¿Y quién ha obrado el milagro de brindar este espec-
táculo al mundo? Todas las ironías se agolpan en la respuesta.
Está en el peldaño más bajo de la escala humana, según los baremos aceptados de grado y de valía; un sucio y harapiento joven holgazán, sin dotes, sin talento, sin educación, sin moral,
sin carácter, sin ningún encanto congénito o adquirido que
conquiste, seduzca o atraiga; sin una sola prenda intelectual,
sentimental o manual que un vagabundo o una prostituta pudieran envidiar; un recluta desleal en el ejército, un cantero incompetente, un sirviente ineficaz; en una palabra, una sarno-
sa, ofensiva, vacua, mugrienta, vulgar, zafia, mefítica, tímida,
furtiva mofeta humana. ¡Y este sarcasmo sobre nuestra especie
tuvo a su alcance los privilegios y facultades para subir, subir,
subir y golpear desde su alta cumbre en los cielos sociales el ideal
aceptado por el mundo de la gloria, el poder, el esplendor y lo sagrado! Esto nos revela el triste espectáculo que constituimos y las
sombras que somos. Sin nuestra ropa y nuestros pedestales somos
poca cosa y de un similar tamaño; nuestra dignidad no es real,
nuestras pompas son una farsa. Cuando mejores y más majes-
tuosos, no somos soles, tal como fingimos, enseñamos y creemos,
sino sólo velas; y cualquier fracaso nos apaga.*

*Y ahora nos recuerdan una vez más otra cosa que olvida-
mos a menudo, o intentamos hacerlo: que no hay hombre que
posea un cerebro absolutamente cuerdo; que de un modo u otro*

todos los hombres están locos, y una de las formas más comunes
de locura es el deseo de que se fijen en nosotros, el placer de que
nos conozcan... Esta locura de ser conocido y de que hablen de
uno es la que inventó la realeza y los otros miles de rangos je-
rárquicos... Es la que ha hecho que los reyes se roben unos a
otros los bolsillos, se disputen coronas y feudos, maten a los súb-
ditos ajenos; la que ha impulsado a boxeadores y poetas, a al-
caldes de pueblos y a políticos y benefactores grandes y peque-
ños, a campeones de ciclismo y a jefes de bandoleros, a forajidos
del oeste y a Napoleones. Cualquier cosa por adquirir notorie-
dad; cualquier cosa para que el pueblo o la nación o el plane-
ta griten: «¡Mirad, ahí va, es ése!» Y en cuestión de cinco mi-
nutos, sin el menor gasto de cerebelo, de fuerza o de genio, este
sarnoso vagabundo italiano los ha derrotado a todos, los ha so-
brepasado a todos, porque con el tiempo sus nombres se olvida-
rán; pero con la amistosa ayuda de los periódicos dementes y de
tribunales y reyes e historiadores, ¡el suyo está a salvo y retum-
bará a lo largo de los siglos mientras el habla humana perdure!
¡Oh, si no fuese tan trágico, qué ridículo sería!

Corrí a enseñar esto al Maestro. No sé si alguna vez yo me había tomado tan en serio. Sabía que era, por fin, un actor de la historia.

Él se mostró cáustico.

–Puedo apreciar a grandes escritores –dijo–, pero mira cómo Mark Twain exagera el suceso. Se pone histérico. ¡Mil años! Sisí será olvidada dentro de veinte.

No me atreví a preguntar: «¿No sirve el suceso a un amplio designio?»

Oyó mis pensamientos.

–Oh –dijo él–, ayuda un poco. Pero a ti, como a Twain, te impresionan demasiado los nombres de poderosos. Cuentan muy poco cuando ya se han ido. Me gustaría despojarte de esnobismo. No es el nombre. Sólo un cliente excepcional que desarrollamos ex nihilo, o prácticamente ex nihilo, puede desviar la historia en nuestro beneficio. Pero para ello tenemos que construirle desde el primero hasta el último ladrillo. Matar a Sisí no reportaba tanto. No conducirá a un descontento social continuado. Jodinskoe todavía nos es útil, mientras que eliminar a Sisí... Te digo que si yo fuera un gourmet y arrancara del árbol un melocotón perfecto, disfrutaría de unos minutos de exquisitez gástrica. Sería algo análogo al placer que nos produce tu magnífico trabajo con Luigi Lucheni. Pero no debes perder el sentido de la medida. –Y aquí sonrió–. Hubo un momento bonito –dijo–. Nuestro gran autor recuperó la sensatez en el último párrafo.

Twain también había escrito:

> Entre las ineptas tentativas de explicar el asesinato, debemos conceder un rango superior a las muchas que lo han atribuido a «órdenes de arriba». Creo que este veredicto no será popular «arriba». Si el acto fue ordenado desde altas esferas, no hay manera racional de hacer responsable, ni siquiera parcialmente, a este detenido, y el tribunal de Ginebra no puede condenarle sin cometer un crimen manifiesto.

–Sí –dijo el Maestro–, a la hora de tenernos en cuenta, el bueno de Mark Twain debe de haber estado muy cerca de decir «órdenes de abajo». ¡Gracias a Dios, no lo hizo!

¡Cómo se reía el Maestro en las raras ocasiones en que estaba alegre!

8

Como he contado, estuve a cierta distancia de Lambach hasta después del magnicidio, y para entonces los Hitler ya no vivían en el molino de grano ni tampoco en Lambach. Se habían trasladado a una ciudad más grande (Leonding, 3.000 habitantes) que al principio satisfizo mucho a Klara, porque era el fruto de la sutileza con que había manipulado a Alois. Era una novedad. Había tardado años en llegar a entender cómo manipular a su marido. Temerosa de Dios, no quería utilizar tácticas calculadas. Hasta que vivieron en el molino nunca se le ocurrió pensar que podría darle celos.

En realidad, Klara nunca se había creído digna de su marido: él era aún, y de un modo tan predominante, su tío. Pero acabó comprendiendo que incluso podría necesitarla. Aunque en gran medida no la amara, al menos la necesitaba.

Armada por fin con esta idea, reconoció que Alois quizás fuera lo bastante viejo para ponerse celoso. Ella, por su parte, siempre que no violara los mandamientos de Dios, pero torciéndolos un poquito, podría, sí, podría inspirarle a Alois tantos celos que quisiera abandonar el molino.

Esta posibilidad la encarnaba el hombre grande y cubierto de hollín de la planta baja, el herrero Preisinger. Fascinado por él, Adi se pasaba horas seguidas mirándole trabajar y escuchándole hablar. Ella oía sus voces incluso cuando estaba en la cocina del piso de arriba, y era curioso la forma en que engranaban los sonidos procedentes de abajo con los que ella hacía: a la salpicadura de un cubo de agua vertido en una palangana parecía responderle el repiqueteo de un martillo sobre un yunque.

Klara sabía por qué Adi buscaba con tanta ansia la compañía del herrero. El hombre trabajaba con fuego. Era emocionante, aun cuando Klara no quería reflexionar por qué a ella le gustaba tanto el fuego. Si desde la infancia había sabido que Dios estaba en todas tardes, pues bueno, también el diablo. Siempre que uno no se obligara a seguir cada pensamiento, el demonio no tenía acceso. Dios estaría allí para proteger tu inocencia.

Así que para ella era suficiente entender que Adi se sintiera embargado por una sensación de misterio cuando observaba al herrero calentar una pieza de hierro hasta que se pusiera al rojo blanco y en ese momento fundirla con otra pieza también incandescente. Tras aquella fusión vendrían otras soldaduras más complejas que se convertirían en herramientas útiles para cualquier cosa, desde forjar ejes de carruajes hasta remendar arados rotos.

Pronto tuvo ocasión de hacer una visita abajo. Necesitaba una reparación el cilindro de la bomba de agua de la cocina. La grieta quedó cerrada enseguida, pero, para su propia sorpresa, se quedó un ratito más a charlar con el herrero. Él, a su vez, la invitó a que volviera siempre que le apeteciese una taza de té.

A Klara le asombró que Preisinger, aquel hombre grande como un toro, tuviese buenos modales. No sólo la había tratado con el mayor respeto, sino que además sabía conversar, teniendo tan pocos estudios como ella. No alardeaba, pero le dejó la impresión, que a ella le pareció muy agradable (aunque en otro tiempo había sentido exactamente lo mismo por Alois), de que poseía una importancia natural. Apenas daba crédito a lo placentero que le resultaba escucharle sentada en una buena silla del taller mientras Adi, sentado a su lado, parecía casi petrificado.

Los clientes de Preisinger no sólo eran granjeros de la comarca, y de vez en cuando viajeros cuyos caballos tenían problemas con una herradura, sino, según explicó, muchos comerciantes de las inmediaciones que necesitaban reparaciones sueltas. Además, sabía diagnosticar muchas dolencias equinas.

–He tenido ocasión de hacer de veterinario, Frau Hitler. Sí, se lo aseguro. Porque a veces tengo que saber más que ellos.

–¿Lo dice en serio? –preguntó Klara, y su propia franqueza la ruborizó.

–Frau Hitler –contestó Preisinger–. He visto renquear a animales valiosos hasta el punto de no poder casi andar. Y por una simple razón. El veterinario, por bueno que fuera para otras enfermedades animales, no sabía todo lo necesario sobre los cascos de un caballo.

–Supongo que eso es verdad –dijo Klara–. Tiene usted mucha experiencia.

–Se lo dirá el joven Adolf. Hay días de mercado en que hierro no menos de veinte caballos, uno tras otro. Sin parar.

–Sí –dijo Klara–, debe de tener un montón de trabajo cuando hay hielo en el suelo.

A lo cual él respondió:

–Veo que usted entiende de estas cosas.

Klara no pudo evitar sonrojarse.

–Deme un mejor asidero para el hielo –dijo ahora Preisinger–. Cada invierno oigo esto. Una y otra vez. Un día de helada tuve que herrar a veinticinco caballos, y cada uno de los granjeros me pedía que me diera prisa.

–Sí, pero Herr Preisinger no les hizo caso –dijo Adolf–. Me dijo: «La rapidez es la rapidez, pero si un clavo se tuerce ese caballo no volverá a fiarse de ti.»

Adi tenía las mejillas coloradas. No podía contarle a Klara qué otras cosas le había confesado el herrero. «Muchacho», había dicho Preisinger, «había noches en que no podía sentarme porque tenía el nombre del caballo en el trasero.»

–¿El nombre del caballo? –había preguntado Adi.

–El casco. Reconozco a los caballos por los cascos.

–¿Sí?

–Pie Deforme. Casco Torcido. ¿Qué nombre quieres? Te lo encontraré en mis posaderas.

Se había reído, pero luego, al ver la perplejidad de Adi, Preisinger se apresuró a añadir:

–Es broma. Sólo es una broma. Pero un buen herrero sabe que te pueden pagar el trabajo con una coz.

–¿Cuántas veces ocurre eso? –preguntó el chico. Era tan evidente que veía la escena que Preisinger decidió arrancarle de la cabeza estas imágenes.

–Ya no ocurre –dijo–. Ahora ni siquiera pasa una vez al año. Para durar en este oficio tienes que ser muy bueno.

Con Klara, Preisinger prefería hablar de cómo pondría a punto su calafateado especial para el agujero que dejaban los clavos viejos; se preciaba de los diversos tipos de problemas que sabía resolver. Mientras él hablaba, ella miraba las huellas de herraduras sobre el suelo de tierra, en el polvo oscuro de la planta baja. Ciertamente aquel hombre le gustaba. Compartía su orgullo por el ancla que estaba fabricando para un rico: no, un ancla no era pan comido: había que cerciorarse de que no había debilidades entre el arganeo, la caña, la cruz, los brazos, el mapa y la pota. A ella le gustó el sonido de aquellos vocablos. «El mapa y la pota», repitió.

Después de su tercera visita en dos semanas, Preisinger insistió en subir con ella al piso superior una mañana para recoger todos sus cuchillos y afilarlos en su forja. Se negó a cobrarle. Lo que más impresionó a Klara fue que aun teniendo manchado de hollín el mono de trabajo se movía con tal conciencia de dónde estaba que no dejó ningún rastro en la cocina limpia.

Por fin, una noche de sábado en que debía de saber que Herr Hitler se había ido a la Gasthaus a tomar una cerveza, Preisinger se presentó a visitarla vestido con la camisa y el traje de domingo. La visita causó no poca perturbación a Klara (y a Angela), pero él también estaba incómodo y se sentó en el borde del sofá.

Pero Klara recordaría aquella visita con satisfacción, porque cuando volvió Alois, se quedó aún más desconcertado que su mujer al ver a Preisinger sentado en el sofá, con sus manazas unidas sobre las rodillas. Aunque el herrero se marchó poco después, hizo una reverencia a Klara y alcanzó a decir:

–Gracias por su invitación.

Alois aguardó hasta que ella y Klara se quedaron a solas en la habitación.

Ella estaba contrita.

–No, yo no le he invitado –dijo, y movió la cabeza como para reponer en su sitio algunos fragmentos de recuerdo–. Bueno, sí –dijo–, supongo que sí.

Había sido cortés, nada más que cortés. Adolf pasaba tanto tiempo abajo con Herr Preisinger que ella pensó que era de buena educación sugerir al herrero, simplemente sugerirle, que les visitara para tomar un trozo de *strudel*. Pero sólo un día de éstos. Ella no lo había especificado. No había sido una verdadera invitación.

—¿Y le has servido tarta?

—No he tenido más remedio. ¿No se le ofrece nada a un invitado?

—¿Un invitado?

—Bueno, un vecino.

Y así siguieron. Posteriormente, ella nunca supo cuánto de todo aquello pudo haber sido planeado. Ella negaba una posibilidad semejante. Pero menos de dos días después, Alois le informó de que había enviado una carta a un amigo de las aduanas en Linz preguntando si se vendían bienes inmuebles en la ciudad o cercanías.

—Me aburro aquí —le dijo a Klara—. El ruido de abajo se está volviendo insoportable.

Una semana más tarde llegó la respuesta. Había una hermosa casita a un precio razonable en Leonding, no muy lejos de Linz.

Klara y Alois sabían que comprarían la casa aun antes de ir a verla. Los dos estaban igualmente resueltos, aunque por motivos totalmente opuestos.

9

Esto será todo lo que necesitamos contar de Preisinger (ya que no volveremos a verle después de la mudanza), pero no puedo abandonarle sin hablar de una de sus últimas conversaciones con Adi, cuando el herrero ya sabía que Klara pronto se marcharía.

Preisinger se había enamorado. Huelga decir que no podía ser un amor con una viva esperanza de futuro, pero aun así él había sentido una aceleración de simpatía en ella. Era imaginable que con el tiempo llegase a ser una unión legítima. A ojos vistas, su marido se estaba haciendo viejo. Preisinger, por lo tanto, colmado por una dignidad arduamente adquirida, se quedó desolado cuando supo que ella y el chico se marcharían pronto.

En consecuencia, actuó del único modo que pudo. Se tomó la libertad de ofrecer toda la hondura de su filosofía laboral. El niño sólo tenía nueve años, pero a juicio de Preisinger poseía una verdadera ansia de saber.

–¿Por qué el hierro es tan fuerte? –preguntó el herrero, y él mismo contestó a la pregunta–: Porque en su espíritu está el ser fuerte. –Hizo una pausa. Toda exposición posterior dependía de cómo reaccionase Adi a lo que él dijese a renglón seguido–. Cada material tiene un espíritu propio –dijo Preisinger–. Algunos son fuertes y otros son débiles.

En vez de responder, el joven Adolf prefirió asentir. Preisinger decidió continuar.

–La hierba se inclinará ante cualquier viento –dijo–. Cede ante cualquier pie que la pise. Es lo contrario del hierro. Aun así, el mineral de hierro se encuentra sepultado en la misma tierra sobre cuya superficie crece la hierba. Y cuando has fundido la mena de hierro, puedes hacer con ella una guadaña. Una guadaña sirve para cortar la hierba.

–Qué interesante –dijo Adi, con genuino entusiasmo.

–Sí. Nadie pisa un pedazo de hierro. El hierro hace daño a un pie que no muestra respeto. –La respiración de Preisinger se volvió más honda a causa del ardor que le inspiraba el tema–. Es porque la mena de hierro, cuando ya ha pasado por el fuego más intenso, se transforma en un mineral único.

–¿Único? –preguntó el niño.

–Distinto de los demás. Único.

–Sí, así es. –Adi hizo una pausa. Titubeó antes de hacer la

pregunta–. ¿Qué es una voluntad de hierro? ¿Cómo se forja? Preisinger se mostró encantado.

–Piensa en lo caliente que tiene que estar el fuego para extraer la voluntad de hierro que hay en la mena. El hierro es fuerte contra todas las fuerzas, excepto la única que la ha convertido en hierro. Te diré que he sentido una fuerza así en mi interior.

Adi se moría de curiosidad por las incandescencias necesarias para forjar una voluntad de hierro. Incluso aquella noche cometió el error de intentar explicar a Angela y a Edmund lo que el herrero le había dicho. Pero Alois le oyó y se burló a carcajadas.

–La marca de un hombre realmente estúpido –le anunció a Klara– es que se toma su oficio tan en serio que llega a creerlo superior a los demás.

Con todo, la disertación de Preisinger sobre la voluntad de hierro habría de reportarle a Adi un notable provecho después de recibir su primera azotaina seria. El sentido de restricción que Alois se esforzaba en ejercer acabó una noche en que Adolf jugaba a los soldados en el bosque y no había regresado mucho después de oscurecido. Por lo general, cuando se acercaba el atardecer, Alois sólo tenía que silbar para que Adi subiera corriendo del taller de Preisinger o volviera deprisa de los bosques cercanos. De hecho, si no llegaba poco después del eco del primer silbido, Alois le ponía sobre las rodillas y le daba un enérgico azote en el trasero. En secreto –lo que a duras penas se confesaría a sí mismo–, le gustaba el tacto de las nalgas del niño.

Aquel atardecer, sin embargo, la luz que persistía en el bosque resultó demasiado emocionante. Era noche cerrada cuando el chico cruzó la puerta.

Alois había estado cavilando sobre el estado de Paula; precisamente aquel día la niña estuvo intentando saltar arriba y abajo (lo cual, aseguró el médico a Klara, era un signo de desarrollo), pero se cansó enseguida. Por más que su padre trató de convencerla, ella no volvió a intentarlo. Entonces Alois tuvo que silbar a Adi. Como la espera se hizo excesiva y tuvo que silbar de nuevo, Alois decidió que la desobediencia era deliberada y procedió a asestarle un vapuleo concienzudo.

Aleccionado por los preceptos de Preisinger, Adi formuló un juramento. Apecharía con lo que fuese. Fortificaría su voluntad de hierro. Incluso al recibir el primer golpe, se daba órdenes de fortalecer su determinación mordiéndose los labios.

Las lágrimas le asomaron a los ojos, pero no se permitió llorar. Mientras su padre le estaba azotando, los poderosos bíceps de Preisinger oscilaban delante de sus ojos. Que su padre se hiriese golpeando contra una voluntad de hierro.

Libro XII

Edmund, Alois y Adolf

1

Como Leonding estaba a sólo ocho kilómetros de Linz, Alois se sintió de nuevo cerca de la vida bulliciosa de una ciudad de verdad, un ansia que no le habían satisfecho Hafeld ni Lambach. Para Klara la casa habría sido más atractiva si no hubiera estado situada enfrente del cementerio municipal. Por otra parte, era el único motivo por el que podían costeársela.

En compensación, la iglesia del pueblo estaba cerca y su nuevo hogar tenía un jardín rodeado de arces y robles cuyas ramas habían crecido formando contornos tan ingeniosos que Klara lo atribuyó a la presencia de un espíritu divino.

Sin embargo, temió el traslado a aquella «casa jardín», como en efecto se llamaba. Yo aseguraría que parte de su desasosiego procedía de su amistad con Preisinger. Él había despertado un interés que ella sólo debía reservar al matrimonio. Ahora bien, en las calles de Leonding, muchos de sus habitantes tenían caras taimadas, como si sugirieran que sabían mucho de aquellas facetas pérfidas de la vida. Aunque ella había vivido en muchos lugares más sofisticados –en Viena, donde atendía a una anciana, en Braunau con Alois y después en Passau–, nunca había buscado nada más amplio que sus deberes familiares. Ahora quizás estuviese buscando algo más. ¡No permisible! Así que por un tiempo las incursiones a la ciudad se limitaron a visitar el comercio de Josef Mayrhofer, que no sólo era el dueño de una excelente tienda de comestibles, sino también un buen hombre y el alcalde de Leonding. Allí compraba verduras dos o tres veces por semana, y siempre se vestía pulcramente para la ocasión. Era amable con Herr Mayrhofer, pero decía siempre:

–No puedo quedarme. Tengo mucho trabajo pendiente.

Por supuesto, aún profesaba la convicción de que se había vendido al diablo la noche en que creyó que Alois acababa de matar a su hijo Alois. Volvía a ver al chico en el suelo y recordaba su promesa: «¡Oh, diablo, sálvale y seré tuya!»

En todo caso, Herr Mayrhofer le atraía. Era menos provinciano que Preisinger y esto resultaba tentador. No cesaba de repetirse que no debía echar a perder a un buen hombre.

Yo era testigo de una comedia. Sabía que no sucedería nada. Mayrhofer parecía tan comedido como Klara. Además, él y Alois se habían hecho amigos enseguida. Alois se sintió atraído por un hombre lo bastante listo para ser alcalde y lo bastante pragmático para ser propietario de un negocio próspero. Mayrhofer, por su parte, respetaba los años de servicio de Alois en las aduanas, y en especial sus ascensos. No tardaron mucho en beber juntos en la taberna.

No obstante, un coqueteo contenido subsistió entre Mayrhofer y Klara, y yo seguí disfrutándolo porque el alcalde, hombre de honor, por su propia conveniencia, no sonreía demasiado a menudo cuando Klara estaba cerca. Aparte de todo lo demás, tenía una mujer celosa. De modo que Klara estaba doblemente contenta de dejarle tranquilo. Alois le había dicho que la mujer era una bruja y estaba siempre apuntando con el dedo. «Esas mujeres que vienen a la tienda todos los días, esperan el momento de echársete encima», repetía Frau Mayrhofer. De hecho, el marido le confesó un día a Alois que había tenido una pequeña aventura. Sólo una. Su mujer lo descubrió. Desde entonces le hizo la vida imposible. A su vez, Alois tuvo la suficiente sensatez de no decirle a su nuevo amigo que en este sentido también él podría haber tenido una vida más agradable.

Al principio sólo bebían en la taberna local, pero Mayrhofer no tardó en confesar que el lugar era un poco zafio para su cargo de alcalde. Tras pensárselo un poco, hasta invitó a Alois a una *Buergerabend*, una velada para los burgueses de la localidad. Era una reunión que se celebraba cuatro noches de cada semana. Había socios asiduos o eventuales, pero era una ocasión de intercambiar opiniones entre personas acaudaladas. Mayrhofer explicó que las reuniones se celebraban por turnos en las cuatro mejores fondas de Leonding, y que su finalidad exclusiva era organizar una tertulia con buena y próspera compañía. Precisó con tacto que no se trataba de emborracharse, sino de disfrutar de la conversación. De hecho, le susurró que habían tenido que pedir que no volviera a algún que otro beodo.

–Lo hicimos con educación, lo mejor que pudimos, en vista de las circunstancias, pero es esencial, Alois, que un hombre nunca parezca una pizca *trastornado* en estas reuniones. La alegría es aceptable, sin duda, pero los buenos modales son primordiales.

–Estoy de acuerdo –dijo Alois–. Son el elemento imprescindible de una compañía decente y agradable.

Así pues, Alois fue introducido en el círculo y sobrellevó la considerable tensión de sentarse entre los notables del lugar. No se mostró «trastornado», desde luego, y volvió varias veces en el mes para mantener su amistad con el alcalde, que ya ni siquiera iba a la taberna por el horrible incidente de un patán borracho que trató de insultarle. El tabernero le dijo al descontento que se fuera del local, y el hombre obedeció, pero para el alcalde la taberna quedó contaminada.

Durante el día, Alois pasaba el tiempo trabajando en el jardín o atareado con su nueva colmena. Había comprado una caja Langstroth y le añadió sólo una población modesta. Como explicó a Mayrhofer:

–Un poco de miel para mi familia y regalos para amigos:

basta con eso. En Hafeld me sentía dominado por estas criaturas. Son más fuertes que nosotros.

—Igual que la alcaldía —dijo Mayrhofer.

Pronto Alois estuvo impresionado por los Buergerabends y se compró un libro de citas latinas. Pero memorizar las frases era un poco peliagudo. Su mayor problema en aquella época había sido el aburrimiento. Ahora había descubierto a su leal ayudante: ¡la mala memoria!

El mejor remedio que encontró para la larga sucesión de tardes tediosas en casa fue jugar con Edmund. El niño era más encantador a los cuatro años que ninguno de sus otros hijos, y Edmund se le ponía tan cerca cuando estaba ocupado con la colmena que Klara tuvo que hacerle un pequeño velo y coserle unos pantalones blancos a juego con una camisa y unos guantes igualmente blancos. Klara protestó:

—Es demasiado pequeño.

Pero Alois insistió, y padre e hijo pasaban mucho tiempo juntos en la colmena.

Poco después, Alois volvió a enamorarse y fue un amor realmente delicioso, porque sabía que estaba condenado a ser su último verdadero idilio. Adoraba a Edmund. No sólo porque su hijito era muy inteligente, sino porque además era tierno y dulce. «Si hubiera encontrado a una mujer tan perfecta, me habría casado con ella para siempre», se repetía a sí mismo en broma. Le gustaba el humor de doble filo. Se imaginaba la expresión afligida de Klara si alguna vez le dijera esto, y sin embargo también se reía de su propia ternura: por el niño y asimismo por Klara. Muchas de las cosas buenas de la madre (que él nunca estaba dispuesto a reconocer) las tenía también el hijo. A juicio de Alois, Edmund poseía la inteligencia del padre y la lealtad de la madre. Un magnífico equilibrio.

Sí, Edmund era muy despierto. Y le encantaban las abejas. Tampoco chilló demasiado cuando uno de los zánganos se le paseó por un guante en el camino de regreso a la entrada de la colmena. Un día en que le picaron dentro del guante paró de llorar en cuanto Alois le dijo:

–Tenemos que guardar el secreto. Si lo sabe tu madre, no te dejará jugar más aquí.

–No, padre –dijo Edmund–, te hará caso a ti.

–Podría traer problemas –dijo Alois.

–Es verdad –dijo Edmund, y suspiró–. Qué pena –dijo–. Duele. Me entran ganas de llorar.

Dicho lo cual, los dos se rieron.

Al volver a casa, jugaban a aduaneros. Alois incluso se ponía su antiguo uniforme (aunque ya casi no podía abrocharse la cintura) y fingían que Edmund intentaba pasar de matute una moneda valiosa ante un inspector fronterizo.

–¿Por qué vale tanto mi moneda? –preguntó Edmund.

–Porque fue propiedad de Napoleón –dijo Alois–. Guardaba este florín en el bolsillo.

–No –dijo Edmund–. Me estás tomando el pelo.

–No. Forma parte del juego.

–Me gusta este juego.

–Sí, pero intenta impedir que yo vea esa moneda.

–¿Cómo vas a recuperarla?

–Te haré cosquillas. Así tendrás que confesar.

–No confesaré –dijo Edmund, riéndose ya, y se metió en el armario de la sala para esconder la moneda. Forcejeó debajo de los abrigos colgados de la varilla e introdujo la moneda en un costado de la bota. Así no tuvo que desatar los cordones.

Cuando salió, Alois le miró con una buena dosis de la suspicacia con que solía mirar a sospechosos que estaban siendo interrogados.

–¿Estás dispuesto a confesar? –preguntó.

Edmund no estaba nada asustado. Empezó a reírse.

–Muy bien. Puesto que eres tan insolente, voy a registrarte –dijo Alois, y procedió a hacerle cosquillas debajo de los brazos

407

hasta que Edmund cayó al suelo derretido por una alegría incontenible.

—¡Para, papá, para! –gritó–. Tengo que hacer pis.

Alois desistió.

—Pero no estás dispuesto a confesar.

—Porque no estoy pasando contrabando.

—Sí lo estás. Lo sabemos. Tenemos información de que llevas la moneda de Napoleón.

—Intenta buscarla –dijo Edmund, y volvió a reírse.

—Oh, la encontraré –dijo Alois, y le quitó las botas y al sacudirlas vio cómo caía el florín escondido dentro–. Quedas detenido –dijo.

Edmund estaba furioso.

—Has hecho trampas –dijo–. Eres un tramposo. No has seguido las normas.

—Expón tus razones.

—Has dicho que sólo me harías cosquillas, pero me has quitado la ropa.

—Esto no es tu ropa –dijo Alois, cogiendo una bota–. Las ropas son prendas. Esto es calzado.

—Has cambiado las normas.

Alois hizo una mueca.

—Es lo que nos gusta hacer en la aduana –dijo, con voz grave. Edmund titubeó un momento. Después se echó a reír. Alois se rió tan fuerte y durante tanto tiempo que, una vez más, empezó a toser, lo cual, al principio, no fue nada (eliminó algunas flemas), pero la tos se prolongó durante muchos segundos y después hubo un minuto de espasmos que hicieron que Klara fuera a la sala desde la cocina. Alois la miró con los ojos en blanco y dio una bocanada de tanteo. ¿Habría estado cerca, se preguntó, de una hemorragia pulmonar?

Edmund empezó a llorar.

—¡Oh, papá! –exclamó–. No te mueras, no te mueras –dijo, y el sonido de su voz embotó la reacción de sus padres: tan seguro del desenlace parecía el niño–. Papá, sé que no vas a morirte –dijo, rectificando–. Le pediré a Dios que lo impida y me hará caso. Le rezo todas las noches.

«Yo no rezo», estuvo a punto de decir Alois. Cauteloso, todavía pendiente de las reverberaciones de aquel acceso, no habló, pero movió la cabeza hacia Klara. Aquellas mujeres piadosas eran las auténticas contrabandistas: cruzar la frontera con el intelecto robado de un niño, sobre todo de uno tan inteligente... Algún día Edmund sería un profesor apreciado o hasta una eminencia jurídica en Viena, y no obstante su madre le ofrecía aquella papilla religiosa, avena para caballos.

Pero Alois no estaba aún preparado para corregirla. La religión era quizás necesaria para los muy jóvenes. De momento, dejaría las cosas como estaban. Alois decidió que era muy hermoso el amor del niño por su madre y, sí, sin duda alguna, por su padre.

En el dormitorio del piso de arriba, con la puerta cerrada con llave, Adolf se vengaba de las carcajadas que tuvo que oír abajo. Optó por masturbarse. La imagen que veía en la cabeza era una foto de Luigi Lucheni que había visto en el *Linzer Tages Post*. El bigotito del asesino, adherido al labio superior, justo debajo de las ventanas nasales, era un oscuro manchurrón de bigote. Que a Adolf le excitó. Una vez, por el tiempo en que él y Angela seguían durmiendo en la misma habitación, había captado una vislumbre del vello púbico de su hermana, tal como empezaba a manifestarse, una simple franja de pelusa oscura, y el bigote de Luigi, como un sello de correos, se le parecía mucho.

La combinación tenía que excitarle: aquel pequeño atisbo de las partes íntimas de Angela se asemejaba mucho al labio superior del asesino loco. Se excitó el doble cuando oyó a su padre tosiendo como otro maníaco.

En una de sus visitas esporádicas a las Buergerabends, Alois se decidió a hablar. Fue después de escuchar al «ateo titular», un socio al que le encantaba asegurar a los demás que «Soy el único hombre valiente en nuestras filas. Lo tengo a gala. Es porque no tengo que creer en Dios». Para el ojo crítico de Alois, era un tipo escuálido, aunque miembro del grupo desde hacía largo tiempo: su abuelo había sido uno de los fundadores de la sociedad. Sin embargo, parecía que el hombre no tenía mucho más que ofrecer. Alois, por tanto, se decidió a expresarse. Declaró que todo ser humano inteligente tenía que decidir por sí mismo si existía la divinidad, pero él, por su parte, se oponía claramente a la gazmoñería de todos los meapilas que corrían a la iglesia con el más mínimo pretexto. Él sólo iba una vez al año, y la fecha era el cumpleaños del emperador.

–En mi opinión, a quien hay que celebrar es a Francisco José. Sobre todo después de la muerte de Sisí.

Pronto descubrió que estaba tratando con un estamento que tenía una actitud especial en estas cuestiones. Si bien parecían sentir cierta aversión por la beatería indecorosa, aun así iban a la iglesia.

Si Alois hubiera sido mi cliente, le habría alertado. Ser en privado superior a la religión es un privilegio de las clases altas, pero ellas consideran que la asistencia a la iglesia es la base para mantener el orden social de la gente ordinaria.

Uno de los burgueses más provectos desaprobó las opiniones de Alois diciendo:

–Convengo en que no me gustaría contarme entre quienes se entusiasman celebrando la fiesta de cada santo. Con gran frecuencia esos ritos son un simple refugio de mujeres infelices. Pero reconozcamos que sin la religión sufriríamos el caos. Es la disuasión más fiable contra la locura en toda la historia de la humanidad.

Alois se dispuso a recoger el argumento.

–Sin embargo, caballero –dijo–, permítame que le sugiera que la religión ofrece su propia variedad de demencia. Podría aducir, como ejemplo, a Papas tan inmorales como – conocía la lista– Sixto IV, Inocencio VII, Alejandro VI, Julio II, León X y Clemente VII. La simonía estaba al orden del día y un solideo de cardenal esperaba a cada uno de sus hijos ilegítimos. Sí, amigo mío, yo afirmaría que es una locura exhibir semejante exceso de corrupción.

Se sentó, complacido de que hubiera al menos un conato de aplauso educado, pero tuvo que admitir que se trataba de un reconocimiento formal: todos los oradores recibían, en el peor de los casos, una respuesta mínima. Sin embargo, un escalofrío había estremecido a la sala. Había sido demasiado franco. En consecuencia, tuvo que resolver, muy a regañadientes, que no volvería a las Buergerabends durante una temporada. En efecto, cuando regresó, optó por guardar silencio.

Con todo, aquellas veladas eran entretenidas. Los notables, desde luego, sabían mucho sobre altos estilos de vida. Eran muy entendidos en coleccionismo de antigüedades y hablaban de interesantes innovaciones en fontanería de interiores y alumbrado eléctrico que pronto estarían disponibles. Una vez más, no tuvo más remedio que constatar su insuficiente experiencia.

No es de extrañar, pues, que en las Buergerabends pensara a menudo en los jóvenes oficiales para los que hacía botas cuando trabajaba en Viena, soñando a todas horas con una hermosa muchacha que producía sombreros antes de acostarse con él por la noche. Al volver a casa de una de aquellas veladas, le asaltaba una inmensa compasión por lo que nunca habría tenido que ocurrir.

Permítanme sugerir que si la intensidad de una compasión así basta para cautivar el corazón de un santo, es porque la piedad por uno mismo puede alcanzar las más bellas cumbres dramáticas. Ejercerla, no obstante, representa un gasto notable.

Alois estaba pagando demasiado. Sus sueños nocturnos habían comenzado a molestarle. Había desarrollado la aterradora intuición de que el sueño era un mercado donde los difuntos podían volver a recordarte una deuda personal con ellos. De modo que pensaba en Johann Nepomuk y en su madre y después tenía que cavilar sobre sus dos esposas fallecidas. ¿Y si se encontraban en el mercado del sueño? ¿Y si se ponían de acuerdo sobre su ex marido? En tal caso Alois tendría que vérselas con una conspiración. «Hasta podría ser más peligroso», se dijo, «que si dos antiguas queridas de un hombre se hiciesen amigas.»

Uno de los notables había hecho esta observación en una de las reuniones y cosechó una rotunda carcajada. El tipo, por supuesto, era un viejo calavera de una de las mejores familias de la ciudad. A Alois le habían agradado tanto estas palabras que las hizo suyas y hasta las repetía en la taberna. Tuvo que darse cuenta de que los palurdos se reían al oírlas con tanto entusiasmo como los señores. ¡Qué injusticia que aquel chiste infestara ahora sus sueños!

3

A Adolf le gustaba la nueva escuela de Leonding. Estaba a corta distancia de la Garden House y era menos estricta que el monasterio. Aunque era, una vez más, un excelente estudiante, a duras penas conseguía esperar a que las clases terminaran. El bosque Kumberger, a las afueras de Leonding, estaba lleno de barrancos boscosos y pequeñas cuevas donde preparar emboscadas. Empezó a reclutar a condiscípulos para que participasen en las batallas y hubo algunos enfrentamientos al final de la tarde, aunque la liza estelar quedaba reservada todas las semanas para la mañana del domingo, en que había guerras entre indios y colonos blancos.

No todos los alistados querían ser colonos. La causa era que un piel roja podía acercarse a un blanco sigilosamente por detrás, rodearle el cuello con un brazo y decir: «Te he arrancado la cabellera.» Después los indios huían corriendo a sus guaridas en el bosque. También a Adolf le arrancaron una vez el cuero cabelludo, pero lo declaró ilegal.

—No se ataca a los jefes —dijo—. Los indios creen en la venganza de los dioses de la guerra. Por lo tanto no atacan a los oficiales de alto rango como yo. No se atreven. Una terrible venganza recaerá sobre ellos.

Incluso se llevaba a Edmund, que entonces tenía cinco años y era sin duda el más pequeño de todos los contendientes. No obstante, gustaba a los otros niños, a pesar de que Edmund era de escasa utilidad cuando los ataques comenzaban. Con todo, a Adolf le gustaba tenerle solo en el bosque. Allí le daba órdenes, cosa que, por supuesto, no podía hacer en casa, donde Klara protegía a Edmund, al igual que Angela y no digamos Alois.

Adi recordaba que en un tiempo le habían salvaguardado de Alois hijo, pero aquella medida había estado justificada. Alois le había plantado un zurullo en la punta de la nariz, algo que él no le hacía a Edmund. Pero se reía al pensar en el júbilo de oírle chillar si alguna vez le hiciera lo mismo. Una vez, en el bosque, incluso le dio un golpe con un palo en la espalda y le dijo que había sido una avispón: naturalmente, Edmund se lo contó a Klara. Sabía que no había sido un bicho.

El incidente la preocupó. ¿Era la animosidad de Adi peor de lo que había sido la de Alois? Decidió que sí. Adolf y Edmund eran hermanos de sangre.

Por entonces Adi tenía problemas con un chico que anunció que la disputa podría acabar en una pelea. Adolf nunca se había peleado con los puños, siempre había sabido evitar estos combates, pero se juró que no permitiría que nadie le humillase. Haría lo que fuese necesario, aunque significara que tuviese que hacerlo con una piedra en la mano. Al borde del sueño tenía visiones. Vio al chico al que en realidad temía mirándole fijamente con la cabeza ensangrentada. ¿Sería posible?

Ocurrió un episodio que puso fin a las guerras durante lo que quedaba del invierno. Un día lo bastante frío para que nadie quisiera quedarse inmóvil en un escondrijo para tender una emboscada, un soldado declaró que sabía encender un fuego frotando dos ramitas. Los demás se burlaron, pero Adolf dijo:

–Si de verdad sabes encender un fuego, te ordeno que lo enciendas.

El chico así lo hizo. En cuanto prendió, todos fueron en busca de ramas secas que ardieran. Pronto el fuego no sólo crecía, sino que las llamas avanzaban hacia los arbustos circundantes. Como no había agua a mano, trataron de apagarlo a pisotones, pero siguió subiendo humo hacia el cielo.

Abandonaron el fuego. Uno tras otro, corrieron hasta dejarlo muy atrás. Adi empezó a explicarles a todos, que eran como una veintena, que no debían decírselo a nadie.

–Sí –dijo Adolf–, si alguien cuenta lo del fuego, lo pagaremos todos. Y entonces averiguaremos quién se fue de la lengua. Y habrá consecuencias. Un soldado valiente no traiciona a sus camaradas.

De uno en uno y de dos en dos salieron del bosque. Por entonces el incendio había cobrado una magnitud tan visible que acudieron los bomberos, carros con agua y tiros de caballos desde Leonding.

En el camino a casa Edmund dijo que tenía que decírselo a una persona: al padre de ambos.

–Si se lo dices me van a poner un castigo severo –dijo Adi–. Y tú también me las pagarás.

–No lo creo –dijo Edmund–. Nuestro padre no lo consentirá. Así que no intentes tocarme.

–No es a mí a quien tienes que temer. Es a todos los que estaban allí. Les castigarán y te estarán esperando. Todos. Si es necesario, seré yo mismo el que les informe de que no sabes mantener la boca cerrada.

–Se lo diré a nuestro padre.

414

—¿Qué has prometido?

—Tengo que contarle todo lo que me preocupa.

—Muy bien. Eso está bien para todo lo demás. Pero no para esto. Te digo que los otros chicos te van a dar una zurra. Yo no podré protegerte. ¡De hecho, tampoco quiero!

—Tengo ganas de vomitar.

—No eres más que un mocoso. Vomita.

Alois, sin embargo, albergaba sospechas respecto al incendio. En cuanto llegaron a casa, sentó a Edmund en sus rodillas y le miró con ternura a los ojos. Pero antes de que pudiera hacerle una pregunta, el niño vomitó otra vez. Alois optó por desistir. Estaba convencido de que Adolf tenía algo que ver con el incendio, pero la vida de Edmund podía tornarse infeliz si le obligaba a hablar del asunto.

Además, podría haber repercusiones. Si tenía la certeza de que Adolf era uno de los malhechores, era de esperar que él, como padre y buen ciudadano, informara a las autoridades. Ahora bien, en cuanto lo hubiera hecho podrían hacerle responsable del gasto de sacar el coche contra incendios. Así que Alois se limpió de la camisa el vómito de Edmund y le abrazó tiernamente. Asimismo resolvió no mirar a Adolf a los ojos durante unos cuantos días.

4

Aquel invierno, en la escuela, la clase de Adolf leyó un libro de Friedrich Ludwig Jahn que hablaba de una fuerza lo bastante poderosa para moldear la historia. Naturalmente, aquello le recordó al herrero. La fuerza dependería de la presencia de un «Führer de hierro y fuego». A continuación había una frase que arrancó lágrimas a Adolf: «El pueblo le honrará como a un salvador y le perdonará todos los pecados.»

Desde luego, los alumnos también habían leído a Kant, Goethe y Schleiermacher, pero Adolf pensaba que estos autores mostraban un excesivo respeto por la razón. Esto le aburría. Su padre, por ejemplo, siempre hablaba de las virtudes del raciocinio.

–La naturaleza humana no es digna de confianza –decía a su familia–. Lo que mueve a trabajar a las sociedades estables es el imperio de la ley. Es la ley, no el pueblo. –Paseó la mirada por la mesa de la cena y decidió que aquello tenía que interesarle a Adolf–. Lo que se necesita son constituciones jurídicas, Adolf, constituciones elaboradas por las mejores mentes. Entonces la razón puede cumplir su tarea con el respeto que merece.

Adolf prefería a Friedrich Ludwig Jahn. Había determinado que la razón podía ser peligrosa. Era como las sirenas que nadan en el Rin y te arrastran a la muerte. Mientras te ahogas cantan bellas canciones. La fuerza personal era más importante. Ella se ocuparía de tus pecados. El calor de tu esfuerzo incineraría tan nimias deficiencias.

Rechazaba de plano a Goethe y Schiller. Su talante le disgustaba. Era demasiado personal, como si estuvieran muy complacidos por lo que estaban diciendo. No lo bastante serios, a juicio de Adolf. A los otros dos, Kant y Schleiermacher, no los tragaba. Después de Jahn, lo que más placer le producía eran los cuentos de hadas de los hermanos Grimm. También figuraban en el programa de la escuela. ¡Eran buenas historias, y profundas! Le encantaba representárselas a Edmund, que acaso fuera pequeño para leer, pero siempre estaba dispuesto a escuchar. Le explicaba a Edmund que los hermanos Grimm habían escrito aquellos cuentos para que los niños aprendieran lo importante que era obedecer a sus padres y a su hermano y hermana mayores. Luego le contaba un relato titulado «La chica sin manos»:

–Es sobre un padre al que el diablo le ha ordenado que le corte las manos a su hija.

Cuando Edmund gritó horrorizado, Adolf puso la voz del padre que se lo explica a su hija.

–No quiero hacerte esto, mi querida hija. Pero tengo que

hacerlo. Son órdenes. No puedo discutir órdenes que me ha impartido una autoridad muy alta. Por tanto, debo obedecer.

–¿Qué dice la chica? –preguntó Edmund.

–Oh, es obediente. Muy obediente. Dice: «Padre, hazme lo que quieras. Porque soy tu hija.» Y coloca las manos directamente encima del tajo. El padre coge un cuchillo grande y se las corta.

–Qué horror –dijo Edmund–. ¿Le corta las manos?

–¡De un solo golpe, zas! Pero vive feliz desde entonces.

–¿Cómo? –preguntó Edmund.

–Su padre se ocupa de todo. –Adolf asintió–. Te podría contar una historia peor, pero no quiero.

–Cuéntala.

–Es sobre una chica que era tan desobediente que se murió.

–¿Qué hizo? –preguntó Edmund.

–Da igual –dijo Adolf–. Fue desobediente. Ya es bastante. Entierran a esta chica y ¿qué te parece? Es difícil de creer, pero sigue desobedeciendo incluso después de muerta. Le sale un brazo de la tumba, levantado en el aire.

–¿Tan fuerte es la chica? –preguntó Edmund.

–La ayuda el demonio. ¿Cómo, si no...? Así suele ser. Entonces, cuando sus familiares ven el brazo en el aire, van a la tumba e intentan bajarlo. No pueden. Tienes razón. El brazo es fortísimo. Entonces empiezan a taparlo con un montículo de tierra. Pero el brazo se sacude la tierra. Entonces la madre vuelve a su casa y coge un atizador pesado de la chimenea. Cuando vuelve a la tumba de su hija, empieza a golpear al brazo desobediente hasta que lo rompe. Ahora pueden doblarlo debajo de la tierra. Y la chica encuentra reposo.

Edmund temblaba. Lloraba y se reía al mismo tiempo.

–¿A mí me harías algo parecido? –le preguntó a Adolf.

–Sólo si te murieras y yo viese que tu brazo salía de la tumba. Entonces tendría que hacerlo. Claro que lo haría.

–Oh –dijo Edmund–. No me gusta eso.

417

–Da igual que te guste o no. Habría que hacerlo.

–Cuéntame otro cuento.

–Llevaría mucho tiempo. Sólo te cuento el final: trata de una reina que mata a un niño hirviéndolo en una olla. Después se come el cadáver.

–¿Tienes que ser una reina para hacer algo así? –preguntó Edmund.

–Sí, probablemente. Sobre todo si es tu propio hijo el que está hirviendo. –Adolf asintió profundamente–. Pero nadie puede dar estas cosas por sentado.

–Mi madre nunca me haría eso.

–Quizás tu madre no, pero no sé lo que haría Angela.

–Oh, no –dijo Edmund–, Angela nunca le haría algo así a Paula o a mí.

–No estés tan seguro.

Edmund negó con la cabeza.

–Sé que te equivocas.

–¿Quieres otro cuento?

–Quizás no.

–Éste es el mejor –dijo Adolf.

–¿De verdad?

–Sí.

–Entonces quizás sí quiero.

–Es de un joven al que le ordenan que duerma con un cadáver. Con el tiempo quizás tú también tengas que dormir al lado de un muerto.

Al oír esto, Edmund gritó. Después se desmayó.

Por desgracia para Adolf, Angela entreoyó esta última parte de la conversación. Parada en la puerta, movía la cabeza. Adolf tuvo tiempo de pensar en su podrida mala suerte.

Angela dio palmadas a Edmund en la cara hasta que él se incorporó. Después fue a decírselo a Klara.

Su madre ya no le llamaba Adi, al menos no cuando tenía que regañarle.

–Adolf, lo que has hecho es horrible. Hay que castigarte.

–¿Por qué? A Edmund le encantan los cuentos. Me estaba pidiendo que le contara más.

–Sabías lo que estabas haciendo. Así que se lo voy a decir a tu padre. No tengo más remedio. Él decidirá tu castigo.

–Madre, en este asunto no tiene que intervenir padre.

–Si no se lo digo, entonces seré yo la que deba buscar un buen castigo. Y puede que lo haga. Puede que no te compre ningún regalo en Navidad.

–Eso es muy injusto –dijo Adolf–. Trato de distraer a mi hermano pequeño. Pero es un chiquillo.

–¿Aceptas lo que te he dicho? ¿Quedarte sin regalo de Navidad?

–Sí. Si tú crees que es justo, tengo que aceptarlo. Pero, madre, por favor, mira en tu corazón cuando llegue el momento. A ver si entonces sigues pensando que soy culpable.

Klara se enfureció. Aquello era aún peor. Adi estaba segurísimo de que ella cambiaría de idea y acabaría comprándole un buen regalo.

Por consiguiente, aquella noche se lo dijo a Alois.

El padre no lo dudó. Propinó a Adolf una azotaina severa. Fue la peor desde que se habían trasladado a la casa de Leonding. Pero esta vez Adolf había resuelto no producir el menor sonido. Pensó en Preisinger durante la tunda. Atiesó el cuerpo.

Alois empezaba a sentir como si tuviera el trasero de Alois en sus manos. ¡Otro delincuente con quien lidiar! Pensarlo le sulfuró aún más.

Entre azote y azote, Adolf pensaba en la huida de Alois hijo. Era el recuerdo que invocaba para no quejarse. Podía y debía ser más fuerte que su hermano. Si no lloraba, quizás adquiriese una fuerza lo bastante grande para justificar cualquier cosa que quisiera hacer a continuación. La fuerza creaba su propio tipo de justicia. Apeló a la fuerza de mando que había sentido a su alcance después del incendio en el bosque. Les había ordenado a todos que no contaran nada y ellos le habían obedecido. Sí, en aquel momento estaba asustadísimo, pero había recurrido a la fuerza del mando. Luego, durante algunos días, había temido que alguien hablara. Apenas la conocía, pero le había acompañado a lo largo de aquella agitación y le acompañaba también ahora. La confianza de Adolf en sí mismo era tan frágil que, metafóricamente hablando, tenía que mantener su ego en plena erección. (El ego es propenso a la misma debilidad que exhiben las erecciones cuando no se sabe seguro lo que viene después.)

Así que, en efecto, yo estaba allí para controlar la azotaina de Adolf y fortalecer su entereza. Puesto que era tan importante para él no llorar, yo tenía que estar atento para disminuir la rudeza de los azotes de Alois cada vez que el chico flaqueaba. Asimismo estaba yo preparado para aumentar el vigor del padre cada vez que decaía. Hubo momentos en que el miedo de Alois a sobreexcitar su corazón se oponía directamente a mi deseo de fortalecer la voluntad de Adolf. Había que procurar que el odio a Alois se volviese tan intenso que sirviese en el futuro a muchos propósitos nada comunes.

Sin embargo, el equilibrio es vital para nuestras actividades. Tampoco podía yo permitir que la aversión a su padre se volviera excesiva. Odios inmensos en la infancia que no hallan una salida fiable tienen que hacer a un cliente inestable. Mientras que un gran desequilibrio era aceptable en Luigi Lucheni, no serviría para Adolf. Habíamos derrochado esfuerzos con el chico. No queríamos afrontar un porvenir repleto de impulsos descarriados y cóleras ciegas. En realidad, uno de los frutos de aquel varapalo severo sería por fuerza la inquina hacia Edmund. Lo cual me desazonaba. Edmund se quedó en un estado tan lamentable después de haber oído los cuentos de los hermanos Grimm que Klara intentó adormecerle cantándole nanas. Adolf, tumbado en el catre contiguo, se sentía tan magullado como si se hubiese caído de un árbol. De hecho, estaba tan indignado por la evidente indiferencia de Klara por él que decidió fugarse.

420

Lo decidió allí mismo, tumbado en aquel catre, con todos los huesos doloridos. Incluso juzgó importante comunicárselo a Edmund en cuanto Klara salió del cuarto.

–Tú tienes la culpa de todo –dijo Adolf–. Así que tengo que irme.

De inmediato, Edmund se levantó de la cama de un salto y corrió a decírselo a su padre. Pero cuando Alois subía la escalera para echar el guante al potencial fugitivo, Adolf dijo:

–¡Es mentira! Mi hermano dice siempre mentiras. La de ahora no se la perdonaré nunca. ¡Es horripilante! ¡Me las pagará!

–Te las pagará, ¿eh?

Alois no tenía intención de darle otra paliza. Le dolían más los brazos que a Adolf las posaderas. Con todo, estaba tan preocupado que encerró con llave al chico en una habitación de la planta baja cuya única ventana tenía barrotes. Solo, Adolf intentó colarse entre ellos. El hueco era demasiado estrecho. Pronto descubrió que el pijama parecía ser el impedimento. Los botones se enganchaban en los barrotes. Se lo quitó, lo enrolló, lo arrojó al otro lado de los barrotes y, completamente desnudo, hizo otra tentativa. Estaba tan acalorado por la rabia de su probidad que no sintió el frío de la ventana abierta ni oyó el sonido de las botas de su padre que volvía a la habitación. Sólo al oír que descorrían el cerrojo de la puerta se apartó de los barrotes, agarró un mantel y se lo puso alrededor del cuerpo. Alois, al entrar, con la llave de latón todavía en la mano, captó la situación y se rió a carcajadas. Gritó a Klara para que fuese a verlo. Alois señaló a Adolf y dijo:

–¡Mira al chico de la toga! ¡Nuestro chico de la toga!

Klara movió la cabeza y salió del cuarto. La escena suscitó en Alois una disertación completa:

–Así que intentabas fugarte. Te aseguro que no perderíamos mucho. De todos modos, te lo prohíbo. No porque te vaya a echar de menos, chico de la toga. No te añoraría. Te lo prohíbo porque tendría que llamar a la policía para informarles de que has desaparecido y podrían meterme en la cárcel.

Sabía que estaba exagerando, pero le embargaba un desprecio magistral.

—¡Cómo lloraría tu madre! Su hijo huido y su marido en la cárcel. ¡La vergüenza ha caído sobre la familia Hitler! ¡Y todo por culpa del chico de la toga!

Adolf había sobrellevado los azotes, pero ahora se le saltaron las lágrimas. Mi trabajo sobre su ego había fallado.

Lo que empeoró las cosas fue que Alois volvió a la habitación, se desternilló de risa y dijo:

—Acabo de estar fuera. Esta noche hace tanto frío que habrías vuelto al cabo de dos minutos a llamar a la puerta. No es bueno tener mal genio, pero es peor ser un idiota.

5

Unas semanas más tarde, Alois despertó inquieto y se preguntó si Alois hijo se habría maleado a causa de todos los vapuleos que había sufrido. Al día siguiente, cuando caminaba con Mayrhofer, el tema salió a relucir de nuevo. Alois declaró que él nunca recurría al castigo corporal. (Hasta se dijo a sí mismo: «Oh, mientes como un bellaco.») Pero la buena opinión de Mayrhofer era crucial para él. Por tanto, prosiguió:

—Nunca les pego a mis hijos. Debo admitir, sin embargo, que les regaño a menudo. ¿Cómo no va a hacerlo un padre? A Adolf es al que más le grito. A veces es un bribón de tomo y lomo. A veces me digo que acabaré dándole una paliza.

Dijo esto adrede. Serviría de explicación si alguna vez trascendía que le había zurrado la badana.

Lo cierto era que cada vez resultaba más difícil atraparle. El chico tenía una manera de deslizarse y girar que quizás procedía de su destreza para los juegos bélicos. Por lo general, conseguía escabullirse de Alois después de una palmada mal dada en el trasero. Y las veces que el padre lograba ponerle boca abajo encima de las rodillas, ya no era un brazo enérgico el que administraba los azotes. Qué empapado estaba el corazón de Alois en tales ocasiones. Se había vuelto más agradable llamarle «chico de la toga». Alois mantuvo incluso la broma hasta que Adolf reaccionó contrayendo un acceso de sarampión.

Una secuela semejante puede que sea, por supuesto, demasiado simple. En Leonding, por la misma época, había otros chicos de su edad postrados por la enfermedad. Aunque sin duda era contagiosa, puede que a Adolf, en efecto, le hubieran hecho vulnerable los infortunios de los sucesos recientes. Cesaron las operaciones de su ejército después del incendio en el bosque. Ahora las burlas sobre el «chico de la toga» le dolían en lo más vivo. La peor noticia, sin embargo, fue que Der Alte había muerto. El *Linzer Tages Post* incluso había publicado una esquela, nuevas de este tipo llegaban desde Hafeld, pero debió de ser un suceso lo bastante inusual para que lo refiriese la prensa. Cuando encontraron el cuerpo, Der Alte se encontraba en un avanzado estado de descomposición. El *Post* comentaba que «tal suele ser el destino de los eremitas solitarios». Para remate, las abejas desnutridas habían perecido en el frío. ¡Cuántas debieron de seguir batiendo las alas hasta el final!

Adolf guardaba un luto silencioso.

Sin embargo, Alois conservaba tanto rencor hacia Der Alte que se vio recompensado con una intensa punzada de placer: una reacción de lo más indecorosa. Para compensarla —no sabía por qué—, en Navidad le compró a Adolf una escopeta de aire comprimido. Era un regalo sólido, capaz de escupir balas con fuerza suficiente para matar una ardilla o una rata, y así demostraría su valía al chico, aunque no todavía. Alois tuvo la impresión de que Adolf quizás lloraba en sueños. Tenía un aspecto asustado por la mañana. Entonces contrajo el sarampión.

Klara puso la casa en rígida cuarentena. Nadie estaba autorizado a visitar a Adolf en la hasta entonces desocupada habitación de la criada del segundo piso. Sólo Klara le atendía, con una máscara de gasa en la boca, y después se lavaba las manos con un antiséptico.

Adolf tenía un sarpullido y los ojos enrojecidos, no le dejaban leer, se aburría y se quejaba continuamente a su madre, pero casi se alegraba cuando ella salía de la habitación. El olor de antiséptico que despedía era casi insoportable.

Resultó, no obstante, que fue un acceso suave. Los puntos blancos en la lengua y la garganta desaparecieron al cabo de unos días y el sarpullido disminuyó, pero aumentó su inquietud. Le obsesionaba lo sucio que se sentía. ¿No era precisamente la opinión que todos tenían de él? Enfermo y, por lo tanto, sucio. Le preocupaba dónde estaría Der Alte ahora que no sólo estaba muerto, sino abandonado a la putrefacción.

6

Tal vez convendría una última palabra sobre Der Alte. Adolf seguía confiando en que el apicultor, descompuesto o no, estuviese de camino hacia el cielo. Tal sentimiento en mi joven cliente me desconcertaba, porque yo apenas estaba seguro de que hubiésemos llevado a nuestro amigo al infierno como se debía. La verdad es que no sé mucho del infierno. Ni siquiera tengo la certeza de que exista. Al fin y al cabo, el Maestro nos ha tenido en enclaves. Se supone que no debemos saber lo que no hace falta que sepamos.

Para mantener nuestra moral, sin embargo, nos recuerdan sin cesar las cósmicas pretensiones que hay en los asuntos humanos. A menudo nos citan las palabras inmortales de Nietzsche: «Todos los curas son mentirosos.»

–¿Cómo podría ser de otro modo? –dice el Maestro–. El Dummkopf no va a revelar sus secretos a individuos tan deformados que eligen el ministerio del sacerdocio a fin de dominar a públicos crédulos con sus interesadas descripciones de cómo el

Señor premiará su fe cuando mueran. Los curas son, en efecto, mentirosos. No saben una palabra de las más altas cuestiones. Ni tampoco vosotros, dicho sea de paso.

Así pues, digamos que yo no sabía nada del destino definitivo de Der Alte. Sospecho que era de esos clientes que datan de muy antiguos y a los que, a la postre, no tenemos más remedio que pasar por alto. Desde luego, su utilidad para nosotros había desaparecido. De modo que es posible que suplicara al cielo una aceptación final. ¿Quién sabe? Con los escasos datos de que dispongo, yo diría que el Dummkopf acepta a algunos de nuestros clientes para que se reencarnen. Como ya he mencionado, el Maestro no se opone vigorosamente a ello. «Concedámonos el placer de recoger una vez más a este sujeto insignificante si el D. K. es tan insensato de dar a Der Alte otra oportunidad de inflar sus vanidades.»

En el curso de su enfermedad, Adolf no sólo pensó en Der Alte, sino que incluso con más frecuencia deseó que la desdicha del sarampión contagiase a Edmund. Cuando Adolf se recuperó, Edmund cayó postrado por un ataque más grave que el de su hermano. Ahorraré al lector una descripción detallada del alboroto que *retumbaba* —es la palabra justa— en la Garden House mientras el estado del niño empeoraba. La cara se le hinchó. Decía incoherencias. El médico avisó a la familia de que también podría sufrir encefalitis.

En el dormitorio conyugal, Alois se arrodilló al lado de Klara y se pusieron a rezar por la vida de Edmund. Alois llegó a decir:

—Creeré en Dios si Edmund se salva. Que me muera si incumplo este juramento.

Nunca sabremos si habría cumplido su palabra. No obstante, dijo:

—Dios, llévate mi vida, pero respeta la del niño.

Después, Edmund murió.

La oración puede ser una expedición arriesgada para quienes rezan. Nosotros, por ejemplo, tenemos un poder –al que es oneroso recurrir– que nos faculta para bloquear hasta las oraciones más esenciales, sentidas y desesperadas, y lo ejercemos cuando las circunstancias lo exigen.

El rezo vulgar, por el contrario, lo estimulamos. Consideramos que agrava la fatiga del Dummkopf, su indiferencia. El rezo vulgar le cansa. El patriotismo barato le enfurece. (Ese patriotismo, en definitiva, es una de nuestras fuentes más valiosas.)

Lo cierto es que, a pesar de las plegarias de Alois y de Klara, bloqueadas o no, Edmund murió el 2 de febrero de 1900. Incluso me sentí como si fuera uno de sus deudos. Edmund fue el primer niño por el que yo había albergado una serie de sensaciones tan curiosas como el amor (o al menos un afecto incondicional, suficiente para explicar el calor que me habitaba en su presencia). No había sido consciente de lo que sentía por él. Sólo sabía que Adolf no pensaba meditar sobre la muerte de su hermano (pues, en realidad, tenía un secreto que enterrar tan directo y poderoso como el brazo que sobresalía de la tumba), y yo tampoco pensaba hacerlo. Yo también había sido culpable.

7

El día del funeral de Edmund, Alois le dijo a Klara que no asistiría. Ni siquiera acertó a dar un motivo. Se quedó como una columna de piedra.

Después empezó a llorar.

–Hoy no puedo controlar mis sentimientos –dijo–. ¿Querrías que diera un espectáculo en la iglesia? ¿Una iglesia que odio?

Por primera vez en su matrimonio, ella levantó la voz, furiosa.

–Sí –dijo–, esa iglesia que odias. Pero yo voy en busca de paz. De un poco de consuelo. Así puedo hablar con nuestro

Gustav, y con Ida y Otto, y ahora... –Le tocaba a ella prorrumpir en llanto– con Edmund.

No riñeron. Lloraron juntos. Ella dijo al final:

–No tienes que ser tan duro con Adolf. Es la única esperanza que te queda de tener un buen hijo. ¿Por qué le tumbas a golpes?

Alois asintió.

–Haré una promesa –dijo–. Es decir, si te quedas hoy aquí conmigo. Porque no puedo ir al funeral. No soy capaz de contenerme. –Ya estaba llorando antes de terminar de hablar. Abrazó a Klara–. Te necesito –dijo–. Necesito que te quedes conmigo en esta casa. –Nunca le había dicho esto. Apenas daba crédito a sus propias palabras–. Sí –declaró–. Haré una promesa solemne. No volveré a pegar a Adolf.

Es un error describir a un marido y mujer que sufren, pero no puedo por menos de observar que, en mi experiencia, existen pocos matrimonios en que un juramento no sea desmentido por un pacto secreto.

Sí, así es nuestro Alois. Se ha dicho a sí mismo: «No, no volveré a pegar a Adolf, a no ser que haga una atrocidad», pero Klara tampoco era fiable. Ya no. Empezaba a preguntarse si la destrucción era el destino de la familia. De hecho, no estaba preparada para el funeral. Aquella vez le tocaba a Dios prestarle atención a ella.

Por tanto, le dijo a Angela que tenía que representar a la familia.

–Si la gente pregunta, di simplemente que tus padres están afligidos. Lo cual es verdad –dijo–. No creo que yo vaya, y tu padre no puede. Nunca le he visto llorar hasta hoy. Está casi desquiciado. Angela, es tan terrible para él. No puedo dejarle solo. ¡No debo! Así que hoy actuarás como la mujer de la familia. Hoy, al menos, tienes que serlo.

–Tienes que venir a la iglesia con Adolf y conmigo –dijo Angela–. Si no, será un escándalo.

427

–Tú eres demasiado joven para que te preocupe un escándalo –dijo Klara–. Diles que estamos enfermos. Con eso bastará.

–¿Te quedarás aquí, como mínimo, me prometes que te quedarás en casa? –preguntó Angela–. Me temo que él querrá salir. Querrá llevarte a la taberna y se emborrachará para que no le duela tanto. No tienes que salir de casa.

–Depende de tu padre.

–Tú eres su esclava.

–¡Cállate! –dijo Klara.

Para sorpresa de Adolf, él y Angela fueron a la iglesia solos. Cuando le preguntó por qué, Angela se limitó a decir:

–Antes de marcharnos tienes que darte un baño. Vuelves a oler mal.

8

A solas con Alois, Klara no soportaba pensar en todos y en cada uno de los difuntos de la familia. No eran sólo sus propios hijos, sino también sus hermanos y hermanas. «¿No tiene compasión Dios?», se preguntaba. Sentía una extenuación aterradora, como si estuviese en una casa vieja cuyo suelo se estuviera desmoronando y ella no tuviera ganas de salvarse. Estaba cansada de creer que la culpa tenía que ser suya.

Tengo que admitir que estuve tentado de acercarme a ella, pero sabía que el Maestro no lo aprobaría. ¿Qué se ganaba, al fin y al cabo, captando un cliente como Klara? Confundiríamos a los Cachiporras si se la birlábamos. Pero qué trabajo adiestrar a una cliente tan nueva y difícil.

En realidad, no tardé en advertir que lo suyo era tan sólo una rebelión, algo común en personas piadosas. La piedad también sirve de muro para impedir que los piadosos reconozcan que están profundamente airados con Dios: ese Dios que no les ha tratado como ellos creen que les corresponde. Puesto que esta cólera ilícita suele estar sumergida en aguas pestilentes de recato, no suelen ser clientes de primera para nosotros, aunque, llegado el caso, utilizamos a algunos. Los piadosos pueden trastornar a miembros de la familia que no lo son tanto. Las repeticiones matan el alma.

Aquel largo día, Alois estaba tan devastado por la pérdida de Edmund que tuvimos que bucear en los recuerdos largo tiempo sepultados de su incesto. ¿Eran él y Klara personas contaminadas? De ser así, más le valía a Edmund haber muerto. De nuevo se echó a llorar.

Cuando, en un momento determinado, Klara empezó a pensárselo mejor y dijo: «Quizás deberíamos ir a la iglesia», a él le atenazó el miedo.

–¿Perder yo el control en público? –repitió–. Eso es peor que la muerte.

Ahora Klara se preguntó: «¿Qué tiene de malo llorar en la iglesia cuando tienes el corazón roto?» Empezó a preguntarse si Alois no sería malo. ¿Y ella? ¿Y el juramento que había hecho cuando Alois hijo yacía inconsciente en el suelo? Sí, quizás fuera mejor no asistir al funeral, pues la presencia de personas malas quizás perjudicase al fallecido. Poco a poco, en el curso de aquel largo día que pasaron en casa, notó un terrible sofoco en el pecho. ¿Era una cólera dirigida contra Dios? Ahora también a ella le daba miedo ir a la iglesia. Sí, ¿cómo atreverse a entrar con semejante ira en un lugar sagrado? Sería como hacer otro voto de fidelidad al abyecto.

9

En el funeral, Adolf no oyó en absoluto las palabras. Le ardía la cabeza. Apenas murió Edmund, Alois le había dicho: «Ahora eres tú mi única esperanza.»

«Sí», se dijo para sí Adolf, «es cierto, mi padre consideraba que Edmund era su única esperanza. Es lo que estaba diciendo. Pero en realidad me odia. Cree que fui cruel con Edmund.»

Pero Adolf se negaba a admitir que había maltratado a su hermano. «Era sólo el modo en que me trataba Alois», se dijo. Sin embargo, tardó poquísimo en sentirse atemorizado. ¡Qué profundo e implacable puede ser el enfado de los ángeles!

Pocos días antes de enfermar de sarampión, Adolf había llevado a Edmund de paseo por el bosque. Como seguía intranquilo por el incendio forestal le preocupaba todavía la lealtad de Edmund. Cogió una ramita del camino y arrancó el cuero cabelludo de su hermano mediante el procedimiento de formar con el palo un círculo a través de la frente, por encima de la oreja izquierda, por debajo de la nuca y desde allí de nuevo por encima de la oreja derecha para volver a la frente. Entonces Adolf dijo, con una voz vibrante:

–Ahora te poseo entero. Tu cerebro es mío.

–¿Cómo puedes decir eso? –dijo Edmund–. Es estúpido.

–No seas idiota –dijo Adolf–. ¿Por qué crees que los indios arrancan cabelleras? Porque es la única forma de poseer a la persona recién capturada.

–Pero tú eres mi hermano.

–Es mejor que tu cerebro lo posea tu hermano que un extraño. Un extraño podría tirarlo.

–Devuélvemelo –dijo Edmund.

–Lo haré cuando llegue el momento.

–¿Cuándo llegará?

–Cuando yo te lo diga.

–No te creo. No creo que poseas nada. Mi cerebro no ha cambiado.

–Oh, ya verás la diferencia. Te dolerá la cabeza. Te molestará el dolor. Es la primera señal.

Edmund tenía ganas de llorar, pero se contuvo. Regresaron a casa en silencio.

Ahora, en la iglesia, el corazón de Adolf latía al mismo com-

430

pás, paso a paso, que los que habían dado al volver del bosque.
Este recuerdo le dolía también de un modo muy singular.
Lo notaba en el corazón y era una sensación tan aguda como
una astilla introducida debajo de una uña.

Se instó a no seguir pensando en Edmund. No aquel día.
De hecho, rezó a Dios para que le concediera no pensar más en
su hermano. Lo consiguió hasta cierto punto con mi ayuda, en
la medida en que se puede extraer la mayor parte de una astilla
clavada debajo de una uña. El fragmento que queda, sin embargo, se ha convertido en una raíz que causará su propia molestia. Así pues, el recuerdo le mortificaba.

Ahora le tocaba a él llorar. Pensó en que Klara solía llamarle *«ein liebling Gottes»*. «Oh», le decía, «eres tan especial.» Es verdad, se dijo él. («El bienamado de Dios.») Él no había sido
como Gustav y los demás. Quizás el destino le había elegido.
Había sobrevivido.

Yo veía la magnitud de la reconstrucción que tenía delante.
Tendría que retrotraerle una vez más a lo que había sentido
cuando tenía tres años y le adoraba su madre.

Ahora creía que ella se disponía a abandonarle, al igual que
ella había abandonado a Edmund. ¿Por qué, entonces, sentirse
tan culpable? Que sufriese ella. Había fingido que amaba a Edmund y sin embargo no había ido a la iglesia. Qué espanto.
¡Qué insensible!

10

Cuando el hermano y la hermana se alejaban de la tumba, algunos allegados empezaron a fijarse en Angela, que estaba avergonzada porque sabía lo colorada que se había puesto. ¿Cómo
evitarlo? Intentaba hablar de lo tristísimos que estaban sus padres.

–Es un día tan horrible para ellos... Los dos están en la
cama. Tan débiles que no pueden moverse.

Y prosiguió de esta guisa, avergonzada y al mismo tiempo emocionada por ser el centro de atención.

Pero en cuanto se quedaron solos y pudieron adentrarse en el bosque, Adolf dijo:

–¿Cómo es que sé que mi madre no vendrá a mi funeral?

Angela le reprendió:

–Klara es la mejor persona que he conocido en mi vida. La más buena. ¡No hay nadie más bueno que ella! ¿Cómo puedes decir eso? Sufre por tu padre. ¡Quería muchísimo a Edmund!

Y cuando, en pago por esta frase, Adolf adoptó una expresión venenosa, Angela añadió:

–Y con razón. Edmund era un niño precioso. De ti no puedo decir lo mismo. Incluso hoy, día del entierro de tu hermano –¡tenía que repetirlo!–, sigues despidiendo un olor desagradable.

–¿Qué quieres decir? –respondió él–. Me he bañado. Ya lo sabes. Hasta me has obligado a bañarme. Has dicho: «¿Ir al funeral, oliendo así? Métete en la bañera», y yo te he dicho que tardaba mucho en calentarse el agua. ¿Acaso no te ha dado igual?

Había tenido que bañarse con agua fría. Había sido salpicarse y secarse. Quizás siguiera oliendo.

–No –dijo–. Te prohíbo que me hables de esa manera. No huelo mal. Me he bañado.

–Con baño o sin él, Adolf –dijo Angela–, puede que no seas muy buena persona.

Él se enfureció tanto con ella que salió del camino forestal y se metió en la nieve deshecha. Ella le siguió, tan enfadada como Adolf. En cuanto estuvieron fuera del alcance del oído de toda persona que podría haber asistido al oficio, ella le gritó tan fuerte que Adolf se marchó corriendo:

–¡No eres buena persona! ¡Eres repugnante! ¡Eres un monstruo!

Solo en el bosque, Adolf empezó a temer su propia muerte. Hacía mucho frío en la nieve. Recordaba la expresión de terror en los ojos de Edmund cuando escuchaba los cuentos de los hermanos Grimm.

Angela le alcanzó y volvieron a casa caminando en silencio. Al llegar vieron que su padre tenía la cara roja e hinchada. Alois se volvió hacia Adolf y le dijo:

—Ahora tú eres mi vida.

Le abrazó y de nuevo se deshizo en llanto. Qué falsas eran sus palabras, pensó Adolf. Su padre seguía creyendo que Edmund era la única esperanza. Ni siquiera fingía que pudiera haber otra verdad. «Odio a mi padre», se dijo de nuevo.

11

Varias noches después del funeral, preparé una implantación de sueño para Adolf. Un ángel le dijo que sus crueldades con Edmund aún serían justificadas. ¿Por qué? Porque la vida de Adolf había sido preservada en la infancia. Había un designio especial para su futuro. Lo único que debía hacer era obedecer todas las órdenes que recibiera de arriba. De esta manera escaparía de toda clase de muertes ordinarias. Habría de convertirse en la dádiva de Dios al pueblo, feroz como el fuego, fuerte como el acero.

Fue un sueño meticulosamente elaborado, pero hube de preguntarme si implantar esta convicción no habría sido un poco prematuro. Sugería que viviría eternamente. Lo cual, por supuesto, no es en absoluto imposible de creer. Es una buena explicación de que a un ser humano le resulte difícil representarse su propia muerte: yo indicaría que el alma espera ser inmortal. Hasta cierto punto, puede que sea cierto. Muchos humanos, en definitiva, han vuelto a nacer. No quisiera insinuar que se reencarnan gracias a la imposición, cuando están sumergidos en el agua, de la mano de un cura o un reverendo. El Maestro nos ha dicho que forma parte de un plan conceptual desarrollado por el D. K.

433

–Se considera el divino artista. Por supuesto, también mete la pata: muchísimas creaciones suyas son una chapuza. No pocas son desastres que luego reinvierte en la cadena alimenticia. Es la única forma de impedir que su innumerable prole, que es mediocre y que a menudo carece de sentido, asfixie la existencia del resto. Pero reconoceré que es obstinado. Sigue empeñado en mejorar sus creaciones anteriores.

Tal como el Maestro lo describe, el Dummkopf está condenado a tratar de mejorar incluso a los humanos de más insatisfactorio desarrollo. Y por eso pocos hombres y mujeres creen de verdad que dejarán de existir. Lo dirían en voz alta si no temieran hacer el ridículo. De hecho, su auténtica inquietud es que la nueva vida, debido a como malgastaron la última, les acercase más al calor de la cólera del Dummkopf, sí, les acercara más que en la vida anterior. La nueva situación de alguien en la vida podría reflejar lo mal que vivió la última vida. Por tanto, el renacimiento podría constituir un puro ejemplo de infierno viviente. Aunque el Maestro no nos imparte estas enseñanzas, estoy convencido de que hay una región en el inconsciente de todos los seres humanos donde existe la creencia de que son inmortales.

Esta convicción de la inmortalidad personal puede causarnos notables dificultades. Muchos de nuestros hombres y mujeres, sobre todo en la última parte de la vida, llegan a la conclusión de que si expían sus pecados volverán a nacer. Esto produce estragos en clientes hasta entonces fiables. Al fin y al cabo, esta certeza no es completamente errónea. Por abominables y contumaces que sean unos pocos de los humanos elegidos para renacer, probablemente Dios piensa que hay algo excepcional en ellos que quizás no hubiera llegado a su pleno desarrollo la vez anterior.

En este punto empecé a preguntarme si el Maestro ejercería alguna influencia encubierta en los concilios del D. K. Como es obvio, la cuestión me sobrepasa, pero el Maestro parece saber qué clientes nuestros han sido escogidos para volver a nacer. No obstante, para hablar de esto con mayor autoridad, yo tendría que saber cómo contempla el Dummkopf el futuro de Su Creación. ¿Es comparable a la crueldad del Maestro? En realidad, ¿es la falta de misericordia una pasión necesaria entre estas fuerzas divinas?

12

Pocos meses después de la muerte de Edmund, Klara empezó a tener pensamientos terroríficos. ¿Era posible que la actitud de Adolf hacia Edmund hubiese sido más que cruel? ¿Era incluso imperdonable? Angela le había vuelto a contar que cuando los hermanos jugaban juntos ella había entreoído cómo Adi aterraba a Edmund con cuentos de hadas de los Grimm, los peores de todos.

Desde la ventana de su dormitorio, Klara veía a Adolf disparando a unas ratas sentado en la tapia del cementerio. Se estremecía cada vez que oía el *pum* de la detonación. Para ella, la escopeta de aire comprimido era igual que una voz fea. Era como si oyera a espíritus desafectos que se le acercaban desde el cementerio. Podemos ejercer una pequeña influencia sobre quienes no son clientes nuestros, y en aquel caso, como yo no quería que Klara empujase a Adolf hacia una depresión aún más profunda, intercalé atmósferas en el sueño de Klara para sugerirle que Adi no era un malvado, sino que sufría terriblemente. Esta técnica es utilizable con cualquier madre que conserve algún amor por su hijo. Durante un tiempo, sin embargo, la situación mejoró. Una vez más, ella llegó a admitir la necesidad de cambiar los sentimientos de Alois. Como dijo a su marido, el espantoso estado de ánimo del chico empezaba a influir en sus notas en la pequeña escuela de Leonding. La única explicación era que estaba llorando a Edmund.

—Pero también te tiene miedo a ti —se atrevió a decir Klara—.

Detesta decepcionarte. Alois, tienes que volver a ser amable con tu hijo.

Eran palabras sentidas, pero sólo consiguieron que Alois recordase a Edmund. No obstante, asintió.

—Haré lo que pueda —dijo—. A veces el corazón se me cierra de un portazo.

Sin embargo, una vez despiertos, Klara no iba a acallar sus propios sentimientos. Debía encontrar un medio de volver a aproximarse a Adolf. El corazón del chico también podía cerrarse como una puerta. Pero ella había advertido que estaba muy impresionado por el año nuevo, 1900.

—Adolf, éste será tu siglo —le dijo—. Harás cosas maravillosas en el porvenir.

Él se sintió importante cuando ella le habló con aquel tono, pero no sabía si creerla. ¿Cómo iba a ser su siglo? En aquel momento se sentía incapaz de realizar nada de valor. Así pues, chinchó a Klara.

—¿De verdad? —le repitió. Al final, ella se fue de la lengua hasta el extremo de revelar la verdad.

—Es a ti a quien debo amar —dijo. Él rumió esta frase. Por primera vez fue consciente de que las mujeres no sólo existían para amarte porque era su deber, sino que ofrecían un amor auténtico o facilitaban un sucedáneo que era menos fiable.

Aquí intervino el Maestro.

—No alientes un interés excesivo por las mujeres —me dijo—. Que siga temiéndolas.

13

En atardeceres nublados de principios de la primavera, cuando había niebla y los olores del musgo y el moho se elevaban desde muchas lápidas, Adolf se sentaba en la tapia baja y húmeda del cementerio y aguardaba a que las ratas saliesen al anochecer. Cuando miraban hacia el oeste, los ojos les brillaban en el crepúsculo, incluso en los nebulosos, y ofrecían dianas nítidas. Sin embargo, cuando alcanzaba a alguna con la pistola de aire comprimido, no era capaz de acercarse al cadáver. El atardecer estaba demasiado cerca para que se atreviera a bajar de la tapia al césped del cementerio.

No obstante, a primera hora de la mañana, antes de ir a la escuela, pasaba por delante y, si ni perros ni gatos habían explorado el camposanto por la noche y el cuerpo de la rata estaba intacto, Adolf inhalaba un primer efluvio del aroma de carroña. Y le cambiaba el humor. Se preguntaba si en la piel de Edmund se habrían operado cambios similares.

Ni siquiera en primavera se sintió con fuerzas para volver al bosque. Se quedaba en su atalaya de la tapia.

Por mi parte, yo había decidido no socavar la culpa de Adolf. De hecho, este instinto pronto quedó confirmado. Aunque los Cachiporras tenían una debilidad con la culpa, puesto que invariablemente procuraban acrecentar todos los impulsos de expiación en sus clientes, nosotros preferíamos calcificarla, desecarla, por así decirlo. Aunque así aumentase el riesgo de estrechar futuras posibilidades de la psique, yo debía aprestarme a rescatar a Adolf de la depresión antes de que se volviese extrema. La depresión puede degenerar en aberración. Muchos atardeceres, sentado en la tapia del cementerio, Adi se preguntaba qué haría si el brazo de Edmund saliese de repente de la tumba. ¿Echaría a correr? ¿Intentaría hablar con Edmund? ¿Le pediría perdón? ¿O le acribillaría el brazo con su arma de aire comprimido?

A lo largo del invierno, la primavera y el verano de 1900, el recuerdo de la enfermedad de Edmund le oprimió el pecho como un peso muerto.

No era difícil entender por qué. Adolf aún poseía algún fondo de conciencia. Así como la compasión por uno mismo es el lubricante que utilizamos casi siempre para suavizar la entrada en el corazón de emociones más ingratas, así la conciencia se convierte en nuestro antagonista. Los Cachiporras modelan a la gente por medio de la conciencia. Por nuestra parte, cuando tratamos con los clientes más adelantados, hacemos lo posible por extirparla de cuajo. Una vez conseguido, procedemos a fabricar un facsímil de buena conciencia, lista y dispuesta para justificar las pasiones que los Cachiporras se esfuerzan en reprimir: avaricia, lujuria, envidia..., no hace falta enumerar las siete sagradas. La finalidad es que desarrollando debidamente este sucedáneo, se fortalece la capacidad del cliente para justificar actos horribles. Entonces hemos logrado liberar a la conciencia de los recuerdos vergonzosos que la forzaban a desarrollarla. Puedo añadir que consideramos un gran éxito que los vestigios casi huecos de la vieja conciencia sean lo bastante tercos para rivalizar con el nuevo sentido de indiferencia personal, y que entonces se perciban como un azote inútil, un enemigo del propio bienestar. Por supuesto, los asesinos múltiples que se precian de su audacia normalmente han conseguido abolir toda conciencia. Un corolario de esto es el provecho que extraemos de la guerra cuando un soldado pierde el conocimiento. Nuestra tarea, en tal caso, queda simplificada. Son los períodos de calma los que exigen la pericia de demonios avanzados como yo. Diré que no es en absoluto rutinario convencer a un hombre de que mate a otro. Si se les deja juzgar por sí mismos, les inquieta pensar que el asesinato pueda ser el más egoísta de los actos. Los primitivos, desde luego, saben que esto es cierto. Cuando se disponen a sacrificar a un animal para un banquete, tienen la sensatez de pedirle perdón antes de degollarlo.

Por mi parte, yo me disponía ya a fortalecer en Adi el sentimiento de poder que el asesinato ofrece al asesino. Naturalmente, era demasiado joven para nuestras técnicas más desarrolladas, pero elaboré un sueño en el que Adolf se convertía en un héroe de la guerra franco-prusiana de 1870. El sueño entrañaba la sugerencia de que en su vida anterior había participado en aquella contienda, casi dos decenios antes de su nacimiento en 1889. No fue difícil inducirle a creer que había masacrado a un pelotón de soldados franceses que habían cometido el craso error de atacar el puesto de avanzada solitaria que él ocupaba. Por supuesto, era un injerto burdo, pero sentaba los cimientos para implantar impulsos ulteriores más complejos. En sí mismo, el sueño franco-prusiano era sólo el cumplimiento de un deseo, y sus efectos son sumamente pasajeros.

Puedo asegurar que conocíamos todo lo referente al cumplimiento de deseos mucho antes de que el doctor Freud tuviera algo que decir en la materia. Nuestro enfoque sobre la psicología humana tiene necesariamente que ir más lejos. En realidad, muchos de los análisis de Freud son tan superficiales que nos hacen sonreír. Es culpa suya. Al fin y al cabo, no quiso tener nada que ver con ángeles o demonios y se empecinó en no reconocer el combate entre el Maestro y el Dummkopf en los grandes o pequeños asuntos humanos.

Por otro lado, cabe una pequeña porción de alabanza al buen doctor Freud por su descripción del ego. El concepto ha pasado a ser uno de los instrumentos con que los seres humanos se han vuelto casi tan hábiles como nosotros en evaluar cambios íntimos del ego.

Hay que decir que el estado de Adolf constituía ya el centro de mi atención. No serviría de nada seguir elevando el concepto de su propia valía si, al mismo tiempo, estaba aterrado por la idea de que había ayudado a matar a Edmund. Como no quería creer tal cosa, no podía por menos de sentirse culpable, y lo peor era que yo apenas conocía la respuesta. ¿Había ayudado a matarle o no?

Los hechos eran sencillos: lo cual quiere decir que las acciones fueron claras, pero no sus consecuencias. Una mañana en que Angela estaba trabajando con Klara y Paula en el jardín y Alois había salido a dar su paseo, Adolf encontró a Edmund jugando solo en el cuarto que habían compartido hasta la enfermedad del primero.

Adolf se acercó a Edmund y le besó. Eso fue todo. Debo admitir que yo le empujé a hacerlo. Si bien, personalmente, yo sin duda sentía por Edmund algo parecido al afecto, poco podía hacer yo en aquella situación. En aquel entonces yo no estaba preparado para desafiar una orden impartida directamente por el Maestro.

—¿Por qué me besas? —preguntó Edmund.

—Porque te quiero.

—¿Sí?

—Te quiero, Edmund.

—¿Por eso me arrancaste la cabellera?

—Olvídalo. Tienes que perdonarme. Creo que por eso cogí el sarampión. Después me avergoncé mucho de mí mismo.

—¿Es verdad eso?

—Creo que sí. Sí. Y por eso tengo que besarte otra vez. Es el modo de devolverte la cabellera.

—No hace falta que lo hagas. Hoy no me duele la cabeza.

—No podemos arriesgarnos. Déjame que te bese otra vez.

—¿No es malo besarme? ¿No has tenido sarampión?

—Entre un hermano y su hermana podría ser malo, sí. Pero no entre hermano y hermano. Está comprobado médicamente que los hermanos pueden besarse aunque uno de ellos tenga sarampión.

—Mamá dijo que no. Todavía no debemos besarte.

—Mamá no comprende que está bien besarse entre hermanos.

—¿Me lo juras?

—Te lo juro.

—Déjame verte los dedos cuando juras.

En este momento impulsé claramente a Adolf. Levantó las manos, con los dedos extendidos. «Lo juro», dijo, y besó varias veces a Edmund, un beso lleno de babas, y Edmund se lo devolvió. Estaba muy feliz de que Adi le quisiera, a pesar de todo.

Edmund contrajo el sarampión. Y la enfermedad resultó

mortal. Fuimos los responsables de su muerte. O no lo fuimos. Yo no sabía más que Adolf al respecto. Noche tras noche, por consiguiente, un nuevo pelotón de soldados franceses perecía en su sueño. Yo había decidido distraerle con una serie de deseos cumplidos. Uno por uno no producirían un gran efecto, pero la cantidad altera la calidad, como en una ocasión le escribió Engels a Marx, y por tanto creo que mi trabajo habría surtido el efecto deseado de no haber habido otros problemas que Adolf tuvo que afrontar. Por lo demás, creo que al final podría haberse decidido a desplazar sus fuerzas psíquicas hacia la convicción rigurosa de que el asesinato proporciona poder a un asesino.

Libro XIII
Alois y Adolf

1

La predisposición de Adolf Hitler a exterminar a seres humanos en la cámara de gas no era obviamente en aquella época, 1900, un anhelo activo. Si hablo, por tanto, de un año como 1945, es para establecer una conexión con los meses que siguieron a la muerte de Edmund. Totalmente guiado por el Maestro en aquellos años, yo sólo procuraba intensificar una sensación temprana de que Adolf quizás pudiese convertirse todavía en un importante agente de los dioses de muerte. Ello le permitió creer que su fin no sería como el de los demás. Por supuesto, yo aún no tenía una expectativa real de las dimensiones venideras. Habría hecho lo mismo por Luigi Lucheni si hubiera sido mi cliente cuando era joven.

Sin embargo, me parece interesante que Hitler, pocos meses antes de los últimos de su vida, quisiera que le incinerasen. El aspecto más vulgar de su vida siempre había sido el cuerpo, pero por entonces, casi al final, su alma –para todos los baremos salvo el nuestro– estaba más contaminada que su torso. Claro que también es cierto que cuando has llegado a ser un supervisor de la muerte que posee el poder de liquidar a montones de personas, tu ego tiene asimismo una gran necesidad de una coraza muy dura para no experimentar un horror íntimo por el precio de tu alma. Casi todos los estadistas que se erigen en caudillos victoriosos de

445

un país en guerra han alcanzado ya esta prominencia. Se han implantado la capacidad de no sufrir noches de insomnio debido a las bajas en el otro bando. Poseen ya la más poderosa de todas las maquinarias sociales de embotamiento psíquico: ¡el patriotismo! Éste sigue siendo el instrumento más fiable para guiar a las masas, aunque aún puede reemplazarlo la religión revelada. Amamos a los fundamentalistas. Su fe nos brinda todas las garantías de llegar a convertirse en armas de destrucción masiva.

Aunque sean conclusiones personales, también debo advertir al lector de que el Maestro detesta que sus acólitos tengan amplitud de miras. Las denomina «vuestros vahos». Nos insta a ocuparnos de lo que nos incumbe.

Creo que hacia el final Hitler debió de sentirse tan cansado que confesó este sentimiento. En 1944, uno de los peores años de su vida, cuando el curso de la guerra no era favorable, el Führer, en su refugio subterráneo del este de Prusia –el Wolfschanze– intentaría relajarse contando anécdotas a sus secretarias durante la comida. Contaba que su padre muchas noches le propinaba una azotaina. Pero aseguraba a sus oyentes que había sido valiente, sí, tanto como un indio americano sometido a tortura. Nunca había emitido el menor sonido. Las mujeres se recreaban oyendo las historias de su heroísmo. Por entonces, mucho más envejecido de lo que correspondía a su edad –cincuenta y cinco–, Adolf disfrutaba las ventajas de la vejez. Le encantaba recibir la admiración femenina sin pasar por el trance de decidir ponderar la posibilidad de copular con ellas. Su talante sexual, tan totalmente distinto del de Alois, nunca había pretendido buscar las glorias o peligros de una nueva fornicación. (El temor a la vergüenza era prodigioso en Adolf, y nosotros le incitábamos a conservarlo.) Una compañera terrenal ya no nos era en absoluto necesaria para nuestros designios.

Por supuesto, la historia que contó a sus secretarias era una exageración descarada. Alguna vez hablaría de doscientos azotes descargados por el brazo paterno sobre su trasero.

Una vez, a finales de los años treinta, hablando con Hans Frank le dijo:

–Cuando yo tenía diez o doce años me veía obligado a ir a altas horas de la noche a aquella inmunda taberna llena de humo. No me importaba poner a mi padre en evidencia. Iba derecho a la mesa donde él me miraba idiotizado y le zarandeaba. «Padre», le decía, «es hora de volver a casa. Levántate.» Y muchas veces tenía que esperar un cuarto de hora o más, suplicando y regañándole hasta que él conseguía ponerse en pie. Yo le sostenía en el camino de vuelta. Nunca me he sentido tan horriblemente avergonzado. Te aseguro, Hans Frank, que sé lo diabólico que puede ser el alcohol. A causa de mi padre, me envenenó la juventud.

De hecho, refirió esta historia tan bien que Hans Frank la repitió durante los procesos de Nuremberg.

2

Lo cierto era que Alois estaba bebiendo menos. No se atrevía a trasegar mucha bebida. El hecho de que Edmund no estaría allí para saludarle por las mañanas se le hacía insoportable. Se sentía como si en sueños hubiera ingerido un cuenco de cenizas.

Muchas noches también necesitaba estar despierto porque iba a las Buergerabends. Aunque los notables fuesen quizás más cultivados que él, su compañía le sacaba un poco de sus peores estados de ánimo. Sin una diversión tan elegante, habría tenido que pasarse las noches rumiando la muerte del niño. Y de este modo se volvió un asiduo y con frecuencia asistía a las cuatro veladas de la semana, con independencia de la posada que hubieran elegido. Si, al principio, se había mostrado rígido en sus llegadas y despedidas, la silenciosa compasión que le dispensaban fue aflojando su actitud. Una cortesía general le recibía al entrar.

Muchos se mostraban efusivos cuando se iba. «Es el lado bueno de la pequeña nobleza», se decía. En las aduanas, siempre les había visto glaciales en sus maneras, salvo cuando tenían algo que ocultar.

Lo que asimismo le impresionaba era que uno de los asistentes asiduos a las Buergerabends era un rabino llamado Moriz Friedmann, que había sido miembro de la escuela austriaca del distrito durante dieciocho años. Alois veía que la mayoría de los presentes trataban con respeto a Friedmann, y esto sin duda reforzaba su idea de que la humanidad se dividía entre las personas que eran instruidas y las que no lo eran. Dedujo que si un judío era aceptable para una Buergerabend, entonces también lo sería un campesino nacido en las más humildes circunstancias, sí, un hijo ilegítimo de una mujer que dormía sobre paja en un pesebre abandonado. No, no era proclive a beber con exceso en aquellas veladas. Adolf nunca tuvo que llevarle borracho a casa. En vista de la acogida calurosa que ahora le dispensaban en ellas, llegó a la conclusión de que tenía derecho a pertenecer a aquella sociedad porque él también, al igual que el rabino Moriz Friedmann, era un individuo especial. Alrededor de seiscientos judíos vivían en Linz en aquel tiempo, lo cual, habida cuenta de una población de sesenta mil, significaba que había un hombre o una mujer judías por cada cien habitantes. La mayoría de los judíos provenían de Bohemia y en realidad no eran tan toscos como cabía esperar: así se lo habría dicho a Klara si ella no hubiera supuesto que él era judío. En realidad, muchos de ellos eran asimilados. No se paseaban con viejos caftanes que olían a lugares rancios. Muchos eran profesionales o industriales y muchos, como Moriz Friedmann, ocupaban puestos federales honorarios. De modo que sí, venían de fuera, lo mismo que él.

Para entonces Alois pensaba (como el alcalde Mayrhofer) que la taberna de la ciudad era demasiado zafia. Debido a su luto, el vocerío le ponía al borde de las lágrimas cuando pensaba en Edmund. Además, habría bebido más en la taberna. Qué espectáculo tan impropio de un hombre daría si le sobrevenía allí el llanto.

3

Adolf comenzó la enseñanza secundaria en septiembre de 1900, cerca de ocho meses después de la muerte de Edmund. Si aprobaba todos los cursos en los cuatro años siguientes, al cumplir quince habría terminado secundaria. Declaró que su preferencia era cursar el Gymnasium, con su programa de estudios centrado en lenguas clásicas y arte, en vez de la Realschule, donde se hacía hincapié en las disciplinas prácticas.

Alois y Adolf hablaron a este respecto. A veces Klara estaba sentada en la habitación y a veces no, pero la materia de discusión era el Gymnasium. Adi creía que podría cursarlo con provecho. Manifestó que poseía talento para el arte. Con ánimo de ablandar a Alois, añadió que también estaba dispuesto a estudiar a los clásicos. Alois se mostró desdeñoso.

–¿Los clásicos? ¿Hablas en serio?

Klara habló.

–Nuestro hijo está disgustado. Lo cual, naturalmente, afecta a otras cosas.

–Entiendo algunos de sus infelices pensamientos –dijo Alois–. Pero lo que dices no va a ninguna parte. No veo de qué sirve intentar el ingreso en el Gymnasium. No va a conseguirlo. –Optó por mirar a Adolf a los ojos–. Puesto que ahora pareces incapaz de escribir alemán sin faltas, ¿cómo, en el nombre del buen Dios de quien habla tu madre, vas a asimilar el latín o el griego?

En este punto, Alois decidió hablar a su hijo en latín. No para ponerle a prueba, sino para burlarse de él.

–*Absque labore nihil* –dijo.

–¿Y qué quiere decir eso? –preguntó Klara, bruscamente.

449

¡Qué cruel por parte de Alois! Simuló que encendía su pipa, expulsando humo lentamente, y después lo liberó a su gusto antes de decir:

–Sin trabajo no hay nada. –Asintió–. Eso significa. –Exhaló el humo a pequeñas bocanadas instruidas–. A mi entender, el proverbio se aplica bien al estudio. En el Gymnasium, los alumnos deben dominar la gramática. La latina y la griega. ¡Las dos! Son hermosos conocimientos que adquirir. Te darían superioridad sobre otros durante el resto de tu vida. Pero nada se obtiene sin el esfuerzo adecuado, y esa escuela, Adolf, no es para ti. Tampoco necesitas estudiar historia antigua, filosofía o arte. Creo que sobresaldrías en muy pocas de estas asignaturas. En mi opinión, es mejor que entres en la Realschule. No sólo sus enseñanzas prácticas son lo que necesitas, sino que puedo ayudarte a ingresar en ella. –Pensaba en la ayuda del alcalde Mayrhofer–. Por mucho que me esfuerce, es inútil intentar que te admitan en el Gymnasium. Les bastará con echar un vistazo a tu ortografía.

Sabía que podría pedir a miembros de las Buergerabends recomendaciones para el Gymnasium, pero ¿para qué? No bastarían, sin duda. Él perdería mucho más de lo que pudiera ganar, y para nada. Suspiró.

4

La vida de Adolf empeoró a partir de entonces. Linz estaba a ocho kilómetros de distancia y era veinte veces más grande que Leonding. Había un trolebús cada hora, pero Klara quería que fuese caminando, y era un largo trayecto a campo través y bosques hasta la Realschule.

Cada mañana su padre, su madre o incluso Angela le recordaban de una forma u otra que era el único hijo que quedaba y que la familia tenía que contar con él. No tardó mucho en aborrecer la

Realschule. Los días oscuros era un edificio imponente. Se había desvanecido el placer que sentía en la escuela de Hafeld, de Lambach y de Leonding, donde descollaba. Ahora los pasillos compartían su melancolía. Pensaba a menudo en el día en que Alois, llorando la muerte de Edmund, casi le había asfixiado con la fuerza de su abrazo, al tiempo que repetía: «Eres mi única esperanza.» Una esperanza que apestaba a tabaco. ¿Escucharía siquiera la atmósfera una mentira semejante? Este recuerdo, tan lleno de desdicha y falsedad, se había adherido ahora a los portales de la Realschule.

La mayoría de sus condiscípulos provenía de familias prósperas. Se comportaban de un modo distinto que los chicos de granja o de ciudad que había conocido en los últimos años. No creía a su madre cuando ella le decía:

–Tu padre es el segundo hombre más importante de Leonding. Y el primero, el alcalde, Mayrhofer, es un buen amigo suyo.

Dudaba de que la importancia de ambos llegase hasta las afueras de Linz. Caray, el alcalde, que según su madre era el hombre más importante de Leonding, vendía también verduras en su tienda: ¡un alcalde de lo más encumbrado! Adolf no llevaba un día en la escuela y ya se sintió ignorante. En el recreo entreoyó a dos alumnos que hablaban de las cualidades de la ópera a la que les habían llevado sus padres la noche anterior. Aquello ya le dio bastante que pensar, y hubo de preguntarse qué dirían de él. «Este Hitler tiene que venir andando desde Leonding.» Sí, los días de lluvia tomaba el trolebús, pero sólo si sus padres le daban los pfennings para pagarlo. ¡Un forastero! Muchísimos de aquellos chicos de Linz no habían pisado nunca Leonding. Lo suponían un pueblo lleno de barro. Y además Adolf difícilmente podía quedarse después de clase y hacer amigos cuando tenía que volver a la Garden House. Sus guerras de mentirijillas en el bosque ya sólo eran posibles los sábados. No había tiempo para adiestrar a las tropas.

Poco tardó en asediarle de nuevo la antigua pregunta. ¿Era responsable de la muerte de Edmund? Una vez más, optó por hablar a los árboles. Pero las conversaciones se habían vuelto alocuciones. Arremetía contra la estupidez de sus profesores y el olor de sus ropas percudidas. «Ganan una miseria», le dijo a un roble majestuoso. «Es evidente. No pueden permitirse cambiar la ropa blanca. Angela debería oler a esos profesores. ¡Entonces respetaría a su hermano!» Tenía otros temas. A un olmo viejo le declaró: «Se supone que es una escuela avanzada, pero sólo puedo decir que es un lugar estúpido. Es burdo.» Oía cómo las ramas murmuraban su asentimiento. «He decidido dedicarme al dibujo. Sé que soy excelente en capturar cada detalle de los edificios más interesantes de Leonding y de Linz. Cuando enseño estos dibujos a mis padres, hasta mi padre los aprueba. Dice: "Eres un dibujante magnífico." Pero luego tiene que estropearlo. Dice también: "Tienes que aprender más de perspectiva. No has descubierto el tamaño correcto para las personas que pasan por delante de tus edificios. Algunas podrían medir dos metros y otras son pigmeos. Tienes que aprender a dibujar cuerpos a escala. La gente debe estar proporcionada con el tamaño del edificio y la distancia a la que se encuentran de él. Lástima, Adolf, que no hagas esto bien, porque tu dibujo en sí sería un boceto estupendo."»

Por supuesto, la mitad de los elogios de su padre valía más que todas las aprobaciones cariñosas de Klara. Demostraba su teoría. Valía la pena el arte, no el saber académico. «El estudio académico», le dijo a la siguiente arboleda, «es pretencioso. Quizás sea el motivo por el que mis profesores denotan una falta de interés en mis posibilidades. Son esnobs. Asquea verlos revolotear alrededor de los alumnos de familias ricas. El aire de esta escuela, por lo tanto, se me ha vuelto inaguantable.» Lo que no les decía a los árboles era que los únicos camaradas que le hacían caso durante los recreos eran casualmente los más feos, los más tontos o los más pobres.

452

Creía en la sabiduría de aquellos árboles añosos. Le parecían tan sabios como elefantes adultos.

Algunas mañanas se retrasaba y tenía que tomar el tren desde Leonding a Linz. A Klara le disgustaba. No era un gran dispendio pero resultaba superfluo cuando el sol ya había despuntado. Una sensación de pérdida la corroía cuando se gastaba dinero alegremente. Las monedas gastadas de aquella manera caían en un pozo cuyo fondo estaba seco y del que arrancaban un ruido espantoso.

No obstante, las muchas mañanas en que Adolf debía caminar, su itinerario le llevaba a atravesar hermosos prados antiguos, y pronto se interesó por los fuertes que encontraba en el camino, sobre todo después de haber sabido que aquellas torres que se desmoronaban databan de principios del siglo XIX, cuando los austriacos vivían temerosos de que Napoleón, a la larga, acabara cruzando el Danubio con sus ejércitos. Por eso habían construido aquellas torres de vigilancia. Una mañana, pensando en los obreros que las habían erigido y en los soldados que las habían habitado, se excitó tanto que tuvo una eyaculación. Después se quedó lánguido, pero dichoso. Era, desde luego, demasiado tarde para asistir a clase y le enviaron de vuelta con una nota para que la firmase Klara. Ella no supo si creerle cuando él le dijo que había perdido el tren.

5

Había una ironía de la que no eran conscientes los camaradas de Adolf. Lejos de ser un pueblo lleno de barro, Leonding poseía una clase alta que asistía asiduamente a las Buergerabends. Las sutiles diferencias entre los miembros empezaron a intrigar a Alois y constituyeron una pequeña distracción de su congoja. Sin embargo, aquella tregua no podía durar mucho. Sabía que tenía que seguir el descenso paso a paso hacia la tristeza, y a lo largo de todo aquel proceso le invadió tal confusión que llegó a dudar de su equilibrio mental.

No siempre era aterrador. Con el tiempo empezó a sentirse como si resucitara de entre los muertos, como si quizás recobrase las fuerzas. Sólo que no del todo. No siempre. Subsistía un agujero que le perforaba el corazón.

Aun así, las veladas ayudaban. Necesitaba escuchar conversaciones ingeniosas. Era la gente más inteligente y culta con la que se había codeado en sociedad y necesitaba creer que él también era un hombre sofisticado. Una noche, por ejemplo, escuchó con gran atención cuando uno de los presentes, que a todas luces poseía un holgado y hasta superior conocimiento del vino, comentó de pasada: «Los ingleses lo llaman *hock*.[1] Pero sólo porque el Riesling que les gusta tanto viene de Hochheim.» Alois había aprendido a hacer un gesto de suficiencia, como si ya hubiera asimilado cada brizna de cultura recién adquirida. Una noche sirvieron Silvaner en botellas de una forma extraña llamadas *Bocksbeutel*. Estalló una carcajada. *Bocksbeutel* significaba «testículo de carnero». El ánimo de Alois se elevó lo suficiente para preguntarse si debía hablar. ¿Quién sabía más que él de aquellos testículos? ¿Acaso no había poseído un par de carneros bien dotados? Pregunta a las féminas. Pero no se atrevió a abrir la boca. Conocía lo que le diferenciaba de aquel estamento. Eran gente, en su mayoría, que no se levantaba de la cama hasta después de amanecido. Por lo tanto, comían y bebían hasta bien entrada la noche. Llegado el caso, seguían hasta medianoche. Incluso cuando era joven, él rara vez había trasnochado hasta tan tarde, a no ser que estuviese en el lecho de una mujer nueva. Triste era decirlo, pero él bien podría haber sido un jornalero ordinario que iba a trabajar con una hogaza de pan, un poco de embutido de hígado y un tarro de sopa. Veía a aquellos notables, ahora jubilados, levantarse para tomar un desayuno ligero –¡huevos

1. Vino blanco del Rin. *(N. del T.)*

escalfados con salsa holandesa y bollos!– y luego fumarse un buen veguero. Con frecuencia, hacia media tarde, montaban en sus carruajes y se desplazaban a Linz con sus mujeres para tomar el té de las cinco en el Hotel Wolfinger o en el Drei Mohren, fundado en 1565. Allí escuchaban los violines. ¿Qué sabía él de aquello? Sí, rara sería la tarde en que él tomase el té de las cinco en el Drei Mohren o el vestíbulo del Wolfinger. Como le dijo a Klara, eran los hombres de Leonding que más alto concepto tenían de sí mismos.

–Olvídate de Mayrhofer –le dijo–. Es un tipo impecable, pero esa gente proviene de familias muy antiguas, de esas que toman seis platos en la cena. He oído hablar hasta de ocho.

–Yo podría hacértelos –observó Klara.

–No, querida, no –dijo él–. Ni siquiera se me ocurre esa posibilidad. Porque el secreto consiste en que no puedes servir recetas elaboradas si no tienes una vajilla Meissen o copas de vino adecuadas.

–¿Copas de vino? –preguntó ella. Ella misma se sorprendió de cuánto le dolía oírle.

–Sí –dijo él–. Producen un tintineo si las pellizcas con dos dedos.

De hecho, le invitaron a una de aquellas cenas. Acudió solo. Klara se quedó en casa cuidando de los niños. Cuando él volvió, ella comentó que quizás debieran invitar a casa a aquellos notables.

–Tienen agua interior –contestó Alois–. Su cuarto de baño no es un cobertizo fuera. La puerta del baño no tiene un agujero recortado en forma de medialuna. Nuestras nuevas amistades, si llegaran a serlo, juzgarían estos detalles... *peregrinos*. –Nunca había empleado esta palabra–. No –continuó–, no podemos tener invitados así. ¿Qué les diría cuando preguntasen dónde se encuentra el váter? ¿Les digo: «No se preocupe por el agujero. ¡Nadie fisgará!»?

6

El último día de enero, cinco meses después de que Adolf hubiera empezado sus estudios en la Realschule, Klara fue convocada en la escuela.

Más tarde, en el trolebús, con los ojos cerrados muy fuerte para controlar las lágrimas, no supo si tendría el valor de decirle a Alois que el boletín de notas de Adolf era horrible.

De hecho, cuando Alois se enteró la noche siguiente, lo supo después de la que ya era para él la segunda peor mañana del año: el primero de febrero. Trataba de prepararse para el aniversario de la muerte de Edmund el día siguiente, 2 de febrero, y cuando paseaba a través de Leonding, procurando no pensar en nada, se encontró con Josef Mayrhofer. El alcalde le propuso entonces algo inusitado. Era infrecuente que dejase la tienda al cuidado de su dependiente, a no ser que le aguardasen tareas de su cargo en el ayuntamiento, pero le propuso que fueran a beber algo en la taberna.

Una vez allí, hablaron del peso inminente de aquel primer aniversario: hombres buenos atenazados por emociones tristes. Mayrhofer hizo entonces algo que nunca había hecho. Dijo:

–Prométame que no castigará al mensajero.

Alois contestó, confiado:

–Usted nunca será portador de malas noticias.

No obstante, sentía ya cómo se le removía el pecho.

–Debo preguntarle: ¿tiene un hijo mayor que se llama como usted?

Alois agarró al alcalde del antebrazo con tal fuerza que se lo magulló. Mayrhofer se zafó con una sonrisa de desdicha.

–Bueno, ya ha castigado al mensajero. –Levantó una mano–. Basta –dijo–. Tengo que decirle..., hoy ha llegado un informe que circula por el distrito. Su hijo está en la cárcel.

–¿En la cárcel? ¿Por qué?

–Lo lamento mucho. Por robo.

Brotó una voz baja y gutural.

–Me cuesta creerlo –dijo Alois. Pero sabía que era cierto.

Mayrhofer dijo:

–Puede visitarle, si quiere.

–¿Visitarle? –dijo Alois–. Creo que no.

Estaba sudoroso y a punto de perder sus buenos modales.

–Lo más duro que he tenido que hacer en mi vida fue renegar de mi hijo mayor –consiguió decir–. Mayrhofer, somos una familia modélica, ¿comprende? Mi mujer y yo nos hemos ocupado de criarles como es debido. Pero Alois era la manzana podrida del canasto. Si yo no hubiera renegado de él, los demás hijos habrían sufrido. Y ahora los tres que siguen vivos –se contuvo, no sollozó– saldrán adelante muy bien.

Aquella noche, ante la insistencia de Klara, Alois tuvo que enseñar el boletín de notas a su padre. Al ver la expresión en la cara de Alois, Klara sintió como si hubiera traicionado a su hijo.

Con un tono tan sombrío como para declarar la guerra, Alois manifestó:

–Le hice un juramento a tu madre. Fue a petición de ella. Dije que nunca volvería a azotarte. De esto hace un año. Pensábamos en la tragedia de nuestra familia. Pero ahora puedes estar seguro de que romperé mi promesa. Es la única conducta posible cuando la persona más protegida por el juramento lo deshonra. ¡Vamos! Vamos a tu dormitorio.

Una vez más, contuvo su mal genio. Estalló, sin embargo, en cuanto se desató el cinto.

Al primer azote, Adolf se dijo: «¡No gritaré!» Pero los golpes eran tan severos que empezó a chillar. Alois nunca había usado una correa de cuero. Era como si llevase en la punta una lengua de fuego. ¡Lo único que el chico acertó a pensar fue que no quería morir! De hecho, no sabía lo que le destruiría antes: los correazos en las nalgas o el dolor de corazón. En aquel momento, su padre, ya sin resuello, se detuvo, desalojó a Adolf de encima de sus rodillas y le dijo:

–Ahora ya puedes dejar de llorar.

Alois se sumió en la depresión: haber vivido tanto tiempo para perder ahora la confianza en los pobres restos de su descendencia masculina.

7

Adolf sufría un verdadero tormento. Se había atrevido a enseñar sus dibujos al profesor de arte. Había supuesto que la entrega sería seleccionada al instante para presidir la pared de corcho reservada a los alumnos. Hasta había meditado sobre el modo de expresar una respuesta silenciosamente digna a las alabanzas que recibiría. Aquellos hermosos momentos compensarían las malas notas de su primer boletín escolar.

Admitiré que influí en el resultado. Aunque Adolf tenía talento, no era nada del otro mundo; yo veía de un vistazo que nunca sería un artista muy prometedor. (Pablo Picasso, por ejemplo, era ya en 1901 un joven que nos interesaba mucho.) En cambio, los dibujos que producía el joven Adolf Hitler sólo eran buenos para clavarlos en el corcho.

–Impídelo –fue la instrucción que me impartió el Maestro–. Sólo nos faltaba otro artista amargado por falta de un amplio reconocimiento. Yo digo que es mejor sumirlo en una auténtica depresión.

Yo estaba en condiciones de cumplir esta orden. El profesor de arte de Adolf era cliente nuestro. (De hecho, se asemejaba mucho a la descripción que el Maestro había hecho de la mediocridad.) Por medio de un altercado entre el profesor y su mujer, le insuflé un terrible dolor de cabeza. Vio la obra de Adolf a través de los leves rayos de una migraña. No escogió ninguno de los dibujos.

Él no podía creerlo. En aquel momento renunció para siempre a la idea de volver a intentar el éxito escolar. Aprendería a apañarse por su cuenta.

Por supuesto, no abandonaría el hogar, como Alois hijo: no hacía falta. El «chico de la toga» aún le causaba sudor en la espalda. No, seguiría viviendo con los demás hasta que desarrollase, sin que nadie lo supiera, una voluntad férrea.

Continuó sacando malas notas. El boletín del primer curso completo, que entregó a su padre en junio, mostraba un fracaso en dos asignaturas, matemáticas y ciencias naturales. Pobre Alois. No logró reunir la energía necesaria para darle una paliza a Adolf.

Aquel verano, sabedor de que tendría que repetir curso, Adolf estaba asimismo deprimido, pero logró decirse a sí mismo (con mi ayuda) que comprendía el arte de aprender mejor que los otros alumnos. Él conocía el secreto. Retendría sólo lo esencial. Los estudiantes se apresuraban a empapuzarse de interminables detalles secundarios. Eran exactamente como los profesores. Sólo sabían recitar listas y categorías. Eran una lata. Graznaban como loros. Actuaban como si fueran realmente inteligentes cada vez que un maestro aprobaba lo que decían. Eran ellos los que sacaban buenas notas.

Él estaba muy por encima de aquellas inquietudes. Eso, al menos, se decía él. Se interesaba por el meollo de cada situación. En esto consistía el conocimiento importante. De modo que no tendría que someter su pensamiento a los métodos ajenos. Hacerlo sólo serviría para reducir su poder mental.

Era imperativo animarle. Su diversión predilecta en aquel tiempo consistía en la capacidad de fastidiar a Angela. Físicamente, por fin, su fuerza se igualaba a la de ella. Por tanto, cada vez que ella le criticaba, él la llamaba «estúpida gansa». A Angela le parecía un insulto espantoso. Incluso se quejaba a Klara. Odiaba a los gansos. Los había visto aterrizar en el estanque de la ciudad y para ella eran animales sucios. Los había visto congregarse en las orillas y dejarlo todo sembrado de excrementos. Ella, a su entender, se parecía más a un cisne.

Consentí a Adolf una fantasía en la que se imaginaba como

un profesor de la Realschule, vestido con elegancia, dotado de una voz clara e incisiva y admirado por su ingenio.

ADOLF: He aquí lo esencial, jóvenes. No tratéis de recordar todos los hechos de cada suceso histórico. Yo diría más bien: «Protegeos. Estáis nadando en agua turbia.» La mayoría de los hechos que habéis memorizado no son más que residuos que contradicen otros. Así que estaréis confusos. Pero yo voy a salvaros. El secreto reside en recordar lo esencial. Elegid sólo los hechos que clarifiquen el tema.

8

Una noche animada en las Buergerabends, un orador, un hombre corpulento, expuso la tesis de que los viajes en ferrocarril habían afectado a las relaciones sociales establecidas desde tiempo inmemorial.

–Nuestro sentido del mundo –declaró– lo han trastocado los ferrocarriles. Por ejemplo, el rey de Sajonia no es partidario de este medio de transporte. Como dijo hace poco: «El trabajador ahora puede llegar a su destino en el mismo tren que un rey.» Esto equivale a decir que los ricos ya no viajan más rápido que las clases más bajas. Una consecuencia final de este hecho podría ser la discordia social.

Otro miembro se levantó para decir:

–Concuerdo con mi distinguido amigo en que muchas de esas llamadas mejoras son dudosas. Los relojes de bolsillo son sin duda un excelente ejemplo. En estos tiempos cualquiera puede comprarse un reloj por un precio razonable. Pero yo todavía recuerdo la época en que era un privilegio lucir un hermoso reloj. Un empleado tuyo tenía que tomar nota de la estupenda calidad de tu reloj y leontina. Se retiraba de tu presencia con respeto. Hoy cualquier obrero saca una bisutería de los pantalones y te dice que ese chisme marca mejor el tiempo que el tuyo. ¿Quieren saber lo peor? A veces es cierto.

Este comentario suscitó la risa.

–No, caballeros –prosiguió el que hablaba–, una baratija de reloj puede ser más exacta en este sentido que nuestras reliquias de familia, que, al fin y al cabo, apreciamos porque llevan con nosotros muchísimo tiempo.

Una noche, el tema de conversación fueron las cicatrices que dejaban los duelos. Alois se puso nostálgico. Escuchó con suma atención las diversas opiniones sobre la mejor ubicación de la herida. ¿Había que preferir la mejilla derecha o la izquierda, la barbilla o la comisura del labio? Sin embargo, hacia el final de la velada consiguió meter la cuchara y comentó que cuando era un joven funcionario en el servicio de aduanas muchos de sus superiores lucían estas cicatrices y «les respetábamos». Se sentó, sonrojado. Su observación no fue de gran ayuda.

En otra ocasión hirió sus sentimientos un joven deportista (con una prominente cicatriz de duelo) que entabló una larga conversación con él. Poco antes había atravesado Linz la primera gira automovilística de París a Viena, y el hombre de la cicatriz no sólo poseía un automóvil sino que había participado en la carrera.

En la misma velada, unas horas antes, el deportista había animado un debate sobre la cuestión de si era sensato comprar un automóvil, y los pros y contras de la acalorada discusión propiciaron comentarios vehementes. Los que se oponían a los automóviles hablaron con desprecio del polvo, el barro, los tumultos y, lo peor de todo, las humaredas.

–Sí, ya sé –contestó el deportista–: esas máquinas infernales les parecen atroces, pero resulta que a mí me gustan los gases. Para mí son afrodisíacos.

La observación fue acogida con abucheos y gritos. Él se rió.

–Digan lo que quieran, los gases ofrecen un poco de liber-

461

tinaje. –Y aquí se atrevió a olerse los dedos. La reacción de los oyentes fueron gruñidos y risas–. Ustedes confórmense con sus carruajes y establos –continuó–, pero a mí me gusta viajar a grandes velocidades.

–¡Oh, esto es demasiado! –exclamó alguien.

–En absoluto –dijo el deportista–. A mí me agrada la sensación de peligro. Me estimula el rugido del motor. La atención de los numerosos peatones que admiraban un hermoso caballo y carruaje se centra ahora en las virtudes de mi monstruo de hierro. Lo veo con el rabillo del ojo cuando voy embalado.

A Alois le impresionó sin duda aquel rico deportista, que remató su argumentación diciendo:

–Sí, conducir un automóvil entraña cierto peligro. Pero también es peligroso frenar a un caballo enloquecido. Preferiría arriesgar el pellejo en un vehículo de motor que aplastarme los huesos debajo de un coche volcado. O que sentarme detrás de un jamelgo que secretamente me aborrece a muerte.

¡Qué jaleo se armó cuando dijo esto! Nada peor que aquella animalada.

Más tarde, cuando el debate concluyó, el hombre entabló con Alois una conversación discreta cuyo temario oculto pronto se hizo evidente, ya que no tardó en formular numerosas preguntas sobre los procedimientos aduaneros. Alois se ofendió. Brillantemente ufano en el podio, el deportista ahora revelaba con claridad su motivo.

–Parece que va a cruzar unas cuantas fronteras –observó Alois.

–En efecto, así es –dijo el deportista–. Pero estoy pensando en la inglesa. Dicen que los ingleses son los peores.

Procuró hablar de perfil, de tal manera que a Alois le impresionara como merecía la cicatriz del duelo en la mejilla izquierda.

Era un chirlo bien irregular, perfecto para un hombre tan apuesto y sereno como aquel individuo, pero el trabajo en la aduana le había enseñado sus propias astucias, y Alois sabía distinguir entre una cicatriz auténtica, ocasionada por el sable de un duelista rival que te surca la superficie de la cara y te causa, en consecuencia, un desgarro genuino, de una cicatriz autoinfligida por un tipejo ambicioso que pretende embelesar a las mujeres. Un sujeto así utilizaría una cuchilla para abrirse una herida en la cara e insertar luego una crin de caballo en la fisura. Con este método la herida se convertía en un chirlazo lo bastante vistoso para ennoblecer el resto de tu carrera.

Cuando estaba bien hecha, la cicatriz podía parecer auténtica, pero Alois ya había decidido que aquel hombre, casi con plena certeza, había usado una crin. La herida le quedaba demasiado bien.

Por tanto, Alois se limitó a responder:

–Espero que sigamos siendo tan buenos como los ingleses cuando hay un gracioso que pretende introducir objetos preciosos en Austria sin pagar derechos. *Celer et vigilans* –añadió Alois–. Era mi divisa.

Fue una mentira feliz: por casualidad había recordado el lema aquella misma tarde: veloz y vigilante. Aquello impuso una pausa al automovilista.

–*Numquam non paratus* –contestó, ante lo cual Alois no pudo por menos de sonreír.

Lo primero que hizo al volver a casa fue mirar lo que significaba el latinajo. «Nunca desprevenido.» Una antigua cólera le invadió un momento. Cómo le habría gustado echarle el guante a aquel hombre en una garita de aduanas.

No obstante, se sintió expansivo durante la cena. La emoción del debate todavía le acompañaba, y cuando refirió su comentario final sobre las cicatrices de duelo, Adolf escuchó con avidez. Algún día tendría su propio automóvil. Quizás incluso su propia cicatriz.

Para sorpresa de Adolf, hubo una noche en que Alois le llevó a la ópera. La invitación –fueron a ver *Lohengrin*– había sido consecuencia de una mejoría en el boletín de notas de febrero de 1902. Debido al fracaso anterior, la primera mitad del segundo curso había sido una repetición de la primera mitad del primero, y por tanto obtuvo un aprobado en cada curso. Incluso hubo comentarios elogiosos sobre su diligencia y su conducta que indujeron a Alois a declarar:

–Una buena seña. En cuanto uno concede la prioridad a la conducta, lo demás viene solo.

Alois estaba reduciendo sus exigencias. Había estado enfermo. Dos meses antes, en diciembre del año anterior, 1901, había tenido una gripe que le asustó. Una vez más sintió una necesidad imperiosa de mejorar a su recalcitrante hijo.

Así pues, a principios de febrero, poco después del aniversario de la muerte de Edmund, decidió volver a intentar un nuevo acercamiento. Habiendo advertido que Adolf escuchaba con intenso interés cada vez que él contaba las conversaciones en las Buergerabends, también le complacía ver que Adolf leía todos los periódicos que llegaban a casa. De hecho, gracias a unas cuantas observaciones que Adolf hizo en la mesa familiar, Alois supo que algunos condiscípulos de su hijo (pertenecientes, por supuesto, a las familias más pudientes) hablaban en los recreos de las óperas a las que habían asistido. Decidió que había llegado el momento de llevar al chico.

No fue una sorpresa que Alois hablase también despectivamente de la ópera de Linz.

–Para los de aquí –le dijo a Adolf–, la ópera es un edificio espléndido, pero si has estado en Viena y conoces, como yo, una auténtica ópera, la de aquí no te parecerá tan imponente. Claro que viniendo de Hafeld, Lambach o incluso Leonding, supongo que pensarás que esta noche estás escuchando algo grandioso. Y, en efecto, Linz ha obtenido el derecho de proclamarse una ciudad y enorgullecerse de su ópera. Sin embargo, esta noche no será en absoluto como en Viena. Adolf, si triunfas en una carrera quizás algún día puedas vivir en Viena. Entonces gozarás de verdad las cumbres del placer musical.

Alois se quedó complacido con su discurso. Había llegado a un punto en la vida en que sentía que aunque muchas otras cosas estaban en decadencia, había aumentado la capacidad de expresarse con las críticas exhaustivas de un verdadero *Buergerabender*.

Así pues, llevaron a Adolf a escuchar su primer Wagner en una ópera de segunda clase. Y a pesar de los comentarios de su padre, más de una vez se quedó extasiado. Aunque se burló de la entrada del gran cisne que remolcaba la barca de Lohengrin al escenario para salvar a Elsa (porque Adolf oía el crujido de las botas de los dos hombres escondidos dentro del cisne), le maravilló el aria de bienvenida de Elsa a Lohengrin. «Veo brillante de esplendor a un caballero de glorioso semblante... El cielo lo envía para salvarme. Será mi paladín.»

Lágrimas brotaron de los ojos de Adolf. Al día siguiente se mezclaría con los alumnos que hablaban de las funciones a las que habían asistido. Por consiguiente, durante el intermedio escuchó los comentarios de los aficionados de aspecto más entendido.

–Qué manía la de Wagner –le dijo un hombre a otro– de preferir los violines y las maderas de viento para evitar que le atrapen las arpas. Wagner conoce sus sonidos celestiales. Es como si hubiera sido el primero en descubrirlos. Violines, oboe, fagot, sí, pero nada de arpas.

Sí, pensó Adolf, al día siguiente repetiría esto mismo en la escuela.

Alois, por su parte, estaba sumido en su meditación. Cavilando sobre la pericia de las clases superiores, decidió que poseían una base para su buena fortuna. Sabían cómo conseguir

465

puesto apropiados para sus hijos en el ejército, la Iglesia o el derecho, para de este modo seguir preciándose de los logros familiares. Pero ¿por qué llegar a la conclusión de que él no era tan bueno como ellos? De acuerdo, él había empezado desde un lugar humilde, pero ahora se disponía a asumir el punto de vista de los poderosos. Comprendían que el hijo primogénito, apto o no, aún tenía que prepararse para cumplir el destino de la familia. Esto no sólo era cierto en el caso del ejército y la Iglesia, sino que también incluía a los funcionarios del gobierno. Al fin y al cabo, algunos burócratas llegaban a ser ministros. Si bien él no había escalado tan alto, un hombre que tuvo que empezar en lo más bajo de la escala, se sentía con derecho a una certeza. Si hubiera tenido aquellas ventajas de nacimiento habría sido un excelente ministro. Y si llegaba a ser alguna vez un hombre respetable, él también estaría en condiciones de superar los logros de su padre. Al escuchar ahora la música, tan acorde con su ánimo elevado, tan sublime, tan ambiciosa y audaz, Alois vertió en la oscuridad unas pocas lágrimas de felicidad por una vida consumada, y estos sentimientos se fundieron tan bellamente con las notas finales de *Lohengrin* que las palmas se le pusieron coloradas de los aplausos que dedicó a la compañía de aquella ópera de segunda.

Adolf, sin embargo, no estaba tan agitado. Ante la energía de los últimos acordes, no tardó en caer en picado desde un estado de ánimo elevado y magnífico al habitual abatimiento.

Diré que esto era uno de nuestros problemas básicos. Nos sobran los clientes que ascienden hasta la embriaguez de sus sueños personales para luego caer como un plomo a la fealdad de su situación real. Así que tenemos que calmarlos. Aunque planeaba por el empíreo con Wagner, la caída de su confianza comenzaba. Wagner era un genio. Adolf había concebido esta opinión al instante. Todas sus notas le eran elocuentes. ¿Acaso podía afirmar esto de sí mismo? ¿O no era él un genio, en definitiva? No, comparado con Wagner.

Al volver a Leonding en el último trolebús, Alois no estaba más contento que su hijo. Después de haber obsequiado con *Lohengrin* a Adolf, tenía que encontrar una forma de pasarle factura. ¿Estaría el chico dispuesto a acompañarle a la aduana? Llevaba meses sopesando todas y cada una de las profesiones que Adolf pudiese ejercer y había llegado a la conclusión de que la mejor alternativa era la aduana. Como mínimo, sería comparable con ingresar en un oficio estimado de una buena familia.

Sin embargo, cada vez que la conversación viraba hacia este tema, Adolf hablaba de ser un artista. Alois entonces le sugería:

—Puedes ser las dos cosas. Sin asomo de duda. ¿No he hecho yo más de una cosa en la vida?

Pues bien, aquí el chico asentía con una resignación melancólica, como si fuese obligatorio rendir homenaje a las repeticiones de un padre. Con el tiempo, Alois ya no hablaba del servicio aduanero. El parco fruto obtenido le dejó irritable.

Pero la ligera mejoría en las notas de Adolf recordaron a Alois que un padre tenía que atender cualquier atisbo de un cambio positivo en un hijo adolescente. Por tanto, había que hacer otro esfuerzo para dar al chico un vida honorable. Le llevaría a visitar la aduana.

Así pues, una noche determinada Alois lanzó uno de sus monólogos en la mesa familiar y sintió que el espíritu de las Buergerabends le facultaban para desplegar más dotes retóricas que nunca.

—Hay un socio de nuestro club que insiste, y debo admitir que es una opinión interesante, en que está disminuyendo la brecha que separa a los ricos de los pobres.

—¿Es verdad eso? —preguntó Klara, deseosa de entablar conversación.

—Desde luego. Hemos tenido grandes debates al respecto. Se debe a nuestro sistema ferroviario. Seas rico o seas pobre, ¡da igual! Viajas a la misma gran velocidad. Oh, te digo a ti, y os digo a vosotros, niños, prestad atención, tú, Angela, y tú, Adolf. Recordad esta predicción: estas noches he oído hablar en las Buergerabends de campesinos tan pobres que..., emplearé una expresión que ahora ya sois mayores para entender. Son gente tan pobre que –tuvo que susurrar el resto– usan las manos para lavarse.

–¡Oh, papá! –exclamó Angela.

Alois no pudo resistirse.

–Y después se raspan los dedos con tierra.

A lo cual Angela gritó de nuevo: «¡Oh, papá! ¡Oh, papá!», pero se reía de lo fácil que al padre le resultaba ser repulsivo y de lo bien que la conocía a ella. Era verdad. Sabía cómo hacerle reír.

–Oh –dijo Alois–, así era antes. Pero ahora algunos de estos empobrecidos en otro tiempo son lo bastante despiertos para saber lo que se avecina. Hasta oigo hablar de campesinos tan listos que venden sus tierras a los hombres que proyectan construir fábricas en esos lugares tan pronto como lleguen las carreteras. Sí –dijo–, todo corre hacia delante, y hasta los granjeros participan en esta carrera. Pero tú, Adolf, con tu inteligencia, bueno, he llegado a la conclusión de que eres potencialmente un hombre muy inteligente y aún vas a instruirte. Así que yo te pondría sobre aviso. Estos cambios en la sociedad van a alterar la naturaleza del trabajo que hacemos. La educación llega y prevalecerá sobre todo lo demás. Hasta los tontos sabrán leer y escribir. Por supuesto, también es importante que no todo el mundo se eduque tan bien que perdamos toda distinción de lo que significa que te llamen Herr Doktor. Adolf, si estudias con ahínco en la escuela, sí, es sólo la Realschule, no el Gymnasium, pero podrás seguir y hacerte ingeniero, ojalá así sea, y te llamarán, en cuanto obtengas tu doctorado, sí, ése será el gran día para ti y para todos nosotros, porque entonces a ti también te llamarán Herr Doktor. Te aseguro que me habría gustado que me llamaran así y en consecuencia haber disfrutado de un nivel de respeto más alto en la comunidad que el que ahora tengo. –Levantó una mano–. Aunque no me quejo, desde luego. En absoluto. Pero si yo hubiera sido Herr Doktor, a tu madre la habrían llamado Frau Doktor aunque nunca haya visto las puertas de entrada de una universidad. –En este punto Alois se rió y Klara se puso roja–. Sí, es posible que te intereses por los negocios. En mi época era algo imposible para alguien de mi origen. Pero ahora no es como cuando yo era joven. Ahora quizás valgas para el comercio o la tecnología. Y, sin embargo, no te veo como un ingeniero o un empresario porque en todos estos éxitos hay un fallo: no te queda tiempo para ti. Un empresario no conoce descanso. Se lleva el trabajo a casa. Lo mismo hace un ingeniero. ¿Y si el puente se derrumba? –Alois hizo una pausa, respiró hondo y continuó–: Si decidieras trabajar en la aduana, siempre dispondrás de tus noches y tus fines de semana, para disfrutarlos a tu gusto. Tendrás tiempo para dedicarlo a tu arte.

Pese a todo, sus palabras estaban causando efecto. Intranquilizaron el estómago de Adolf. Pero se debía a que ya no sabía con certeza si su padre era un majadero o si quizás valía la pena escucharle. En este último caso, podría ser que hubiese por delante algunas opciones de lo más desdichadas y nada más que gente horrible con la que vivir y trabajar. ¿Y si no estaba destinado a ser un gran artista o un gran arquitecto? ¿Y si no era Wagner? Algo podía alegarse en favor de la aduana, y su padre lo había señalado: te permitía tener una vida aparte del trabajo.

Así que fueron al servicio de aduanas. No obstante todas las disertaciones de Alois, la visita no fructificó. Lo peor fue que entraron en la oficina de contabilidad donde los empleados estaban trabajando. Un olor desagradable despedía el conjunto general de cuerpos de mediana edad reunidos bajo lámparas de gas y con viseras en la frente. Naturalmente, a su padre no le molestaba aquel aroma. De joven había fabricado botas y había tenido que oler los pies de los oficiales durante las pruebas. No, él, Adolf, no se pasaría la vida en un mausoleo lleno de los olores rancios de viejos sentados unos encima de otros, como monos en sus cubículos.

Después de la visita, Alois hizo otro intento.

–Muchísimos de mis colegas son ahora excelentes amigos –dijo–. Si quisiera, podría visitar a buenas amistades en toda la Alta Austria, a colegas que todavía están en Breslau y Passau.

Adolf se preguntó dónde estarían. Rara vez había visto a alguien que viniera de visita, ni siquiera a Karl Wesseley, mencionado a menudo como el mejor amigo de su padre. Pero éste prosiguió:

–Hay muchas ventajas, sí. Las pensiones, el tiempo que tienes para ti. Te aseguro que la seguridad y una buena pensión permiten a un hombre vivir sin sobresaltos después de jubilarse. No tiene que preocuparse por la falta de fondos. Te advierto, Adolf, de que nada crea más discordia en una familia que la falta de dinero. Por eso en la nuestra no hay discusiones horribles. No hacen falta.

Como este discurso lo pronunció en la mesa, Angela no pudo contenerse. Pensaba en la partida súbita de Alois hijo. ¡No había discusiones horribles! ¿Cómo podía su padre decir esto? Al pasar por detrás de él, le sacó la lengua. Klara la vio pero no dijo nada. Ya bastaba con que Alois comprendiera más tarde que sus bellas palabras no servían de nada. En efecto, así fue. A medida que transcurrían los meses, Alois renunció a la idea de la aduana. Su hijo no iba a seguir consejos útiles. Pero aquello enturbió más de un estado de ánimo.

Se lo levantó, sin embargo, enterarse de un estupendo negocio en el vecindario. Un pequeño comerciante de carbón que vivía cerca necesitaba vender un cargamento para pagar unas deudas. Como los clientes eran escasos en verano, Alois obtuvo un precio muy bueno por la compra.

Empero, hizo caso omiso del consejo de Klara. Ella le dijo que contratase a un ayudante para la tarea de bajar todo aquel carbón a los cubos del sótano. Él tampoco escuchó la sugerencia de que se lo pidiera a Adolf. Alois no quería compartir un trabajo con el chico: forzosamente acabarían riñendo.

Aun así, las propuestas de Klara tuvieron cierto peso. Tras haber comprado el carbón a mitad de precio, intentó negociar con el vendedor.

—Espero —le dijo— que me bajará todo esto a los cubos.

—Oh, ustedes los ricos —contestó el otro—. Siempre intentando que sigamos siendo pobres. No, señor, no puedo bajarle el carbón al sótano. No por el precio que me ha impuesto.

De modo que Alois optó por hacerlo él mismo.

—Tal vez no sea tan rico como usted me cree —le dijo al hombre—, pero desde luego soy más fuerte de lo que parezco.

Ergo, acarreó al sótano media tonelada de carbón. Le llevó dos horas subiendo al sol y bajando al polvo del sótano. Completado el trabajo, se desplomó con una hemorragia.

11

En las semanas siguientes a la recuperación de Alois, Adolf detectaría asombro en la voz de su madre por la cantidad de sangre que había manado de la boca de Alois, y aunque reacio a reconocérselo a sí mismo, el chico lamentó no haberlo presenciado.

En realidad, atendiendo a una sugerencia del Maestro, yo alenté a Adolf a cavilar sobre este asunto, y pronto le iluminó un concepto. La sangre poseía magia. Un pueblo podía compartir esta magia. Cuando miraba a los chicos más fuertes y hermosos de su clase, sentía un hormigueo en las zonas que la ingle solía reservarse para el bosque. Cuando la sangre le llenaba el pene, era sangre que poseía en común con sus condiscípulos.

Yo, por supuesto, no tenía una actitud fija a este respecto. Estaba dispuesto a trabajar con clientes austriacos que, como Adolf, creían en la sangre alemana, pero yo era igualmente efi-

471

caz con clientes judíos ortodoxos que creían en la supremacía de la suya. También podía trabajar, y muy bien, en efecto, con clientes judíos que eran socialistas, o con socialistas alemanes, aunque para esto había que sentirse cómodo con intelectos que hacían hincapié en el aire y el espíritu: en todas esas corrientes y gases invisibles donde se hallaran la ilustración y la convicción de unas visiones del mundo no sangrientas. Y, naturalmente, trabajaba asimismo con clientes que eran comunistas y no se habrían denominado rojos si no creyeran, a su manera, en la sangre. Siempre nos servíamos de las creencias que profesaban los clientes. Una vez consolidados sus prejuicios, empezábamos a modificar sus certezas. A menudo intensificábamos el odio que estos clientes sentían por todo lo que se oponía a ellos en otras personas.

12

Después de recobrarse de la hemorragia, Alois no propinó más zurras a Adolf. A veces, cuando el chico mostraba una excesiva seguridad en sí mismo, le amenazaba con una azotaina, pero la advertencia había perdido toda su fuerza dramática.

En la Buergerabend de la víspera de Nochevieja de 1903, los miembros se propasaron un poco con la bebida y Alois notó el trastorno de la ingesta sobre su talante. En las últimas semanas, un monje capuchino llamado Juricheck había sido invitado a predicar en la iglesia de San Martín, donde pronunció un sermón en lengua checa como medio de recaudar dinero para un proyecto de escuela checoslovaca. Algunos contertulios de la Buergerabend empezaron a quejarse (con muy poca razón, como se vio luego) de que no tardaría mucho en producirse una invasión checa de Linz.

Alois se puso nervioso.

–Si hay una insurrección checa –dijo–, podría significar el

fin del imperio austrohúngaro. Sin embargo –murmuró también–, mi mejor amigo es un checo.

A punto estuvo de referir una conversación con Karl Wesseley, que había pasado a verle en el curso de un viaje de negocios de Praga a Salzburgo. «Los checos», había argüido Wesseley, «somos más leales al emperador que vosotros, los austro-alemanes, que disolveríais el imperio en un santiamén si pudierais uniros a los prusianos.»

La breve visita de su amigo sumió a Alois en un estado de confusión. En las Buergerabends ahora sostenía cosas contradictorias. Era como si la pérdida de sangre también le hubiese soltado la lengua. Primero abrazaba un lado de un argumento y después el otro. Por último, le atacó uno de los caballeros más provectos del club.

Por desgracia, aquel buen anciano demostró asimismo que estaba un tanto desequilibrado.

–Herr Alois –dijo–, se ha opuesto usted frontalmente a nuestro pobre cura local, que quiere invitar a los pobres trabajadores checoslovacos a que acudan a cocinas gratuitas cuando tengan hambre. Esto revela que es usted pro alemán. «Líbrense de esos sucios checos», parece que está diciendo. Pero yo disiento. Nos ha dicho que su mejor amigo es un checo. Querido Herr Hitler, dudo en decírselo, pero debo atribuir sus confusiones a la dolencia que todos corremos el riesgo de contraer en estos tiempos. Me refiero a la vejez prematura. Usted no es viejo, no tanto como yo, pero, mi estimado colega Buergerabender, debo advertirle que las confusiones, si no se aclaran enseguida, pueden devorar las buenas intenciones.

Y se sentó bruscamente, como disculpándose de haber ido tan lejos.

Por desgracia para Alois, el anciano no se había equivocado. Desde la hemorragia pulmonar, Alois había perdido exactamente aquella claridad de la que estaba tan orgulloso. Ahora muchos de sus pensamientos parecían pasársele por la cabeza sin otro propósito que proclamar lo contrario de sus afirmaciones anteriores. En realidad, Alois había confesado esto mismo a Wesseley en su última visita, tras lo cual había suspirado y le había dicho:

—Me gusta hablar contigo. En mi opinión, eres tan profundo como el mar.

—Alois, dime la verdad. ¿Has visto alguna vez una gran extensión de agua? —preguntó Wesseley.

—He visto hermosos lagos, y muchos. Con eso basta. —Hizo una pausa—. Me siento como si viviera en el desierto.

Un par de noches después de la invectiva del viejo socio, Alois recordaba aún que algunos de los Buergerabenders habían asentido con la cabeza. Y seguía oyendo la voz del anciano: «Dice usted que damos demasiado a los checos, pero después le oigo decir que estar en contra de los judíos y los húngaros es antagónico con la buena cultura. ¿Cuál es el centro de su pensamiento?»

En el curso de este rapapolvo, Alois se había sentido tan débil que no tuvo fuerzas para levantarse y abandonar la habitación. Después recobró el vigor. No era frecuente que los socios se marcharan de una forma tan brusca, pero aquella vez se volvió imperativo. Por muy maldita debilidad que sintiera.

Estaba furioso. Le parecía un hecho de meridiana claridad que su presencia en las Buergerabends sólo había sido tolerada. ¿Se reían entre ellos de los comentarios que había hecho? ¿Era así, en efecto? ¿Sólo había sido el bufón de las veladas?

Tuvo un fortísimo dolor de cabeza. Cuatro días después, el 3 de enero, murió antes del mediodía.

Libro XIV

Adolf y Klara

1

La mañana del 3 de enero de 1903, Alois no se encontraba muy bien y en su paseo diario a través de Leonding decidió detenerse en la Gasthaus Steifer para tomar un vaso de vino. Para animarse, evocó un antiguo recuerdo.

Un día, en la aduana, muchos años atrás, se encontró con una caja de puros cuyo precinto había sido cuidadosamente retirado y luego vuelto a encolar. Lo dedujo gracias a un fino ribete de pegamento en el borde del sello. Acto seguido, abrieron la caja para examinarla y descubrieron un diamante escondido debajo de los puros. Estuvo incluso tentado de quedárselo. El contrabandista –un viajero bien vestido– estaba dispuesto a cualquier arreglo para que no le detuvieran. Alois, sin embargo, se temió una trampa. Además, tenía a gala su honradez. Nunca había incurrido en artimañas semejantes. Aun cuando aquella vez tuvo una tentación –la piedra preciosa parecía valiosa–, la entregó a las autoridades. El gesto, sin duda, contribuyó a adelantar su ascenso.

Había utilizado más de una vez este recuerdo como un tónico para su estado de ánimo, pero ahora, en la Gasthaus Steifer, no experimentó el placer que esperaba con el primer sorbo de vino. Por el contrario, se desplomó, para consternación de los pocos bebedores presentes aquella mañana de sábado. Su último pensamiento fue en latín: *Acta est fabula*. Lo dijo en voz alta y perdió el conocimiento, orgulloso de haber recordado las últimas palabras de César: «¡La obra ha terminado!»

El posadero y su dependiente le llevaron a un cuarto lateral vacío. El camarero quiso llamar a un sacerdote, pero el dueño de la taberna dijo:

—¡No creo que Herr Alois quiera uno!

—Señor —dijo el camarero—, ¿se puede estar seguro en estas cosas?

El posadero movió la cabeza.

—Muy bien, ve a buscarle.

Pero sucedió que el cliente ya estaba muerto cuando llegó el cura, muerto de una hemorragia pleural que un médico certificó poco después.

Klara llegó con los niños unos minutos más tarde y Angela empezó a sollozar. Fue la primera que vio el cuerpo de su padre. Extendido en la mesa, parecía de cera. Adolf rompió a llorar. Estaba aterrado. Había soñado con la muerte de su padre tantas veces que cuando el camarero llegó corriendo a la casa, Adolf no creyó la noticia. Estaba seguro de que su padre simplemente simulaba estar muerto. Sería su manera de despertar un poco de compasión en su familia. En efecto, incluso cuando corrían por las calles hacia la Gasthaus, Adolf siguió convencido. Sólo se sintió abrumado cuando vio el cadáver. Lloró muy alto y sin parar. Su necesidad inmediata era ocultar cada último deseo que había abrigado de que se produjera el fallecimiento paterno. Era como si cuanto más llorase más creería Dios que lamentaba la pérdida. (Estar seguro del interés de Dios por él era ya una piedra angular de su vanidad; una de mis mayores aportaciones.)

El 5 de enero, el día del funeral, lloró en la iglesia. Para entonces, sin embargo, se había convertido en un esfuerzo conseguir que brotasen lágrimas suficientes para impresionar a los hombres y mujeres que pudieran estar observándole. Yo, por mi parte, tuve que persuadirle de que Dios no estaba enfadado con él. En consecuencia, me presentaba de nuevo como su ángel de la guarda. Aunque en ocasiones podemos aliviar el temor del Señor aumentando la conciencia que tiene nuestro cliente de que el poder superior le ama, es una tarea peliaguda, ya que cuanto más nos empeñamos en ella tanto mayor es el riesgo que corremos de que el cliente reaccione con la piedad necesaria para atraer la atención de los Cachiporras, que a su vez serán especialmente vengativos con nosotros porque nos hemos atrevido a imitarles.

Por ejemplo, en una ocasión en que actué como ángel de la guarda de otro cliente, uno de los Cachiporras me arrojó escaleras abajo de piedra. Quizás cueste imaginarlo, pero los espíritus también pueden sufrir una mala caída. Como por entonces yo no era corpóreo, no hubo piel que pudiera magullarse, pero, oh, ¡qué paliza para mi presencia íntima! El acero y la piedra son materias duras cuando entran en contacto con el espíritu. Por eso las prisiones están construidas con esos materiales.

Pero no debo desviarme del funeral. Tuve que preparar a Adolf para impostar un buen número de facsímiles de aflicción. Era evidente que afrontábamos una exigencia totalmente distinta del primer acceso de llanto cuando vio a su padre muerto. Ahora, para emitir algunos sollozos, tuvo que arrancar briznas de recuerdo de las pocas conversaciones buenas que había tenido con Alois. Ayudó que admiraba (aunque de mala gana) su forma de hablar. Pero quizás no fuera suficiente para estimular el pozo seco de una tristeza tan empobrecida. Por fin, optó por pensar en el día en que fueron por primera vez a la casa de Der Alte. De esta evocación brotaron lágrimas, pero fueron por la muerte de Der Alte.

Así pues, el llanto, a la vista de todo el mundo en la iglesia, hubo de convivir con inhibiciones persistentes. Los sollozos cesaban cada vez que rememoraba el cuerpo de Alois en la Gasthaus Steifer, y sólo pudo llorar en serio al pensar en lo atroz que había sido para Der Alte morir solo y que no le encontraran durante varias semanas. Habida cuenta de estos impedimentos, estuvo muchas veces al borde del hipo.

Klara se sentó al lado de Adolf en aquella ocasión, pero su sensibilidad materna, nunca muy alejada de la telepatía, captó que su hijo pensaba en abejas. Recordó cómo Adolf hablaba en Hafeld a las cajas Langstroth las noches en que Alois estaba en la taberna de Fischlham. Se preguntó si podría al menos depositar una corona sobre la colmena vacía que aún perduraba al fondo de la casa de Leonding. La última y pequeña colmena de Alois sólo les había dado una rentabilidad escasa, pero en Hafeld, siguiendo las viejas costumbres de Spital y Strones, ella se había obstinado en hablar a las colmenas y contarles lo que acontecía en la familia. En su infancia le habían dicho que daba mala suerte no hablar con tus abejas. Ellas esperaban esta atención. Pero si tenías el infortunio de ver a un enjambre posarse en una planta muerta, caramba, entonces iba a morir un miembro de tu familia.

Cuando Alois instaló en Leonding la colmena nueva, ella le había hablado de esta práctica y le preguntó si le gustaría que ella les hablara. Él se rió.

–Le vería sentido si se tratara de una auténtica casa de abejas como la que tenía Der Alte. Cuando has hecho una gran inversión evitas cualquier cosa que la ponga en peligro. Así que, por supuesto, unas supersticiones no hacen daño, ¿y cómo saber que no ayudarán? Pero si insistes, suéltales un discurso a las abejas y cuéntales todo lo que se puede saber de nosotros. Intentarán transmitir estos chismes a los periódicos –dijo, y la sonora hilaridad por su propia broma bastó para que ella se arrepintiera de habérselo dicho.

Klara se acordó de que, sólo seis meses antes, Alois había maldecido amargamente cuando su colmena se alejó volando. Había sido el fin de aquella empresa en Leonding. El sueño infeliz que él había tenido en Hafeld seis años atrás de que sus abejas le abandonarían se había cumplido en el verano de 1902.

En el funeral, medio año después, ella estaba convencida de que aquella deserción de las abejas había contribuido a provocarle la hemorragia pulmonar. Lo sabía. Alois había tenido miedo de trepar al árbol donde ellas se habían congregado. De hecho, sabía en qué árbol se habían instalado, pero fingió que lo ignoraba. Sí, Klara lo sabía. Fue porque él no se sentía capaz de subir a un árbol. Por tanto, para compensarlo, había optado por bajar al sótano todo el cargamento de carbón. ¡Qué acción más estúpida! La desilusión de Alois con Adolf, su desengaño con respecto a Paula... No, no debía rememorar todo esto, ni por un momento. ¡Ni atreverse a pensar en Edmund! Pestañeó ahuyentando una pena insondable. Había que llorar decentemente en un funeral, y ella tenía ganas de gritar.

El panegírico del sacerdote resultó aceptable. Klara había decidido no decirle nada de lo irreligioso que era su marido, aun cuando sabía que él debía de haber oído muchos rumores. De todos modos, aquel cura hizo una descripción digna del servicio prestado por Alois al imperio. Lo cual, dijo el cura, también podría ser deseo de Dios.

Más tarde, después del funeral, cuando la gente acudió a visitar la Garden House, Klara intentó convencerse de que la congoja de Adolf era sincera. De nuevo optó por decidir que había amado a su padre. Era sólo que los dos habían estado demasiado ensimismados en su orgullo respectivo, y éste tenía por fuerza que convertirse en animadversión. Eran hombres. La cólera era natural en ellos. Pero por debajo había amor. Un amor que no podía expresarse fácilmente. Sin embargo, en años venideros, volutas de pena vagarían por el alma de Adolf, una pesadumbre que poseería toda la ternura de una bruma. Así lo había decidido Klara.

Si bien la ceremonia tuvo lugar un día glacial en que las carreteras estaban heladas, los árboles pelados y los cielos oscuros, prácticamente todas las personas que conocían en Leonding habían asistido, así como los colegas del difunto del servicio aduanero de Linz. Karl Wesseley se había desplazado desde Praga. Habló con Klara un ratito y dijo:

–Oh, nos chinchábamos sin misericordia, Frau Hitler, y cómo nos reíamos. Alois, como sabe, adoraba la cerveza y yo prefería el vino. «No eres más que un austriaco», le decía yo, «y por eso bebes cerveza como un alemán, pero nosotros los checos somos tan civilizados que disfrutamos el vino.» Cómo bromeábamos. «*Ach!* Vosotros los checos», me decía entonces él, «sois crueles con las uvas. Las pisoteáis con vuestros sucios pies y cuando las pobres están agriadas por semejante maltrato les añadís azúcar y os las dais de entendidos. Sorbéis el zumo agrio y el azúcar y procuráis no hacer muecas. La cerveza, por lo menos, se hace con cereales. No tiene sentimientos tan tiernos.» –Se reía al contárselo a Klara–. Su marido sabía hablar. Lo pasábamos bien juntos.

Mayrhofer mencionó el día horrible en que tuvo que informar a Alois de que su hijo estaba encarcelado.

–Querida Frau Hitler –dijo–, desperté por la noche y me reprendí yo mismo por haber sido portador de ese mensaje.

El *Linzer Tages Post* también publicó una necrológica.

Embargados por la más honda pesadumbre, nosotros, en nuestro propio nombre y en nombre de todos sus familiares, anunciamos la defunción de nuestro querido e inolvidable marido, padre, cuñado y tío Alois Hitler, alto funcionario de las Aduanas del Real Imperio, jubilado, que falleció el sábado, 3 de enero de 1903, a las diez de la mañana, a los 65 años de edad, y súbita y apaciblemente se quedó dormido en el Señor.

En el cementerio, la lápida de Alois mostraba su fotografía protegida por un marco de cristal, y debajo había la siguiente inscripción:

AQUÍ DESCANSA EN EL SENO DE DIOS
ALOIS HITLER
ALTO FUNCIONARIO DE ADUANAS Y PADRE DE FAMILIA
FALLECIÓ EL 3 DE ENERO DE 1903, A LOS 65 AÑOS

Adolf decidió que su madre era una hipócrita criminal. ¡Vaya que sí honraba la memoria de su marido! ¡O sea que «Descansa en el seno de Dios»! Lo único que quedaba de su padre era su foto descansando en un marco depositado sobre la lápida del cementerio, con el cristal del marco protegiendo el retrato de la cólera del clima, el pelo de Alois muy corto, sus ojillos saltones, tan redondos y brillantes como los de un pájaro, y sus patillas como las de Francisco José. Sí, allí yacía un hombre que había servido a su emperador, pero ¿cómo podía decir alguien que descansaba en el seno de Dios?

A Klara, sin embargo, la reconfortó la reseña que el *Linzer Tages Post* dedicó al funeral:

> *Hemos sepultado a un buen hombre; bien podemos decirlo de Alois Hitler, Alto Recaudador, jubilado, del Servicio de Aduanas Imperial, que hoy ha sido trasladado aquí, a su última morada.*

Estaba muy orgullosa de esta reseña. No era una esquela. El diario lo había publicado por su cuenta, el periódico con mayor tirada de la Alta Austria. La leyó y releyó. Las frases revivían cada momento del funeral. Volvía a ver a Adolf llorando y experimentó un consuelo considerable. Se dijo a sí misma: «Amaba a su padre, después de todo», y tuvo que asentir con la cabeza para reafirmar el pensamiento.

Klara recibía todos los años una pensión del gobierno que ascendía a la mitad del sueldo anual de Alois. Además se pagarían otras sumas a los hijos cuando cumpliesen dieciocho años. El total bastaría para darles una vida desahogada.

Hasta Adolf tuvo que reconocer que había cierta sensatez en los comentarios de Alois sobre la seguridad de una familia. Desde luego, en aquel momento no le habría gustado tener que ponerse a trabajar.

Había otras compensaciones. Cursando en la Realschule la mitad de su tercer año, Adolf vio que una serie de alumnos eran menos hostiles. ¿Se debería a la muerte de su padre? Libre de la ira de Alois, también se sentía más a gusto con sus estudios y pronto se acostumbró a responder a sus profesores, sobre todo a un instructor de edad mediana, especialmente desdichado, que se ocupaba de enseñar religión varias horas por semana.

Adolf dedujo que debía de ser el pariente pobre de alguien que tenía suficiente influencia en la escuela para que le ofreciesen aquel trabajo. Herr Schwamm era triste y liento y por eso enseñaba religión allí.

Una mañana, durante el recreo, Adolf oyó que un alumno les hablaba a otros de un clérigo medieval, San Odón, que fue obispo de Cluny.

–Tengo un hermano que estudia latín –dijo el chico–, y me dio la primera lección: *«Inter faeces et urinam nascimur.»*

Apenas se hubo traducido esto, Adolf sufrió una conmoción y luego se quedó extasiado. ¡Qué lenguaje tan fuerte! ¡Una auténtica fuerza! Estaba tan emocionado que se atrevió a ir al Museo de Anatomía de Linz en cuanto terminaron la clases. Logró entrar mintiendo sobre su edad y pudo ver un pene y una vagina modelados en cera, así como hombres y mujeres desnudos, de tamaño natural e igualmente de cera. El latín le latía en el pensamiento. ¡Nacer entre pis y mierda! Era lo que siempre había supuesto. El sexo era sucio.

Por otra parte, su descripción de la visita le hizo más popular entre algunos compañeros, que preguntaron una y otra vez los detalles. Esto le alentó a acosar al profesor, empecinándose en pronunciar la frase del obispo de Cluny. Herr Schwamm fingió que no comprendía. Algunos alumnos se reían ya con disimulo.

–El latín no se farfulla –declaró el profesor–. Tu forma de recitar esas palabras carece de toda autoridad.

–Entonces tengo que decirlo en alemán –contestó Adolf. Frunció el ceño, tragó saliva, consiguió enunciar–: *Zwischen Kot und Urin sind wir geboren.*

Herr Schwamm tuvo que enjugarse los ojos. Se le habían llenado de lágrimas.

–Nunca había oído semejante porquería –acertó a decir, antes de precipitarse fuera del aula. Adolf disfrutó de treinta segundos de felicidad. Chicos que le habían ninguneado todo el año le daban palmaditas en la espalda. «Eres un machote», le decían.

Por primera vez en su vida, toda la clase le aplaudió de pie. Uno tras otro se levantaron. Pero después dos monitores entraron para escoltarle hasta el despacho del director, Herr Doktor Trieb.

–Si no estuviéramos tan cerca del final de curso, y si la escuela no hubiera hecho tantos esfuerzos en mejorar tus pésimas calificaciones, te expulsaría sin más –dijo el director–. En estas circunstancias, optaré, en cambio, por asumir que la muerte de tu muy llorado padre puede haber sido un factor que explique tu conducta intolerable. Acepto, por tanto, tu presencia en la escuela durante otro semestre, siempre que ese comportamiento no se repita. Naturalmente, pedirás disculpas a Herr Schwamm.

La entrevista resultó curiosa. Herr Schwamm dio a Adolf una lección inolvidable: que no sabemos nada de una persona hasta que se observa la fuerza de un hombre débil.

Herr Schwamm vestía su mejor traje para la ocasión y fue al grano. No trató de mirar a Adolf a los ojos, pero alcanzó a decir, con un tono más severo del que empleaba en clase:

—No hablaremos del motivo por el que te encuentras aquí. Insistiré, en cambio, en que leas en voz alta la oración siguiente.

Dicho lo cual, mostró un texto a Adolf. Las palabras estaban escritas en letras mayúsculas y en una página de buen papel de tela.

PLENA MAJESTAD GLORIOSA, TE SUPLICAMOS QUE NOS LIBRES DE LA TIRANÍA DE LOS ESPÍRITUS INFERNALES, DE SUS TRAMPAS, SUS MENTIRAS Y SU MALDAD FEROZ. OH, PRÍNCIPE DEL SEÑOR CELESTIAL, ARROJA AL INFIERNO A SATANÁS Y A TODOS LOS MALOS ESPÍRITUS QUE VAGAN POR EL MUNDO TRATANDO DE CAUSAR LA PERDICIÓN DE LAS ALMAS. AMÉN.

—¿Sabes a quién se reza esta plegaria? —preguntó Herr Schwamm.

—¿No es al arcángel San Miguel, señor?

¡Por supuesto! Era una oración que conocía de sobra. En el monasterio de Lambach la había repetido cada mañana en la misa. Además, aún conservaba una imagen de sí mismo tambaleándose sobre un taburete, con el vestido de Angela colgado de los hombros.

—Sí, al arcángel San Miguel, señor —respondió, y hasta sintió un eco de su primera erección. Schwamm era luterano y no sabía, por tanto, que aunque aquella oración había poseído antaño una fuerza extraordinaria para Adolf, ahora le resultaba conocida. La leyó en voz alta sin ningún temor. Su voz, en efecto, resonó con fuerza.

Las breves palabras que Herr Schwamm había preparado sobre los fuegos y los peligros del infierno ahora parecían nimias. De hecho, sentía de nuevo una lastimosa ineptitud delante de aquel alumno joven y huraño, una repetición más de infelices desenlaces. Qué pocas cosas salen como uno espera.

Dijo unas cuantas frases para expresar que le complacía advertir «un lado sobrio en ti, joven Hitler», y se detuvo al borde del tartamudeo.

—Me disculpo muy abyectamente de mis actos de ayer, Herr Schwamm —contestó Adolf, y no fue en absoluto abyecto.

El profesor volvió a sentirse al borde de las lágrimas. Mantuvo la compostura indicando a Adolf con un pequeño gesto que podía retirarse.

En cuanto estuvo al otro lado de la puerta, Adolf se puso furioso. A aquellos hipócritas habría que llevarlos a rastras a ver la vagina de cera del Museo de Anatomía.

En realidad estaba preparando el discurso para sus compañeros cuando le rodearan en el recreo para averiguar lo que había pasado.

«Bueno», les diría, «la verdad es que he tenido que contenerme con el pobre Schwamm.»

Era el final de una tarde de marzo cuando salió de la escuela, pero entabló con algunos de sus nuevos amigos una batalla con bolas de nieve que no concluyó hasta la puesta de sol. Repetía sin cesar las palabras «optimismo, fuego, sangre y acero», y le produjo un placer inmenso que también las repitieran los tres alumnos de su bando en aquel ensayo de batalla improvisada y gélida. Que él supiera, las palabras no procedían de un libro, sino que le habían brotado de la garganta: «¡Optimismo, fuego, sangre y acero!» (¿Repetía lo que yo le había puesto en la lengua? No siempre recuerdo cada inspiración que he insuflado a un cliente.)

Dejémoslo en que Adolf cogió su volumen de Treitschke al llegar a casa y pronto empezó a memorizar el fragmento siguiente:

Dios ha dado a todos los alemanes la tierra como posible hogar, y esto significa que llegará un tiempo en que habrá un caudillo del mundo entero, un dirigente que será la encarnación, la personificación de un poder muy misterioso que uncirá al pueblo con la invisible majestad de la nación.

Pensó a menudo en este pasaje los meses siguientes. ¿Debía creerlo? ¿Era cierto? Había todo tipo de alemanes y algunos, pensó, tan endebles como Schwamm. Con todo, empleó esta larga frase como arenga para sí mismo en los rigores de otra batalla en el bosque. Aunque apenas sabía lo que significaban, se repetía continuamente estas palabras. Nada de lo que leería en los cuatro decenios siguientes poseería para él una mayor certeza. Los demonios sabemos desde hace mucho tiempo que una mente mediocre, en cuanto se consagra por entero a una idea mística, puede alcanzar una confianza que trasciende su poder normal.

A finales de la primavera de 1903, los juegos bélicos de Adolf cobraron otras complejidades. A veces, los sábados por la tarde, había hasta cincuenta chicos en un bando y Adolf tropezó, de grado o por fuerza, con la logística. Cada ejército tenía que ocuparse de sus heridos y sus prisioneros. Si bien Adolf había sido considerado (hasta hacía poco) un personaje menor en la escuela, ahora, en un cambio total, era un generalísimo en el bosque. En realidad dictaba constantemente nuevos códigos de lucha y después cambiaba sus propias normas. Un sábado cualquiera decidía que la única alternativa con un soldado capturado era encarcelarlo o matarlo.

Luego cayó en la cuenta de que esta última posibilidad podía poner un fin demasiado rápido a muchas batallas. ¿Adónde, si no a su casa, iría el soldado muerto? Así que surgió un debate serio sobre la duración del encarcelamiento. ¿Debía durar treinta minutos o una hora? ¿Y quién lo comprobaría? Tendría que ser un cronometrador independiente, que no fuese leal a ningún bando. (Acabaron escogiendo al único chico que tenía un reloj de bolsillo.) Entonces Adolf tuvo una inspiración. Un preso recobraría la libertad más rápido si se convertía en espía. O bien podía rechazar todas las propuestas y quedarse en la cárcel, pero esta elección no era frecuente. Adolf era consciente de que los presos se aburrían enseguida.

3

La escuela terminó en junio. El verano anterior, que transcurrió en la Garden House, había finalizado con la primera hemorragia de Alois. Ahora, en el verano de 1903, la familia metió todo lo necesario en dos baúles enormes y Klara, Angela, Adolf y Paula viajaron a Spital, donde vivía Theresa, la hermana de Klara. Allí pasaron el verano. Cuando Alois vivía no se hablaba de volver al campo. No soportaba la idea del regreso. Le recordaba el pesebre donde dormía su madre. Ahora, sin embargo, el granjero Schmidt, el marido de Theresa, tenía un terreno lo bastante amplio para mantener a todos los miembros del clan Hiedler-Poelzl. La granja constaba únicamente de la tierra, la casa, los cobertizos, los edificios anexos y los animales, pero Schmidt era un gran trabajador y había conseguido, según los baremos de Spital, convertirla en rentable. Con varios campos que labrar y bosques para recoger frutos secos, estaba en condiciones de utilizar todo el trabajo que podía realizar Klara.

–Trabajar aquí le aliviará la tristeza –dijo Schmidt.

Aquel verano, a diferencia de sus familiares, Adolf no trabajó. Jugaba con los hijos más pequeños de la granja después de que hubiesen terminado sus tareas de la tarde y trataba de enseñarles juegos nuevos, a pesar de que sus reclutas estaban tan cansados que se quedaban dormidos en sus puestos.

Casi todos los días, protegido por Klara, pasaba las mañanas y las primeras horas de la tarde leyendo o dibujando, y después vagaba por los bosques en busca de nuevas posiciones militares. Una vez le pidieron que se sumase al trabajo en el campo, pero Klara declaró que sus problemas pulmonares le impedían toda clase de trabajo. Incluso le dijo a su hermana Theresa que como ella, Klara, no quería que Adolf trabajase, pagaría su comida. La propuesta pareció aceptable.

Después del verano, Angela iba a casarse con un hombre llamado Leo Raubal, que trabajaba de escribano en un banco. A Adolf no le gustaba verle. Cada vez que Raubal les visitaba, decía a su futuro cuñado:

—Tus pulmones no están tan mal como dices, ¿verdad?

Lo cual bastaba para despertar en Adolf una cólera fría. ¿De dónde, si no de Angela, habría sacado Raubal aquella idea?

No obstante, Adolf veía un elemento positivo en aquel matrimonio: mejoraría su propia situación económica. Una parte mayor de la suma de la pensión sería para él cuando su hermana abandonase el hogar. Angela, por supuesto, distaba mucho de estar encantada por la perspectiva del matrimonio. Iba a contraerlo con un hombre al que no adoraba, pero que al menos estaba disponible. Así pues, los grandes planes que Klara abrigaba para el futuro de Angela se quedaron en poco. Que Angela estuviese dispuesta a casarse con Raubal no sólo la decepcionaba, sino que la sorprendía. Estaba furiosa consigo misma. No se lo perdonaba. No había creado una vida social para Angela. La familia vivía en la Garden House, un hermoso lugar para que una chica recibiese visitas, pero Klara no sabía cómo hacer la clase de amistades apropiadas. A la hora de conocer a extraños y tratar de cautivarles con su encanto y con el posible tamaño de una dote, bueno, ella y Angela habían sido demasiado tímidas. Raubal resultó ser el mejor de los asequibles.

A juicio de Klara, aquel hombre era afortunado por llevarse a su hijastra. Venía a ser casi un crimen. Angela tenía derecho a mucho más. Raubal ni siquiera tenía un aspecto saludable.

Lo que Klara ignoraba era que Angela había estado viviendo con una culpa secreta. Nunca había dejado de suspirar por Alois hijo. Sabía que él no volvería nunca, pero en el curso de los siete años de su ausencia, ella le había transmutado en un joven perfecto. Recordaba lo guapo que estaba montado en Ulan. Estaba convencida, por supuesto, de que si ella y Alois hubieran seguido juntos, ella no habría dado un solo paso incorrecto, pero quizás ahora hubiese permitido a su hermano que se bajara del caballo y la besara. Aun después del traslado de la familia a la Garden House y de que Angela tuviera una habitación propia, seguía guardando en un escondrijo una fotografía de su hermano, sacada por un fotógrafo itinerante un hermoso día caluroso en Hafeld. Alois se había enorgullecido de tener una foto suya de pie junto a su caballo. De hecho, había sacado a Ulan del establo y lo había colocado ante el objetivo de la cámara.

Angela había robado la foto. Había sido una forma de resarcirse por las veces en que Alois le había hecho burla cuando ella se negaba a montar a Ulan. Cuando la foto desapareció, tuvo que jurar a su hermano que no sabía dónde estaba.

–Te lo juro sobre un montón de Biblias –le había dicho.

–¿Dónde están esas Biblias? –preguntó Alois.

–En mi pensamiento. Ahí están. Fíate de mí.

A ella no le importó que él sufriese tanto como si hubiera perdido un reloj de oro. Merecía sufrir por la manera en que se había mofado. ¡Tan cruel!

Angela aún conservaba la foto escondida, pero a medida que se aproximaba la fecha de su boda empezó a preocuparle la fragancia carnal que persistía en su corazón por aquel cariño inocente –aunque quizás no tanto– a un retrato en sepia que se iba decolorando. Por último llegó al cruel convencimiento de que tenía que destruir la foto. (De lo contrario, tarde o temprano la encontraría Raubal.) De modo que una noche en que no podía conciliar el sueño, en una pequeña pero muy íntima ceremonia, desgarró aquel pedacito de su pasado y en la oscuridad de la alborada metió los trozos en un pequeño cuenco, les aplicó una cerilla de cocina y lloró en silencio mientras se ennegrecían los restos de la fotografía.

Después de la boda, a Adolf le perturbaba pensar en los actos tan feos que debían de estar realizando Angela y Leo en la cama. Adolf había visto el falo del novio una vez cuando orinaban juntos en un campo, y pensó que no era una cosa agradable de ver. Ahora Leo lo estaba frotando hacia dentro y hacia fuera de aquel pasaje supuestamente sagrado entre dos agujeros innombrables de Angela: ¡qué asco! Sus pensamientos hicieron un alto al caer en la cuenta de que su padre y su madre no eran distintos de los recién casados. Qué horrible era aquel secreto sobre el que todos los hombres y las mujeres tenían que guardar silencio.

4

En mayo del año siguiente, 1904, además de obtener otro boletín de notas mediocres, Adolf suspendió francés. Otro examen le aguardaba en otoño. Le pusieron aprobado, pero el director se mantuvo inflexible respecto al episodio con Herr Schwamm. Declaró que si Adolf Hitler quería cursar su último año en la Realschule, no sería en Linz donde lo hiciera. En represalia, Adolf se dijo: «Nunca permitiré que esta escuela vuelva a insultar mi inteligencia.»

Klara resolvió el problema enviándole a una ciudad llamada Steyr, a unos veinticuatro kilómetros de Leonding. Allí pudo terminar sus estudios en la Realschule. Gracias la pensión, Klara pudo sufragarle el alquiler de una habitación en vez de tener que pagarle el viaje diario de ida y vuelta en tren. Así que desde la noche del domingo hasta la tarde del viernes Adolf vivía en casa de una mujer que también alojaba a otros cuatro estudiantes. Era cometido de Frau Sekira que sus pupilos estuvieran razonablemente bien alimentados y que hicieran sus deberes escolares. De hecho era maternal con ellos. Adolf siempre se dirigía a ella de un modo formal y luego se iba a su cuartito a leer y dibujar. Sin embargo, sus notas en la Realschule de Steyr no fueron mejores que en Linz y al final incluso volvió a suspender francés. En otoño de 1905 tendría que pasar un examen de repesca para graduarse.

El verano siguiente, Klara llevó a Paula y a Adolf de nuevo a Spital, pero en septiembre él se desplazó a Steyr para su examen de francés. Esta vez aprobó y recibió su certificado de graduación. Para celebrarlo, él y algunos de los nuevos huéspedes de Frau Sekira decidieron organizar una fiesta. Uno de los chicos había llevado cuatro botellas de vino de su casa y tuvo la generosidad de compartirlas.

–Mi padre dijo que es bueno comportarse como un cerdo una vez al año. Es lo que dijo mi padre: hazlo una vez, no dos.

Todos aplaudieron al progenitor ausente.

Aquella noche los estudiantes trasnocharon y al final Adolf declaró: «Estoy tan borracho como mi padre estaba siempre», y se quedó dormido en el suelo. Por la mañana no encontró su certificado. Lo llevaba guardado en el bolsillo, pero había desaparecido. Como aquel día, más tarde, volvería a casa, tenía que llevar algo que enseñar a su madre. Ella no creería que se había graduado si no le mostraba el certificado. Buscando una explicación, pensó en que podría decirle que en el tren había desdoblado aquel precioso papel para regocijarse mirándolo, pero como hacía calor había abierto la ventanilla del vagón. ¡Sin más, una ráfaga de viento se lo había arrebatado de las manos! Pero cuando salió a la calle para despejarse, comprendió que no bastaría una historia semejante. Resultó que hacía frío aquel día.

Cuando se disponía a despedirse de Frau Sekira, le mencionó su problema. Ella le sugirió que no intentase engañar a su madre.

–No es nada aconsejable –dijo–. Si se cree tu historia te sentirás muy culpable. Y si tu madre lo descubre será todavía peor.

Durante el año escolar, sólo había sido una mujer que le servía la comida todos los días y le cambiaba las sábanas todas las semanas. Ahora se había convertido en un singular y deferente ser humano. Angustiado, él preguntó:

–¿Qué hago?

–Oh –dijo ella–, di en la escuela lo que te ha pasado. Quizás no estén muy contentos, pero sin duda te darán una copia.

Así que Adolf volvió a una escuela a la que pensó que nunca volvería y el rector le hizo esperar. Al fin y al cabo, era día de matriculaciones. Pero cuando el rector le hizo pasar, fue para abrir un armario cerrado con llave y sacar una pesada bolsa de papel. Tras lo cual dijo:

–Tu certificado está aquí dentro. Lo han roto en cuatro pedazos. Enseguida verás cómo ha quedado. –Miró fijamente a Adolf–. Una cosa es que un alumno celebre su graduación cuando se alegra de haber aprobado. Por fin puede permitirse pensar que ha dado un paso importante hacia su futuro. Otra cosa, sin embargo, Herr Hitler, es incurrir en una embriaguez que culmina en actos infames. –Sacudió la cabeza–. Veo por la falta de comprensión en su cara que ni siquiera recuerda el acto vil que cometió.

Aquello se estaba asemejando a cuando estuvo delante del cura de nariz larga que le había pillado fumando.

–Señor, ¿qué he hecho? –alcanzó a decir–. Tenga la bondad de decírmelo.

–Mi querido Herr Hitler, tendré exactamente la bondad de decírselo. ¡Cogió este documento y depositó su suciedad encima! –Con las manos temblorosas de asco, entregó la bolsa a Adolf–. No consigo creer que algún alumno de su escuela haya cometido una bestialidad semejante. Hará bien en pensar que pasará por la vida sin aprender nunca a controlar sus impulsos malsanos. ¿Debo escribir a su madre? No, no lo haré. Lo más probable es que sea una buena mujer que no merece tan apestosa vergüenza. En cambio, va a jurarme usted que a partir del momento en que salga de este despacho, no volveré a verle la cara. Asegúrese de no abrir la bolsa hasta que haya abandonado los muros de esta escuela.

Adolf asintió. Ahora ya se acordaba. Sí, había cogido el certificado y se había limpiado el culo con él. El momento revivía. ¡Se había sentido investido de tal grandeza interior! Cómo le habían aplaudido sus compañeros de farra. El culo de Adolf era ya superior a toda aquella estupidez académica.

Lo que empeoró las cosas fue tener que preguntarse cómo lo habría descubierto el rector. Sólo había una explicación. Se lo habría contado uno de los cuatro estudiantes con los que había estado bebiendo. Pero ¿cuál de los cuatro? No quería averiguarlo. Una confrontación de este tipo aumentaría su vergüenza. ¿Y si el chivato era uno de los dos chicos más grandes que él? Era lo más probable.

Ya en casa de Frau Sekira pasó un largo rato en el lavabo limpiando y secando el certificado. Después pegó los pedazos en otra hoja de papel. Así tendría una prueba de que había aprobado el examen. Encontraría alguna explicación que darle a Klara.

«Oh, madre, cuanto más lo miraba más cuenta me daba de cuánto te has sacrificado por mí y lo poco que yo lo había comprendido. Lo rompí para no echarme a llorar como un bebé.» Sí, se dijo Adolf, esto colaría.

Sin embargo, hubo de seguir preguntándose cuál de los cuatro estudiantes había sido el traidor. ¡Podrían haber sido los cuatro! Decidió que nunca volvería a beber. «El alcohol es para los traidores», se dijo. Olió muchas veces el documento para cerciorarse de que ya sólo olía a polvos de talco.

Tengo que decir que ningún suceso desde la muerte de Alois había estado tan cerca de quebrar el sentido de personal importancia que tenía Adolf. No obstante, yo había erigido una empalizada tan protectora alrededor de su visión de sí mismo que ni siquiera este episodio representó un desastre.

5

Klara lloró de amor cuando supo por qué el certificado le había llegado en cuatro pedazos.

—Así es todavía más valioso para mí —dijo—. Será un orgullo enmarcarlo.

Fue la hora en que él decidió que la capacidad de mentir con arte era un don estimable y, en efecto, madre e hijo pasaron una noche deliciosa. Paula se durmió enseguida y ellos, sentados juntos en el sofá, rememoraron viejos tiempos, de cuando Adolf tenía dos y tres años.

Fue una ocasión especial. El año anterior, cada fin de semana que volvía de Steyr, había llegado a cansarse de escuchar a Klara hablando de Alois. Para ella, había que recordar al difunto como un pilar del imperio, como un funcionario profundamente abnegado. Sus pipas de arcilla y de larga boquilla estaban expuestas sobre la campana de la chimenea, cada una reposando en un soporte especial. El evangelio familiar daba por sentado que Alois había dado su bendición a Adolf. Era una bendición tener un padre que, en su carrera, había escalado el equivalente de una montaña.

Yo me disponía a decirle esto mismo. Por entonces yo quería implantarle una idea en el cerebro: la de que Alois le había dado a Adolf la oportunidad de comenzar desde un lugar más alto que su padre, para que de esta forma llegara a ser un individuo más prestigioso. No sabría decir si Klara tenía más influencia que yo en este tema, pero estos pensamientos quedaron tan arraigados en la mente de Adolf que cuando escribió *Mi lucha*, diecinueve años después, en 1924, hablaría de Alois elogiosamente:

Sin haber cumplido aún trece años, el niño que era enton-
ces recogió sus cosas y abandonó su terruño, Waldviertel. Debió
de ser una resolución amarga la que le llevó a emprender la
ruta hacia lo desconocido con sólo tres florines para el viaje.
Cuando el chico de trece años tuvo diecisiete, larga era su ex-
periencia de penalidades. Una pobreza y desdichas intermina-
bles fortalecieron su determinación con toda la tenacidad de
quien se ha hecho «viejo» por culpa de una tristeza incesante.
Aunque aún era casi un niño, el chico de diecisiete se aferró a
su decisión y se hizo funcionario. Ya se había cumplido la pro-
mesa que el pobre antaño había formulado de que no volvería
a su pueblo natal hasta ser alguien.

6

Para mejorar aún más su situación económica, Klara vendió
la casa de Leonding y la familia se mudó a un apartamento en
Urfahr, justo en la ribera de enfrente de Linz. Durante el día,
rara vez Adolf abandonaba el piso nuevo. No veía ningún modo
rentable de incorporarse a las huestes de empleados. En realidad, no tenía ganas de trabajar para otros. Además se sentía un
poco tísico, lo suficiente para mantener a Klara en un estado de
terror reprimido. ¿Moriría Adolf, como Alois, de una hemorragia pulmonar? No era difícil convencerla de que en aquel momento no sería juicioso pensar en una carrera. Tal como él se lo
exponía, algún día sería considerado un gran pintor, un gran arquitecto o muy posiblemente ambas cosas. Quedándose en casa
por el momento, aún podría ampliar su educación: leía y dibujaba. No necesitaba decir nada más. Al cabo de cinco años sufriendo los rigores de la Realschule, era sin duda capaz de disfrutar de su nueva vida en la Humboldtstrasse de Urfahr. Su
madre pagaba las facturas y Paula limpiaba el cuarto de baño.
Adolf se dejó bigote. No era frecuente que tomara el sol. Sólo

por la noche daba un paseo a lo largo del Danubio, desde Ur-fahr a Linz, para pasar por delante de la ópera. Klara le había comprado ropa nueva y él se aventuraba a salir con un buen traje oscuro, un sobretodo oscuro y un sombrero de fieltro negro, empuñando un bastón con mango de plata, su bien más preciado. Le tomarían, pensaba, por un joven miembro de la pequeña nobleza de Linz. Cada vislumbre que captaba reflejada en los escaparates confirmaba este efecto.

Su necesidad de quedarse en casa durante el día sólo era comparable a su amor a la oscuridad. No todos los tópicos sobre el demonio son falsos. La mayoría de humanos no empieza a comprender la hondura que tiene la suposición general de que lo normalmente condenado como el Mal busca, en efecto, la negrura. Con razón. La noche es más propicia a la evocación.

Klara, por supuesto, estaba muy orgullosa del aspecto de Adolf. Sabía que en cuanto se sintiera preparado surgirían las oportunidades. No sólo era un muchacho muy singular, sino que seguramente necesitaba de momento aquel tipo de ocio.

El modo de masturbarse de Adolf también había cambiado. Su costumbre en el bosque había consistido en eyacular sobre las hojas más cercanas. (Le encantaban las hojas y le encantaba rociarlas.) Ahora, encerrado con llave detrás de la puerta de su habitación, tenía un pañuelo a mano. Pero antes de dejar que sus pensamientos se descontrolaran, se ejercitaba en mantener el brazo en el aire durante un largo rato, formando un ángulo de cuarenta y cinco grados. Se acordaba de las veces que había exhibido esta proeza ante otros estudiantes en los urinarios de la Realschule. Por más que ellos tuvieran dos testículos y él sólo uno, él podía mantener el brazo erecto en el aire y ellos no. Claro que había muchísimas otras ocasiones en que el interés general se dirigía hacia otra dirección. Los chicos se habían congregado alrededor de los mingitorios para comparar el tamaño de los genitales. Había sido un episodio curioso. Siempre temían que apareciese un profesor. Las erecciones, por consiguiente, decaían muy deprisa ante el menor sonido, y la capacidad de Adi de mantener el brazo en alto no era más que otra distracción. Ahora, en su cuarto, descubrió, sin embargo, que mantenía la erección mientras tenía el brazo levantado. Pensar en la gran diversidad de dotaciones personales que había visto entre los estudiantes bastaba para que afluyera un tropel de suculentos recuerdos.

Pero subsistía una nube en su vida de entonces. Era el marido de Angela, Raubal. No podía hablar con Adolf sin soplarle al oído:

–Tienes que empezar a ganarte la vida, amigo. Te sentirás mal hasta que empieces. Creo que se debe a que te deprime pensar que todos tus parientes de Spital piensan que eres un inútil. Sabemos que no es verdad, pero tienes que abandonar tu ocupación actual, que consiste en no hacer nada.

Adolf salía de la habitación. Angela se sentía consternada. ¡Qué grosero era con su marido! Klara, al oírlo todo, guardaba silencio, pero era sólo por respeto a Angela. Aquel zoquete, Leo Raubal, a fin de cuentas, era el marido de su querida hijastra. En consecuencia no se entrometía. No sería ella la suegra que creaba problemas a un joven matrimonio. Aquello podía ser hasta peor que tener que escuchar cómo regañaba a su hijo aquel nuevo yerno que tenía una idea sumamente exagerada del valor de sus consejos. Klara se dijo a sí misma: «Adolf no es un holgazán. Se queda en casa, pero trabaja de firme cuando dibuja. Además no le gusta beber y no fuma. Eso no es un haragán. No pierde el tiempo. No va detrás de las chicas malas. No tengo que preocuparme por las chicas. Quizás llegue a ser todavía un gran artista. ¿Quién sabe? Es tan serio. Cuando está solo y trabaja, es muy fuerte y está muy orgulloso de sí mismo. Está convencido de que también él saldrá adelante. En este sentido es igual que Alois. O quizás aún más. Alois quería demasiadas cosas a la vez.» Y una vez más repetía:

–Adolf no pierde el tiempo con chicas. No hay chicas malas en su vida.

Ni las habría. No durante un largo tiempo. Más le habría valido a Klara inquietarse por los enredos amorosos venideros con hombres y chicos, algunos de ellos incluso hombres malos.

Como Klara veía a Adolf entonces con todo el amor de su corazón, apenas se paraba a pensar qué tendría él en la cabeza cuando se masturbaba. De hecho, ¿cómo iba a adivinarlo? No tenía constancia de que lo hiciera. Él se cuidaba de enjuagar los pañuelos. No, ella no sabía que mientras él se acariciaba y se acercaba cada vez más al momento de ser disparado por su propio cañón, se preguntaba si habría alguna conexión entre su negativa a trabajar en la aduana y la última hemorragia de su padre. De ser así, habría arrancado el cuero cabelludo a dos personas: a Edmund y a Alois. Y este pensamiento, junto con recuerdos de alumnos de la Realschule en los urinarios, excitaba tanto sus compresiones, cada vez más rápidas, que ya no lograba contenerlas y ¡zas!, ya estaba. Consumado el acto, se quedaba feliz y extenuado por todo lo que le había bullido dentro.

7

Años después, una chica que iba al colegio de Paula la veía a menudo paseando con Klara. Hasta hacía poco, aquella chica había vivido en una granja, pero ahora casi todos los días laborables veía a Klara recorrer con Paula todo el camino al colegio y despedirla con un beso. Nada parecido le había sucedido nunca a la chica campesina. Su madre siempre estaba demasiado atareada. Le daba igual a la chica que Paula se retrasara en clase y que la hubieran dejado atrás: la envidiaba a pesar de todo. Pensaba que el amor de una madre debía de ser dulce como la miel.

En realidad, hemos venido también a disfrutarlo.

Epílogo

El castillo en el bosque

Al principio dije que mi nombre era D. T., y no era del todo inexacto. Había sido un sobrenombre de Dieter mientras yo ocupaba el cuerpo y la persona de un hombre de las SS, ocupación que no terminó hasta el final de la Segunda Guerra Mundial. (Momento en el cual Dieter tuvo que abandonar Berlín pitando.) Por este medio, en síntesis, llegué a estar a la orilla de un alboroto en un campo donde la celebración continuó durante toda la noche. Soldados americanos acababan de liberar un campo de concentración el ultimísimo día de abril de 1945.

Instalado en un pequeño cubículo, fui interrogado por un capitán psiquiatra destinado en la división americana que había capturado el campamento. Debido a la agitación de los días anteriores, le habían facilitado una pistola del 45 que ahora descansaba en la mesa, cerca de mi mano. Siendo médico, el capitán no estaba acostumbrado a tener armas y vi que no se sentía a gusto con la suya.

El nombre en la etiqueta de su solapa era judío y huelga decir que no le hacía muy feliz lo que había visto.

De talante pacifista, el oficial judío había hecho lo posible por apartarse de lo peor de aquel entorno, lo que equivale a decir que procuraba huir de algunos de los más ofensivos olores humanos. Efluvios fétidos sin duda acompañaron los gritos de

503

alegría de los ex prisioneros. De hecho, el hedor era suficiente para que el americano me ordenase a mí, su único homólogo disponible, que me quedara con él en su despacho. Allí, después de medianoche, respondí a sus preguntas.

Estando los dos tan solos como dos náufragos en pleno océano, en una roca donde no cabían tres personas, confieso que jugué con sus sentimientos. Para mí era un momento de derrota. Estaba casi fuera de juego. El Maestro acababa de relevarme de servicio.

–Por ahora, apáñatelas –dijo–. Voy a trasladar nuestras operaciones a Estados Unidos y te llamaré en cuanto haya tomado algunas decisiones respecto a lo que vayamos a hacer allí.

Yo ni siquiera sabía si creerle. Entre nosotros abundaban los rumores. Un demonio llegó incluso a sugerir que habían degradado al Maestro.

Esta posibilidad –de ser cierta– indicaba que había en los dominios del Maestro elevaciones y profundidades que escapaban a mi comprensión. Así que actué como suelen hacerlo los humanos: opté por no pensar en ello. Me entregué por entero a otro juego. Decidí jugar con aquel psiquiatra judío fingiendo que le explicaba la visión del mundo que tenían los nazis a los que yo había servido. Di detalles sobre las empresas psicológicas que los nazis habíamos llevado a regiones inexploradas.

Surtió su efecto. Dieter había sido un hombre encantador de las SS, alto, rápido, rubio, de ojos azules e ingenioso. Para darle otra vuelta de tuerca, hasta sugerí que él era un nazi con problemas. Hice una excelente simulación de sincero pesar por los excesos condenables, que habrían de conocerse, de los logros del Führer. Fuera de la habitación, unos ex reclusos correteaban como locos de una punta a otra del campo de desfile. Los que aún tenían fuerzas para vocear gritaban como locos. A medida que la noche avanzaba, aquel capitán psiquiatra no pudo soportar su situación. Secuestrado en las profundidades de un pacifista típico –como se descubre invariablemente– hay un asesino.

Por eso, de entrada, la persona se ha hecho pacifista. Ahora, debido a mi sutil ataque contra lo que él creía que eran *sus* valores humanos, el capitán cogió su pistola del 45, sabía lo suficiente para quitar el seguro, y me disparó.

Diré que más de una vez he tenido que deshabitar un cuerpo. O sea que me desplacé. Viajé a Norteamérica. Hablé con el Maestro. Él observó:

—Sí, aquel capitán judío me enseñó el camino. ¡Invertiremos tanto en árabes como en israelíes!

Dicho lo cual, me deseó buena suerte y tuve que arreglármelas en Estados Unidos. Éste es otro relato, pero me temo que menos interesante. Los personajes, yo incluido, son más pequeños. Ya no formo parte de la historia.

Lo único que hay que añadir es por qué he escogido este título: *El castillo en el bosque*. Si el lector que me ha acompañado durante el nacimiento, la infancia y una buena parte de la adolescencia de Adolf Hitler me preguntara: «Dieter, ¿cuál es el vínculo con tu texto? Hay mucho bosque en tu historia, pero ¿dónde está el castillo?»

Le respondería que *El castillo en el bosque* es la traducción de *Waldschloss*.

Resulta que es el nombre que los presos pusieron hace años al campamento recién liberado. El Waldschloss se alza sobre la llanura desierta de lo que fue en otro tiempo un campo de patatas. No se ven muchos árboles y no hay rastro de un castillo. En el horizonte no hay nada de interés. Waldschloss, por consiguiente, pasó a ser la denominación que dio al recinto el más inteligente de los prisioneros. Fue un orgullo mantenido hasta el final no perder el sentido de la ironía. Para ellos se había convertido en su fortaleza. No debería extrañarnos que los presos que inventaron esta pieza de nomenclatura fueran berlineses.

Si eres alemán y posees una inteligencia despierta, la ironía es, por supuesto, vital para tu orgullo. En su origen, el alemán nos llegó como la lengua de gente sencilla, buenos animales paganos y agricultores, un pueblo tribal dedicado a la caza y la labranza. Por tanto es una lengua llena de los gruñidos del estómago y los gases en los intestinos de la vida bullanguera, los mugidos de los pulmones, los silbidos de la tráquea, los gritos de mando que se lanzan a animales domesticados y hasta el rugido que brota en la garganta ante la visión de la sangre. Dada, sin embargo, la imposición dictada sobre este pueblo a través de los siglos –que se dispongan a incorporarse a las comodidades de la civilización occidental antes de perder por completo esta oportunidad–, no me sorprende que gran parte de la burguesía alemana que había emigrado a la vida urbana desde corrales embarrados se desviviera por hablar con una voz tan suave como la seda de una manga. Sobre todo las mujeres. No incluyo las largas palabras alemanas, que muchas veces eran precursoras de nuestro espíritu tecnológico actual; no, me refiero a las palatales almibaradas, sonidos sentimentales para cerebros de baja estofa. Para todo alemán agudo, sin embargo, sobre todo para los berlineses, la ironía tuvo que ser el correctivo esencial.

Ahora bien, reconozco que esta disquisición nos aleja del relato que acabamos de atravesar, pero es lo que deseo hacer. Me permite volver a nuestro principio, cuando Dieter era miembro de la Sección Especial IV-2a. Huelga decir que confío en que desde entonces hayamos recorrido un largo trecho. Si el acto de traicionar al Maestro no llegase a destruirme, quizás algún día pueda emprender una nueva crónica de mi participación en la carrera inicial de Adolf Hitler, hasta finales de los años veinte y principios de los treinta, porque en aquel período Adolf vivió el idilio de su vida, y fue con Geli Raubal, la hija de Angela. Geli era corpulenta, bonita y rubia. Hitler la adoraba. Tuvieron relaciones muy indecentes. Como expresaría un alto subordinado, pianista consumado y personaje mundano llamado Putzi Hanfstaengl: «A Adolf sólo le gusta tocar las teclas negras.»

En 1930, Geli Raubal fue hallada muerta en el suelo del dormitorio que ocupaba en un ala del apartamento de Hitler en la Prinzregentenstrasse en Múnich. La habían matado de un tiro. O bien se había suicidado. La verdad nunca se supo. Echaron tierra, por supuesto, al asunto de inmediato.

Tampoco yo estoy satisfecho respecto a esta cuestión. Poco antes del suceso, me relevaron del seguimiento continuo de Adolf Hitler. El Maestro había decidido que el futuro Führer tenía ya una importancia suficiente para que le guiara alguien superior a mí. En realidad, sospecho que fue el propio Maestro el que me sustituyó. De todos modos, no volví a saber nada más sobre la muerte de Geli. Un silencio absoluto fue la única secuela del suceso. Tres años después, Hitler y sus nazis conquistaron el poder y a mí me encargaron habitar el cuerpo de aquel bueno de Dieter. Confieso que no pude perdonar al Maestro por mi destitución, que es quizás la mejor y la sola explicación que me indujo a escribir este libro.

Sin embargo, podría haber otro motivo. Un tema vuelve. ¿Podría ser que el Maestro, a quien serví en cien papeles distintos, aferrándome al orgullo de ser un oficial de campo de la poderosa eminencia de Satanás, me hubiera, en realidad, engañado? ¿Era probable ahora que el Maestro no fuese Satanás, sino sólo un subalterno más, aunque de un altísimo nivel?

Naturalmente, no existía una respuesta, pero puede que la pregunta alentase a echar raíces a la semilla de mi rebelión.

Si esto causa en el lector un nuevo malestar –no saber ahora siquiera si las palabras reproducidas las pronunció Satanás o eran tan sólo sardónicos atisbos de un intermediario más–, confesaré que sigo siendo lo bastante demonio para no experimentar una gran compasión. Lo que faculta para sobrevivir a los demonios es la sagacidad que les permite comprender que no hay respuestas: sólo hay preguntas.

Empero, ¿no es también cierto que no se encuentra un demonio que no trabaje en las dos aceras de la calle? Por tanto, debo admitir que siento un asombroso grado de afecto por aquellos lectores que hayan recorrido conmigo todo este trayecto. Por mi parte, he llegado tan lejos en esta narración que ya no puedo saber con certeza si sigo buscando clientes prometedores o si busco un amigo leal. Puede que no haya respuesta a esto, pero en las buenas preguntas sigue latiendo una vibración honrosa.

AGRADECIMIENTOS

A mis magníficos ayudantes, la difunta Judith McNally y Dwayne Prickett; a mi buen amigo y archivero, J. Michael Lennon; a David Ebershoff, mi redactor, y a Gina Centrello, mi editora, por su sagaz cooperación y sabios consejos; a Jason Epstein por su generosa revisión de un borrador anterior; a Holly Webber y Janet Wygal por su excelente corrección de estilo; a mis buenos amigos Hans Janitschek e Ivan Fisher por sus lecturas del manuscrito; a Elke Rosthal por sus lecciones de alemán; a mi mujer, Norris, y a mis nueve hijos por el calor que prestan a mi vida; y a Andrew Wylie y Jeff Posternak, mis formidables y agudos agentes.

BIBLIOGRAFÍA

Algunos de los libros enumerados en esta lista llevan delante
un asterisco por su relación histórica o temática con *El castillo en el
bosque*. Debería ser innecesario añadir que las demás obras citadas
también enriquecen muchas posibilidades narrativas. Los títulos
precedidos de un asterisco, sin embargo, me proporcionaron una
abundancia de datos factuales y referencias cronológicas que una
novela en esta forma nunca puede desdeñar. En todo lo demás, el
personaje es la secuencia.

NORMAN MAILER

Anderson, Ken, *Hitler and the Occult*, Amherts (Nueva York), Pro-
metheus Books, 1995.
Armstrong, Karen, *The Battle for God*, Nueva York, Ballantine,
2001.
Binion, Rudolph, *Hitler Among the Germans*, Dekalb (Illinois),
Northern Illinois University Press, 1976.
Brysac, Shareen Blair, *Resisting Hitler: Mildred Harnack and the
Red Orchestra*, Nueva York, Oxford University Press, 2000.
*Bullock, Alan, *Hitler: A Study in Tyranny*, Nueva York, Bantam,
1961 [trad. esp.: *Hitler y Stalin, Vidas paralelas*, Barcelona,
Círculo de Lectores, 1994].
*—, *Hitler: A Study in Tyranny* (edición abreviada), Nueva York,
Harper Collins, 1971.

*—, *Hitler and Stalin: Parallel Lives,* Nueva York, Knopf, 1992.

Burleigh, Michael, *The Third Reich: A New History,* Nueva York, Hill & Wang, 2000 [trad. esp.: *El tercer Reich,* Madrid, Taurus, 2002].

Cocks, Geoffrey, *Psychotherapy in the Third Reich,* 2.ª ed., Somerset (Nueva Jersey), Transaction Publishers, 1997.

Colum, Padraic, *Nordic Gods and Heroes,* Mineola (Nueva York), Dover, 1996.

Crane, Eva, *The World History of Beekeeping and Honey Hunting,* Londres, Routledge, 1999.

Crankshaw, Edward, *Gestapo: Instrument of Tyranny,* reedición, Cambridge, Da Capo Press, 1994.

Erikson, Erik H., *Young Man Luther,* reedición, Nueva York, W. W. Norton Co., 1962.

Farago, Ladislas, *After Math: The Final Search for Martin Bormann,* Nueva York, Avon, 1975.

*Fest, Joachim C., *Hitler,* Nueva York, Harcourt Brace Jovanovich, 1973.

*—, *Plotting Hitler's Death,* reedición, Nueva York, Henry Holt, 1996.

*—, *Speer: The Final Veredict,* Nueva York, Harcourt, 1999.

Frisch, Karl von, *The Dance Language and Orientation of Bees,* Cambridge, Belknap Press of Harvard University, 1967 [trad. esp.: *La vida secreta de las abejas,* Barcelona, Ediciones B, 2006].

*Fulop-Miller, Rene, *Rasputin: The Holy Devil,* Nueva York, Viking, 1928.

Gallo, Max, *The Night of Long Knives,* reimpresión, Cambridge, Da Capo Press, 1997.

Gilbert, G. M., *Nuremberg Diary,* reimpresión, Cambridge, Da Capo Press, 1995.

*Gobineau, Arthur de, *The Inequality of Human Races,* reimpresión, Nueva York, Howard Fertig, 1999.

*Goebbels, Joseph, *My Part in Germany's Fight,* reimpresión, Nueva York, Howard Fertig, 1979 [trad. esp.: *La lucha por el poder,* Barcelona, Wotan, 1976].

512

Goldhagen, Daniel Jonah, *Hitler's Willing Executioners: Ordinary Germans and the Holocaust*, Nueva York, Knopf, 1996 [trad. esp.: *Los verdugos voluntarios de Hitler*, Madrid, Taurus 1998].

Goodrich-Clarke, Nicholas, *The Occult Roots of Nazism: Secret Aryan Cults and Their Influence on Nazi Ideology*, Nueva York, New York University Press, 1985.

—, *The Occult Roots of Nazism*, 2.ª ed., Nueva York, New York University Press, 1992.

*Grimm, Jacob, *Teutonic Mythology*, vols. 1, 2, 3, 4, reimpresión, Mineola (Nueva York), Dover Publications, 1966.

Gun, Nerin E., *Eva Braun: Hitler's Mistress*, Nueva York, Meredith Press, 1968.

*Haffner, Sebastian, *The Meaning of Hitler*, Cambridge, Harvard University Press, 1979 [trad. esp.: *La dimensión de Hitler*, México, D.F., Laser Press Mexicana, 1980].

—, *The Ailing Empire: Germany from Bismarck to Hitler*, Nueva York, Fromm International Publishing Corp., 1989.

*Hamann, Brigitte, *Hitler's Vienna: A Dictator's Apprenticeship*, Nueva York, Oxford University Press, 1999.

*Hanfstaengl, Ernst «Putzi», *Hitler: The Missing Years*, reimpresión, Nueva York, Arcade Publishing, 1994.

Heidegger, Martin, *An Introduction to Metaphysics*, Nueva York, Doubleday, 1961 [trad. esp.: *Introducción a la metafísica*, Barcelona, Gedisa, 1992].

*—, *Being and Time*, San Francisco, Harper Collins, 1962 [trad. esp.: *El ser y el tiempo*, México, Fondo de Cultura Económica, 2000].

Heiden, Konrad, *Der Fuehrer: Hitler's Rise to Power*, Boston, Houghton Mifflin Company, 1944.

Heston, Leonard L., y Renate Heston, *The Medical Casebook of Adolf Hitler: His Illnesses, Doctors, and Drugs*, Nueva York, Stein and Day, 1979.

*Hoffmann, Heinrich, *Hitler Was My Friend*, Londres, Burke, 1955.

*Hoess, Rudolph, *Death Dealer: The Memoirs of the SS Komman-

dant at Auswitz, Amherst (Nueva York), Prometheus Books, 1992.

Iliodor, Sergei Michailovich Trufanoff, *The Mad Monk of Rusia, Iliodor,* Nueva York, The Century Co., 1918.

Irving, David, *Goebbels: Mastermind of the Third Reich,* Horsham (West Sussex), Focal Point Press, 1996.

Janik, Allan, y Stephen Toulmin, *Wittgenstein's Vienna,* Nueva York, Touchstone/Simon and Schuster, 1973 [trad. esp.: *La Viena de Wittgenstein,* Madrid, Taurus, 1998].

*Jenks, William A., *Vienna and the Young Hitler,* Nueva York, Columbia University Press, 1960.

*Jetzinger, Franz, *Hitler's Youth,* Londres, Hutchinson of London Press, 1958.

*Jung, Carl, *Memories, Dreams, Reflections,* Nueva York, Pantheon, Random House, 1963 [trad. esp.: *Recuerdos, sueños, pensamientos,* Barcelona, Seix-Barral, 1996].

Kaufmann, Walter, traductor y editor, *Goethe's Faust,* Nueva York, Doubleday, 1961.

Kelley, Douglas M., *22 Cells in Nuremberg,* Nueva York, Greenberg, 1947.

Kershaw, Ian, *The Hitler Myth: Image and Reality in the Third Reich,* Nueva York, Oxford University Press, 1987.

*—, *Hitler: 1889-1936: Hubris,* Nueva York, W. W. Norton, 1998 [trad. esp.: *Hitler: 1889-1936,* Barcelona, Península, 2002].

—, *Hitler: 1936-1945: Nemesis,* Nueva York, W. W. Norton, 2000 [trad. esp.: *Hitler: 1936-1945,* Barcelona, Península, 2002].

*Kersten, Felix, *The Kersten Memoirs 1940-45,* reimpresión, Nueva York, Howard Fertig, 1994.

Kirkpatrick, Ivone, *The Inner Circle,* Londres, Macmillan & Co., 1959.

*Kogon, Eugen, *The Theory and Practice of Hell: The Shocking Story of the Nazi SS and the Horror of the Concentration Camps,* Nueva York, Berkley Publishing, 1950 [trad. esp.: *El Estado de la SS: el sistema de los campos de concentración alemanes,* Barcelona, Alba, 2005].

514

*Kubizek, August, *The Young Hitler I Knew,* Boston, Houghton Mifflin, 1954 [trad. esp.: *Adolf Hitler, mi amigo de juventud,* Barcelona, Wotan, 1981].

Lang, Jochen von, *Hitler Close-Up,* Nueva York, Macmillan, 1969.

—, *The Secretary. Martin Bormann: The Man Who Manipulated Hitler,* Nueva York, Random House, 1979.

Langer, Walter C., *The Mind of Adolf Hitler, The Secret Wartime Report,* Nueva York, Basic Books, 1972.

Levenda, Peter, *Unholy Alliance,* Nueva York, Avon, 1995.

*Longgood, William, *The Queen Must Die!: and Other Affairs of Bees and Men,* Nueva York, W. W. Norton, 1985.

Lukacs, John, *A Thread of Years,* New Haven, Yale University Press, 1998.

*—, *The Hitler of History,* Nueva York, Knopf, 1997.

Macdonald Callum, *The Killing of SS Obergruppenfuhrer Reinhard Heydrich,* Nueva York, The Free Press/Macmillan, 1989.

*Machtan, Lothar, *The Hidden Hitler,* Nueva York, Basic Books, 2001, [trad. esp.: *El secreto de Hitler,* Barcelona, Planeta-De Agostini, 2007].

*Maeterlinck, Maurice, *The Life of the Bee,* Nueva York, Dodd, Mead and Co., 1919 [trad. esp.: *La vida de las abejas,* Madrid, Edaf, 1981].

*Mann, Thomas, *Dr. Faustus,* Nueva York, Knopf, 1948 [trad. esp.: *Doktor Faustus,* Barcelona, Altaya, 1995].

Manvell, Roger, y Heinrich Fraenkel, *Heinrich Himmler,* Londres, Heinemann, 1965.

Maser, Werner, *Hitler: Legend, Myth & Reality,* Nueva York, Harper & Row, 1971 [trad. esp.: *Hitler,* Barcelona, Acervo, 1995].

Massie, Suzanne, *Land of the Firebird,* Blue Hill (Massachusetts), HeartTree Press, 1980.

May, Karl, *Winnetou,* reimpresión de la ed. de 1892-1893, Pullman (Washington), Washington State University Press, 1999 [trad. esp.: *La venganza de Winnetou,* Llinars del Vallès, Editors, 1986].

McLynn, Frank, *Carl Gustav Jung,* Nueva York, St Martin's Press, 1996.

Melzer, Werner, *Beekeeping: A Complete Owner's Manual*, Hauppauge (Nueva York), Barron's Press, 1989.

*Milton, John, *Paradise Lost*, Nueva York, Signet, 1969 [trad. esp.: *El paraíso perdido*, Pozuelo de Alarcón, Espasa-Calpe, 1998].

*Mironenko, Sergei, y Andrei Maylunas, *A Lifelong Passion: Nicholas and Alexandra: Their Own Story*, Nueva York, Doubleday, 1997. Las cartas del libro VIII han sido extraídas de esta fuente.

Moeller van den Bruck, Arthur, *Germany's Thrid Empire*, reimpresión, Nueva York, Howard Fertig, 1971.

Mosse, George L., *The Crisis of German Ideology*, Nueva York, Grosset & Dunlap, 1964.

—, *Nazi Culture*, Nueva York, Schocken Books, 1966.

—, *Toward the Final Solution*, reimpresión, Nueva York, Howard Fertig, 1978.

—, *Toward the Final Solution*, reimpresión, Nueva York, Howard Fertig, 1985.

—, *The Crisis of German Ideology*, reimpresión, Nueva York, Howard Fertig, 1998.

—, *The Fascist Revolution*, reimpresión, Nueva York, Howard Fertig, 1999.

*Newman, Ernst, *The Life of Wagner*, vols. 1-4, Nueva York, Knopf, 1946.

The Nibelungenlied, Mineola (Nueva York), Dover Books, 2001.

*Nietzsche, Friedrich, *Beyond Good and Evil*, Nueva York, Random House, 1966 [trad. esp.: *Más allá del bien y del mal*, Madrid, Alianza, 1997].

*—, *The Birth of Tragedy and the Case of Wagner*, Nueva York, Random House, 1967 [trad. esp.: *El nacimiento de la tragedia*, Madrid, Alianza, 2000, y *Nietzsche contra Wagner*, Madrid, Siruela, 2005].

*—, *The Genealogy of Morals and Ecce Homo*, Nueva York, Random House, 1967 [trad. esp.: *La genealogía de la moral*, Madrid, Alianza, 1997, y, *Ecce Homo*, Madrid, Alianza, 1998].

*—, *Thus Spoke Zarathustra*, Nueva York, Penguin, 1978 [trad. esp.: *Así habló Zaratustra*, Madrid, Alianza, 2005].

—, *On the Genealogy of Morals*, Nueva York, Oxford University Press, 1996 [trad. esp.: *La genealogía de la moral*, Madrid, Alianza, 1997].

*—, *Human All Too Human*, Lincoln (Nebraska), Bison Books/University of Nebraska Press, 1996 [trad. esp.: *Humano, demasiado humano*, Madrid, M. E., Editores, 1993].

*—, Walter Kaufmann, ed., *The Portable Nietzsche*, Nueva York, Penguin, 1982.

Noakes, J., y G. Pridham, ed., *Nazism 1919-1945: Vol. 1, 1919-1934*, Exeter, University of Nebraska Press, 1983.

*Noll, Richard, *The Aryan Christ: The Secret Life of Carl Jung*, Nueva York, Random House, 1997.

Nolte, Ernst, *Three Faces of Fascism: Action Française, Italian Fascism, National Socialism*, Nueva York, New American Library, 1965.

*Payne, Robert, *The Life and Death of Adolf Hitler*, Nueva York, Praeger Publishers, 1973.

Posner, Gerald L., y John Ware, *Mengele: The Complete Story*, Nueva York, Dell, 1986 [trad. esp.: *Mengele: el médico de los experimentos de Hitler*, Madrid, Esfera de los Libros, 2005].

Radzinsky, Edvard, *The Rasputin File*, Nueva York, Anchor Books, 2001 [trad. esp.: *Rasputín: los archivos secretos*, Barcelona, Círculo de Lectores, 2003].

Ravenscroft, Trevor, *The Spear of Destiny*, York Beach (Massachusetts), Samuel Weiser, 1982 [trad. esp.: *El talismán del poder*, Teià, Robinbook, 2006].

*Rosenbaum, Ron, *Explaining Hitler: The Search for the Origins of His Evil*, Nueva York, Random House, 1998.

Rubenstein, Richard L., *After Auschwitz: Radical Theology and Contemporary Judaism*, Indianápolis, Bobbs-Merrill Co., 1966.

*Salisbury, Harrison E., *Black Night, White Snow; Russia's Revolutions 1905-1917*, Nueva York, Doubleday, 1978.

*Schellenberg, Walter, *The Schellenberg Memoirs: A Record of the Nazi Secret Service*, Londres, Andre Deutsch, 1956 [trad. esp.: *Al servicio de Hitler: memorias del jefe del espionaje nazi*, Barcelona, Belacqua de Ediciones y Publicaciones, 2005].

*Sereny, Gitta, *Albert Speer: His Battle with Truth*, Nueva York, Knopf, 1995 [trad. esp.: *Albert Speer: su batalla con la verdad*, Barcelona, Ediciones B, 2006].

Shirer, William L., *Berlin Diary: The Journal of a Foreign Correspondent, 1934-1941*, Nueva York, Knopf, 1941.

—, *The Rise and Fall of the Third Reich*, Nueva York, Simon and Schuster, 1960.

Showalter, Dennis E., *Little Man, What Now? Der Sturmer in the Weimar Republic*, Hamden (Connecticut), Archon Books, 1982.

Sichrovsky, Peter, *Incurable German*, Nueva York, Swan Books, 2001.

*Smith, Bradley F., *Adolf Hitler: His Family, Chilhood & Youth*, Stanford, Hoover Institution Press (Stanford University), 1967.

*—, *Heinrich Himmler: A Nazi in the Making 1900-1926*, Stanford, Hoover Institution Press (Stanford University), 1971.

Snyder, Louis L., *Hitler's Elite: Nineteen Biographical Sketches of Nazis Who Shaped the Third Reich*, Nueva York, Hippocrene Books, 1989.

*Speer, Albert, *Inside the Third Reich*, Nueva York, Macmillan, 1970.

—, *Spandau: The Secret Diaries*, Nueva York, Macmillan, 1976 [trad. esp.: *Diario de Spandau*, Barcelona, Mundo Actual de Ediciones, 1976].

*Stein, George H., ed., *Hitler*, Englewood Cliffs (Nueva Jersey), Prentice-Hall, 1968.

*Sturmer, Michael, *The German Empire (1870-1918)*, Nueva York, The Modern Library, 2000.

Taylor, Telford, introducción y editor, *Hitler's Secret Book*, Nueva York, Grove Press, 1961.

Toland, John, *Adolf Hitler* (vol. 1), Nueva York, Doubleday, 1976.

Tolstói, Lev, *The Death of Ivan Ilych*, Nueva York, Doubleday, 1976 [trad. esp.: *La muerte de Iván Ilich*, Barcelona, Océano, 2001].

—, *Anna Karenina*, Nueva York, Viking, 2001 [trad. esp.: *Anna Karenina*, Barcelona, Salamandra, 1997].

*Trevor-Roper, H. R., ed., *Hitler's Secret Conversations (1941-1944)*, Nueva York, Farrar, Straus and Young, 1953.

—, ed., *The Bormann Letters*, Londres, AMS Press/Weidenfeld and Nicholson, 1954.

—, *The Last Days of Hitler*, Chicago, University of Chicago Press, 1992 [trad. esp.: *Los últimos días de Hitler*, Barcelona, Alba, 2000].

Trotski, León, *My Life*, Nueva York, Pathfinder Press, 1970 [trad. esp.: *Mi vida: memorias de un revolucionario*, Barcelona, Debate, 2006].

*Waite, Robert G. L., *The Psychopathic God: Adolf Hitler*, reimpresión, Cambridge, Da Capo Press, 1993.

Warlimont, Walter, *Inside Hitler's Headquarters 1939-45*, Nueva York, Presidio Press, 1964.

*Weitz, John, *Hitler's Diplomat: The Life and Times of Joachim von Ribbentrop*, Nueva York, Ticknor & Fields, 1992.

Wilson, Colin, *Rasputin and the Fall of the Romanovs*, Nueva York, Farrar, Straus and Co., 1964.

Wykes, Anton, *Himmler*, Nueva York, Ballantine Books, 1972.

*Youssoupov, Felix, *Rasputin*, Londres, Jonathan Cape/Florian Press, 1934 [trad. esp.: *Cómo maté a Rasputín*, Madrid, Oriente, 1929].

—, *Lost Splendor*, reimpresión, Chappaqua (Nueva York), Helen Marx Books, 2003.

ÍNDICE

Impreso en Talleres Gráficos
LIBERDÚPLEX, S. L. U.,
ctra. BV 2249, km 7,4 - Polígono Torrentfondo
08791 Sant Llorenç d'Hortons